스도 학습 강화 시리즈

금자랑 놀자!

중학 **역사**② 자습서

김형종 · 장문석 · 박범희 · 고재연 · 고진아
김현성 · 우지민 · 이대희 · 맹수용

금성출판사

이 책의 구성과 활용법

중학교 역사 ② 자습서는 2015 개정 교육과정의 성취 목표에 맞추어
교과 역량 향상과 다양한 유형의 평가에 대비할 수 있도록
구성하였습니다.

체계적인
교과서 개념 정리

친절한
교과서 활동 풀이

학교시험에 대비한
문제 풀이와 해설

체계적인 교과서 개념 정리

● 대주제의 학습 계획을 세운 후 나의 목표 달성 정도를 표시하여 부족한 부분을 보충해 보아요.

● 교과서의 핵심 내용을 학습 후, 핵심 자료가 있는 경우 꼼꼼하게 분석합니다. 확인해 봐요로 학습한 내용을 확인해 보아요.

대주제 열기

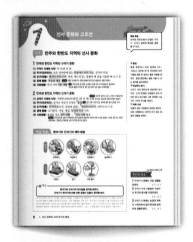

교과서 요점 정리

친절한 교과서 활동 풀이

● 교과서의 다양한 활동에 대한 도움말과 예시 답안을 참고합니다. 활동 도우미를 통해 스스로 활동을 수행해 보아요.

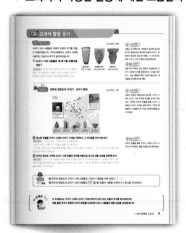

교과서 활동 풀이

교과서 대주제 마무리 풀이

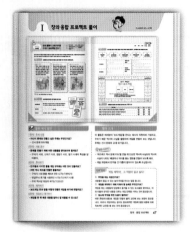

교과서 창의 · 융합 프로젝트 풀이

평가에 대비한 단계별 문제 풀이

● 중주제별 문제와 대주제 마무리를 통해 평가에 대비합니다. 단계별 문제와 서술형 문제를 통해 나의 학습 수준을 점검해 보아요.

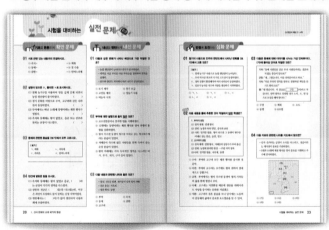

시험을 대비하는 실전 문제

대주제를 정리하는 종합 문제

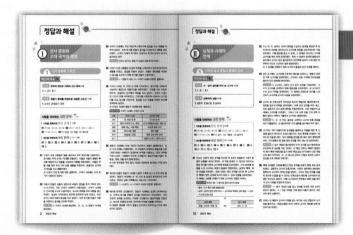

부록 정답과 해설

정답과 오답에 대한 꼼꼼한 해설로 문제 이해력을 높입니다.
이를 통해 문제 이해력을 높이고 유사 문제나 응용 문제에
대비해 보아요.

차례

선사 문화와
고대 국가의 형성

1	선사 문화와 고조선	8
2	여러 나라의 성장	16
3	삼국의 성립과 발전	24
4	삼국의 문화와 대외 교류	36
	대주제를 정리하는 종합 문제	48

남북국 시대의
전개

1	신라의 삼국 통일과 발해의 건국	52
2	남북국의 발전과 변화	60
3	남북국의 문화와 대외 관계	68
	대주제를 정리하는 종합 문제	78

고려의 성립과
변천

1	고려의 건국과 정치 변화	82
2	고려의 대외 관계	92
3	몽골의 간섭과 고려의 개혁	100
4	고려의 생활과 문화	108
	대주제를 정리하는 종합 문제	120

IV
조선의 성립과 발전

1 통치 체제와 대외 관계　124

2 사림 세력과 정치 변화　132

3 문화의 발달과 사회 변화　140

4 왜란·호란의 발발과 영향　148

　대주제를 정리하는 종합 문제　160

V
조선 사회의 변동

1 조선 후기의 정치 변동　164

2 사회 변화와 농민의 봉기　174

3 학문과 예술의 새로운 경향　182

4 생활과 문화의 새로운 양상　192

　대주제를 정리하는 종합 문제　202

VI
근·현대 사회의 전개

1 국민 국가의 수립　206

2 자본주의와 사회 변화　218

3 민주주의의 발전　226

4 평화 통일을 위한 노력　236

　대주제를 정리하는 종합 문제　246

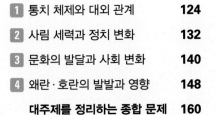

I 선사 문화와 고대 국가의 형성

이 대주제를 » 배우면

- 고조선의 성립과 이후 철기 문화를 바탕으로 만주와 한반도 지역에 성립한 여러 나라에 관하여 설명할 수 있어요.
- 삼국의 성장 과정, 통치 체제의 특징, 제도 정비와 영토 확장 과정을 설명할 수 있어요.
- 삼국 시대의 대외 교류 양상과 그 영향을 사례를 통해 설명할 수 있어요.

나의 학습 계획표

이 대주제의 학습 주제

1 선사 문화와 고조선
교과서 10~15쪽

| 주제 1 | 만주와 한반도 지역의 선사 문화 |
| 주제 2 | 청동기 문화를 바탕으로 성립한 고조선 |

시험을 대비하는 실전 문제

2 여러 나라의 성장
교과서 16~19쪽

| 주제 3 | 만주와 한반도 북부에서 일어난 부여와 고구려 |
| 주제 4 | 한반도에서 일어난 옥저와 동예, 삼한 |

시험을 대비하는 실전 문제

3 삼국의 성립과 발전
교과서 20~29쪽

주제 5	정복과 연맹을 통해 형성된 삼국과 가야
주제 6	중앙 집권 체제를 정비한 삼국
주제 7	백제와 고구려의 세력 확대
주제 8	새로운 강자로 떠오른 신라

시험을 대비하는 실전 문제

4 삼국의 문화와 대외 교류
교과서 30~37쪽

주제 9	삼국의 고분 문화와 의식주
주제 10	삼국의 종교와 학문
주제 11	여러 나라와 교류한 삼국과 가야

시험을 대비하는 실전 문제

대주제를 정리하는 종합 문제

고인돌은 청동기 시대 지배층의 무덤으로 알려져 있어.

대주제 표지 사진 해설 ▶ 오른쪽 사진은 인천 강화도에 있는 고인돌이에요. 한반도에 널리 분포하는 고인돌을 통해 지배 계급이 발생했다는 사실을 짐작할 수 있어요. 고인돌을 살펴보면서 만주와 한반도의 선사 문화와 고조선 사회를 살펴보고, 여러 나라의 성장, 삼국의 성립과 발전, 대외 관계 및 문화를 알아보아요.

학습 계획일		학습일		나의 목표 달성도
월	일	월	일	☆☆☆☆☆
월	일	월	일	☆☆☆☆☆
월	일	월	일	☆☆☆☆☆
월	일	월	일	☆☆☆☆☆
월	일	월	일	☆☆☆☆☆
월	일	월	일	☆☆☆☆☆
월	일	월	일	☆☆☆☆☆
월	일	월	일	☆☆☆☆☆
월	일	월	일	☆☆☆☆☆
월	일	월	일	☆☆☆☆☆
월	일	월	일	☆☆☆☆☆
월	일	월	일	☆☆☆☆☆
월	일	월	일	☆☆☆☆☆
월	일	월	일	☆☆☆☆☆
월	일	월	일	☆☆☆☆☆
월	일	월	일	☆☆☆☆☆

1 선사 문화와 고조선

학습 목표
만주와 한반도에서 발생한 구석기 · 신석기 문화의 특징을 설명할 수 있다.

주제 1 만주와 한반도 지역의 선사 문화

1 만주와 한반도 지역의 구석기 문화

(1) **구석기 시대의 시작:** 약 70만 년 전
(2) **주거지(유적지):** 낮은 산자락에 있는 동굴이나 바위 그늘, 강가의 막집
(3) **도구(유물):** 뗀석기(주먹 도끼, 찍개, 찌르개 등), 동물의 뼈 등을 이용한 뼈 도구 등
(4) **경제 활동:** 사냥과 채집 `어떻게?` 동물을 사냥하거나 식물의 열매와 뿌리 등을 채집하여 식량을 얻었어.
(5) **사회생활:** 무리 지어 이동 생활 `왜?` 구석기인은 큰 짐승을 사냥하기 위해 무리 지어 다녔으며, 한곳에서 사냥과 채집을 마치면 또 먹을 것을 찾아 다른 곳으로 이동하였어.

2 만주와 한반도 지역의 신석기 문화

(1) **신석기 시대의 시작:** 기원전 8000년경(약 1만 년 전) `어떻게?` 마지막 빙기가 끝나고 기후가 따뜻해지면서 숲이 우거지고 오늘날과 비슷한 환경이 되었어.
(2) **주거지(유적지):** 강가나 바닷가 근처의 ❶움집 `왜?` 물을 구하기 쉬운 장소 근처에 집을 짓고 살았을 거야.
(3) **도구(유물):** 간석기(돌도끼, 갈판과 갈돌), ❷빗살무늬 토기, 덧무늬 토기 등
(4) **경제 활동:** 고기잡이, 사냥, 채집, 농경과 목축 시작
(5) **사회생활:** 움집을 짓고 정착 생활 → ❸씨족 사회 형성
`어떻게?` 신석기인들은 농경이 시작되면서 점차 한곳에 정착하여 마을을 이루며 살게 되었어. 이들은 공동으로 식량을 생산하였고, 생산물도 공평하게 나누어 빈부의 차이가 없었어.

❶ 움집
땅을 원형이나 네모 형태로 50~100cm 깊이로 판 후 단단하게 다져 기둥을 세운 후 갈대나 풀로 지붕을 얹었다. 움집 중앙에는 불을 피울 수 있는 화덕을 설치하였다.

❷ 빗살무늬 토기
신석기 시대 한반도의 대표적인 토기이다. 신석기인들은 빗살같이 길게 이어진 무늬 새기개로 그릇 표면을 누르거나 그어서 무늬를 새겼다.

❸ 씨족 사회
핏줄이 같은 사람들의 집단을 말한다. 씨족 사회에서는 빈부의 차이가 없는 평등한 생활을 하였다.

핵심 자료 **뗀석기와 간석기의 제작 방법**

뗀석기
모루떼기 · 직접떼기 · 간접떼기 · 눌러떼기

간석기
자르기 · 갈기 · 구멍 뚫기

☑ 핵심
> 뗀석기와 간석기의 차이점을 생각해 보면서,
> 간석기가 뗀석기에 비해 어떤 장점이 있을지 생각해 보자.

구석기 시대와 신석기 시대를 구분하는 방법은 석기를 만드는 방법이다. 구석기 시대의 뗀석기는 돌을 그대로 떼어 내어 만들기 때문에 정교하지 않았다. 또한 처음에는 주먹 도끼, 찍개 등 하나의 뗀석기를 여러 용도로 사용하다가 점차 긁개, 밀개와 같이 용도에 따라 다양한 뗀석기를 만들었다. 신석기 시대의 간석기는 돌을 갈아 만들었으므로 정교하고 날카로웠다. 돌을 원하는 형태로 잘라내고, 갈고, 구멍을 뚫어 다양한 용도로 사용하였다.

② 정답과 해설 2쪽

확인해 봐요 🔍

1 구석기 시대에는 이동 생활을 하였다. (○ , ×)

2 구석기 시대 사람들은 빗살무늬 토기에 음식을 저장하였다. (○ , ×)

3 신석기 시대에는 농경과 목축이 시작되면서 점차 한곳에 정착하여 생활하였다. (○ , ×)

교과서 활동 풀이

가자! 역사 속으로

신석기 시대 사람들은 다양한 모양의 토기를 만들어 사용하였습니다. 우리나라에서도 신석기 시대에 사용하던 빗살무늬 토기가 발견되었습니다.

✔ 신석기 시대 사람들은 왜 토기를 만들었을까요?

예시 답안 토기는 주로 식량을 저장하거나 음식물을 조리하는 데 사용하였다. 따라서 신석기 시대에는 농사가 이루어졌고, 생산한 곡식을 저장하였음을 추론할 수 있다.

📎 교과서 10쪽

칠그림 토기 | **빗살무늬 토기** | **조몬 토기**
(이란 수사 출토) | (서울 암사동 출토) | (일본 도쿄 출토)

💡 자료 해설

자료는 옛 페르시아 지역에서 발견된 칠그림 토기와 한반도에서 발견된 빗살무늬 토기, 일본에서 발견된 조몬 토기예요. 이 세 토기는 모두 신석기 시대 유적에서 발견되었어요.

💡 활동 도우미

세계 여러 지역과 같이 한반도 일대에서도 신석기 시대에 토기를 만들었다는 사실을 확인하고, 생산 활동에 따라 저장의 필요성이 생겼음을 생각해 보도록 해요.

탐구 해 봐요 — 만주와 한반도의 구석기 · 신석기 문화

📎 교과서 11쪽

💡 자료 해설

지도는 만주와 한반도에서 발견된 구석기 시대와 신석기 시대 유적의 위치를 표시한 것입니다. 유적의 위치와 유물을 통해 구석기 시대에서 신석기 시대로 넘어가면서 기후가 따뜻해지고 사람들의 주거지도 변화하였음을 알 수 있지요.

1 제시된 유물을 구석기 시대와 신석기 시대로 구분하고 그 차이점을 이야기해 보자.

예시 답안 • 구석기 시대: ① 주먹 도끼, ④ 슴베찌르개
• 신석기 시대: ② 돌도끼, ③ 갈판과 갈돌, ⑤ 덧무늬 토기
• 차이점: 구석기 시대 도구는 돌의 표면을 거칠게 자르거나 떼어 내서 만들었고, 신석기 시대 도구는 돌의 표면을 갈아서 정교하게 만들었다.

2 만주와 한반도 지역의 신석기 시대 유물과 유적을 바탕으로 당시의 생활 모습을 추론해 보자.

예시 답안 신석기 시대 사람들은 돌도끼 등의 도구를 이용하여 작은 짐승을 사냥하고, 농사를 지었다. 농사 지은 곡식을 갈판에 올려 놓고 갈돌로 껍질을 까거나 갈아 먹었다. 또한 토기를 만들어 식량을 저장하거나 음식을 조리하는 데 이용하였다.

💡 활동 도우미

지도와 유물을 통해 구석기 시대와 신석기 시대 도구의 특징과 생활 모습을 유추해 보아요.

스스로 확인해요

❶ 만주와 한반도의 구석기 시대 사람들은 사냥이나 채집을 하며 살았다. (○)
❷ 만주와 한반도의 신석기 시대 사람들은 토 기 을/를 만들어 식량을 보관하거나 음식을 조리하였다.

이 주제의 핵심

이 주제에서는 구석기 시대와 신석기 시대의 흔적이 남아 있는 유물과 유적을 알아보았어요.
이를 통해 구석기 문화와 신석기 문화를 비교하면서 당시 사람들의 생활 모습을 상상해 봅시다.

학습 목표
만주와 한반도에서 발생한 청동기 문화의 특징과 고조선의 사회 모습을 설명할 수 있다.

주제 2 청동기 문화를 바탕으로 성립한 고조선

1 만주와 한반도에 나타난 청동기 문화

(1) 청동기 보급: 기원전 2000년경~기원전 1500년경 → 지배 계급의 무기나 장신구, 제사용 도구로 사용

(2) 생산 활동: 농경의 본격화, 일부 지역에서 벼농사 시작

(3) 유물: ❶반달 돌칼(농기구), 민무늬 토기(곡식 저장 및 조리), 각종 청동기

(4) 군장의 등장: 농업 발달로 인구 증가, 빈부 차이와 계급 발생 → 경제력과 통솔력을 갖춘 군장(족장)이 등장하여 부족 통솔 → 죽은 후 거대한 ❷고인돌 제작

2 고조선의 성립과 성장

(1) 성립: 만주와 한반도 서북부에 청동기 문화를 바탕으로 여러 부족 등장 → ❸단군왕검이 고조선 건국(기원전 2333년)

(2) 사회 모습: 농경 중심, 연맹을 통한 세력 확장, ❹제정일치 사회

(3) 철기 문화의 보급: 기원전 5세기경, 고조선 성장의 발판

(4) ❺위만 왕조: 기원전 2세기경 중국에서 온 위만이 왕위 차지

(5) 성장: 철기를 이용한 농업 발전, 중계 무역을 통한 경제적 이익

> **어떻게?** 중국의 한과 한반도 남쪽 나라들 사이에서 중계 무역을 하였어.

3 한의 공격과 고조선의 멸망

(1) 한의 공격: 고조선의 성장 견제 → 한 무제의 고조선 침입 → 고조선의 저항

(2) 고조선의 멸망: 지배층 내부의 분열 → 수도 왕검성 함락(기원전 108년)

(3) 고조선 멸망 이후 상황: 한 군현 설치, 일부 유민은 한반도 남부로 이동

4 고조선 사회의 특징

(1) 통치 조직 정비: 왕 아래에 관리를 두고 정치 조직 마련

> **어떻게?** 왕의 밑에 상, 대부, 장군과 같은 관직을 두고 정치 기틀을 다져 나갔어.

(2) 신분 사회: 지배층(왕·관리·귀족), 피지배층(백성·노비)으로 구분

(3) 엄격한 법률 제정: 「8조법」 등 엄격한 법률을 만들어 사회 질서 유지

---

❶ 반달 돌칼
청동기 시대에 널리 사용된 수확용 농사 도구이다. 두 개의 구멍에 끈을 연결하여 손으로 잡고 사용하였다.

❷ 고인돌
청동기 시대 지배자의 무덤으로 알려져 있다. 고인돌의 제작을 통해 많은 사람을 모을 수 있는 강한 지배자가 있었음을 짐작할 수 있다.

❸ 단군왕검
단군은 제사장, 왕검은 정치적 우두머리를 의미하는데, 이를 통해 단군왕검이 제정일치 사회의 지배자임을 알 수 있다.

❹ 제정일치
제사(종교)와 정치를 한 사람이 맡는 정치 형태를 의미한다. 종교적 지배자인 제사장이 곧 정치 지배자이다.

❺ 위만
위만은 기원전 2세기경 진·한 교체기에 무리를 이끌고 연에서 고조선으로 망명하였다. 이후 세력을 키워 고조선의 준왕을 몰아내고 왕위를 차지하였다. 위만은 왕이 된 후에도 조선이라는 국호를 그대로 사용하였다.

핵심 자료 농경무늬 청동기

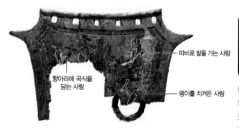

- 따비로 밭을 가는 사람
- 항아리에 곡식을 담는 사람
- 괭이를 치켜든 사람

> ✅ **핵심**
> 청동기에 새겨진 것들을 통해 청동기 시대의 어떤 생활 모습을 알 수 있을까?

따비와 괭이를 들고 밭을 가는 모습은 씨앗을 뿌리는 파종을 나타내고, 항아리에 곡식을 담는 모습은 수확과 저장을 나타낸 것으로 보인다. 이를 통해 당시 농사가 사람들의 삶에 가장 중요한 문제 중 하나였음을 알 수 있다.

🔍 정답과 해설 2쪽

확인해 봐요

1 우리 역사상 최초의 국가는 (　　　)이다.

2 고조선은 (　　　) 문화를 바탕으로 건국되었다.

3 고조선은 중국 (　　　)의 공격으로 멸망하였다.

교과서 활동 풀이

가자! 역사 속으로

📎교과서 12쪽

기원전 3500년경 서아시아에 청동기 문화가 출현한 이후, 세계 각지에서는 청동기를 바탕으로 문명이 발생하고 국가가 성립하였습니다.

✔️ **만주와 한반도 지역에서 청동기 문화를 바탕으로 성립한 국가는 무엇일까요?**

예시 답안 고조선

자료 해설
금속으로 도구를 만들기 위해 높은 열을 가하여 액체로 만들고, 거푸집에 부어 청동기를 만드는 모습이에요.

교과서 삽화 자료
「삼국유사」에 기록된 단군왕검의 고조선 건국 이야기 📎교과서 13쪽

❓ **단군왕검의 고조선 이야기에 반영된 청동기 시대의 특징은 무엇일까?**

예시 답안 농업 중심 사회, 통솔력을 갖춘 군장의 등장, 정복과 연맹을 통한 세력 확대(부족 간의 연합), 제정 일치 사회 등의 특징을 확인할 수 있다.

활동 도우미
고조선 건국 이야기를 통해 고조선의 건국 과정과 당시 사회 모습을 짐작해 볼 수 있어요.

탐구 해 봐요
「8조법」을 통해 본 고조선 사회 📎교과서 15쪽

백성들에게 금하는 법 8조가 있었다. **(가)** 사람을 죽인 자는 바로 사형에 처하고, **(나)** 남에게 상해를 입힌 자는 곡물로 배상하게 한다. **(다)** 남의 물건을 훔친 자는 재산을 몰수하고 그 집의 노비로 삼으며, 속죄하려고 하는 자는 1인당 50만(전)을 내게 한다. - 「한서」 -

1 위 자료에서 고조선이 신분제 사회였음을 나타내는 단어를 찾아보자. 예시 답안 노비

2 (가)~(다)의 내용을 통해 알 수 있는 고조선의 사회 모습을 낱말 카드를 활용하여 설명해 보자.

예시 답안 (가): 사람의 생명 및 신체 보호를 중요시하는 사회였다. (나): 곡물로 배상하게 하는 것으로 보아 농경 중심 사회였다. (다): 사유 재산을 인정하여 보전할 수 있도록 하였으며, 신분 제도가 있는 사회였다. 또한 화폐를 사용하는 사회였다.

자료 해설
자료는 고조선에 존재하였던 법률로, 당시 만들어진 8개의 법 조항 중 3개 조항이 전해져 고조선 사회의 특징을 알 수 있어요. 첫 번째 조항에서는 고조선에 국가 권력이 확립되어 있음을 추론할 수 있고, 사람의 생명을 중시하였음을 알 수 있어요. 두 번째 조항에서는 농경 중심 사회였음을 알 수 있고, 세 번째 조항에서는 사유 재산에 대한 인정, 신분제 사회, 화폐 사용 등을 확인할 수 있어요.

스스로 확인해요

❶ 청동기 시대 사람들은 청동으로 농기구를 만들어 사용하였다. (×)

❷ 위만 왕조 시기의 고조선은 한과 한반도 남부의 여러 세력 사이에서 중계무역 을/를 하여 많은 이익을 얻었다.

이 주제의 핵심

이 주제에서는 청동기의 보급이 가져온 사회 변화, 고조선의 건국과 발전 과정을 알아보았어요. 청동기의 특징과 쓰임, 청동기 보급 이후 당대의 사회에 어떤 변화가 나타났는지를 이해하는 것이 중요해요. 또한 이 시기에 우리 역사상 최초의 국가인 고조선이 성립하였음을 알고, 고조선의 사회 모습을 기억해 두세요.

시험을 대비하는 실전 문제

01 서로 관련 있는 내용끼리 연결하시오.

ㄱ 구석기 시대 •   • ⓐ 고인돌

ㄴ 신석기 시대 •   • ⓑ 뗀석기

ㄷ 청동기 시대 •   • ⓒ 빗살무늬 토기

02 설명이 맞으면 ○, 틀리면 ×로 표시하시오.

(1) 구석기 시대 사람들은 이동 생활을 하고, 동굴이나 막집에서 살았다. ( )

(2) 신석기 시대 사람들은 지배층이 죽으면 그들의 권위를 상징하는 고인돌을 만들었다. ( )

(3) 우리 역사상 최초의 국가인 고조선은 청동기 문화를 바탕으로 성립하였다. ( )

(4) 고조선은 사회 질서를 유지하기 위해 엄격한 법률을 제정하였다. ( )

03 보기의 내용을 발생한 순서대로 나열하시오.

┌ **보기** ───────────────┐
│ ㄱ. 고조선 건국   ㄴ. 한 군현 설치 │
│ ㄷ. 왕검성 함락   ㄹ. 위만의 왕위 찬탈 │
└────────────────────┘

- -

04 빈칸에 알맞은 말을 쓰시오.

(1) 신석기 시대에는 (   )와/과 목축을 하면서 식량을 생산하기 시작하였다.

(2) 청동기 시대에 이르러 빈부 격차가 나타나고 (   )도 생겨났다.

(3) 단군왕검은 (   )을/를 뜻하는 단군과 정치적 지배자를 뜻하는 왕검을 합친 호칭이다.

01 구석기 시대의 가상 대화 내용 중 옳지 <u>않은</u> 것은?

① 갑: 내일 마을 사람들과 함께 식물 뿌리나 열매를 채집하러 가야겠어.

② 을: 사냥을 하기 위해서는 도구가 필요하니까 주먹 도끼를 만들어야겠군.

③ 병: 이 지역에 먹을 것들이 모두 떨어졌으니 다른 지역으로 이동해야겠어.

④ 정: 음식을 먹다 보니 남은 것이 많이 생기는군. 빗살무늬 토기에 저장해야겠네.

⑤ 무: 밤에 찬바람이 많이 들어와서 추울 것 같아. 동굴 입구를 막으면 좋을 것 같군.

02 다음 유물을 사용하기 시작한 시기에 대한 설명으로 옳은 것은?

① 찍개나 주먹 도끼를 사용하였다.

② 지배층이 죽으면 고인돌을 만들었다.

③ 사유 재산이 발생하고 빈부 격차가 커지면서 계급이 생겨났다.

④ 농경이 시작되면서 주로 강가나 바닷가에 움집을 짓고 생활하였다.

⑤ 우수한 무기를 가진 부족이 다른 부족을 정복하며 국가가 만들어졌다.

정답과 해설 2쪽

03 (가)~(다)에 들어갈 용어를 옳게 연결한 것은?

만주와 한반도에서는 약 1만 년 전 빙하기가 끝나면서 [(가)] 시대로 접어들었다. 이 시기에 농경이 시작되고, 여전히 채집과 사냥, 고기잡이가 식량 조달의 큰 비중을 차지하였다.
이 시기의 사람들은 주로 바닷가나 강가에 지은 [(나)]에서 살았다. 또한 토기를 만들어 사용하였는데, 주로 [(다)]와 덧무늬 토기가 많이 발견되었다.

	(가)	(나)	(다)
①	구석기	움집	민무늬 토기
②	구석기	막집	민무늬 토기
③	신석기	움집	빗살무늬 토기
④	신석기	막집	빗살무늬 토기
⑤	신석기	움집	민무늬 토기

04 신석기 시대의 사회 모습으로 옳은 것을 |보기|에서 고른 것은?

| 보기 |
ㄱ. 빗살무늬 토기에 음식을 조리하고, 식량을 저장하였다.
ㄴ. 부족 간의 정복 활동이 활발해지면서 국가가 성립하였다.
ㄷ. 농경과 목축을 시작하면서 식량을 생산하고 정착 생활을 하였다.
ㄹ. 사냥과 채집으로 식량을 구하였으며, 먹을 것을 찾아 이동 생활을 하였다.

① ㄱ, ㄴ ② ㄱ, ㄷ ③ ㄱ, ㄹ
④ ㄴ, ㄷ ⑤ ㄴ, ㄹ

05 구석기 시대와 신석기 시대를 비교한 내용 중 옳지 않은 것은?

	구분	구석기 시대	신석기 시대
①	시작	약 70만 년 전	약 1만 년 전
②	도구	주먹 도끼, 슴베찌르개	돌도끼, 갈판과 갈돌
③	주거	강가, 해안가	야산, 구릉 지대
④	경제	사냥이나 채집	농경과 목축 시작
⑤	사회	이동 생활	정착 생활

06 한 학생이 발표 수업을 위해 조사한 내용이다. (가)~(마)의 내용이 적절하지 않은 것은?

주제 : (가) 청동기 시대의 사회 변화

이 시대에는 주로 보리 밀, 콩 등을 재배하였고, (나) 일부 지역에서는 벼농사가 시작되었다.
(다) 사람들 사이는 물론 부족 사이에도 빈부의 차이가 생겨나면서 계급 사회로 접어들었다.
또한 부족 간의 (라) 정복 전쟁이 치열해지면서 여러 부족을 통합한 권력자인 군장(족장)이 출현하였다. 한편 (마) 군장이 죽으면 그의 권위를 상징하는 독무덤을 만들어 청동검, 청동 거울 등을 함께 묻었다.

① (가) ② (나) ③ (다)
④ (라) ⑤ (마)

07 다음 유물과 관련된 시대의 특징으로 옳은 것을 |보기| 에서 고른 것은?

| 보기 |

ㄱ. 농경과 목축이 시작되었다.

ㄴ. 권력을 가진 군장(족장)이 출현하였다.

ㄷ. 많은 사람을 동원하여 고인돌을 만들었다.

ㄹ. 강가에 막집을 짓고 살거나 동굴에서 생활하였다.

① ㄱ, ㄴ   ② ㄱ, ㄷ   ③ ㄴ, ㄷ

④ ㄴ, ㄹ   ⑤ ㄷ, ㄹ

08 다음과 같은 유적이 만들어진 시대의 사회 모습으로 옳지 <u>않은</u> 것은?

① 벼농사를 시작하였다.

② 청동기로 농기구를 만들었다.

③ 민무늬 토기가 주로 제작되었다.

④ 방어에 유리한 언덕에 마을을 이루고 살았다.

⑤ 지배층이 죽으면 거대한 고인돌이나 돌널무덤을 만들었다.

09 다음 건국 이야기를 통해 알 수 있는 고조선 사회의 특징을 |보기|에서 고른 것은?

환웅이 바람, 비, 구름을 다스리는 신하와 3천여 명의 무리를 거느리고 신단수 아래에 내려왔다. …… 곰과 호랑이가 사람이 되게 해 달라고 빌었다. 곰은 21일 동안 조심하여 여자의 몸이 되었으나, 호랑이는 조심하지 못하여 사람이 되지 못하였다. …… 환웅이 잠시 사람으로 변하여 웅녀와 혼인하고, 아들을 낳아 단군왕검이라 이름지었다.

| 보기 |

ㄱ. 농업 중심 사회였다.

ㄴ. 부족 간 연합이 있었다.

ㄷ. 철기 문화를 배경으로 성립하였다.

ㄹ. 제사장과 정치적 지배자가 분리된 사회였다.

① ㄱ, ㄴ   ② ㄱ, ㄷ   ③ ㄴ, ㄷ

④ ㄴ, ㄹ   ⑤ ㄷ, ㄹ

10 고조선의 건국과 성장에 관한 설명으로 옳은 것을 |보기|에서 고른 것은?

| 보기 |

ㄱ. 철기 문화를 바탕으로 성립하였다.

ㄴ. 중계 무역을 통해 경제적 성장을 이루었다.

ㄷ. 기원전 2세기 무렵 위만이 왕위를 찬탈하였다.

ㄹ. 중국의 진에 멸망한 뒤에 군현의 지배를 받았다.

① ㄱ, ㄴ   ② ㄱ, ㄷ   ③ ㄴ, ㄷ

④ ㄴ, ㄹ   ⑤ ㄷ, ㄹ

만점에 도전하는 **심화 문제**

01 신석기 시대와 청동기 시대를 비교한 내용 중 옳지 <u>않은</u> 것은?

	구분	신석기 시대	청동기 시대
①	사회	평등 사회	계급 사회
②	토기	빗살무늬 토기	민무늬 토기
③	주거	강가, 해안가	야산, 구릉 지대
④	도구	반달 돌칼, 청동 거울	갈돌과 갈판, 돌도끼, 가락바퀴
⑤	작물	조, 피, 기장	조, 기장, 수수, 벼

중요
02 다음 밑줄 친 '유적과 유물'에 해당하는 것을 |보기|에서 고른 것은

주로 만주와 한반도 서북부 지역에서 집중적으로 발굴된 유물과 유적을 통해 고조선 관련 문화 범위를 알 수 있다.

|보기|
ㄱ. 찍개 ㄴ. 비파형 동검
ㄷ. 탁자식 고인돌 ㄹ. 빗살무늬 토기

① ㄱ, ㄴ ② ㄱ, ㄷ ③ ㄴ, ㄷ
④ ㄴ, ㄹ ⑤ ㄷ, ㄹ

신유형
03 자료는 학생들이 발표 수업을 위해 시기 순으로 조사한 역사적 사실 중 옳지 <u>않은</u> 것은?

주제 : 고조선의 건국에서 멸망까지
(가) 고조선은 청동기 문화를 바탕으로 성립하였다.
(나) 철기 문화의 보급으로 고조선은 중국 연과 맞설 정도로 성장하였다.
(다) 기원전 194년, 준왕이 왕위를 찬탈하였다.
(라) 고조선은 중계 무역을 통해 성장하였다.
(마) 고조선은 기원전 108년, 한 무제의 침략으로 멸망하였다.

① (가) ② (나) ③ (다)
④ (라) ⑤ (마)

04 다음 고조선의 법률을 통해 알 수 있는 고조선 사회의 모습을 |보기|에서 고른 것은?

• 사람을 죽인 자는 바로 사형에 처한다.
• 남에게 상해를 입힌 자는 곡물로 배상하게 한다.
• 남의 물건을 훔친 자는 재산을 몰수하고 그 집의 노비로 삼으며, 속죄하려고 하는 자는 1인당 50만(전)을 내게 한다.

|보기|
ㄱ. 신분 제도가 존재하였다.
ㄴ. 사유 재산이 존재하였다.
ㄷ. 화폐를 사용하지 않았다.
ㄹ. 인간의 생명을 경시하였다.

① ㄱ, ㄴ ② ㄱ, ㄷ ③ ㄴ, ㄷ
④ ㄴ, ㄹ ⑤ ㄷ, ㄹ

여러 나라의 성장

학습 목표
철기 문화를 바탕으로 성립한 부여와 고구려의 정치·사회 모습을 설명할 수 있다.

주제 3 **만주와 한반도 북부에서 일어난 부여와 고구려**

1 철기 문화를 배경으로 성립한 여러 나라

(1) **철기 문화의 보급:** 철제 농기구와 철제 무기 제작 → 농업 생산량 증가, 전투력 향상 → 정복 전쟁 활발 **왜?** 예리하고 튼튼한 철제 무기를 사용하면서 정복 전쟁이 활발해졌어.

(2) **여러 나라의 성립:** 만주와 한반도 지역에 부여와 고구려, 옥저와 동예, 삼한(마한·진한·변한) 등장 **어떻게?** 철제 무기로 주변 지역을 정복하고 통합하면서 세력을 확장하였고, 영역이 확대되면서 점차 국가로 성장하였어.

2 부여의 성장

(1) **형성:** 만주 쑹화강 일대에서 고조선 멸망 이전에 여러 부족이 연합하여 국가 형성

(2) **정치 형태:** **❶연맹 왕국**(왕 아래 마가·우가·저가·구가 등이 각자 영역 통치)

(3) **산업:** 농경과 목축 발달, 중국과 활발하게 교류

(4) **풍습·제천 행사:** 엄격한 법률 시행, **❷순장**, **❸영고**(12월), 형사취수제 **어떻게?** 형이 죽으면 동생이 형수의 삶을 함께 돌보는 풍습이야.

3 고구려의 성립

어떻게? 부여에서 이주한 주몽 집단과 압록강 유역의 토착 세력에 의해 건국되었어.

(1) **형성:** 한 군현을 물리친 여러 세력의 연합으로 국가 성립

(2) **정치 형태:** 연맹 왕국, 지배층의 상당수가 부여 출신

(3) **산업:** 농업에 불리한 환경 → 주변 지역 정복 **왜?** 농경지가 부족하여 주변 지역을 정복하고 약탈하며 성장했어.

(4) **풍습·제천 행사:** 엄격한 법률 시행, **❹서옥제**, 동맹(10월) **무엇?** 고구려의 제천 행사야.

주석

❶ 연맹 왕국
부족들이 연합하여 만들어진 국가 형태이다. 왕이 중앙을 다스리고, 관리들이 각각 자신의 영역을 다스렸다. 왕권이 약하여 부여에서는 흉년이 들면 왕이 책임을 지고 물러나거나 죽임을 당하기도 하였다.

❷ 순장
왕과 같이 지배층 내의 사람이 죽었을 때 여러 사람을 함께 묻는 풍습이다.

❸ 영고
부여에서 매년 12월에 실시한 제천 행사이다. 제천 행사는 '하늘에 제사를 지내는 행사'라는 뜻으로, 농사의 풍요와 국가의 안녕을 기원하였다.

❹ 서옥제
고구려에 있었던 혼인 풍습이다. 신랑이 신부의 집에 지은 서옥에서 함께 살다가 자식이 성장하면 신랑의 집으로 돌아가 가정을 꾸렸다.

핵심 자료 **철기의 보급과 사회의 변화**

철제 농기구와 철제 무기	청동기와 철기의 차이점
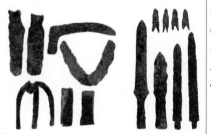	청동기는 재료가 귀하고 만들기도 어려웠을 뿐만 아니라 단단하지 못하여 주로 지배 계급의 무기나 장신구, 제사용 도구로 사용하였다. 반면 철은 매장량이 풍부하여 구하기 쉽고 단단해서 다양한 농기구나 무기로 만들 수 있었다.

✓ 핵심

철기가 등장하면서 철제 농기구와 무기가 만들어졌어요.
철기의 사용은 사람들의 삶에 어떤 영향을 미쳤을까?

철로 만든 농기구는 단단하고 날카로워 땅을 깊고 넓게 갈 수 있어 농업 생산력이 증가하였다. 또한 날카롭고 튼튼한 철제 무기를 사용하면서 전투력이 강화되어 정복 전쟁이 더욱 치열해졌다.

확인해 봐요 🔍 *정답과 해설 3쪽*

1 고조선 멸망 이후 부여, 고구려와 같은 국가가 성립하였다. (○, ×)

2 부여는 농업이 불리한 환경에 처해 있어서 정복과 약탈로 경제 생활을 이어갔다. (○, ×)

3 고구려에는 서옥제라는 혼인 풍습이 있었다. (○, ×)

가자! 역사 속으로

📎 교과서 16쪽

만주와 한반도 지역에 철기 문화가 보급되면서 사람들은 금속으로 만든 농기구를 사용하기 시작하였습니다.

철로 만드니 단단해서 좋아.

쇠 낫이 날카로워서 편리하네.

✅ **철기 문화는 만주와 한반도 지역의 역사에 어떤 영향을 미쳤을까요?**

예시 답안 철제 농기구를 사용하면서 농작물 재배가 쉬워지자 농업 생산량이 늘어났다. 또한 더욱 강력해진 철제 무기를 이용하여 주변 지역을 정복하는 과정에서 기존에 있던 국가가 더욱 확장되거나 새로운 국가가 형성되었다.

💡 자료 해설

삽화를 통해 철로 만든 농기구를 사용하게 되면서 농사를 짓기 편리해진 사람들의 모습을 짐작할 수 있어요.

💡 활동 도우미

철은 쉽게 구할 수 있고, 청동보다 다루기 쉬워 여러 도구를 만들어 사용할 수 있었지요.

Q 빈칸에 알맞은 나라의 이름은 무엇일까?

📎 교과서 16쪽

철기 문화를 바탕으로 성립한 여러 나라

백두산
고구려
옥저
동해
독도
황해
마한
진한
변한

예시 답안 부여, 동예

💡 활동 도우미

철기를 활용하여 세력을 키운 부족은 주변 부족을 정복하거나 연합하여 영역을 넓혀 나갔어요. 그 결과 만주와 한반도 북부에서는 부여와 고구려, 한반도 동북부 해안 지역에는 옥저와 동예가 나타났어요. 또한 한반도 남부 지역에는 마한, 진한, 변한의 삼한이 성장하였어요.

📋 교과서 사진 자료 무용총 수렵도(일부)

📎 교과서 17쪽

▲무용총 「수렵도」의 일부
(중국 지안) 고구려인들의 역동적인 사냥 모습을 묘사한 그림이다.

수렵도는 무용총에서 발견된 벽화로, 고구려 사람들이 사냥을 하고 있는 모습을 그린 것이다. 고구려 사람들은 무예를 중시하고 활쏘기와 말타기에 능하였음을 짐작할 수 있다.

💡 자료 해설

산간 지역에 위치해 농경에 불리하였던 고구려는 점차 주변의 소국을 정복하면서 세력을 넓혔어요. 이러한 영향으로 고구려 사람들은 말타기, 활쏘기 등 무예를 중요하게 여겼음을 추론할 수 있어요.

🤖 스스로 확인해요

❶ 부여와 고구려는 만주와 한반도 지역에 청동기 문화가 확산되어 성립하였다. (×)

❷ 부여에서는 12월에 영고, 고구려에서는 10월에 동 맹 (이)라는 제천 행사가 열렸다.

이 주제의 핵심

이 주제에서는 철기 문화가 확산되면서 만주와 한반도 북부에서 성장한 부여와 고구려에 대해 알아보았어요. 부여와 고구려의 사람들이 어떤 자연환경 속에서 삶을 이어나갔는지 정치·사회 모습 등을 살펴보아요.

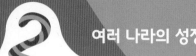

여러 나라의 성장

 주제 4 **한반도에서 일어난 옥저와 동예, 삼한**

학습 목표
옥저와 동예, 삼한의 정치·사회 모습을 설명할 수 있다.

1 옥저와 동예의 성장

(1) 정치: 왕이 없었고 읍군, 삼로라는 군장이 각자의 영역을 통치

(2) 경제: 농업 발달, 해산물 풍부 `왜?` 한반도 동해안 지역의 비옥한 지역에서 성립하였기 때문이야.

(3) 지리적 특징: 한반도 동북부에 치우쳐 있어 정치적 발전이 늦음. → 고구려의 간섭을 받음. `왜?` 고립원 지형으로 선진 문물 수용이 늦었으며, 이 때문에 고구려에 특산물을 바치는 등 많은 간섭을 받아 성장하지 못했어.

(4) 풍습·제천 행사

옥저	• 혼인 풍습: ❶민며느리제 • 장례 풍습: 가족 공동 무덤 `무엇?` 가족이 죽으면 시신을 임시로 묻어 두었다가 나중에 온 가족의 뼈를 추려서 무덤(나무 곽)에 매장하는 거야.
동예	• 풍습: ❷족외혼, ❸책화 • 제천 행사: 무천(10월) `어떻게?` 하늘에 풍요를 기원하고 춤과 노래를 즐기며 집단의 단합을 꾀했어.

2 삼한의 성장

(1) 형성: 한반도 남부에 위치, 여러 소국이 모여 삼한(마한·진한·변한) 성립 `어떻게?` 마한에 있던 목지국의 지배자가 삼한 전체를 주도하였어.

(2) 정치: 제정 분리 사회

① 군장: 신지, 읍차 등이 각 소국 통치

② 천군: 제사장이 ❹소도라는 지역에서 제사 주관

(3) 경제

① 농사짓기에 적합한 평야 지대에 위치 → 벼농사 중심의 농업 발달

② 변한에서는 철이 많이 생산되어 주변국에 수출 `어떻게?` 덩이쇠를 화폐처럼 사용하기도 하였어.

(4) 제천 행사: 5월과 10월에 하늘에 제사를 지냄.

❶ **민며느리제**
옥저의 혼인 풍습으로, 신랑이 신부의 집에서 아이를 낳고 살다가 아이가 성장하면 아내와 자식을 데리고 자기 집으로 돌아가는 제도이다. 이때 남자 집에서는 여자 집에 재물을 제공한다.

❷ **족외혼**
자신의 부족 내의 사람이 아닌 다른 부족의 사람과 결혼하는 풍습이다.

❸ **책화**
부족마다 경계가 엄격하게 정해져 있어, 함부로 다른 부족의 영역을 침범하면 노비나 소, 말로 보상하는 동예의 풍습이다.

❹ **소도**
천군이 제사 지내는 신성 지역이다. 이곳은 군장의 힘이 미치지 못하여 죄인이 숨어들어 가도 함부로 잡아가지 못하였다.

핵심 자료 **옥저와 동예의 풍습**

옥저	동예
여자의 나이 열 살이 되기 전에 혼인을 약속한다. 신랑 집에서는 여자를 데려와 기른다. 여자가 어른이 되면 친정으로 돌려보내고 신랑 집에서 돈을 낸 후 데려온다. 이를 (가) 라고 한다.	산천을 중요시하여 산과 강마다 각기 구분이 있어 함부로 들어가지 않는다. 부락을 함부로 침범하면 벌로 노비와 소, 말을 부과하는데 이를 (나) 라고 한다.

✅ **핵심**

자료 (가), (나)에 들어갈 풍습을 써 봅시다.

(가)는 민며느리제, (나)는 책화이다.

📎 정답과 해설 3쪽

확인해 봐요

1 민며느리제는 고구려에 존재하였던 혼인 풍습이다.
(○ , ×)

2 무천은 동예에 존재하였던 제천 행사이다. (○ , ×)

3 소도는 삼한에서 종교적으로 분리되었던 신성 지역이다.
(○ , ×)

가자! 역사 속으로

📎 교과서 18쪽

오른쪽의 긴 장대는 민속 신앙의 대상으로 마을 입구에 세워진 솟대입니다. 이것은 삼한에서 소도를 표시하는 것에서 유래하였습니다.

✅ **삼한의 소도는 어떤 장소였을까요?**

예시 답안 제사장인 천군이 소도라는 지역에서 제사를 주관하였는데, 소도는 신성한 지역으로 여겨졌다.

📍 **자료 해설**

솟대는 긴 장대 위에 새 모양 장식을 올렸어요. 마을 입구에 세워진 솟대는 마을 사람들의 수호신이나 마을 경계를 표시하는 역할을 하였어요. 또한 새를 하늘과 땅을 연결해 주는 존재로 여기는 것과도 관련이 있어요.

📋 교과서 사진 자료 ▶ 동예의 집터

📎 교과서 18쪽

동예의 것으로 추정되는 여(呂)자형 집터(강원 횡성)

사진은 옛 동예 사람들이 사용하였을 것으로 추측되는 집터이다. 한자 여(呂)와 비슷하다고 하여 여자형 집터라고 부른다. 이 집터가 발견될 때 이곳에서는 토기류, 철제품, 석제품, 그리고 탄화된 곡물도 같이 발견되었다. 이러한 유물들을 통해 당시 사람들의 삶을 일부 추측해 볼 수 있다.

💡 **활동 도우미**

강원도 동해, 강릉 일대에서 철(凸)자와 여(呂)자 모양의 집터가 계속 발굴되고 있는데, 이 일대에서 성장한 동예의 것으로 추정되고 있어요.

스스로 확인해요

❶ 옥저와 동예에서는 읍군, 삼로라는 군장이 각자의 영역을 다스렸다. (○)

❷ 삼한의 천군은 죄인이 도망쳐 와도 잡아갈 수 없는 신성한 지역인 소도 을/를 다스렸다.

역량 키우기 역사 탐구 『삼국지』 위서 동이전에 기록된 여러 나라의 풍습

📎 교과서 19쪽

생각하고 탐구하기

1 **서옥제와 민며느리제의 공통점을 찾아보자.**

예시 답안 당시 각 나라에서 필요로 하는 노동력을 확보하기 위한 결혼 풍습이다.

2 **각 나라 제천 행사의 이름을 찾아보고, 제천 행사를 지낸 까닭을 설명해 보자.**

예시 답안 • 제천 행사의 이름: 부여-영고, 고구려-동맹, 동예-무천, 삼한-계절제(5월, 10월)
• 제천 행사를 지낸 까닭: 농산물을 수확하고 감사의 뜻을 하늘에 전하기 위해 제천 행사를 열었다. 또한 힘든 농사일을 마치고 난 후에 사람들이 노래와 춤을 즐기고, 죄수도 풀어 주며 사회 화합을 다지는 기회를 가지고자 하였다.

💡 **활동 도우미**

고구려와 옥저의 결혼 풍습은 각 나라에서 필요로 하는 노동력을 확실하게 확보하기 위해 행하였다는 점을 추론할 수 있어요. 또한 여러 나라의 제천 행사는 농업의 발달과 연관 지어 생각해 보세요.

이 주제의 핵심

이 주제에서는 옥저, 동예, 삼한의 정치·경제·문화를 비교하여 알아보았어요. 옥저의 민며느리제 결혼 풍습, 동예의 책화 풍습과 제천 행사인 무천을 기억해 두세요. 그리고 삼한의 제정 분리 사회, 농업 발달과 철 생산 등을 알아 두세요.

기초를 튼튼하게 확인 문제

01 서로 관련 있는 내용끼리 연결하시오.

- ㉠ 옥저 •　　　　　• ⓐ 책화
- ㉡ 동예 •　　　　　• ⓑ 철 수출
- ㉢ 삼한 •　　　　　• ⓒ 민며느리제

02 설명이 맞으면 ○, 틀리면 ×로 표시하시오.

(1) 철제 농기구를 이용하여 땅을 깊게 갈게 되면서 농업 생산량이 증가하였다. (　　　)

(2) 철기 문화를 바탕으로 부여, 고구려와 같은 나라들이 등장하였다. (　　　)

(3) 부여에서는 매년 10월에 동맹이라는 제천 행사가 열렸다. (　　　)

(4) 옥저와 동예에는 왕이 없었고, 읍군 또는 삼로라 불리는 군장이 다스렸다. (　　　)

03 동예와 관련된 풍습을 |보기|에서 모두 고르시오.

> | 보기 |
> ㄱ. 책화　　　　　ㄴ. 서옥제
> ㄷ. 족외혼　　　　ㄹ. 민며느리제

04 빈칸에 알맞은 말을 쓰시오.

(1) 옥저와 동예에는 왕이 없었고 읍군, (　　　)라는 군장이 각각의 영역을 다스렸다.

(2) 삼한의 천군은 (　　　)을/를 다스렸는데, 이곳은 죄인이 도망와도 잡지 못하는 신성 지역이었다.

(3) 변한에서는 (　　　)이/가 많이 생산되어 낙랑과 왜에 수출하였다.

내신을 탄탄하게 내신 문제

01 다음과 같은 변화가 나타난 배경으로 가장 적절한 것은?

> • 농업 생산량이 늘어나고 인구가 증가하였다.
> • 세력을 키운 부족은 다른 부족들을 정복하여 영역을 넓혔다.
> • 만주와 한반도 지역에서 여러 나라가 성립하였다.

① 토기 제작　　　　② 철기 보급
③ 고인돌 제작　　　④ 청동기 사용
⑤ 벼농사 시작

02 부여에 대한 설명으로 옳지 않은 것은?

① 고조선만큼이나 엄격한 법을 시행하였다.
② 12월에는 동맹이라는 제천 행사를 열어 연맹의 통합을 강화하였다.
③ 형이 죽으면 동생이 형수를 아내로 삼는 형사취수제라는 풍습이 있었다.
④ 지배층이 죽으면 많은 사람들을 함께 죽여서 묻는 순장 풍습이 있었다.
⑤ 왕의 아래에는 각자 독자적인 영역을 다스리던 마가, 우가, 저가, 구가 등이 있었다.

03 다음 내용과 관련된 나라로 옳은 것은?

> • 정치: 5부족 연맹, 대가들이 각자 영역 지배
> • 결혼 풍습: 서옥제
> • 제천 행사: 동맹

① 부여　　　　　② 옥저
③ 동예　　　　　④ 삼한
⑤ 고구려

중요

04 다음 자료와 관련된 나라를 지도에서 찾으면?

- 매년 12월에 영고라는 제천 행사를 열었는데, 이때에는 노래와 춤을 즐겼고 죄수를 풀어주기도 하였다. 또한 순장의 풍습이 있었다.
- 가뭄이나 장마가 계속되어 오곡(곡식)이 익지 않으면, 그 허물을 왕에게 돌려 '왕을 바꾸어야 한다'고 하거나 '죽여야 한다'고 하였다.

－『삼국지』위서 동이전

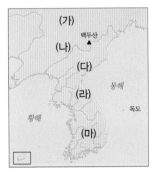

① (가)   ② (나)   ③ (다)
④ (라)   ⑤ (마)

05 고구려와 관련된 설명으로 옳은 것을 |보기|에서 고른 것은?

| 보기 |
ㄱ. 산악 지대에 위치하여 농사에 불리한 조건에 처해 있었다.
ㄴ. 연맹 왕국으로 출발하였고 지배층의 상당수는 부여 출신이었다.
ㄷ. 다른 부족의 경계를 침범하면 소, 말 또는 노비로 보상하였다.
ㄹ. 영고라는 제천 행사를 통해 지배자의 권위를 정당화하고 농경의 풍요로움을 빌었다.

① ㄱ, ㄴ   ② ㄱ, ㄷ   ③ ㄴ, ㄷ
④ ㄴ, ㄹ   ⑤ ㄷ, ㄹ

06 '책화'에 대한 설명으로 옳은 것은?

① 같은 부족끼리는 혼인을 금지하는 풍습이다.
② 남자가 여자의 집에 가서 일정 기간 거주하는 풍습이다.
③ 어린 여자아이를 데려와 기른 후에 며느리로 삼는 풍습이다.
④ 다른 부족의 영역을 침범하면, 노비·소·말 등으로 보상하는 풍습이다.
⑤ 왕이나 지배층이 죽었을 때, 노비나 신하 등을 죽여서 같이 묻는 풍습이다.

07 (가), (나)에 들어갈 말을 바르게 연결한 것은?

이것은 여(呂)자형 집터로   (가)   의 것으로 추정된다. 이 나라에서는 왕이 없었고,   (나)   라는 군장들이 각각의 영역을 나누어 다스렸다.

	(가)	(나)
①	옥저	읍군, 삼로
②	옥저	신지, 읍차
③	동예	읍군, 삼로
④	동예	신지, 읍차
⑤	삼한	신지, 읍차

08 다음과 관련된 혼인 풍습으로 옳은 것은?

이제 남편 될 사람 집에서 살거라.

여자 나이 열 살이 되기 전에 혼인을 약속한다. 신랑 집에서는 여자를 데려와서 기른다. 여자가 어른이 되면 친정으로 돌려보내고 신랑 집에서 돈을 낸 뒤 다시 데려온다.

① 책화　　② 소도　　③ 영고
④ 서옥제　　⑤ 민며느리제

09 다음 국가에 대한 설명으로 옳은 것은?

- 민며느리제라는 결혼 풍습이 있었다.
- 가족의 뼈를 추려 공동 무덤인 목곽에 안치하는 풍습이 있었다.

① 철이 많이 생산되어 화폐로 사용하였다.
② 10월에 동맹이라는 제천 행사를 거행하였다.
③ 왕 밑에 마가, 우가, 저가, 구가의 관리를 두었다.
④ 다른 읍락을 침범하면 소, 말, 노비로 보상하였다.
⑤ 왕이 없었고 읍군, 삼로라는 군장이 각자의 영역을 다스렸다.

중요
10 (가), (나)에 들어갈 용어를 바르게 연결한 것은?

한반도 남부 지역에서는 여러 소국이 모여 마한, 진한, 변한을 이루었는데, 이를 아울러 삼한이라고 부른다. 삼한의 소국들은 신지, 읍차라는 군장과 　(가)　 (이)라는 제사장이 이끌었다. 　(가)　 은/는 　(나)　 을/를 다스렸는데, 이곳은 죄인이 도망쳐 와도 잡지 못하는 신성한 지역이었다.

	(가)	(나)
①	천군	소도
②	천군	책화
③	삼로	소도
④	삼로	소도
⑤	삼로	책화

11 다음 국가에 대한 설명으로 옳은 것을 |보기|에서 고른 것은?

천군이라는 제사장이 종교를 주관하고, 신성 지역인 소도를 다스렸다.

|보기|
ㄱ. 같은 부족끼리는 혼인을 금지하였다.
ㄴ. 5월과 10월에는 제천 행사를 열었다.
ㄷ. 철이 많이 생산되어 이를 화폐처럼 사용하고 수출하였다.
ㄹ. 산악 지대에 위치하여 농사가 어려워서 사냥이나 약탈로 생계를 이어갔다.

① ㄱ, ㄴ　　② ㄱ, ㄷ　　③ ㄴ, ㄷ
④ ㄴ, ㄹ　　⑤ ㄷ, ㄹ

만점에 도전하는 **심화 문제**

01 철기의 사용으로 만주와 한반도에서 나타난 변화를 |보기|에서 고른 것은?

| 보기 |
ㄱ. 철제 농기구 사용으로 농업 생산량이 늘어났다.
ㄴ. 우리 역사상 최초의 국가인 고조선이 등장하였다.
ㄷ. 정복 전쟁이 활발해지며 여러 나라들이 등장하였다.
ㄹ. 인류가 농사를 지으며 식량을 생산하기 시작하였다.

① ㄱ, ㄴ   ② ㄱ, ㄷ   ③ ㄴ, ㄷ
④ ㄴ, ㄹ   ⑤ ㄷ, ㄹ

신유형
02 다음 내용을 통해 추론한 것이 적절하지 <u>않은</u> 학생은?

1. 부여의 성장
(1) 정치 체제: 연맹 왕국
(2) 경제: 농경과 목축 발달, 중국과 교류
(3) 사회: 엄격한 법률, 형이 죽으면 그 동생이 형수를 아내로 삼는 풍습, 순장, 영고
2. 고구려의 성립
(1) 정치 체제: 연맹 왕국, 지배층의 상당수가 부여 출신
(2) 경제: 농업에 불리한 환경 → 주변 지역 정복
(3) 사회: 엄격한 법률, 서옥제, 동맹

① 수아: 부여와 고구려 모두 제천 행사를 중시한 것 같아.
② 다빈: 부여와 고구려는 초기에도 왕의 권력이 절대 적으로 강했구나.
③ 규현: 부여에서는 형이 죽으면 동생이 형의 가족들 의 삶을 함께 챙겼나 보다.
④ 다혜: 고구려는 자연환경 때문에 생존을 위해서라 도 사냥을 중시하는 문화를 지녔겠군.
⑤ 지환: 고구려의 결혼 풍습을 보니 당시에는 노동력 이 공동체의 삶에서 중요한 요소였음을 알 수 있어.

03 다음은 동예에 대해 이야기를 나누는 가상 인터뷰이다. (가)에 들어갈 단어로 적절한 것은?

기자: "동예 사람들은 같은 부족 사람들끼리는 결혼하 지 않는 풍습이 있나요?"
군장: "네, 그렇습니다. 이를 족외혼이라고 하죠."
기자: "다른 부족의 영역을 함부로 침범하면 책임을 묻 기도 한다고요?"
왕: "네 맞습니다. 이 풍습은 ____(가)____ (이)라고 부 릅니다. 만약 함부로 침범할 경우 노비, 소, 말 등 으로 보상을 해야 합니다."

① 무천   ② 책화   ③ 소도
④ 동맹   ⑤ 8조법

04 다음 자료와 관련된 나라를 지도에서 찾으면?

• 신지·읍차라는 군장이 소국을 다스리고, 천군이라 는 제사장이 종교를 주관하였다.
• 5월과 10월에 제천 행사를 열어 풍요를 기원하고 추 수에 감사하였다.

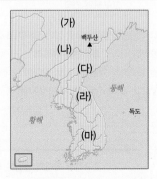

① (가)   ② (나)   ③ (다)
④ (라)   ⑤ (마)

③ 삼국의 성립과 발전

학습 목표
삼국과 가야의 건국 과정 및 성장 배경을 설명할 수 있다.

주제 5 정복과 연맹을 통해 형성된 삼국과 가야

1 고구려의 성립과 영토 확장

(1) 건국: 부여 출신 주몽이 압록강 일대의 토착 세력과 연합하여 건국(기원전 37), 졸본에 도읍 → ❶국내성으로 천도 · **무엇?** 본래 그 지역에 정착하여 지내던 세력이야.

(2) 성장: 주변 소국을 정복하며 평야 지대로 진출하려고 노력
왜? 처음 건국한 곳은 산악 지대라 농사지을 땅이 부족해 전쟁을 벌여 세력을 넓혔어.

2 백제의 성립과 성장

(1) 건국: 고구려 출신 온조가 한강 하류 일대의 토착 세력과 연합하여 건국(기원전 18), ❷위례성에 도읍

(2) 성장: 중국 및 주변 지역과 교류, 주변 소국을 통합하며 세력 확대

3 신라의 성립과 성장

(1) 건국: 진한 소국 중 ❸사로국에서 시작, 박씨 집단(박혁거세)이 토착 세력과 연합하여 신라 건국(기원전 57), 경주에 도읍, 석씨·김씨 집단과 차례로 연합

(2) 성장: 박씨, 석씨, 김씨 집안이 번갈아 왕위 차지 **왜?** 박, 석, 김씨가 신라 안에서 권력을 나눠 가지고 있었던 상황을 반영한 것이지.

4 가야의 성립과 성장

(1) 건국: 변한 지역의 소국들이 연합하여 가야 연맹 형성, 금관가야가 연맹의 중심 역할

(2) 성장: ❹낙랑과 왜에 철 수출 **어떻게?** 해상 교역이 발달하여 질좋은 덩이쇠를 수출하였는데, 이때 덩이쇠를 화폐처럼 사용하였다고 해.

❶ 국내성
압록강 유역에 위치한 고구려의 왕성으로, 내부에 왕궁을 포함한 주요 시설들이 있었다. 주변에 장군총 등의 무덤이 분포한다.

❷ 위례성
백제의 초기 왕성으로, 위치에 대해서는 다양한 견해가 있지만, 서울 송파구의 석촌동 고분군이나 몽촌토성, 풍납토성 등은 이 일대가 백제의 초기 수도인 위례성이었음을 알려 준다.

❸ 사로국
진한을 구성하였던 12개 소국 가운데 경주에 있던 나라이다. 사로국은 지증왕 때 국호를 신라로 변경하였다.

❹ 낙랑군
고조선이 멸망한 뒤 한이 고조선 일부 지역에 설치한 4군 중 하나였다. 고구려 미천왕 때 중국 군현 세력을 한반도에서 완전히 몰아냈다.

핵심 자료 고구려, 백제의 건국 이야기

고구려의 건국	백제의 건국
고구려의 시조는 동명성왕으로 성이 고씨이고 이름은 주몽이다. …… 졸본천에 이르러, …… 나라 이름을 고구려라 했는데, 이로 인하여 고씨를 성으로 삼았다. 이때 주몽의 나이가 22세였다. – 『삼국사기』 –	백제의 시조는 온조왕으로, 아버지는 추모인데 혹은 주몽이라고도 하였다. … 온조는 강의 남쪽 위례성에 도읍을 정하고 열 명의 신하를 보좌로 삼아 국호를 십제라 하였다. – 『삼국사기』 –

✓ **핵심**

고구려와 백제의 왕실은 어떤 연관성을 가지고 있나요?

백제의 시조인 온조는 고구려 시조인 주몽(동명성왕)의 아들이라고 전해지고 있다. 즉 고구려 계통의 유이민 세력이 남쪽으로 내려와 한강 유역의 세력과 연합하여 백제를 건국하였음을 짐작할 수 있다.

🔍 정답과 해설 5쪽

확인해 봐요

1 고구려는 부여 출신 (   )이/가 졸본에 도읍을 정하고 건국하였다.

2 (   )에서는 박, 석, 김씨가 번갈아 왕위에 올랐다.

3 가야는 (   )와/과 왜에 철을 수출하였다.

📖 교과서 활동 풀이

가자! 역사 속으로

중국 지안에 남아 있는 고구려의 초기 무덤은 서울 석촌동에 남아 있는 백제의 초기 무덤과 매우 닮았습니다.

✅ 고구려와 백제의 초기 무덤 모양이 비슷한 까닭은 무엇일까요?

예시 답안 백제는 고구려에서 내려온 세력이 한강 유역의 토착 세력과 결합하여 건국하였다. 이 때문에 백제 초기의 무덤 양식이 고구려 무덤 양식과 비슷한 것이다.

📄 교과서 20쪽

산성하 고분군(중국 지안)

쌍둥이?

석촌동 고분군(서울 송파)

💡 자료 해설

중국 지안에는 고구려와 관련된 고분군이 많이 남아 있어요. 그리고 서울 송파구 석촌동에는 백제와 관련된 고분 4기가 남아 있지요. 이 무덤들은 시신을 안치한 후 잔돌을 쌓아 올리고 직사각형의 돌을 쌓은 형태를 하고 있는데, 그 모습이 매우 닮았어요.

📋 교과서 자료 ▌고구려, 신라, 가야의 시조 이야기에 숨겨진 뜻

📄 교과서 20쪽

66 고구려의 주몽, 신라의 박혁거세, 가야의 김수로 등 각국 시조들은 하늘이 내려준 알에서 태어났다고 전해진다. 이것은 천신(天神)을 최고의 신으로 받들던 당시의 신앙과 관련이 있다. 삼국과 가야의 왕실은 그 시조가 천신과 연결되는 신성한 존재임을 강조함으로써 자신들의 지배가 정당함을 내세웠다. 시조가 알에서 태어났다고 한 것도 그가 특별하다는 점을 강조하기 위함이었다. 백제의 시조 이야기에는 하늘과의 직접적인 관련이 드러나지는 않지만, 고구려 시조 이야기와 연결되어 있으므로 백제 왕실 역시 천신의 후예를 자처하였음을 알 수 있다. 99

알에서 태어나는 박혁거세가 그려진 우표

💡 자료 해설

고구려, 신라, 가야의 건국 설화는 알과 연관된 내용이 많아요. 시조가 알에서 태어났다고 하는 설화는 그만큼 왕실이 신성한 존재임을 부각시키기 위한 것이지요.

💡 활동 도우미

고대 국가의 건국 이야기는 표면적으로 비현실적인 내용을 담고 있지만, 그 속에는 역사적 의미가 내포되어 있어요.

❓ 고구려, 신라, 가야의 시조가 알에서 태어났다고 기록된 이유는 무엇일까?

예시 답안 신비로운 탄생 설화를 통해 권력을 정당화할 수 있었기 때문이다. 즉 그 시조가 천신과 연결되는 신성한 존재임을 강조함으로써 자신들의 지배가 정당함을 내세웠다.

📋 교과서 사진 자료 ▌가야의 발상지

📄 교과서 21쪽

김해 구지봉(경남 김해) 금관가야의 시조인 수로왕이 하늘에서 내려왔다는 설화의 무대이다.

가야 연맹은 낙동강 하류의 남해안에 있던 변한의 여러 소국이 발전하여 성립하였다. 가야 연맹의 맹주였던 금관가야는 낙동강 하구에 인접한 김해를 중심으로 성장하였다.

김해 구지봉은 금관가야의 왕으로 추대되었던 수로왕 탄생 설화의 중심지이다. 『삼국유사』에는 아홉명의 추장이 구지봉에 모여 노래를 부르자 황금색 알 여섯 개가 하늘에서 내려왔고, 알에서 태어난 아이 중 한 명이 추대되어 수로왕이 되었다는 이야기이다.

💡 활동 도우미

건국 설화는 대체로 왕실의 권위를 높이기 위해 꾸며낸 이야기이지만, 일정 부분은 당시의 역사적 상황을 반영하기도 합니다. 이 설화에서 여섯 개의 알은 당시 금관가야 말고도 6개의 세력이 존재하였고 각 세력이 함께 연맹을 맺었던 상황을 반영하고 있지요.

스스로 확인해요

❶ 고구려의 주몽은 부여, 백제의 온조는 고구려 출신이다. (○)

❷ 초기 가야 연맹의 우두머리 역할을 한 나라는 금 관 가 야 이다.

이 주제의 핵심

이 주제에서는 고구려, 백제, 신라, 가야의 건국과 성장 배경을 알아보았어요. 건국 이야기와 유물·유적 등을 통해 고구려와 백제의 연관성, 신라와 가야의 건국 과정을 살펴보고 성장 과정을 확인해 보아요.

3

학습 목표
삼국의 중앙 집권 체제 정비 과정과 통치 체제를 설명할 수 있다.

주제 6 **중앙 집권 체제를 정비한 삼국**

1 삼국의 왕권 강화와 통치 체제 정비

(1) 영토 확대: 각국의 왕이 교류와 전쟁을 지휘하며 능력 발휘
(2) 왕권 강화: 정복 전쟁을 주도한 왕이 차츰 국가 권력 장악 → 왕위 세습(고구려-2세기 태조왕, 백제-3세기 고이왕, 신라-4세기 내물왕)
(3) 정치 조직: ❶관등제 마련, 귀족 회의에서 국가 중대사 결정(고구려-제가 회의, 백제-정사암 회의, 신라-화백 회의), 행정 구역 편성(지방에 관리 파견)
(4) 신분제: 개인의 능력보다 혈통 중시, 신라의 ❷골품제가 대표적인 사례

2 삼국의 율령 반포와 불교 수용

(1) ❸율령 반포: 중앙 집권 체제 마련, 통치 기반 확립(고구려-4세기 소수림왕, 백제-3세기 고이왕, 신라-6세기 법흥왕)
(2) 불교 수용: 영토를 넓히고 왕권 강화 과정에서 불교 수용

고구려	소수림왕 때 중국 전진으로부터 전래(372)	
백제	침류왕 때 중국 동진으로부터 전래(384)	삼국의 왕실에서 적극적으로 수용
신라	고구려를 통해 전래, 법흥왕 때 불교 공인(527)	

(3) 불교 수용의 목적: 백성의 정신을 하나로 모으고 국왕의 권위를 뒷받침할 수 있는 체계적인 사상 필요

❶ 관등제
관등은 관리들의 등급을 의미한다. 관리의 등급에 따라 관복의 색을 달리하여 서열을 구분하였다. 고구려에서는 대대로 이하 10여 등급, 백제에서는 좌평 이하 16등급, 신라에서는 이벌찬 이하 17등급의 관리들이 중앙 정치를 맡아 보았다.

❷ 골품제
혈통에 따라 서열을 매긴 신라의 신분 제도이다. 지배층 내에서 골과 품으로 나누어 신분에 따라 사회생활에 차등을 두었다.

❸ 율령
율은 각종 범죄에 대한 형벌, 영(령)은 여러 제도 및 행정에 관한 규정을 의미한다. 관등 체계, 중앙과 지방의 행정 조직, 신분 및 조세 제도 등에 관한 규정을 마련하였다.

핵심 자료 **삼국의 귀족 회의**

고구려(제가 회의)	백제(정사암 회의)	신라(화백 회의)
고구려에는 감옥이 없고, 범죄자가 있으면 제가(귀족)들이 모여서 논의하여 사형에 처하고, 처자식은 몰수하여 노비로 삼는다. – 『삼국지 위지 동이전』 –	국가에서 재상을 뽑을 때 후보자(귀족들) 3~4명의 이름을 써서 상자에 넣어 정사암이라는 바위에 두었다. 얼마 뒤에 열어 보아 이름 위에 도장이 찍혀 있는 자를 재상으로 삼았다. – 『삼국유사』 –	국가에 큰 일이 있을 때에는 반드시 여러 사람(귀족들)의 의견을 따른다. 이를 화백 회의라고 한다. 한 사람이라도 반대하면 통과하지 못하였다. – 『신당서』 –

✅ **핵심**
고구려, 백제, 신라에서는 국가의 중요한 일을 어떻게 결정하였을까?

국가의 중요한 일은 귀족들이 모여서 회의를 통해 결정하였다. 고구려는 제가 회의, 백제는 정사암 회의, 신라는 화백 회의가 있었다.

🔍 정답과 해설 5쪽

확인해 봐요

1 삼국의 왕은 각 영역의 세력들을 귀족으로 편입시키며 왕권을 강화하였다. (○, ×)
2 삼국은 모두 신분제가 있었는데, 백제의 골품제가 대표적인 것이다. (○, ×)
3 삼국의 불교 수용은 왕실에서 주도하였다. (○, ×)

교과서 활동 풀이

가자! 역사 속으로

삼국의 왕은 국가를 운영하는 데 참여하던 여러 부 또는 소국의 우두머리들을 흡수하여 넓은 영토를 확보하고 권력을 강화하였습니다.

✅ **왕이 영토와 권력을 장악한 이후 삼국에는 어떤 변화가 있었을까요?**

예시 답안 왕이 영토와 권력을 장악한 이후 부 또는 소국의 독자성은 약화되고 점차 중앙 집권 체제를 갖추게 되었다.

그대들이 다스렸던 영역은 이제 모두 나의 땅이오. 중요한 문제는 그대들과 의논하여 결정하겠소.

💡 자료 해설

자료는 삼국의 왕이 지방 세력들을 중앙으로 흡수하여 국가 운영에 참여시키고 중앙 집권 국가로 나아가는 모습을 나타내고 있어요.

💡 활동 도우미

초기에 삼국은 연맹 왕국의 형태였으나, 점차 연맹 혹은 정복을 통해 영토 확장을 하는 과정에서 지도력을 발휘하는 지도자가 등장하면서 중앙 집권 체제가 갖추어졌어요.

📋 교과서 도표 자료 　신라의 골품제

등급	관등명	진골	6두품	5두품	4두품	복색
1	이벌찬					자색
2	이찬					
3	잡찬					
4	파진찬					
5	대아찬					
6	아찬					비색
7	일길찬					
8	사찬					
9	급벌찬					
10	대나마					청색
11	나마					
12	대사					황색
13	사지					
14	길사					
15	대오					
16	소오					
17	조위					

골품제는 혈통에 따라 신분을 구분하는 신라의 신분 제도이다. 사람들은 어떤 신분으로 태어났는지에 따라 서로 다른 권리와 차별을 경험하였다. 대표적인 사례가 관직에 진출하는 데 제한을 둔다거나, 서로 다른 신분 간에 결혼에 제한을 둔다거나, 신분에 따라 집의 크기에 제한을 두는 것들이었다.

💡 활동 도우미

결국 신라는 삼국을 통일하였지만 이후 골품제는 신분제의 폐쇄성으로 멸망의 길을 걷게 됩니다. 골품제가 사람들의 삶에 어떤 영향을 미쳤을지 떠올려 보고, 그 시대 사람들은 골품제에 대해 어떤 감정을 느꼈을지도 상상해 봅시다.

탐구 해 봐요 　삼국 통치 체제의 특징

1 삼국의 통치 체제를 본문에서 찾아 빈칸을 채워 보자.

예시 답안 고구려 : 제가 회의, 10여 등급 / 백제 : 좌평, 16등급 / 신라 : 화백 회의, 이벌찬

2 삼국이 위와 같은 체제를 정비하게 된 과정을 중앙 집권 체제 형성과 관련지어 설명해 보자.

예시 답안 왕은 소국의 지배층을 중앙의 귀족으로 흡수하여 그들이 다스리던 영역의 크기, 군사력 등에 따라 서열을 매겼다. 그 과정에서 관등 조직이 생겨났으며, 국가의 중요한 일을 결정할 수 있도록 귀족 회의를 열었다. 또한 넓어진 영토를 효율적으로 다스리기 위해 중앙과 지방의 행정 조직을 마련하였다.

💡 자료 해설

삼국의 귀족 회의는 왕의 권력이 강화됨에 따라 차츰 역할과 발언권이 축소되었지만, 귀족들이 의견을 수렴하여 통치하는 운영 방식은 말기까지 지속되었어요.

💡 활동 도우미

삼국이 중앙 집권 체제를 갖추어 가는 과정에서 귀족 회의, 관등 조직, 수도와 지방의 행정 조직 등 통치 체제를 갖추어 나가게 됩니다.

스스로 확인해요

❶ 신라에는 관직 진출에서부터 일상생활까지 신분에 따라 제한하는 골품제가 있었다. (○)

❷ 삼국은 불교 을/를 받아들여 백성들의 정신을 하나로 모으고, 왕권을 강화하려고 하였다.

이 주제의 핵심

이 주제에서는 삼국의 중앙 집권 국가 체제 정비 과정과 통치 체제 정비, 삼국의 율령 반포와 불교 수용 과정을 알아보았어요. 삼국이 중앙 집권 국가로 성장하는 과정에서 나타난 공통점을 파악해 보세요.

주제 7 백제와 고구려의 세력 확대

1 백제의 주도권 장악

(1) **고구려의 세력 확장:** 낙랑군 축출(313) → **❶요동 지역**으로 진출 시도 좌절 → 남쪽으로 세력 확대 시도 → 백제와 대립 **왜?** 낙랑군이 축출되면서 고구려는 백제와 영토를 맞대게 되었고, 세력 각축을 벌이게 될 거야.

(2) **백제의 성장:** 근초고왕의 활발한 대외 활동과 영토 확장 노력 → 고구려 평양성 공격 (고구려 고국원왕 전사), 중국 남조의 **❷동진**과 외교 관계 수립, 왜와 우호 관계 수립 (**❸칠지도**) → 해상 교역권을 통해 활발한 대외 활동 전개

2 고구려의 주도권 장악

(1) **광개토 대왕의 영토 확장:** 백제를 공격하여 한강 이북 지역 차지, 신라에 침입한 왜군 격퇴, 만주 일대로 세력 확대

(2) **장수왕의 남진 정책:** **❹평양 천도**(427), 백제를 공격하여 한반도 중부 지역 차지 → 삼국의 주도권 장악, 동아시아 강대국으로 성장

3 신라와 백제의 위기

(1) **신라의 성장과 위기:** 내물왕 즉위 이후 왕권 강화 → 왜군의 침입을 고구려 광개토 대왕의 도움으로 극복(400) → 고구려가 신라에 정치적 영향력 확대

(2) **나제 동맹 체결(433):** 고구려의 압박에서 벗어나기 위해 신라와 백제가 동맹 체결

(3) **백제의 위기:** 고구려의 공격으로 수도 한성 함락, 한강 유역 상실 → 웅진(공주)으로 수도를 옮김(475). **왜?** 고구려와의 전쟁으로 백제 개로왕이 전사하고 한강 유역을 상실하자 수도를 옮겼어.

❶ 요동 지역
요하라는 강의 동쪽 지역을 가리킨다. 요동 지역은 이전부터 중국과 고구려 간에 세력 다툼이 있던 지역이었다.

❷ 동진
중국에서 5호가 남쪽으로 내려왔을 때 서진이 멸망한 뒤 남쪽으로 피난 가서 세운 정권이다.

❸ 칠지도
백제의 왕세자가 왜의 왕에게 하사한다는 내용이 새겨진 철제 칼이다. 백제와 왜의 우호 관계를 반영하는 유물로, 당시 백제의 발달된 철기 가공 기술을 알 수 있다.

❹ 평양 천도
장수왕은 국내성에 기반을 두고 있던 귀족 세력을 약화하고, 왕권을 강화하기 위해 수도를 대동강 유역의 평양으로 옮겼다.

핵심 자료 나제 동맹과 고구려의 남진 정책

나제 동맹	고구려의 남진 정책
• (백제 비유왕) 7년, 신라에 사신을 보내 화친을 용천하였다. • 8년 겨울, 신라에서 좋은 금과 명주를 답례로 보내왔다. <div align="right">– 『삼국사기』 –</div>	장수왕 63년(475) 9월에 왕이 군사 30,000을 이끌고 백제에 침입하여, 백제의 도읍 한성을 함락시키고 백제왕 부여경을 죽이고 남녀 8,000명을 사로잡아 돌아왔다. <div align="right">– 『삼국사기』 –</div>

✓ **핵심**

두 사료를 통해 파악할 수 있는 삼국 간의 관계는 어떠한가요?

신라와 백제가 서로 동맹을 맺고 고구려에 대항하였으나, 결국 고구려 장수왕의 공격으로 백제의 수도 한성이 함락되었다.

확인해 봐요 ⊘정답과 해설 5쪽

1 중국과 동진과 외교 관계를 수립한 백제의 왕은? (   )

2 평양으로 수도를 옮긴 고구려의 왕은? (   )

3 고구려의 팽창에 신라와 백제가 체결한 동맹은? (   )

📖 교과서 활동 풀이

가자! 역사 속으로

경주 호우총에서는 고구려의 광개토 대왕을 가리키는 '국강상광개토지호태왕'이 새겨진 호우명 그릇이 발견되었습니다.

☑️ **신라의 수도에서 고구려와 관련된 유물이 발견된 까닭은 무엇일까요?**

예시 답안 고구려의 광개토 대왕이 신라를 도와준 이후 신라와 긴밀한 관계를 맺게 되었기 때문이다.

📎 교과서 24쪽

💡 자료 해설

경주 호우총에서 발견된 그릇 밑바닥에 고구려에서 광개토 대왕을 기념하여 만들었다는 글이 새겨져 있어요. 광개토 대왕을 기념하는 의식에 사용되었던 것으로 추정됩니다.

📋 교과서 자료   백제의 영토 확장(4세기)

근초고왕의 평양성 공격

『(근초고왕 26년) 겨울에 왕이 태자와 함께 정예군 3만 명을 거느리고 고구려에 침입하여 평양성을 공격하였다. 고구려 왕 사유(고국원왕)가 필사적으로 항전하다가 화살에 맞아 사망하자 왕이 군사를 이끌고 물러났다.』
　　　　　　　　　　　　　　　　　　－「삼국사기」－

📎 교과서 24쪽

고구려와 백제 사이의 공방은 4세기 후반부터 시작되었다. 근초고왕과 근구수왕이 고구려를 잇달아 공격하여 대승을 거두면서 백제가 먼저 주도권을 장악하였다.

💡 활동 도우미

백제의 근초고왕은 고구려를 공격하여 황해도 일부를 장악하고 평양성에서 고구려 고국원왕을 전사시켰어요.

📋 교과서 지도 자료   고구려의 영토 확장(5세기)

📎 교과서 25쪽

충주 고구려비(충북 충주) 장수왕이 남한강 유역까지 영토를 확장한 것을 기념하기 위해 세웠다.

광개토 대왕릉비(중국 지안) 장수왕이 아버지 광개토 대왕의 업적을 기리기 위해 세운 비석이다.

💡 자료 해설

광개토 대왕릉비에는 고구려의 건국 과정, 광개토 대왕의 업적, 무덤 관리인과 그에 관한 법령 등이 기록되어 있어요. 충주 고구려비에는 고구려와 신라가 형제 사이가 되어 하늘의 도리를 지키자는 내용이 있어요.

💡 활동 도우미

충주 고구려비는 광개토 대왕릉비와 모양이 비슷하지만 크기는 작아요. 5세기 고구려가 한강 유역 전역을 지배하였음을 보여 주는 비석이지요.

Q **고구려가 한강 유역을 확보한 사실을 보여 주는 유물은 무엇일까?** **예시 답안** 충주 고구려비

스스로 확인해요

❶ 백제의 근초고왕은 중국, 백제, 왜를 잇는 해상 교역로를 확보하였다. (○)

❷ 고구려의 장수왕이 [남]진 정책을 추진하자, 신라와 백제는 [나]제 동맹을 맺었다.

이 주제의 핵심

이 주제에서는 백제와 고구려의 세력 확대와 주도권을 장악하기 위해 치열하게 싸우는 양상을 알아보았어요. 백제와 고구려의 영토 확장 과정과 나제 동맹을 체결한 배경을 파악해 보도록 해요. 그리고 고구려가 광개토 대왕과 장수왕을 거치며 동북아시아에서 가장 강력한 국가로 성장하였음을 확인해 봅시다.

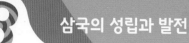

학습 목표
백제의 중흥과 신라의 도약, 가야의 멸망 과정을 설명할 수 있다.

주제 8 새로운 강자로 떠오른 신라

1 백제의 중흥을 위한 노력

무엇? 국왕의 자제나 왕족을 보내 다스리게 한 행정 구역을 담로라고 해.

(1) **무령왕:** 지방 중요 지역에 왕족을 파견하여 지방 통제 강화
(2) **성왕:** 사비(부여) 천도, 국호를 남부여로 변경, 중앙과 지방 행정 체제 정비, **❶중국 남조**와 교류 확대, 한강 유역 일시 회복

2 신라의 비약적 성장

왜? 이전에는 '마립간'이라는 호칭을 사용하였는데, '왕'이라는 호칭은 지배자의 권위를 더욱 높여 주는 중국식 호칭이야.

(1) **지증왕:** 국호를 '신라'로 변경, '왕' 호칭 사용, 우산국(울릉도) 복속
(2) **법흥왕:** 율령 반포(체제 정비), 불교 공인(왕권 강화), 금관가야 병합
(3) **진흥왕:** 황룡사 건립, 화랑도 개편, 영토 확장(한강 유역 장악, 대가야 병합)

3 신라의 한강 유역 차지

(1) **백제와 신라의 고구려 공격(551):** 신라는 한강 상류 지역, 백제는 하류 지역 차지
(2) **신라의 한강 유역 독차지:** 진흥왕이 백제를 공격하여 한강 유역 전체 차지 → 백제의 반격 → 백제 성왕 전사 → **❷관산성 전투**에서 신라가 승리(554)

4 가야 연맹의 성장과 멸망

(1) **금관가야 쇠퇴:** 고구려의 공격으로 금관가야 세력 약화 → 가야 소국의 하나로 전락
(2) **❸대가야의 성장:** 5세기 후반부터 고령의 대가야가 가야 연맹 주도
(3) **가야 연맹의 멸망:** 백제와 신라의 압박으로 위축 → 금관가야(532, 법흥왕), 대가야(562, 진흥왕)가 차례대로 신라에 병합

❶ 중국 남조
중국의 남북조 시대에 주로 강남 지역에서 세워진 국가들을 말한다. 송(宋), 제(齊), 양(梁), 진(陳)이 차례대로 세워졌다.

❷ 관산성 전투
신라 진흥왕이 나제 동맹을 깨고 백제가 차지하였던 한강 하류 지역을 침입하였다. 이에 백제 성왕이 신라의 관산성(충북 옥천)을 공격하였으나 전사하였고, 백제군은 신라군에 크게 패배하였다(554).

❸ 대가야
대가야는 토지가 비옥하였고, 질 좋은 철기를 많이 생산하였다. 대가야의 옛 영토였던 경북 고령에 있는 가야 무덤에서는 가야의 철 다루는 기술을 엿볼 수 있는 철기와 갑옷, 금동관 등이 출토되었다.

핵심 자료 신라의 한강 유역 차지

나제 동맹의 고구려 공격	신라의 백제 공격
진흥왕 12년(551)에 왕이 거칠부 등 여덟 장군에게 백제와 더불어 고구려를 침공하도록 명령을 내렸다. 백제 사람들이 먼저 평양을 공격하여 깨뜨리니, 거칠부 등은 승리를 틈타서 죽령 바깥, 고현 이내의 10군을 빼앗았다. – 『삼국사기』 –	진흥왕 14년(553) 가을 7월에 백제의 동북쪽 변두리를 빼앗아 신주를 설치하고, 아찬 무력을 군주로 삼았다. – 『삼국사기』 –

✅ 핵심

신라는 왜 백제를 배신하고 한강 유역을 독차지하였을까?

한강 유역은 한반도의 중심에 위치하고 중국과 교류하기에 유리한 교통의 요충지였고, 평야 지대로 농경에 적합하였기 때문이었다.

✏ 정답과 해설 5쪽

확인해 봐요 ➕

1 백제는 성왕 시기에 수도를 사비로 천도하였다. (○ , ×)
2 백제는 신라를 공격하여 한강 유역을 독차지하였다. (○ , ×)
3 금관가야가 쇠퇴한 후 대가야가 가야의 맹주가 되었다.
(○ , ×)

교과서 활동 풀이

📖 교과서 26쪽

가자! 역사 속으로

삼국은 영토를 확장하는 과정에서 한반도의 중심에 있는 한강을 차지하고, 또 지키기 위해 매우 치열하게 다투었습니다.

✔ 삼국은 한강 유역을 차지하고, 또 지키기 위해 어떤 노력을 했을까요?

예시 답안 고구려는 장수왕이 수도를 평양으로 옮기고 남진 정책을 추진하였으며, 백제는 고구려에 빼앗긴 한강 유역을 되찾기 위해 신라와 동맹을 맺었다. 신라는 백제와의 동맹을 깨고 한강 유역을 독차지하였다.

💡 자료 해설

고구려, 백제, 신라인이 모두 한강 유역을 차지하고자 경쟁하고 있는 모습을 나타내고 있어요. 한강이 당시 정치적, 경제적으로 중요하게 인식되었음을 알 수 있어요.

💡 활동 도우미

한강 유역에서 성립한 백제가 삼국 중 가장 먼저 한반도의 주도권을 잡았고, 이후 삼국은 한강 유역을 차지하기 위한 경쟁을 벌였어요. 마지막으로 한강을 차지한 신라가 삼국을 통일하게 되지요.

탐구 해 보요 신라의 영토 확장(6세기)

📖 교과서 27쪽

1 신라의 역사를 나타낸 퍼즐 조각을 보고 사건의 순서에 맞게 기호를 써 보자.

 ㉠ 금관가야 복속
 ㉡ 대가야 복속
 ㉢ 관산성 전투
 ㉣ 우산국 복속
 ㉤ 한강 유역 확보

예시 답안 ㄹ-ㄱ-ㅁ-ㄷ-ㄴ

2 서울 북한산 진흥왕 순수비와 단양 신라 적성비의 내용을 통해 알 수 있는 사실을 써 보자.

예시 답안 신라가 한강 유역을 차지하고 영토 확장을 기념하기 위해 세운 비임을 알 수 있다.

💡 자료 해설

신라는 지증왕 때 고대 국가 체제를 정비하고, 우산국을 정벌하면서 성장의 발판을 마련하였어요. 이어 법흥왕, 진흥왕 대에 가야 연맹을 멸망시키고 한강 유역을 차지함으로써 삼국 통일의 발판을 마련하였지요. 자료에 나타난 비석들은 해당 사실들을 뒷받침해 주는 증거들이라 할 수 있어요.

 스스로 확인해요

❶ 백제는 신라와 함께 고구려의 한강 유역을 빼앗았으나, 곧 신라가 이를 독차지하였다. (○)

❷ 금관가야가 고구려의 공격을 받아 쇠퇴하자 |대|가|야|이/가 가야 연맹의 새로운 우두머리가 되었다.

역량 키우기 역사 탐방 삼국의 각축장, 한강 유역

📖 교과서 29쪽

💡 활동 도우미

한강 유역은 백제-고구려-신라 순으로 차지하였어요.

 생각하고 써 보기

한강 유역에 남아 있는 삼국 시대의 유적지를 통해 예시 답안 한강 유역이 삼국의 세력을 확장하는 데 중요한 요충지였으며, 중국과 직접 교류할 수 있는 교통로로써 훌륭한 입지였다는 사실을 알게 되었어. 따라서 삼국이 한강 유역을 차지하기 위하여 성을 쌓고, 군사 시설을 마련했다는 사실을 알 수 있어.

 이 주제의 핵심

이번 주제에서는 백제의 중흥 노력과 신라의 발전, 가야 연맹의 변천과 멸망을 알아보았어요. 진흥왕의 영토 확장과 한강 유역을 차지하는 과정을 기억해 두세요. 또한 삼국 시대에 한강 유역이 가지는 역사적 의미도 생각해 보세요.

시험을 대비하는 실전 문제

기초를 튼튼하게 확인 문제

01 서로 관련 있는 내용끼리 연결하시오.

㉠ 지증왕 •   • ⓐ 율령 반포

㉡ 법흥왕 •   • ⓑ 대가야 병합

㉢ 진흥왕 •   • ⓒ '신라' 국호 사용

02 설명이 맞으면 ○, 틀리면 ×로 표시하시오.

(1) 백제는 무령왕 때 사비로 수도를 옮겼다. (   )

(2) 신라는 법흥왕 때 불교를 공인하였다. (   )

(3) 신라의 진흥왕은 영토를 확장하고 정복한 지역에 순수비를 세웠다. (   )

(4) 고구려의 공격으로 금관가야가 쇠퇴하고 대가야 가 가야 연맹을 주도하였다. (   )

03 |보기|의 신라와 관련된 사건을 발생한 순서대로 나열 하시오.

| 보기 |
ㄱ. 불교 공인   ㄴ. '신라' 국호 사용
ㄷ. 관산성 전투   ㄹ. 대가야 병합

04 빈칸에 알맞은 말을 쓰시오.

(1) 신라는 (   ) 때 중국식 호칭인 '왕'을 사용하 였다.

(2) 5세기 후반부터 고령의 (   )이/가 가야 연맹 의 우두머리가 되었다.

(3) 백제는 (   )에서 신라에게 패하며 성왕이 전 사하였다.

내신을 탄탄하게 내신 문제

중요

01 (가), (나)에 들어갈 왕을 옳게 연결한 것은?

고구려, 백제, 신라는 여러 부 또는 소국이 연맹을 맺으 며 성립하였다. 삼국의 왕은 초기에 부 또는 소국의 우 두머리들과 공동으로 국가를 이끌어 갔다. 그러나 삼국 이 영토를 확대하는 과정에서 정복 전쟁을 주도한 왕이 차츰 국가의 권력을 장악하였다. 그 결과 고구려에서는 2세기 (가) 이후, 백제 에서는 3세기 (나) 이후 왕위가 세습되기 시작 하였으며, 신라에서는 4세기 내물왕부터 김씨 집안에 서만 왕을 배출하였다.

	(가)	(나)
①	태조왕	고이왕
②	태조왕	근초고왕
③	고이왕	태조왕
④	고이왕	고국원왕
⑤	고이왕	근초고왕

02 밑줄 친 '왕'에 해당하는 인물은?

겨울에 왕이 태자와 함께 정예군 3만 명을 거느리고 고 구려에 침입하여 평양성을 공격하였다. 고구려 왕 사유 (고국원왕)가 필사적으로 항전하다가 화살에 맞아 사망 하자 왕이 군사를 이끌고 물러났다.

－『삼국사기』－

① 온조   ② 무령왕

③ 침류왕   ④ 고이왕

⑤ 근초고왕

중요

03 다음 유물을 통해 알 수 있는 사실로 가장 적절한 것은?

- 신라의 무덤에서 발견되었다.
- 그릇 바닥면에는 고구려 광개토 대왕을 의미하는 글자가 적혀 있다.

① 분열된 중국의 상황을 알 수 있다.
② 근초고왕 시기 백제의 위세를 알 수 있다.
③ 가야가 해상 무역의 중심지였음을 알 수 있다.
④ 고구려와 신라가 긴밀한 관계였음을 알 수 있다.
⑤ 고구려와 당 사이에 전쟁이 있었음을 알 수 있다.

05 (가)에 들어갈 왕으로 옳은 것은?

백제는 한강 유역을 빼앗긴 이후에도 계속해서 고구려의 공격을 받았다. 큰 위기를 맞은 백제는 수도를 웅진(충남 공주)으로 옮겼다. 그러나 천도 이후에도 왕의 권위는 떨어지고 귀족들은 이를 틈타 권력을 잡으려 하였다. 이에 6세기 무렵 ___(가)___ 은/는 지방의 중요한 지역에 왕족을 파견하여 지방 통제를 강화하였다. 그리고 활발한 대외 활동을 통해 문화 발전과 국력 회복에 힘썼다.

① 성왕   ② 무령왕
③ 근초고왕   ④ 고국원왕
⑤ 광개토 대왕

04 장수왕과 관련된 판서 내용 중 옳은 것만으로 짝지은 것은?

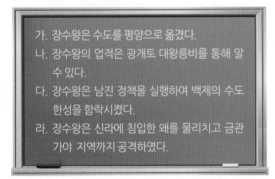

가. 장수왕은 수도를 평양으로 옮겼다.
나. 장수왕의 업적은 광개토 대왕릉비를 통해 알 수 있다.
다. 장수왕은 남진 정책을 실행하여 백제의 수도 한성을 함락시켰다.
라. 장수왕은 신라에 침입한 왜를 물리치고 금관가야 지역까지 공격하였다.

① 가, 나   ② 가, 다
③ 나, 라   ④ 가, 나, 다
⑤ 나, 다, 라

06 (가)에 들어갈 왕으로 옳은 것은?

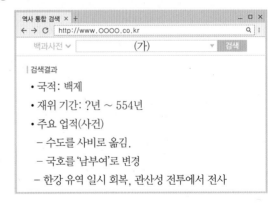

검색결과
- 국적: 백제
- 재위 기간: ?년 ~ 554년
- 주요 업적(사건)
  - 수도를 사비로 옮김.
  - 국호를 '남부여'로 변경
  - 한강 유역 일시 회복, 관산성 전투에서 전사

① 성왕   ② 무령왕
③ 진흥왕   ④ 법흥왕
⑤ 근초고왕

07 다음 신문 내용과 관련된 사건으로 옳은 것은?

제○○호 〈역사 신문〉 ○○○○년 ○○월 ○○일

자, 이제 다시 시작이다!

최근 무령왕의 뒤를 이은 성왕은 본격적으로 백제의 부흥을 꾀하기 시작한 것 같다. 그것은 성왕이 이번에 단행한 일을 통해 잘 알 수 있다. 이 지역은 이전의 수도에 비해 넓은 벌판과 강을 끼고 있어 농업과 수로 교통이 훨씬 유리한 지역이므로, 성왕의 수도 이동은 백제의 부흥을 위해 매우 훌륭한 선택인 것이다.

① 웅진에서 사비로 수도 이동
② 한성에서 웅진으로 수도 이동
③ 사비에서 한성으로 수도 이동
④ 국내성에서 평양으로 수도 이동
⑤ 졸본에서 국내성으로 수도 이동

08 다음 자료와 관련 깊은 신라 왕의 업적으로 옳은 것은?

우산국은 명주의 정동 쪽 바다의 섬인데, 울릉도라고도 한다. …… 이사부는 나무로 허수아비 사자를 만들어 군함에 나누어 싣고, 우산국의 해안에 도착하였다. 그리고 거짓말로 "너희가 만약 항복하지 않는다면 이 맹수를 풀어 너희를 밟아 죽이도록 하겠다."라고 말하였다. 우산국의 백성이 두려워하여 곧 항복하였다.

– 『삼국사기』 –

| 보기 |
ㄱ. 불교 공인
ㄴ. '왕' 호칭 사용
ㄷ. '신라' 국호 사용
ㄹ. '남부여' 국호 사용

① ㄱ, ㄴ   ② ㄱ, ㄷ   ③ ㄴ, ㄷ
④ ㄴ, ㄹ   ⑤ ㄷ, ㄹ

중요

09 다음과 관련된 왕 시기의 영토 확장에 대한 설명으로 옳은 것을 |보기|에서 고른 것은?

황룡사를 지어 국력을 과시하고, 청소년 집단인 화랑도를 국가적인 조직으로 재편하였다.

| 보기 |
ㄱ. 한강 유역을 차지하였다.
ㄴ. 우산국(울릉도)을 정복하였다.
ㄷ. 금관가야와 대가야를 모두 병합하였다.
ㄹ. 점령 지역에 비석을 세워 영토 확장을 기념하였다.

① ㄱ, ㄴ   ② ㄱ, ㄷ   ③ ㄱ, ㄹ
④ ㄴ, ㄷ   ⑤ ㄷ, ㄹ

10 다음 지도와 관련된 중심지 이동의 계기가 된 사건으로 옳은 것은?

① 장수왕의 남진 정책
② 신라의 금관가야 병합
③ 근초고왕의 평양성 침략
④ 백제와 신라 간 관산성 전투
⑤ 신라를 도우러 왔던 고구려의 공격

만점에 도전하는 **심화 문제**

01 다음 표에 대한 옳은 설명으로 옳은 것을 |보기|에서 고른 것은?

등급	관등명	진골	6두품	5두품	4두품	복색
1	이벌찬					
2	이찬					
3	잡찬					자색
4	파진찬					
5	대아찬					
6	아찬					
7	일길찬					
8	사찬					비색
9	급벌찬					
10	대나마					청색
11	나마					
12	대사					
13	사지					
14	길사					황색
15	대오					
16	소오					
17	조위					

| 보기 |

ㄱ. 신라의 신분 제도인 골품제를 나타낸 것이다.

ㄴ. 관등에 따라 입는 의복의 색깔은 모두 같았다.

ㄷ. 신분에 따라 진출할 수 있는 관등에 차별이 있었다.

ㄹ. 4두품은 '이벌찬'이라는 관등에 진출할 수 있었다.

① ㄱ, ㄴ   ② ㄱ, ㄷ   ③ ㄴ, ㄷ

④ ㄴ, ㄹ   ⑤ ㄷ, ㄹ

02 다음 대화에서 밑줄 친 '백제 왕'의 업적으로 옳은 것은?

> 백성 1: 자네, 소식 들었는가? 신라가 나제 동맹을 깨고 백제를 공격해서 한강 하류 유역을 몽땅 차지했다고 하네.
>
> 백성 2: 그러게 말일세. 분노한 백제 왕이 신라를 공격하다 관산성 전투에서 전사했다고 하더구만.

① 마한의 소국을 모두 통합

② 웅진에서 사비로 수도 천도

③ 지방 중요 지역에 왕족 파견

④ 고구려와의 평양성 전투에서 승리

⑤ 우산국을 정벌하고 '왕' 칭호 사용

03 밑줄 친 '이 왕'의 업적으로 옳은 것은?

제○○호	〈역사 신문〉	○○○○년 ○○월 ○○일

신라, 금관가야를 병합하다!

지증왕의 뒤를 이은 신라의 이 왕은 최근 금관가야를 병합하였다. 금관가야에서는 왕족들이 신라에 항복하여 귀순하였다고 한다. 특히 금관가야의 마지막 왕인 구형왕과 그의 세 아들(김노종, 김무덕, 김무력)이 신라에 항복하고 충성을 맹세하였다고 한다. ....

① 불교 공인

② 사비 천도

③ '신라'로 국호 변경

④ '왕' 칭호 사용 시작

⑤ 황룡사를 지어 국력 과시

중요

04 (가) 지역에서 성장한 국가에 대한 설명으로 옳은 것을 |보기|에서 고른 것은?

| 보기 |

ㄱ. 연맹 왕국 단계에 머물렀다.

ㄴ. 전기에는 대가야가 연맹을 주도하였다.

ㄷ. 철이 풍부하여 중국과 왜로 수출하였다.

ㄹ. 고구려의 도움으로 왜의 침략을 격퇴시켰다.

① ㄱ, ㄴ   ② ㄱ, ㄷ   ③ ㄴ, ㄷ

④ ㄴ, ㄹ   ⑤ ㄷ, ㄹ

삼국의 문화와 대외 교류

학습 목표
고분의 껴묻거리와 벽화를 통해 삼국 시대의 의식주와 관념을 설명할 수 있다.

주제 9 삼국의 고분 문화와 의식주

1 삼국의 고분 문화

(1) 삼국 시대의 고분 양식

고구려	❶돌무지무덤(초기), 굴식 돌방무덤(4세기 무렵, 중국의 영향)
백제	돌무지무덤(한성 시기) → 굴식 돌방무덤, ❷벽돌무덤(웅진 천도 이후)
신라	❸널무덤 → 덧널무덤 → 돌무지덧널무덤 → 굴식 돌방무덤

(2) 껴묻거리와 고분 벽화: 삼국 시대 사람들은 사후에도 현세의 생활이 이어진다고 믿음. → 무덤 속에 ❹껴묻거리를 넣고 벽화 제작 _{무엇을?} 무덤 주인공의 생전 생활 모습이나 불교·도교에 관한 벽화를 그렸어.

2 삼국 시대 사람들의 의식주 생활 _{어떻게?} 삼국 시대 사람들은 신분에 따라 다른 생활을 하였어. 껴묻거리와 고분 벽화를 통해 삼국 시대 사람들의 의식주 생활을 짐작할 수 있어.

(1) 의생활: 저고리와 바지 착용, 여성은 치마를 덧입음.
① 귀족: 주로 비단 옷을 입고, 각종 장신구로 치장
② 평민: 주로 삼베옷을 입음.

(2) 식생활
① 귀족: 쌀밥과 고기, 과일, 해산물을 먹음.
② 평민: 콩, 보리·조·수수 등 주로 잡곡을 먹음.

(3) 주생활
① 귀족: 기와집에서 생활, 고깃간·수렛간·곡식 창고·외양간을 갖춤.
② 평민: 귀틀집이나 초가집을 짓고 생활함.

❶ 돌무지무덤
시신 위나 시신을 넣은 돌널 위에 흙을 쌓지 않고 돌을 쌓아 만든 무덤이다.

❷ 벽돌무덤
중국으로부터 전해 온 무덤 양식이다. 벽돌을 쌓아 시신을 안치하는 방을 만들고 그 위에 흙을 덮어 완성하였다. 공주 무령왕릉이 대표적 무덤이다.

❸ 널무덤
무덤 구덩이를 파고 시신을 안치한 나무널을 넣은 후 흙으로 덮는 무덤 양식이다.

❹ 덧널무덤
널을 넣어 두는 널방을 나무로 짜 맞춘 무덤 양식이다. 덧널 내부에는 나무널과 껴묻거리를 함께 넣을 수 있는 공간을 마련하였다.

❺ 껴묻거리
무덤 안에 죽은 사람이 같이 살 수 있도록 여러 가지 물건을 함께 묻거나 장식하는 것을 말한다.

핵심 자료 | 삼국 시대 고분의 구조

굴식 돌방무덤(강서 고분)
돌을 쌓아 시신을 안치할 널방을 만들고 그 위에 흙을 덮은 형태이다. 벽면과 천장에는 당시 생활상과 관념 등을 보여 주는 벽화를 그려 넣었다.

돌무지덧널무덤(천마총)
시신과 껴묻거리를 각각 나무 덧널에 넣고 그 위에 잔돌과 흙을 두껍게 덮은 무덤이다. 널방과 통로, 출입구, 벽화를 그릴 공간 등은 없었다.

✅ 핵심
굴식 돌방무덤과 돌무지덧널무덤 중 벽화를 그려 넣을 수 있는 고분은 무엇일까?

굴식 돌방무덤이다. 굴식 돌방무덤은 돌로 널방을 만들어 통로를 연결한 후, 그 위에 흙을 덮었다. 돌방 안의 천장과 벽에 다양한 인물과 풍속, 사신도 등이 그려져 있다.

⊘ 정답과 해설 7쪽

확인해 봐요

1 사람들은 사후 세계에 대한 믿음으로 무덤을 만들 때 (　　　)을/를 함께 묻었다.
2 삼국 시대에는 돌무지무덤, 굴식 돌방무덤, 벽돌무덤, (　　　) 등이 유행하였다.
3 삼국 시대의 (　　　)들은 비단옷을 입고 장신구로 치장하였다.

가자! 역사 속으로

📎 교과서 30쪽

백제 무령왕의 무덤에서는 4,600여 점이나 되는 유물이 출토되었다고 합니다.

나는 무덤을 지키는 수호신!

❓ **삼국 시대 사람들은 왜 무덤 속에 많은 물건을 넣었을까요?**

예시 답안 삼국 시대 사람들은 사후 세계를 믿어 죽은 뒤에도 영혼은 사라지지 않고 현실 세계가 계속 이어진다고 생각하였기 때문이다.

📍 **자료 해설**

무령왕릉은 무덤 안을 벽돌로 쌓은 벽돌무덤으로, 무덤 입구에서부터 시신이 안치된 곳까지 껴묻거리가 놓여 있는 모습을 살펴볼 수 있어요.

📍 **활동 도우미**

무덤 속을 방처럼 만들고 물건을 함께 넣어 주는 것이 어떤 의미인지 생각해 보아요.

❓ **굴식 돌방무덤과 돌무지덧널무덤 중 더 많은 껴묻거리가 남아 있는 고분은 무엇일까?**

📎 교과서 30쪽

예시 답안 돌무지덧널무덤이다. 돌무지덧널무덤은 시신 위에 잔돌과 흙을 두껍게 쌓고 다시 흙으로 덮어 봉분을 만들었기 때문에 도굴하기 어려워서 껴묻거리가 남아 있다.

📍 **활동 도우미**

고분 구조에 따라 발견되는 유물이 달라진다는 사실에 주목해 보아요.

 탐구 해 보요 **고분 벽화와 껴묻거리를 통해 보는 삼국 시대 사람들의 관념**

📎 교과서 31쪽

📍 **활동 도우미**

고분 벽화와 껴묻거리를 통해 당시 사람들의 생활 모습과 종교, 사상 등을 유추해 볼 수 있어요. 가령 어떤 옷차림을 하고 있는지, 사람의 지위가 어떻게 반영되어 있는지 등을 살펴볼 수 있지요.

❶ 무용총 「접객도」(복원도, 중국 지안) 무덤 주인공인 고구려 귀족이 생전에 승려를 접대하면서 대화를 나누던 모습을 표현한 것으로 보인다.

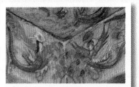

❷ 해와 달의 신 벽화(오회분 4호묘, 중국 지안) 해의 상징(우)와 달의 상징(좌)을 이고 있는 신을 표현한 것이다. 이는 천상 세계에 관한 고구려인의 관념을 짐작하게 한다.

❸ 무령왕릉 출토 유물(충남 공주) 백제 무령왕릉에서는 왕과 왕비의 장신구와 그릇, 자기 등 수많은 유물이 출토되었다. 왼쪽은 은잔, 오른쪽은 금제 관식(좌-왕, 우-왕비)이다.

❹ 황남대총 출토 유물(경북 경주) 신라 황남대총에서는 금관과 그릇 등 껴묻거리가 출토되었다. 표면에 꽃, 거북등, 노루 등이 새겨진 황남대총 북분 은잔(좌)과 신라 금관의 전형인 황남대총 북분 금관(우)이다.

1 ❶의 벽화에서 인물들의 크기가 다르게 그려진 이유를 생각해 보자.

예시 답안 삼국은 신분제 사회였기 때문에 신분이 높은 사람은 크게, 신분이 낮은 사람은 작게 그렸다.

2 제시된 고분 벽화와 껴묻거리를 통해 삼국 시대 사람들의 사후 세계에 대한 관념을 추론해 보자.

예시 답안 삼국 시대 사람들은 죽은 뒤에도 현실 세계의 생활이 그대로 이어진다고 믿었기 때문에 고분에 벽화를 그리고 껴묻거리를 함께 묻었다.

 스스로 확인해요

❶ 삼국 시대 사람들의 생활 모습은 고분에서 발견되는 껴묻거리와 벽화를 통해 파악할 수 있다. (○)
❷ 삼국 시대 사람들의 의식주 생활은 귀족, 평민 등 신 분 에 따라 차이가 있었다.

 이 주제의 핵심

이 주제에서는 삼국 시대의 고분 문화와 의식주를 알아보았어요. 삼국 시대 사람들이 사후 세계에 대해 가지고 있던 생각이 어떤 장례 문화를 만들어냈는지 생각해 보도록 해요. 또한 남겨진 벽화, 껴묻거리 등 유물·유적들을 통해 당시 사람들이 어떤 의식주 생활을 하였는지 파악해 보아요.

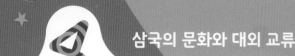

주제 10 삼국의 종교와 학문

1 삼국의 불교 수용과 불교 예술

(1) 불교 수용의 목적   어떻게? 신라는 불교식 왕명을 짓고, 왕실을 석가모니 집안에 견주기도 하였어.
① 왕권 강화: '왕은 곧 부처'라는 사상을 바탕으로 왕권을 뒷받침함.
② 백성의 사상 통합: 거대한 사찰을 지어 불교 장려(미륵사·황룡사), 법회 개최 (국가의 평화와 번영 기원)

(2) 불교 예술의 발전
① 사찰: 신라의 황룡사, 백제의 미륵사 등
① 탑: 부처의 ❶사리를 모시는 건축물, 목탑(황룡사 9층 목탑) → 석탑(미륵사지 석탑, 부여 정림사지 오층 석탑, 경주 분황사 모전 석탑 등)
② 불상: 부처의 모습 표현(고구려 금동 연가 7년명 여래 입상, 백제 서산 용현리 마애 여래 삼존상, 신라 경주 배동 석조 여래 삼존 입상 등)

2 고구려와 백제의 도교

(1) 도교 수용: 신선 사상(불로장생 추구)과 산천 숭배 결합 → 고구려와 백제에서 유행
(2) 도교 예술: 고분 벽화(고구려 고분의 신선과 ❷사신도 등), 공예품 제작(백제의 산수 무늬 벽돌, 백제 금동 대향로 등)

3 학문과 과학 발달

(1) 유학 교육: 고구려(❸태학), 백제(❹오경박사), 신라(임신서기석)
(2) 천문학과 역법 발달: 왕의 권위를 하늘과 연결, 농업과 관련
왜? 농사짓는 데 기후와 계절이 영향을 많이 미치기 때문에 하늘을 관찰하는 일이 중요하였어.

❶ **사리**
원래는 화장하고 난 부처님의 유골을 사리라고 불렀다. 그러나 후대에는 참된 수행의 결과로 나오는 구슬 모양의 유골을 의미하였다. 부처님의 사리는 탑에 모셔 예배의 대상이 되었다.

❷ **사신도**
도교 사상에서 동서남북의 네 가지 방위를 상징하는 신을 그린 그림이다. 동쪽은 청룡, 서쪽은 백호, 남쪽은 주작, 북쪽은 현무를 상징한다.

❸ **태학**
고구려 수도에 세운 교육 기관이다. 지배층 자제에게 유교 경전과 역사를 가르쳤다.

❹ **오경박사**
유교의 다섯 가지 경전인 『시경』, 『서경』, 『주역』, 『예기』, 『춘추』에 박사를 임명하여 유교 경전 교육을 맡아보게 하였다.

핵심 자료   **삼국 시대 도교의 영향**

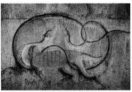
▲ 강서 고분 현무도

▲ 산수무늬 벽돌

▲ 백제 금동 대향로

고구려와 백제에서는 귀족 사회를 중심으로 도교가 유행하여 고분 벽화나 여러 공예품에 도교 신앙이 반영되기도 하였다.

✓ **핵심**

강서 고분의 사신도 벽화에서 알 수 있는 역사적 사실은 무엇일까?

고구려에서는 도교가 유행하였고, 고분 벽화에 도교의 방위신인 사신도를 즐겨 그렸다.

❷ 정답과 해설 7쪽

확인해 봐요

1 '왕이 곧 부처'라는 사상을 바탕으로 왕권을 뒷받침한 종교는? (   )
2 산천을 숭배하고 불로장생을 추구한 종교는? (   )
3 고구려가 유교 경전을 교육하기 위해 설립한 교육 기관은? (   )

📖✎ 교과서 활동 풀이

가자! 역사 속으로

신라의 선덕 여왕은 황룡사에 높이 80m에 이르는 9층 목탑을 세웠습니다. 지금은 비록 화재로 소실되었으나, 남아 있는 흔적을 통해 그 규모가 상당하였음을 알 수 있습니다.

📖 교과서 33쪽

삼국 시대에 20층이 넘는 아파트 높이의 탑을 만들었다고?

황룡사 복원 모형

✔ 선덕 여왕이 거대한 목탑을 만든 까닭은 무엇일까요?

예시 답안 신라를 위협하는 주변 9개의 외적을 물리쳐 나라를 지키겠다는 의지, 즉 호국의 목적으로 건립하였다.
*9개의 외적: 1층-일본/2층-당/3층-오월/4층-탐라/
5층-백제/6층-말갈/7층-거란/8층-여진/9층-고구려

💡 자료 해설

황룡사 9층 목탑은 고려 시대 몽골의 침입으로 불에 타 지금은 탑의 터와 주춧돌만 남아 있어요. 2035년 완성을 목표로 복원이 추진되고 있어요.

💡 활동 도우미

황룡사 9층 목탑은 당에서 돌아온 자장 법사가 선덕 여왕에게 건의하여 축조되었어요. 신라는 이웃 나라의 침범을 불교의 힘으로 국력을 모아 물리친다는 상징으로 1층부터 9층까지 탑을 올렸어요.

탐구 해보요   삼국의 불교 예술 작품을 찾아서

📖 교과서 34쪽

1 삼국 시대의 불상과 탑을 나라별로 분류하여 보자.

예시 답안 •고구려 : 금동 연가 7년명 여래 입상/ •백제 : 서산 용현리 마애 여래 삼존상, 익산 미륵사지 석탑, 부여 정림사지 오층 석탑/ •신라 : 경주 배동 석조 여래 삼존 입상, 경주 분황사 모전 석탑

2 삼국 불상의 공통점과 차이점을 자유롭게 이야기해 보자.

예시 답안 삼국의 불상은 모두 불상의 기본적인 형태를 따르면서도, 얼굴이나 옷의 주름을 표현한 부분에서 각국의 개성이 드러난다. 고구려 불상은 얼굴이 작지만 강렬한 인상을 주며, 옷의 주름을 표현한 데서 힘이 느껴진다. 백제의 불상은 마치 백제인의 얼굴을 옮겨 놓은 것처럼 친근하고, 옷의 주름은 평면적으로 단순하게 표현하였다. 신라의 불상은 크기가 거대한 편이지만, 얼굴은 아이처럼 귀엽게 표현하여 정감이 느껴지며, 화려한 장식을 표현하였다.

💡 자료 해설

삼국 시대에는 '왕이 곧 부처'라는 생각을 바탕으로 국가에서 불교를 장려하였어요. 고구려는 소수림왕 때, 백제는 침류왕 때 불교를 수용하였고, 신라는 법흥왕 때 불교를 공인하였지요. 불교문화가 삼국에 퍼지면서 사찰, 석탑, 불상이 건립되었는데, 일부가 현재까지 남아 있어요. 자료에 실려 있는 유물들은 모두 우리나라의 국보, 보물로 지정되어 있어요.

📋 교과서 자료 ▶   유교 경전을 공부하기로 맹세한 신라인들

📖 교과서 35쪽

> 임신년 6월 16일 두 사람이 맹세하여 쓴다. …… 『시』, 『상서』, 『예기』, 『춘추』를 차례로 공부하여 익히기로 맹세하되, 3년을 기한으로 하였다.
> ㅡ 「임신서기석」 ㅡ

임신서기석에는 당시 신라 사람들이 유교 경전 공부를 위해 어떤 책들을 봤는지 알 수 있다. 또한 비석의 내용을 통해 신라 젊은이들이 유교 경전을 공부하였음을 알 수 있다.

💡 자료 해설

임신서기석에는 두 청년이 국가에 대한 충성과 유교 경전 공부를 열심히 하자고 약속한 내용이 기록되어 있어요.

스스로 확인해요

❶ 삼국 시대 사람들은 처음에는 목탑을 만들었으나, 차츰 화강암을 이용해 석탑을 제작하기도 하였다. (○)
❷ 삼국 시대 후기에 도교가 유행하며 백제에서는 산수무늬 벽돌과 백제 금동 대 향 로 이/가 만들어졌다.

이 주제의 핵심

이 주제에서는 삼국의 불교, 도교, 학문과 과학 발달에 대해 알아보았어요. 삼국 시대에 불교가 어떤 목적으로 수용되었는지 파악하고, 불교와 관련한 문화유산을 확인해 보아요. 또한 삼국에서 발전한 종교, 유학, 과학 기술의 특징을 알아보아요.

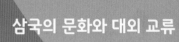

학습 목표
삼국과 가야의 대외 교류 양상과 그 영향을 설명할 수 있다.

주제 11 여러 나라와 교류한 삼국과 가야

1 중국과 **❶서역**의 영향을 받은 삼국과 가야의 문화

고구려	• 주로 북중국 왕조들과 교류: 불교·유학·도교 수용, 남조 및 북방 유목 민족과 교류 • 초원길을 통해 **❶서역 국가와 직접 교류**(**❷아프라시아브 궁전 벽화**)
백제	• 해로를 통해 남중국 왕조들과 활발한 교류−토기와 고분 양식 수입
신라	• 초기에는 고구려·백제를 통해 교류 → **한강 유역 차지 후 직접 중국과 교류** • 바다를 통해 서역 문화와 접촉(서역의 유리 그릇, 금제 장식 보검, 뿔 모양의 잔 등 발견)
가야	• 백제에 의존하여 중국 문물 수입(4세기) • 독자적으로 교류 시도(5세기 후반)

2 일본 문화에 영향을 미친 삼국과 가야

고구려	• 한강 유역을 빼앗긴 후 신라를 견제하기 위해 일본과 적극적으로 교류 → 학문과 불교문화 전파	
백제	• 삼국 중 가장 활발하게 교류, 유학과 불교 보급, 사찰 건축 및 불상 제작 기술 전파	일본의 **❸아스카 문화**의 성립과 발전에 영향
신라	• 배 만드는 기술과 둑 쌓는 기술 전파	
가야	• 질 좋은 철 수출, 철제 갑옷과 토기 제작 기술 전파	

❶ 서역
중국의 서쪽 지역을 가리킨다. 지금의 중앙아시아, 서아시아, 인도, 유럽을 모두 포함한다.

❷ 아프라시아브 궁전 벽화
1965년, 우즈베키스탄 남동부에 위치한 사마르칸트에서 발견되었다. 벽화에 고구려 사신으로 추측되는 인물들이 그려져 있다.

❸ 아스카 문화
일본 아스카 시대(6세기 후반~7세기 중엽)에 발달한 문화를 일컫는다. 우리나라 삼국 시대의 영향을 받아 형성되었으며, 백제는 불교·한문 및 학문 등 가장 많은 문물을 전해 주었다.

핵심 자료   아프라시아브 궁전 벽화

고구려 사신이 그려진 아프라시아브 궁전 벽화
(우즈베키스탄 사마르칸트)

오른쪽 두 사신이 쓰고 있는 모자는 새 깃털로 장식한 '고구려의 조우관'이다. 또한 손잡이가 달린 환두대도를 허리에 차고 있는 모습을 볼 수 있다.

> ✓ **핵심**
>
> **고구려 사신들은 어떻게 서역에 있는 궁전의 벽화에 기록되었을까?**

고구려가 초원길을 통해 중앙아시아 여러 민족과 활발하게 교류하였기 때문이다.

✎ 정답과 해설 7쪽

확인해 봐요 🔍

1 아프라시아브 궁전 벽화에는 고구려 사신으로 추정되는 인물이 그려져 있다. (○ , ×)

2 가야는 일본의 토기 문화에 영향을 주었다. (○ , ×)

3 한반도 문화의 영향으로 일본에서 형성된 문화를 아스카 문화라고 부른다. (○ , ×)

📖 교과서 활동 풀이

가자! 역사 속으로
📎 교과서 36쪽

고구려 각저총(중국 지안)에는 큰 코와 큰 눈을 한 서역인이 고구려인과 씨름하는 모습의 벽화가 있습니다.

🔽 고구려 고분 벽화에 왜 서역인이 등장할까요?

[예시 답안] 고구려가 서역 여러 나라와도 교류하였기 때문이다.

💡 활동 도우미
두 장사가 씨름을 하고 있는 벽화에서 오른쪽을 바라보는 사람의 얼굴이 서역인의 모습을 하고 있어요. 이를 통해 당시 고구려가 서역과도 교류하였음을 추측해 볼 수 있습니다.

📋 교과서 사진 자료

왕회도에 나타난 삼국 사신의 모습
📎 교과서 36쪽

왕회도는 7세기 당에 간 삼국의 사신 모습을 당의 왕실 화가 염입본이라는 사람이 그린 것이다. 그림에는 삼국의 사신 외에도 일본 사신, 페르시아 사신 등 총 23명의 외국 사절단 모습이 그려져 있다. 이 그림을 통해 각 나라 사신들이 입고 있는 의복의 특징을 살펴볼 수 있다.

삼국 사신의 모습(「왕회도」의 일부, 타이완 국립고궁박물관) 당의 국가 행사에 참석한 (왼쪽부터) 고구려, 백제, 신라 사신의 모습이다.

💡 활동 도우미
맨 왼쪽의 고구려 사신은 깃털 장식이 달린 관모를 썼고, 귀에는 귀고리를 하였어요. 백제 사신은 머리에 관모를 쓰고 연두색 바탕에 붉은 색을 덧댄 상의를 입었어요. 신라 사신은 비교적 수수한 색의 옷을 입고 관모를 썼어요.

❓ 삼국 및 가야와 일본의 문화재에서 비슷한 특징이 보이는 까닭은 무엇일까? 📎 교과서 37쪽

• 일본에 전해진 삼국과 가야의 문화

고구려 수산리 고분 벽화(左, 5세기, 평남 강서)와 일본 다카마쓰 고분 벽화(右, 7~8세기, 일본 나라) 벽화 속 여인들의 의상뿐만 아니라 벽화 제작 기술과 화풍 등이 매우 비슷하다.

가야 토기(左, 국립중앙박물관)와 일본 스에키(右, 일본 도쿄국립박물관) 일본의 스에키는 가야의 영향을 받은 토기이다. 가야의 토기 제작 기술이 전해지면서 일본은 이전보다 훨씬 단단한 토기를 만들게 되었다.

금동 미륵보살 반가 사유상(左, 국립중앙박물관)과 목조 미륵보살 반가 사유상(右, 일본 고류사) 목조 미륵보살 반가 사유상은 삼국시대에 제작된 금동 미륵보살 반가 사유상과 제작 시기 및 모양이 매우 흡사하다.

백제 관음상(일본 호류사) 높이 2.8m의 목조 입상이다. 백제의 위덕왕이 일본에 보낸 것으로 추정하는 견해가 있다.

[예시 답안] 삼국과 일본이 교류하며 서로의 문화 발전에 기여하였기 때문이다.

💡 자료 해설
자료의 유물들은 한국과 일본에 남겨진 유물 중 공통점이 나타난 것들이에요. 고구려는 고분 벽화 제작 기술을, 가야는 토기 제작 기술을, 백제는 불상 등 불교문화를 통해 일본과 교류한 흔적을 볼 수 있어요. 특히 한국의 금동 미륵보살 반가 사유상은 국보 78호, 일본의 교류사 목조 미륵보살 반가은 국보 1호이면서 모양이 비슷한 점이 흥미롭지요.

스스로 확인해요

❶ 고구려는 해로를 통해 중국 및 서역과 직접 교류하였다. (×)

❷ 일본 다카마쓰 고분 벽화는 [고][구][려]의 영향을 받은 것이다.

이 주제의 핵심

이 주제에서는 삼국 및 가야가 중국과 서역, 일본과 문화를 교류하였음을 알아보았어요. 삼국과 가야는 중국 서역과 활발한 교류를 통해 다양한 문화를 수용하고 전파하였음을 확인해 보아요. 특히 삼국과 가야 문화는 일본의 고대 문화인 아스카 문화 발달에 큰 영향을 끼쳤음을 기억해 두세요.

시험을 대비하는 실전 문제

01 서로 관련 있는 내용끼리 연결하시오.

ㄱ 불교 •   • ⓐ 태학
ㄴ 도교 •   • ⓑ 사신도
ㄷ 유학 •   • ⓒ '왕은 곧 부처'

02 설명이 맞으면 ○, 틀리면 ×로 표시하시오.

(1) 고구려는 오경박사를 임명하여 유교 경전의 교육을 맡겼다. (   )

(2) 백제는 중국의 동진, 남조와 교류하고 토기와 고분 양식을 수입하는 등 문화적 영향을 받았다. (   )

(3) 신라는 진흥왕이 한강 유역을 차지하고 난 뒤부터 직접 중국과 교류하였다. (   )

(4) 삼국은 일본과 교류를 하며 일본의 아스카 문화 형성에 영향을 주었다. (   )

03 불교와 관련된 유물을 |보기|에서 모두 고르시오.

|보기|
ㄱ. 사신도   ㄴ. 익산 미륵사지 석탑
ㄷ. 첨성대   ㄹ. 금동 연가 7년명 여래 입상

04 빈칸에 알맞은 말을 쓰시오.

(1) (   )은/는 '왕은 곧 부처'라는 사상을 통해 왕권을 뒷받침해 주었다.

(2) (   )은/는 자연을 숭배하고 불로장생을 추구하는 신선 사상을 바탕으로 형성된 신앙이다.

(3) 임신서기석을 통해 신라인들도 (   )을/를 공부하였음을 알 수 있다.

01 밑줄 친 '고분 양식'으로 옳은 것은?

이 고분 양식은 돌을 쌓아 시신을 안치할 널방을 만들고 그 위에 흙을 덮은 형태이다. 벽면과 천장에는 당시의 생활 모습과 사상 등을 보여 주는 벽화를 그려 넣는 경우가 많았다.

① 널무덤   ② 벽돌무덤
③ 돌무지무덤   ④ 굴식 돌방무덤
⑤ 돌무지덧널무덤

중요
02 (가), (나)에 들어갈 고분 양식을 옳게 연결한 것은?

고구려는 초기에 돌을 깐 바닥 위에 시신을 놓고 돌로 덮은 형태의 돌무지무덤을 만들었으나, 4세기 무렵부터 돌을 쌓아 방을 만든 [(가)]을/를 짓기 시작하였다. 백제는 한성에 도읍하던 시기에 돌무지무덤을 많이 남겼으나, 웅진으로 천도한 후에는 주로 [(가)]과(와) 중국 남조의 영향을 받은 [(나)]을 만들었다. 신라는 초기에 땅속에 관을 넣은 후 흙으로 덮은 널무덤을 만들다가 점차 잔돌과 흙으로 거대한 봉분을 쌓는 돌무지덧널무덤을 만들었다. 6세기 중엽 이후부터는 [(가)]을/를 만들기 시작하였다.

	(가)	(나)
①	널무덤	벽돌무덤
②	벽돌무덤	돌무지 무덤
③	벽돌무덤	굴식 돌방무덤
④	굴식 돌방무덤	널무덤
⑤	굴식 돌방무덤	벽돌무덤

03 그림은 고구려의 무용총 벽화이다. 그림에 대한 적절한 해석을 |보기|에서 고른 것은?

|보기|
ㄱ. 고구려에서는 평등 사회를 지향한 것으로 보인다.
ㄴ. 신분에 따라 사람의 크기를 다르게 그린 것으로 보인다.
ㄷ. 고구려 사람들은 인간이 죽은 뒤 영혼이 사라진다고 믿었다.
ㄹ. 밥과 반찬을 올린 상을 통해 고구려인의 식생활을 짐작할 수 있다.

① ㄱ, ㄴ　　② ㄱ, ㄷ　　③ ㄴ, ㄷ
④ ㄴ, ㄹ　　⑤ ㄷ, ㄹ

중요
04 삼국 시대 불교에 대한 설명으로 옳은 것을 |보기|에서 고른 것은?

|보기|
ㄱ. 태학과 같은 기관을 통해 널리 퍼졌다.
ㄴ. 국가의 중앙 집권 체제를 확립하는 과정에서 수용되었다.
ㄷ. '왕이 곧 부처'라는 사상을 바탕으로 왕권을 뒷받침하였다.
ㄹ. 불로장생을 추구하는 신선 사상으로 수용되어 백제에서 유행하였다.

① ㄱ, ㄴ　　② ㄱ, ㄷ　　③ ㄴ, ㄷ
④ ㄴ, ㄹ　　⑤ ㄷ, ㄹ

05 그림 (가), (나)에 대해 해석한 것으로 적절한 내용을 |보기|에서 고른 것은?

　　(가)　　　　　　　　(나)

|보기|
ㄱ. (가): 당시에는 주로 남성들이 부엌에서 요리하였음을 알 수 있다.
ㄴ. (가): 당시 사람들이 동물을 사냥하거나 길러 먹었음을 알 수 있다.
ㄷ. (나): 당시에는 신분이 높을수록 삼베옷을 지어 입었다는 사실을 알 수 있다.
ㄹ. (나): 그림의 가운데에 있는 여성은 크게 그려져 있고 화려한 머리 장식으로 보아 귀족 부인이라고 추측해 볼 수 있다.

① ㄱ, ㄴ　　② ㄱ, ㄷ　　③ ㄴ, ㄷ
④ ㄴ, ㄹ　　⑤ ㄷ, ㄹ

06 (가)에 공통으로 들어갈 용어로 옳은 것은?

> ┌─(가)─┐ 은/는 중국으로부터 들어왔다. 고구려에서는 중앙에 태학을 설립하여 지배층의 자제에게 ┌─(가)─┐ 을/를 교육하였으며, 백제에서는 오경박사를 임명하여 경전의 교육을 맡겼다.

① 불교　　　　　② 유학
③ 도교　　　　　④ 역법
⑤ 천문학

07 자료를 통해 알 수 있는 역사적 사실로 옳은 것은?

> 임신년 6월 16일 두 사람이 맹세하여 쓴다. …… 시, 상서, 예기, 춘추를 차례로 공부하여 익히기로 맹세하되, 3년을 기한으로 하였다.
>
> -「임신서기석」-

① 백제는 오경박사를 두어 유교 경전을 교육하였다.
② 신라 사람들은 유교 경전을 중요하게 생각하여 공부하였다.
③ 고구려에서는 수도에 태학을 설립하여 지배층 자제에게 유학을 교육하였다.
④ 삼국 사람들은 고분의 벽에 도교 사상을 신선과 사신도로 표현하였다.
⑤ 삼국의 왕실은 자신들을 석가의 집안에 견주어 왕권을 강화하고자 하였다.

중요
08 자료와 관련된 유물로 옳은 것은?

> 천문 관측과 관련된 신라 문화유산으로 독특한 모양과 구조 때문에 유명하다. 현재 경상북도 경주시에 남아 있으며 국보 제31호로 지정되어 있다.

① ②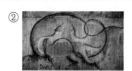

③ ④

⑤

09 밑줄 친 ㉠을 뒷받침해 주는 유물로 옳은 것은?

> 고구려는 주로 북중국 왕조들과 교류하며 한자, 유학 등의 학문과 불교 및 도교를 받아들였다. 5세기부터는 남조 및 몽골 고원의 유목 민족과도 교류하였는데, 특히 초원길을 통한 교류는 ㉠ 고구려와 서역의 교류에 밑바탕이 되었다.

10 (가)에 공통으로 들어갈 유물로 옳은 것은?

> 삼국은 일본과 교류하여 문화를 전파하였다. 실제로 한반도 사람들이 교류 과정에서 일본으로 건너가 아스카 문화가 형성되는 데 크게 기여하였다. 그 증거 중 하나가 ▢▢(가)▢▢ 이다. ▢▢(가)▢▢ 은/는 백제의 위덕왕이 일본에 보낸 것으로 추정되는 불상인데, 일본의 호류사에서 이를 보관하고 있다.

① 백제 관음상
② 백제 금동 대향로
③ 다카마쓰 고분 벽화
④ 목조 미륵보살 반가 사유상
⑤ 금동 미륵보살 반가 사유상

만점에 도전하는 **심화 문제**

01 (가), (나)는 고분 양식과 관련된 설명이다. 이와 관련된 설명으로 옳은 것을 |보기|에서 고른 것은?

(가) 돌을 쌓아 시신을 안치할 널방을 만들고 그 위에 흙을 덮은 형태이다. 벽면과 천장에는 당시 생활 습관과 관념 등을 보여 주는 벽화를 그려 넣었다.

(나) 시신과 껴묻거리를 각각 나무 덧널에 넣고 그 위에 잔돌과 흙을 두껍게 덮은 무덤이다. 널방과 통로, 출입구, 벽화를 그릴 공간 등은 없었다.

| 보기 |

ㄱ. 백제에서는 (가) 양식으로 고분을 만들지 않았다.

ㄴ. (나) 양식은 주로 신라의 무덤에서 발견되었다.

ㄷ. (가)는 굴식 돌방무덤, (나)는 돌무지덧널무덤에 대한 설명이다.

ㄹ. (나)보다 (가)에 껴묻거리가 더 많이 보존되어 있을 가능성이 높다.

① ㄱ, ㄴ   ② ㄱ, ㄷ   ③ ㄴ, ㄷ

④ ㄴ, ㄹ   ⑤ ㄷ, ㄹ

02 (가)와 관련된 유물로 옳은 것은?

삼국 시대에는 중국에서 [(가)]이/가 전래되었다. [(가)]은/는 자연을 숭배하고 불로장생을 추구하는 신선 사상을 중심으로 형성된 신앙으로 특히 고구려와 백제에서 유행하였다. [(가)]이/가 유행하며 사람들은 고분 벽에 신선과 사신도를 그려 넣거나, 신선 세계를 표현한 공예품을 제작하기도 하였다.

① 첨성대

② 스에키 토기

③ 산수무늬 벽돌

④ 금동 연가 7년명 여래 입상

⑤ 서산 용현리 마애 여래 삼존상

03 (가)에 들어갈 용어로 옳은 것은?

삼국 중 일본과 교류가 가장 활발하였던 나라는 백제이다. 백제는 일본에 많은 학자와 기술자를 보내어 유학과 불교를 전해 주었다. 그리고 사찰 건축 및 불상 제작 기술도 전하였다. 이 과정에서 많은 한반도 사람들이 일본에 건너갔으며, 이들은 일본의 [(가)] 문화가 형성되는 데 크게 기여하였다.

① 조몬   ② 나라

③ 야요이   ④ 헤이안

⑤ 아스카

04 다음 유물을 통해 알 수 있는 역사적 사실로 옳은 것은?

① 고구려가 서역과도 활발히 교류하였다.

② 한반도와 일본 간에 교류가 활발하였다.

③ 백제가 중국 남조로부터 문화적인 영향을 많이 받았다.

④ 한반도 사람들이 일본 아스카 문화 형성에 기여하였다.

⑤ 신라가 한강 유역을 차지한 이후 직접 중국과 교류하였다.

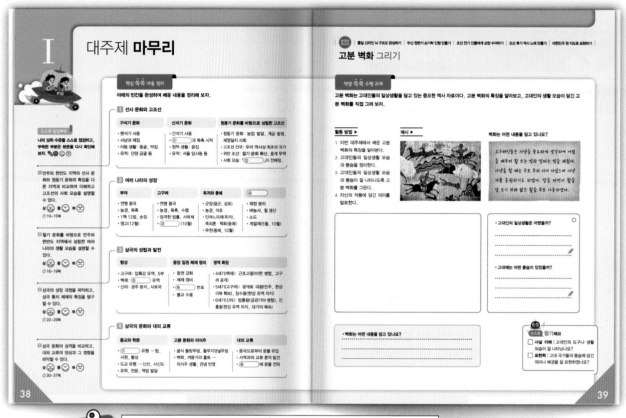

🔑 해결 열쇠 — 대주제에서 학습한 내용들을 복습하면서 빈칸에 알맞은 답을 채워 보아요.

핵심 쏙쏙 내용 정리

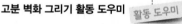

정답 ① 농경 ② 8조법 ③ 동맹 ④ 삼한 ⑤ 한강 ⑥ 율령
⑦ 불교 ⑧ 일본

역량 쑥쑥 수행 과제

활동 소개 ▶

고분 벽화는 고대인들의 일상생활을 담고 있는 중요한 역사 자료
이다. 고분 벽화의 특징을 알아보고, 고대인의 생활 모습이 담긴
고분 벽화를 직접 그려 보도록 하자.

활동 방법 ▶

1단계	이번 대주제에서 배운 고분 벽화의 특징을 알아본다.
2단계	고대 국가들의 일상생활 모습과 풍습을 정리한다.
3단계	고대인들의 일상생활 모습과 풍습이 잘 나타나도록 고분 벽화를 그리고 그 의미를 설명해 본다.

고분 벽화 그리기 활동 도우미 활동 도우미

1. 삼국의 고분 벽화에서 드러나는 특징을 살펴보도록 해요.
2. 고분 벽화에서 발견할 수 있는 고대 사람들의 생활 모습과
   그 의미를 생각해 보고 상상해 보아요.
3. 상상한 것을 바탕으로 어떤 생활 모습을 그릴지 구체적으로
   정하고 고분 벽화를 그려 보도록 해요.
4. 자신이 그린 고분 벽화에는 어떤 내용과 의미가 담겨 있는
   지 설명해 보도록 해요.

예시 답안

평남 강서 수산리 고분에 있는
이 벽화는 신분이 높은 주인공
이 행차하는 모습을 보여 주며
바퀴를 굴리거나 공을 던지며
재주를 부리는 사람들을 묘사
하였다. 그림 속 인물의 신분
에 따라 크기를 달리 그려 당시
사회가 신분제 사회였음을 보
여 준다.

▲ 고구려 수산리 고분 벽화「교예도」

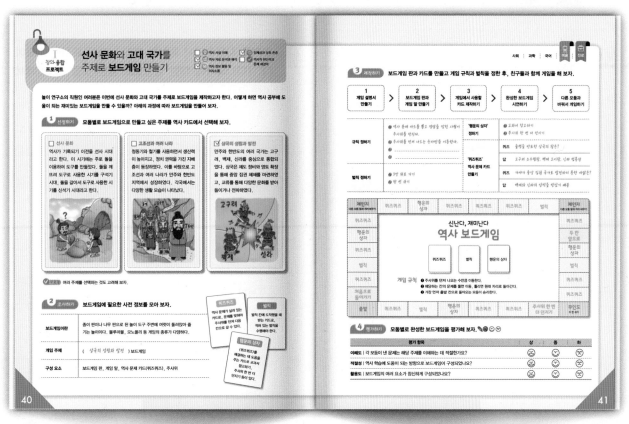

40

41

🥄 활동 예시 답안

1단계: 주제 선정

• 자신이 문제로 만들고 싶은 주제는 무엇인가요?

→ 선사 문화 보드게임

2단계: 자료 조사

• 문제를 만들기 위해 어떤 내용들을 찾아보아야 할까요?

→ 구석기 시대, 신석기 시대, 청동기 시대, 철기 시대의 특징을 알아본다.

3단계: 준비하기

• 친구들과 지키면 좋을 게임 규칙에는 어떤 것이 있을까요?

• 어떤 역사 퀴즈를 만들면 좋을까요?

→ 구석기 시대 돌을 깨뜨려 만든 도구는?(뗀석기)

→ 빗살무늬 토기를 사용하던 시기는?(신석기 시대)

→ 우리 역사상 최초의 국가는?(고조선)

4단계: 제작하기

• 보드게임 판과 말을 어떻게 만들면 게임을 하기에 편할까요?

5단계: 게임하고 평가하기

• 게임을 한 뒤 배운 내용을 얼마나 잘 떠올릴 수 있나요?

활동 소개

이 활동은 여러분이 '보드게임'을 만드는 회사의 직원이라 가정하고, 우리가 배운 역사적 사실을 활용하여 게임을 만들어 보는 것입니다. 주제는 선사 문화와 고대 국가입니다.

📍 활동 도우미

• '퀴즈퀴즈 역사 문제 카드'를 만들 때 단순한 역사적 사실보다 역사적 사실이 나타난 배경이나 의미를 묻는 질문을 만들어 보도록 해요.

• 게임 과정에서 친구들 간 다툼이 벌어지지 않도록 조심합시다.

진로 탐방 '게임 제작자', 그 직업이 알고 싶다!

Q: 무엇을 하는 직업인가요?

사람들이 즐길 수 있는 놀이거리를 만드는 일을 합니다.

Q: 게임을 제작하기 위해 키워야 할 능력은 무엇인가요?

게임을 하는 사람들의 입장에서 즐거울 수 있는 요소들을 찾아내고, 이와 더불어 유익한 내용을 다루는 게임 안목을 키우는 것이 중요합니다.

Q: 평소에 무엇을 하면 도움이 될까요?

어떤 콘텐츠(내용)로 게임을 만들어 볼지 고민해 보는 과정이 중요합니다. 따라서 게임이라는 형식도 중요하지만 게임에 넣을 내용에 대해 지속적인 고민을 해 보는 것이 중요합니다.

01 다음 유물을 사용하기 시작한 시대의 사회 모습으로 옳은 것을 |보기|에서 고른 것은?

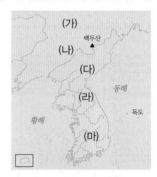

> **|보기|**
> ㄱ. 주로 사냥과 채집으로 먹고 살았다.
> ㄴ. 동굴에 거주하며 이동 생활을 하였다.
> ㄷ. 계급이 발생하며 빈부 격차가 커졌다.
> ㄹ. 집단 간 정복 전쟁이 치열해지면서 군장(족장)이 등장하였다.

① ㄱ, ㄴ   ② ㄱ, ㄷ   ③ ㄴ, ㄷ
④ ㄴ, ㄹ   ⑤ ㄷ, ㄹ

02 자료를 통해 알 수 있는 고조선의 사회 모습으로 적절하지 **않은** 것은?

> 백성들에게 금하는 법 8조가 있었다. 사람을 죽인 자는 바로 사형에 처하고, 남에게 상해를 입힌 자는 곡물로 배상하게 한다. 남의 물건을 훔친 자는 재산을 몰수하고 그 집의 노비로 삼으며, 속죄하려고 하는 자는 1인당 50만(전)을 내게 한다.
>
> – 『한서』 –

① 생명을 존중하는 사회였다.
② 농경을 중시하는 사회였다.
③ 사유 재산을 인정하는 사회였다.
④ 인간의 노동력을 중시하는 사회였다.
⑤ 계급이 존재하지 않는 평등 사회였다.

03 철기를 사용하면서 출현한 여러 나라를 표시한 지도이다. (다) 국가에 대한 설명으로 옳은 것을 |보기|에서 고른 것은?

> **|보기|**
> ㄱ. 혼인 풍습으로는 민며느리제가 있었다.
> ㄴ. 읍군, 삼로라 불리는 군장이 백성을 다스렸다.
> ㄷ. 같은 부족끼리는 결혼하지 않는 풍속이 있었다.
> ㄹ. 매년 12월에는 영고라는 제천 행사를 열어 하늘에 제사를 지냈다.

① ㄱ, ㄴ   ② ㄱ, ㄷ   ③ ㄴ, ㄷ
④ ㄴ, ㄹ   ⑤ ㄷ, ㄹ

04 (가)에 해당하는 왕과 관련된 설명으로 옳은 것은?

> 백제는 수도 한성이 고구려에 함락되면서 웅진으로 천도하였다. 그런데 웅진은 수도로 삼기에는 좁은 지역이었다. 게다가 수도를 옮긴 직후부터 왕권이 약해지고 자연재해가 잇따르자, 백제는 [(가)] 때 수도를 사비로 옮겼다.

① 국호를 남부여로 바꾸었다.
② 왕위가 세습되기 시작하였다.
③ 지방의 중요한 지역에 왕족을 파견하였다.
④ 불교를 수용하며 중앙 집권 체제를 정비하였다.
⑤ 청소년 집단인 화랑도를 군사 조직으로 개편하였다.

05 (가)와 관련된 설명으로 적절한 것을 |보기|에서 고른 것은?

삼국 시대 초기에는 하늘을 비롯한 여러 자연신이나 조상신 숭배 등의 토착 신앙이 널리 퍼져 있었다. 그러나 삼국이 체제를 정비하여 중앙 집권 국가로 발전하면서, 이와 같은 토착 신앙만으로는 발전된 사회를 이끌기 어렵게 되었다. 이에 삼국은 체계화된 종교인 ____(가)____ 를 받아들였다.

| 보기 |
ㄱ. 고구려는 광개토 대왕 때 (가)를 수용하였다.
ㄴ. 삼국의 왕실은 (가)를 적극적으로 받아들였다.
ㄷ. 신라 왕실에서는 (가)와 관련된 왕명을 짓기도 하였다.
ㄹ. 임신서기석을 보면 신라인들이 (가)를 얼마나 중요하게 생각하였는지 알 수 있다.

① ㄱ, ㄴ   ② ㄱ, ㄷ   ③ ㄴ, ㄷ
④ ㄴ, ㄹ   ⑤ ㄷ, ㄹ

06 다음 유물과 관련된 설명으로 옳은 것을 |보기|에서 고른 것은?

| 보기 |
ㄱ. 백제의 유물이다.
ㄴ. 천문 관측을 위해 만들어진 것이다.
ㄷ. 불교, 도교와 관련한 흔적들이 보인다.
ㄹ. 당시 유학을 매우 중요하게 여겼음을 알 수 있다.

① ㄱ, ㄴ   ② ㄱ, ㄷ   ③ ㄴ, ㄷ
④ ㄴ, ㄹ   ⑤ ㄷ, ㄹ

서술형 문제

07 다음 자료를 읽고 물음에 답하시오.

4세기 말 고구려는 집권 체제를 정비하였다. 이후 ____(가)____ 때 이르러 영토를 크게 확장하였다. 먼저 그는 백제를 공격하여 한강 이북의 영토를 차지한 후 신라에 침입한 왜를 물리치기도 하였다(400). 그 뒤를 이은 ⊙장수왕은 수도를 평양으로 옮기고 남진 정책을 추진하였다(427).

(1) (가)에 해당하는 왕을 쓰시오.

----

(2) ⊙에 대한 백제와 신라의 정치적, 군사적인 대응을 서술하시오.

----

08 다음 자료를 읽고 물음에 답하시오.

금관가야는 낙랑군이 멸망하자 철 수출이 어려워지면서 흔들리기 시작하였다. 또한 5세기 초 고구려군이 왜로부터 신라를 구원한 후 낙동강을 넘어 김해 지역까지 공격한 것은 금관가야에 결정적인 타격을 주었다. 5세기 후반부터는 ____(가)____ 이/가 가야 연맹의 새로운 우두머리가 되었다. 그 이유는 ⊙ _____.

(1) (가)에 들어갈 나라를 쓰시오.

----

(2) ⊙에 들어갈 내용을 정치적, 경제적 요인과 관련지어 서술하시오.

II

남북국 시대의 전개

이 대주제를 >> 배우면

- 고구려와 수·당의 전쟁 과정과 삼국 통일의 과정을 설명할 수 있어요.
- 통일 신라와 발해의 통치 제도 및 문화 교류를 말할 수 있어요.
- 신라 말의 동요와 후삼국의 성립 과정을 설명할 수 있어요.

나의 학습 계획표

이 대주제의 학습 주제

1	신라의 삼국 통일과 발해의 건국 교과서 44~49쪽	주제 1 수·당의 침략을 막아 낸 고구려
		주제 2 남북국의 성립
		시험을 대비하는 실전 문제
2	남북국의 발전과 변화 교과서 50~55쪽	주제 3 통일 신라와 발해의 발전
		주제 4 남북국의 쇠퇴와 후삼국의 성립
		시험을 대비하는 실전 문제
3	남북국의 문화와 대외 관계 교과서 56~61쪽	주제 5 통일 신라와 발해의 문화
		주제 6 통일 신라와 발해의 대외 관계
		시험을 대비하는 실전 문제
		대주제를 정리하는 종합 문제

동궁은 태자가 거처하는 궁, 월지는 달이 비치는 연못이라는 뜻이야.

대주제 표지 사진 해설 ▶ 오른쪽 사진은 신라가 삼국을 통일한 후 조성한 경주 동궁과 월지예요. 동궁과 월지의 풍경을 살펴보며, 삼국 통일과 발해 성립의 역사적 의의를 파악하고, 남북국 시대의 통치 제도와 문화 교류를 알아보아요.

학습 계획일		학습일		나의 목표 달성도
월	일	월	일	☆ ☆ ☆ ☆ ☆
월	일	월	일	☆ ☆ ☆ ☆ ☆
월	일	월	일	☆ ☆ ☆ ☆ ☆
월	일	월	일	☆ ☆ ☆ ☆ ☆
월	일	월	일	☆ ☆ ☆ ☆ ☆
월	일	월	일	☆ ☆ ☆ ☆ ☆
월	일	월	일	☆ ☆ ☆ ☆ ☆
월	일	월	일	☆ ☆ ☆ ☆ ☆
월	일	월	일	☆ ☆ ☆ ☆ ☆
월	일	월	일	☆ ☆ ☆ ☆ ☆

신라의 삼국 통일과 발해의 건국

학습 목표
고구려가 수와 당의 침략을 막아 낸 과정을 이해하고, 그 역사적 의의를 설명할 수 있다.

주제 1 수·당의 침략을 막아 낸 고구려

1 고구려와 수의 전쟁

> 어떻게? 수 문제는 유목 민족인 돌궐을 제압하고 고구려를 압박하였어.

(1) 수의 중국 통일(6세기 후반): 수의 동아시아 패권 장악 욕심 → 고구려에 복종 요구

(2) 고구려와 수의 전쟁
  ① 고구려의 요서 공격: 고구려는 수의 복종 요구를 거절하고 요서 지방 선제 공격
  ② 수 문제의 침략(598): 30만 대군을 보내 고구려 침략 → 고구려 정벌 실패
  ③ 수 양제의 침략(612): 대규모 병력으로 고구려 침략, 요동성 공격 실패 → 수 양제가 별동대를 파견하여 평양성 공격 → 고구려 을지문덕의 **❶살수 대첩**(612)

(3) 결과: 고구려 원정 실패에 따른 국력 소모와 각지의 반란으로 수 멸망(618)

2 고구려와 당의 전쟁

(1) 당의 중국 재통일

> 어디? 요동 지역의 부여성에서 비사성에 이르는 성을 쌓은 것으로 추정하고 있어.

  ① 당 건국 초기: 고구려와 친선 관계 유지
  ② 당 태종 즉위 후: 고구려 압박 → 고구려는 당의 침입에 대비해 **천리장성** 축조

(2) 연개소문의 정변: ❷연개소문이 정변을 일으켜 권력 장악 → 당과 신라에 대해 강경한 대외 정책 전개

(3) 당 태종의 고구려 정벌: 연개소문의 정변과 고구려의 신라 공격을 구실로 침략 → 요동 지역의 여러 고구려성 함락

> 어떻게? 당은 요동성과 백암성 등을 차례로 함락하고 안시성으로 진격했어.

(4) 고구려의 저항
  ① 안시성 전투(645): 당 태종의 안시성 공격 → ❸안시성의 고구려군과 백성들이 당의 침략 저지

> 어떻게? 성안의 백성들과 군대가 80여 일간 항전을 이어갔고, 당군이 토성을 쌓고 성안으로 들어가려 하였지만, 고구려 군대에 빼앗기고 말았어.

  ② 이후 계속되는 당의 침략 모두 방어

(5) 고구려 항전의 의의: 중국 세력의 침략을 저지하여 한반도 남쪽의 국가들 보호

---

❶ 살수 대첩
을지문덕은 수와 정면 대결을 피하면서 지속적으로 수의 보급로를 차단하였다. 수의 별동대를 평양성 부근까지 유인하여 적을 지치게 하였다. 이때 을지문덕이 수의 장군 우중문에 오언시를 보내 철수하도록 경고하였다. 고구려군은 후퇴하는 수의 군대를 살수(청천강)에서 총공격하여 수군을 거의 전멸시켰다.

❷ 연개소문의 정변
천리장성 축조 책임자인 연개소문의 세력이 커지자 왕과 대신들이 그를 제거하려 하였다. 이를 눈치 챈 연개소문은 정변을 일으켜 대신들과 왕을 없애고, 보장왕을 세웠다(642).

❸ 안시성
고구려가 요하 유역에 축조한 성 가운데 요동성 다음으로 중요한 곳이었다. 고구려 멸망 후 검모잠을 중심으로 고구려 부흥 운동의 중심지가 되었으나 당군에 함락되었다(671).

핵심 자료 6세기 말~7세기경 동아시아 정세

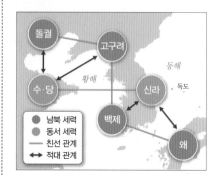

✓ 핵심

수의 중국 통일 후 동아시아 정세는 어떻게 바뀌었을까?

수의 세력 확장에 위협을 느낀 고구려는 북방의 돌궐과 연합하였다. 반면 고구려와 백제의 공격을 받던 신라는 수에 도움을 요청하였다. 그리하여 6세기 말 이후 동아시아에서는 고구려·백제·돌궐·왜를 연결하는 남북 세력과 신라와 수·당이 연결된 동서 세력이 대립하는 상황이 전개되었다.

⊘ 정답과 해설 10쪽

확인해 봐요

1 수의 문제가 중국을 통일한 뒤 곧바로 고구려를 공격하였다.
(○ , ×)

2 수의 양제가 고구려에 별동대를 보내 평양성을 공격하였다.
(○ , ×)

3 고구려의 연개소문이 안시성에서 당의 침입을 막아 냈다.
(○ , ×)

📖 교과서 활동 풀이

가자! 역사 속으로

중국을 통일한 수와 그 뒤를 이어 등장한 당은 많은 군사를 동원하여 여러 차례 고구려 정벌에 나섰습니다.

❓ 고구려는 수, 당의 공격에 어떻게 대응했을까요?

예시 답안 수와 당의 막강한 군사력에 대항하여 고구려에서는 군대와 백성이 하나가 되어 막아 냈다.(또는 고구려에서는 수와 당의 공격에 맞서는 특별한 군사 작전을 전개하였다.)

📎 교과서 44쪽

수 양제 / 당 태종 / 고구려

📍 자료 해설

수 양제와 당 태종은 동아시아의 패권을 장악하기 위해 고구려에 복종을 강요하였습니다. 그러나 고구려의 강력한 저항에 부딪혀 수는 국력을 소모하였고, 당과 신라가 동맹을 맺는 계기가 마련되었어요.

📋 교과서 지도 자료 고구려와 수·당의 전쟁

📎 교과서 44~45쪽

수와 당은 고구려를 육로와 해로를 통해 공격하였다. 을지문덕이 이끄는 고구려군은 수 양제가 별동대를 살수에서 크게 물리쳤다. 한편 당의 공격에 대비하여 천리장성을 미리 쌓아 두었지만, 당 태종의 군대는 막강한 군사력으로 고구려의 많은 성을 함락시켜 나갔다. 그러나 위기에 놓인 고구려는 안시성 전투에서 승리함으로써 당의 침략을 저지하였다.

💡 활동 도우미

수와 당이 왜 고구려를 공격하려 하였는지 생각해 보면서 수와 당을 크게 무찔렀던 격전지를 지도에서 찾아보아요. 그리고 고구려가 수, 당과의 전쟁에서 승리한 것이 삼국의 역사에서 어떤 의미를 가지는지 생각해 보아요.

🤖 탐구 해 봐요 산성으로 보는 고구려와 수·당의 전쟁

📎 교과서 45쪽

 자료 1 고구려의 방어 전술
고구려는 험난한 산악 지대에 성을 쌓았다. 그리고 적군이 쳐들어오면 농작물을 불태우고 우물을 메운 후 모든 식량을 가지고 산성으로 들어갔다. 적군이 굶주리고 지칠 때까지 성을 지키며 버티다가 적군이 물러가면 그 후방을 급습하는 것이 고구려의 주된 방어 전술이었다.

자료 2 고구려 산성의 구조
성안에는 우물, 저수 시설, 창고 등이 있었으며, 성벽에는 옆 방향으로 공격이 가능한 '치'와 성문을 보호하는 '옹성'이 있었다.

백암성 성벽의 치 (중국 랴오닝)   박작성의 우물터 (중국 단둥)

1 산성의 여러 시설이 적군의 공격을 막아 내는 데 어떤 역할을 하였을지 생각해 보자.

예시 답안 고구려 산성의 '치'는 성벽의 일부를 돌출시켜 적을 공격하기 편리한 시설이고, '옹성'은 이중 성벽으로 적이 쉽게 성 안으로 쳐들어오지 못하도록 하는 시설이다. 우물, 저수 시설, 창고 등은 성을 지키는 군사와 백성들이 적이 지칠 때까지 버티는 동안 필요한 식량과 무기를 비축해 두는 시설로 활용하였다.

2 고구려인들이 수, 당의 공격을 막아 내기 위해 성을 어떻게 활용하였는지 친구들과 이야기해 보자.

예시 답안 고구려인들은 적이 침입하면 성 바깥의 농작물과 생활 터전을 불태우고 우물을 메운 뒤, 곡식과 무기를 갖춘 산성으로 들어가 적이 지칠 때까지 버티는 청야수성 전술을 써서 적을 물리쳤다.

💡 활동 도우미

고구려는 국경의 험준한 산악 지대에 성을 쌓고, 적의 침입에 대비하였어요. 그리고 전쟁이 발생하면 농작물은 물론 생활 터전까지 모두 불태워 없애고, 우물도 매워버린 뒤 식량을 가지고 성 안으로 들어가지요.
산성에는 적을 공격하는 데 유리한 '치'와 방어에 유리한 '옹성'같은 시설을 마련하였고, 식량과 무기를 보관해 둘 창고는 물론 식수를 마련하기 위해 우물과 저수 시설도 마련해 두었어요. 고구려인들은 이러한 산성을 이용하여 막강한 군사력을 가진 수와 당의 공격을 차례로 물리칠 수 있었습니다.

🤖 스스로 확인해요

❶ 고구려의 을지문덕은 살수에서 수의 군대와 싸워 크게 승리하였다. (○)
❷ 당 태종은 안시성 전투에서 패배한 후, 고구려에서 물러났다.

이 주제의 핵심

이 주제에서는 고구려가 수와 당의 침략을 물리친 과정과 결과에 대해서 알아보았어요. 고구려가 수, 당과 전쟁을 하게 된 배경과 수를 물리친 살수 대첩, 당을 물리친 안시성 전투를 파악하는 것이 중요합니다. 고구려가 수와 당을 물리친 것이 한반도에 미친 영향도 꼭 기억해 두세요.

주제 2 남북국의 성립

1 신라와 당의 동맹(나당 동맹)

(1) 나당 동맹 이전 삼국의 정세

① 고구려: 수·당의 침략에 맞서 전쟁 전개

> 어디? 오늘날 경남 합천 지역으로 당시 백제와 신라의 정경지에 있던 요새였는데, 김춘추의 사위 김품석이 이곳의 성주였어.

② 백제: 의자왕이 신라를 자주 공격하여 대야성 등 여러 성 함락

③ 신라: **①김춘추**가 고구려에 군사 지원 요청 → 연개소문의 거절로 실패

(2) 나당 동맹 체결(648)

> 왜? 고구려가 신라에 빼앗긴 죽령 이북 땅을 돌려줄 것을 요구해 협상이 결렬됐어.

① 배경: 김춘추가 당에 건너가 나당 동맹 제의

② 내용: 신라가 당으로부터 군사적 도움을 받는 대가로 대동강 이북의 고구려 영토를 양보하기로 약속

2 백제의 멸망과 부흥 운동

(1) 백제의 멸망: 지배층의 분열과 정치적 혼란으로 국력 쇠퇴 → 계백이 이끈 결사대가 **②황산벌 전투**에서 패배 → 나당 연합군이 사비성 함락(660)

(2) 부흥 운동: 복신·도침(주류성 중심), 흑치상지(임존성 중심) 등이 주도 → 지배층의 분열, 왜에서 파견된 군대가 나당 연합군에 패배(백강 전투, 663) → 실패

3 고구려의 멸망과 부흥 운동

(1) 고구려의 멸망: 연개소문을 중심으로 나당 연합군의 공격을 방어 → 연개소문 사후 지배층의 권력 다툼 → 나당 연합군의 공격으로 평양성 함락(668)

(2) 부흥 운동: 검모잠(안승을 왕으로 추대), 고연무(요동 지역) 등이 주도 → 신라의 지원 → 지배층의 분열로 실패

4 나당 전쟁과 신라의 삼국 통일

> 무엇을? 당은 백제의 옛 땅에 웅진도독부, 고구려 옛 땅에 안동도호부, 신라 금성에 계림도독부를 설치했어.

(1) 당의 한반도 지배 야욕: 백제, 고구려 영역 및 신라까지 당의 군사 통치 기구 설치

(2) 나당 전쟁: 신라가 고구려 부흥 운동 세력과 연계 → 매소성·기벌포 전투에서 당군 격파 → 당군 철수 → 삼국 통일 완성(676)

(3) 삼국 통일의 의의와 한계

① 의의: 평화와 안정 회복, 삼국 문화가 융합된 민족 문화의 토대 마련

② 한계: 대동강 이북의 옛 고구려 영토 대부분 상실

> 왜? 당에 고구려 영토를 양보함으로써 우리 민족의 활동 무대가 축소되었어.

5 발해의 건국과 남북국의 성립

(1) 당의 고구려 유민 지배: 요서 지방의 영주 등으로 고구려 유민을 이주시킴.

(2) 발해의 건국(698)

> 어떻게? 소수의 고구려인들이 지배층의 주류를 이뤘고, 다수의 말갈인이 피지배층을 이뤘어.

① 건국: **③대조영**이 고구려 유민과 말갈족을 이끌고 만주 지역으로 탈출 → 만주 지린성 동모산에 건국

② 주민 구성: 고구려인을 중심으로 말갈인 포함

③ 의의: 고구려를 계승한 국가 성립 → 신라와 발해가 공존하는 남북국 시대 시작

---

① 김춘추

삼국 통일의 기반을 마련한 인물로, 무열왕이다. 진덕 여왕이 자식 없이 사망하자, 진골 출신으로는 처음으로 왕위에 올랐다.

② 황산벌 전투

백제는 나당 연합군의 공격으로 위기에 몰렸다. 이때 계백이 결사대를 이끌고 신라군과 싸워 여러 차례 승리하였다. 그러나 화랑 관창의 희생으로 사기가 높아진 신라군이 결국 승리하고, 이후 백제는 멸망하였다.

③ 대조영(고왕)

아버지는 (대)걸걸중상으로, 그의 가계나 고구려에서 차지하고 있던 사회적 지위에 대해서는 기록이 일치하지 않는다. 『구당서』 발해전에는 고구려인의 별종이라 했고, 『신당서』 발해전에는 원래 속말말갈의 족속인데 나중에 고구려에 복속되었다고 하였다. 유득공의 『발해고』를 비롯한 우리 선인들은 모두 그를 고구려인으로 보고 있다.

> 정답과 해설 10쪽

확인해 봐요

1 백제의 공격으로 위기에 처한 신라는 (김춘추 / 김유신)을/를 고구려에 보내 군사를 요청하였다.

2 백제는 (황산벌 / 백강) 전투에서 나당 연합군에 패배한 후 멸망하였다.

3 남쪽의 신라와 북쪽의 발해가 공존하게 되면서 (남북조 / 남북국) 시대가 열렸다.

교과서 활동 풀이

가자! 역사 속으로

7세기 중엽 백제의 공격으로 사위와 딸을 잃은 신라 귀족 김춘추는 당 태종을 찾아가 신라와 당의 동맹을 제안하였습니다.

백제가 침략을 일삼아 당을 섬기기 힘들어요. 도와주세요.
......
김춘추 / 당 태종

📄 교과서 46쪽

☑ 김춘추와 당 태종의 만남은 우리 역사에 어떤 영향을 미쳤을까요?

예시 답안 신라와 당은 나당 동맹을 체결하여 백제, 고구려를 멸망시켰다. 이후 신라는 당군까지 몰아내고 삼국을 통일하였다.

Q 왜가 백제 부흥 운동을 도운 까닭은 무엇일까? 📄 교과서 46쪽

예시 답안 백제와 왜는 오랫동안 친선 관계에 있었으므로 백제의 요청에 군사적 지원을 하게 되었다.

> **활동 도우미**
> 김춘추가 당 태종을 찾아가기 전에 고구려에 먼저 동맹을 제안하였으나 거절당한 이유와 당 태종이 신라의 제안을 받아들이게 된 배경이 무엇인지 생각해 보아요.

탐구 해 보요   유득공의 남북국 역사 인식

📄 교과서 48쪽

1 위 자료에서 남국과 북국은 각각 어떤 나라를 의미하는지 이야기해 보자.

예시 답안 남국: 통일 신라 / 북국: 발해

2 유득공이 '남북국'이라는 용어를 사용한 이유를 써 보자.

예시 답안 발해는 옛 고구려의 영토에 고구려 유민이 세운 우리 민족의 국가이다. 그리고 삼국을 통일한 신라와 공존하게 되었으므로 남북국이라 하였다.

> **활동 도우미**
> 조선 후기 실학자 유득공은 우리나라는 물론 중국, 일본에 남아 있는 자료를 모아 『발해사』를 저술하였어요. 『발해사』 서문에 발해가 고구려의 후계자임을 분명히 밝히며 발해사를 우리 민족사로 포함하였어요.

> **스스로 확인해요**
> ❶ 백제의 결사대가 황산벌에서 신라군에게 패하면서 백제는 멸망하였다. (○)
> ❷ 신라는 매 소 성 와/과 기 벌 포 에서 당에 크게 승리함으로써 삼국 통일을 완성하였다.

역량 키우기 ? 역사 토론   신라의 삼국 통일 어떻게 볼 것인가?

 생각하고 토론하기

1 누리 소통망 서비스(SNS)에 게재된 김부식과 신채호의 글을 읽고, 신라의 삼국 통일에 대한 두 사람의 평가를 한 문장으로 정리해 보자.

예시 답안

김부식	백제·고구려의 공격으로 고통받았던 원수를 갚고 백성들의 목숨을 구한 것이다.
신채호	신라가 당을 끌어들여 백제·고구려를 멸망시킨 것은 같은 민족을 멸망시킨 일이다.

2 아래 형식에 맞게 자신의 입장을 정리해 보자.

예시 답안 주장: 나는 신라의 삼국 통일에 대한 신채호의 입장을 지지한다. / 근거: 왜냐하면 당의 도움을 받아 백제와 고구려를 멸망시켰고, 그 대가로 고구려 영토 대부분을 잃어버렸기 때문이다.

3 모둠 내에서 김부식의 입장과 신채호의 입장을 나누고, 삼국 통일의 의미에 관해 토론해 보자. 예시 답안 생략

4 토론 내용을 바탕으로 삼국 통일의 의의와 한계를 논하는 글을 누리 소통망 서비스(SNS)에 게재해 보자. 예시 답안 생략

> **활동 도우미**
> 신라의 삼국 통일에 관해서는 긍정적인 평가와 부정적인 평가가 있어요. 긍정적인 평가의 대표적인 인물은 고려 시대 『삼국사기』를 지은 김부식이고, 부정적인 평가의 대표적인 인물은 일제 강점기 역사가 신채호를 들 수 있어요. 김부식은 통일 이후 평화의 시기를 맞은 부분을 높이 평가하였고, 신채호는 통일 과정에서 외세를 끌어들인 부분을 비판하였어요.

 이 주제의 핵심

이 주제에서는 나당 동맹, 백제와 고구려의 멸망과 부흥 운동, 신라의 삼국 통일 완성 과정 그리고 고구려를 계승한 발해가 건국되었음을 알아보았어요. 나당 동맹의 배경, 신라가 삼국 통일을 이룩하고 북쪽의 발해의 건국과 함께 남북국 시대가 성립하였음을 기억해 두세요.

기초를 튼튼하게 확인 문제

01 서로 관련 있는 내용끼리 연결하시오.

ㄱ 을지문덕 •   • ⓐ 발해 건국
ㄴ 연개소문 •   • ⓑ 살수 대첩 승리
ㄷ 대조영 •   • ⓒ 천리장성 축조

02 설명이 맞으면 ○, 틀리면 ×로 표시하시오.

(1) 고구려는 수의 공격을 안시성 전투에서 크게 물리쳤다. (   )
(2) 고구려는 당의 침략에 대비하여 요동 지방에 천리장성을 쌓았다. (   )
(3) 신라는 나당 전쟁에서 승리한 후 삼국 통일을 완성하였다. (   )
(4) 옛 고구려 장수 출신인 대조영이 발해를 건국하였다. (   )

03 |보기의 사건을 역사적 순서대로 나열하시오.

| 보기 |
ㄱ. 백제 멸망   ㄴ. 고구려 멸망
ㄷ. 나당 동맹 결성   ㄹ. 삼국 통일 완성

04 빈칸에 알맞은 말을 쓰시오.

(1) 을지문덕이 이끈 고구려군은 (   )에서 수의 군대를 크게 물리쳤다.
(2) 신라가 매소성과 (   )에서 당군을 몰아내고 삼국 통일을 완성하였다.
(3) 발해 건국으로 남쪽의 신라와 북쪽의 발해가 공존하게 된 시기를 (   ) 시대라고 부른다.

내신을 탄탄하게 내신 문제

중요
01 (가)에 들어갈 교사의 설명으로 옳지 않은 것은?

① 고구려는 돌궐과 연합하여 수에 대항하였습니다.
② 신라가 한강 유역을 차지하고 난 뒤의 상황입니다.
③ 백제는 당의 공격을 막아 내기 위해 고구려와 연합하였습니다.
④ 수는 동아시아의 패권을 장악하기 위해 고구려에 복종을 요구하였습니다.
⑤ 신라는 고구려와 백제의 공격에 대항하기 위해 수·당과 연결을 강화하였습니다.

02 교사의 질문에 대한 학생의 답변으로 옳지 않은 것은?

교사: 수는 중국을 통일한 이후 멸망할 때까지 고구려와 어떠한 관계를 맺었을까요?
학생: _____

① 수 문제가 고구려 정벌에 나섰지만 성과를 거두지 못했어요.
② 수는 계속되는 고구려 원정 실패로 국력이 크게 소모되었어요.
③ 수는 을지문덕이 이끄는 고구려군에게 살수에서 크게 패하였어요.
④ 수는 동아시아의 패권을 장악하려고 고구려에 복종을 강요하였어요.
⑤ 수 양제는 돌궐을 견제하기 위해 고구려와 친선 관계를 맺으려 하였어요.

03 당 태종이 다음과 같은 생각을 품고 있을 때 고구려의 대응으로 옳은 것은?

이제 국내 정치도 안정이 되었으니, 고구려를 공격하러 가 보아야겠군.

① 고구려가 신라와 연합하였다.
② 고구려가 천리장성을 쌓았다.
③ 고구려가 별동대를 조직하였다.
④ 고구려가 당의 요서 지역을 공격하였다.
⑤ 고구려가 신라에 군사적 도움을 요청하였다.

04 다음과 같은 활동을 한 인물로 옳은 것은?

- 천리장성 축조 책임자
- 정변을 일으켜 권력 장악
- 신라 김춘추의 군사 지원 요청 거절
- 나당 연합군의 공격을 받았으나 막아 냄.

① 안승　　② 검모잠　　③ 고연무
④ 연개소문　　⑤ 을지문덕

05 학생들의 대화와 관련 있는 전투는?

고구려는 산악 지대에 성을 쌓고 적군이 쳐들어오면 산성으로 들어갔다고 해.

산성에서 적군이 굶주리고 지칠 때까지 버티다가 적군이 물러가면 후방을 급습했다지?

① 살수 대첩　　② 백강 전투　　③ 안시성 전투
④ 매소성 전투　　⑤ 기벌포 해전

06 신라의 김춘추가 당의 태종을 찾아가 군사 지원을 요청한 이유를 |보기|에서 고른 것은?

| 보기 |
ㄱ. 왜가 가야와 손을 잡고 신라를 공격하였다.
ㄴ. 고구려가 신라의 군사 지원 요청을 거절하였다.
ㄷ. 백제의 공격으로 대야성 등 여러 성을 상실하였다.
ㄹ. 진골 귀족들이 왕위 다툼을 벌여 사회가 혼란에 빠졌다.

① ㄱ, ㄴ　　② ㄱ, ㄷ　　③ ㄱ, ㄹ
④ ㄴ, ㄷ　　⑤ ㄷ, ㄹ

07 (가)에 들어갈 알맞은 말은?

당이 신라에 군사적 도움을 주신다면 (가) 이북의 고구려 영토를 양보하겠습니다.

① 한강　　② 두만강　　③ 대동강
④ 압록강　　⑤ 소양강

08 백제가 멸망해 가는 과정에서 일어난 일이 아닌 것은?

① 의자왕 사후 권력 다툼이 일어났다.
② 의자왕이 사치와 향락에 빠져 민심을 잃었다.
③ 나당 연합군이 사비성을 공격하여 함락하였다.
④ 소정방이 이끄는 당군에게 백제가 패배하였다.
⑤ 계백의 결사대가 황산벌에서 신라군에게 패배하였다.

09 학생의 설명과 관련 있는 인물을 |보기|에서 모두 고른 것은?

> 백제와 고구려가 각각 나당 연합군의 공격을 받아 멸망하였지만 다시 나라를 되찾으려는 노력이 있었어요.

| 보기 |
ㄱ. 복신   ㄴ. 계백   ㄷ. 고연무
ㄹ. 유득공   ㅁ. 검모잠   ㅂ. 흑치상지

① ㄱ, ㄴ, ㄷ, ㄹ
② ㄱ, ㄴ, ㄹ, ㅁ
③ ㄱ, ㄷ, ㅁ, ㅂ
④ ㄴ, ㄷ, ㅁ, ㅂ
⑤ ㄷ, ㄹ, ㅁ, ㅂ

10 (가)에 들어갈 내용으로 가장 적절한 것은?

〈요점 정리〉

신라의 삼국 통일 과정
1. 백제 멸망 : 사비성 함락
2. 고구려 멸망: 평양성 함락
3. 나당 전쟁
　(1) 원인: 　　　　(가)　　　　
　(2) 전개: 신라가 고구려 부흥 운동 세력과 연계
　(3) 결과: 신라의 승리, 삼국 통일 완성

① 당의 신라 왕실 무시
② 당의 한반도 지배 야욕
③ 당의 무리한 공물 요구
④ 당의 군사 지원에 대한 불만
⑤ 당의 백제·고구려 문화재 약탈

11 신라의 삼국 통일이 갖는 의의와 한계점을 |보기|에서 고른 것은?

| 보기 |
ㄱ. 최초의 민족 통일이었다.
ㄴ. 백제와 고구려의 유민 세력을 배척하였다.
ㄷ. 대동강 이북의 옛 고구려 땅을 상실하였다.
ㄹ. 고구려와 백제의 문화를 수용하지 못하였다.

① ㄱ, ㄴ   ② ㄱ, ㄷ   ③ ㄴ, ㄷ
④ ㄴ, ㄹ   ⑤ ㄷ, ㄹ

12 다음 입장에서 신라의 삼국 통일을 이해한 학생은?

> 다른 민족을 끌어들여 같은 민족을 멸망시킨 것은 도적을 불러들여 형제를 죽이는 것과 같다.
> – 신채호, 『독사신론』–

① 병국: 우리 민족 최초의 통일이었어.
② 남길: 통일 과정에서 외세인 당을 끌어들였어.
③ 다혜: 오랜 전쟁이 끝나고 평화와 안정을 찾았어.
④ 진주: 고구려, 백제 유민과 함께 당군을 물리쳤어.
⑤ 민성: 삼국 문화가 융합하여 민족 문화 발전의 토대를 이루었어.

13 발해의 건국에 대한 설명으로 옳지 **않은** 것은?

① 고구려 장수 대조영이 동모산에 수도를 정하였다.
② 고구려인이 중심이 되어 말갈인과 함께 건국하였다.
③ 신라는 고구려를 계승한 발해를 건국 직후 공격하였다.
④ 당으로 끌려갔던 고구려 유민이 옛 고구려 땅으로 탈출해서 건국하였다.
⑤ 발해가 건국되어 남쪽의 통일 신라와 북쪽의 발해가 남북국의 형세를 이루게 되었다.

만점에 도전하는 **심화 문제**

01 (가)에 들어갈 내용으로 옳은 것은?

> 수 양제는 중국의 화북과 강남을 연결하는 대운하를 완성하였고, 영토도 크게 넓혔다. 한편 113만 대군을 이끌고 고구려를 침략하였으나, [(가)] 국력을 크게 소모하고 말았다.

① 백강에서 패하여　　② 살수에서 패하여
③ 기벌포에서 패하여　④ 매소성에서 패하여
⑤ 안시성에서 패하여

02 (가)에 들어갈 인물로 옳은 것은?

> 신기한 책략은 하늘의 이치를 꿰뚫어 볼만하고, 오묘한 전술은 땅의 이치를 모조리 알도다. 전쟁에 이겨서 그 공 이미 높아졌으니, 만족함을 알고 그만 돌아가기를 바라노라.

> 이 시는 고구려 장군 [(가)] 이/가 수의 별동대를 이끌던 우중문을 조롱하며 읊은 시라지?

① 계백　　　　　② 김춘추
③ 대조영　　　　④ 걸걸중상
⑤ 을지문덕

03 고구려 부흥 운동에 대한 설명으로 옳지 <u>않은</u> 것은?

① 신라의 지원을 받기도 하였다.
② 지도층의 내분으로 실패하였다.
③ 고연무는 오골성을 중심으로 활약하였다.
④ 검모잠은 한성에서 왕족 안승을 추대하였다.
⑤ 복신과 도침이 주류성에서 부여풍을 왕으로 추대하였다.

신유형
04 다음 지도에 표시된 지역의 공통점은?

① 나당 전쟁의 격전지
② 나당 연합군의 주둔지
③ 백제의 부흥 운동 발생지
④ 고구려의 부흥 운동 발생지
⑤ 백제를 도우려는 왜의 군대 파견지

중요
05 다음 기록을 뒷받침할 수 있는 근거로 옳지 <u>않은</u> 것은?

> 대씨는 그 북쪽을 차지하여 발해라고 하였다. (중략) 대씨라는 이들은 어떤 사람들인가. 바로 고구려 사람이다. 그들이 소유하였던 땅은 어떤 땅인가. 바로 고구려의 땅이다.　　　　　 - 유득공, 『발해고』 -

① 일본은 발해를 고려(고구려)라고 부르기도 하였다.
② 발해 왕은 대외적으로 '고구려 국왕'이라고 표현하였다.
③ 『구당서』에 대조영이 고구려의 한 갈래라는 기록이 있다.
④ 발해는 고구려와 적대 관계에 있던 거란의 지배에서 벗어나 건국하였다.
⑤ 발해는 고구려와 말갈인으로 구성되었지만, 고구려인이 중추가 되어 건국하였다.

2 남북국의 발전과 변화

학습 목표
통일 신라와 발해의 통치 제도를 설명할 수 있다.

주제 3 통일 신라와 발해의 발전

1 통일 신라의 왕권 강화와 통치 제도 정비

(1) 강력한 왕권 확립
① 무열왕(김춘추): 진골 귀족 최초의 왕 → 이후 무열왕 직계 자손이 왕위 계승
② 문무왕: 나당 전쟁에서 승리하여 삼국 통일 완성 → 왕권 강화
③ 신문왕: 진골 귀족의 반란 진압, 국학 설립(유학 교육 장려), ❶녹읍 폐지(귀족의 경제 기반 약화)→ 6두품 세력의 성장(왕의 정치적 조언자로 활동)
어떻게? 역모를 꾀한 장인 김흠돌을 숙청하고 왕권에 도전했던 진골 귀족을 제압했어.

(2) 통치 제도 정비
① 중앙 행정 제도: ❷집사부 중심 운영, 10여 개 관청 설치 → 집사부와 장관인 중시의 권한 강화, 화백 회의 기능과 의장인 상대등의 권한 약화
② 지방 제도: 전국을 9주로 나누고 그 밑에 군·현 설치, 지방관 파견, 주요 지역에 5소경 설치(수도 금성이 동남쪽에 치우친 단점 보완, 지방 세력 성장 억제)
③ 군사 제도: ❸9서당(중앙군), 10정(지방군)
왜? 9주에 각각 1개의 정을 설치하였는데, 군사상 요충지인 한주(북쪽 접경 지대)에는 2개의 정을 설치하여 10정이 되었어.

2 발해의 발전

(1) 발해의 발전
어떻게? 당이 신라와 흑수말갈을 이용하여 발해를 견제했어.
① 무왕: 영토 확장 → 당의 발해 견제 → 돌궐·일본과 손잡고 당 공격
② 문왕: 상경 천도, 통치 체제 마련, 당의 문물 수용, 신라와 교류(신라도)
③ 선왕: 요동에서 연해주에 이르는 최대 영역 확보 → '해동성국'이라고 불림.
무엇? '바다 동쪽의 융성한 나라'라는 뜻이야.

(2) 통치 제도 정비
① 중앙 정치 조직: 당의 3성 6부제 수용 → 발해의 실정에 맞게 운영 방식과 명칭은 독자성 유지
어떻게? 6부의 명칭을 유교 덕목(충·인·의·지·예·신)으로 바꾸어 사용하였어.
② 지방 행정 조직: 5경 15부, 지방관 파견, 말단 촌락은 말갈인 촌주가 관리
③ 군사 조직: 10위(중앙군), 지방관이 지방군 지휘
왜? 고구려인과 말갈인의 조화를 꾀하고자 하였어.

---

❶ 녹읍
관리에게 지급한 토지로, 토지에서 세금을 거둘 수 있을 뿐만 아니라 백성들의 노동력을 동원할 수 있었다. 신라의 귀족들은 녹읍을 이용하여 개인적인 세력을 키웠다. 이에 신문왕은 조세만 거둘 수 있는 관료전을 지급하고, 녹읍을 폐지하였다.

❷ 집사부
왕명을 받들고, 행정을 분장하는 여러 관부를 거느렸다. 장관인 중시는 진골 출신이 임명되었다. 집사성으로 개칭되고, 장관도 시중이라 하여 신라 멸망까지 존속하였다.

❸ 9서당
서당은 국왕에게 충성을 맹세(서, 誓)한 국왕 직속 부대(당, 幢)라는 뜻으로 통일 이전에 처음 만들어졌다. 통일 이후 신라인으로 구성된 3개 부대 이외에도, 백제인 2개 부대, 고구려인 3개 부대, 말갈인 1개 부대가 편성되어 9서당이 완성되었다. 국왕 직속 부대에 백제와 고구려인을 포용함으로써 민족 융합에 크게 기여하였다.

핵심 자료   9주 5소경

✅ 핵심
지방 주요 지역에 5소경을 설치한 이유는 무엇일까?

수도 금성(경주)이 동남쪽에 치우쳐 있는 약점을 보완하기 위해 5소경을 설치하였다. 그리고 이곳에 일부 중앙 귀족과 옛 가야 및 고구려, 백제 출신 귀족을 옮겨 살게 하여 지방 정치와 문화의 중심지로 삼고 지방 세력을 견제하고자 하였다.

🔍 확인해 봐요

📎 정답과 해설 12쪽

1 신라의 신문왕이 귀족들의 경제적 기반을 약화시키기 위해 폐지한 토지 제도는? (   )

2 신라의 민족 통합 의지를 엿볼 수 있는 중앙군은? (   )

3 당에서 발해를 '바다 동쪽의 융성한 나라'라는 뜻으로 부른 명칭은? (   )

가자! 역사 속으로

7세기 말에 남북국이 성립하였습니다. 이후 통일 신라와 발해는 통치 체제를 정비하고 국가를 발전시켰습니다.

💚 **통일 신라와 발해는 각각 어떤 모습으로 발전했을까요?**

[예시 답안] 남북국은 각각 넓어진 영토와 늘어난 인구를 효율적으로 통치하기 위해 왕권을 강화하고, 중앙 및 지방의 통치 체제를 정비하였다.

📄 교과서 50쪽

📍활동 도우미

새로운 국가가 수립되면 각국의 왕은 통치 기반을 확립하기 위해 노력하지요. 따라서 강력한 왕권을 수립하기 위해 다양한 개혁을 시도하게 됩니다.

탐구 해 보요 **통일 이후 신문왕이 펼친 개혁 정치**

📄 교과서 51쪽

📍활동 도우미

신문왕은 국학이라는 교육 기관을 설립하여 유학 교육을 장려함으로써 왕에게 충성하는 인재를 길러 내고자 하였어요. 또한 집사부와 같은 국왕 직속 행정 기관의 권한을 늘리면서 귀족들의 정치적 권한을 축소시켜 나갔어요. 뿐만 아니라 백성들의 노동력까지도 동원할 수 있었던 녹읍을 폐지함으로써 귀족들의 경제적 특권까지 빼앗았지요. 이것은 모두 진골 귀족들의 권한을 축소하고, 왕권을 강화하려는 신문왕의 의지와 관련 있어요.

1 신문왕이 위와 같은 개혁 정치를 실시한 목적이 무엇인지 적어 보자.

[예시 답안] 신문왕은 통일 이후 강력한 왕권을 바탕으로 안정적으로 국가를 이끌어 가기 위해 여러 통치 제도를 개편하고 귀족들의 경제 기반을 약화하였다.

2 신문왕의 개혁 정치에 가장 반대한 사람들은 누구였을지, 또 그렇게 생각한 까닭은 무엇인지 이야기해 보자.

[예시 답안] 신문왕은 왕권을 강화하고 귀족들의 권력을 약화시키려 하였다. 따라서 귀족들의 권력 유지 기반이었던 녹읍을 폐지하고, 귀족 회의 기구인 화백 회의의 기능을 축소하였기 때문에 진골 귀족들이 신문왕의 개혁 정치에 대한 반대가 가장 심하였다.

스스로 확인해요

❶ 통일 이후 신라에서는 집사부의 기능이 강화되었고, 그 장관인 상대등의 정치적 비중이 높아졌다. (×)

❷ 발해는 [선][왕] 때 서쪽으로 요동, 동쪽으로 연해주에 이르는 지역까지 영역을 확대하였다.

이 주제의 핵심

이 주제에서는 남북국의 중앙 및 지방의 통치 체제 정비 과정을 알아보았어요. 여기에서는 신라의 신문왕이 진골 귀족들의 권력을 축소하고 왕권을 강화시키기 위해 다양한 개혁을 실시하였다는 것과 중앙 및 지방의 행정, 군사 조직을 알아 두어야 해요. 그리고 발해의 발전 과정과 통치 체제의 특징을 기억해 두세요.

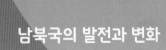

주제 4 남북국의 쇠퇴와 후삼국의 성립

1 신라 말 정치·사회의 동요

(1) 진골 귀족의 왕위 다툼

> 왜? 진골 출신 최초로 왕이 된 김춘추(무열왕)의 후손만 왕위에 오르는 것에 불만을 품고 있던 진골 귀족들이 혜공왕이 어린 나이에 왕위에 오르자 반란을 일으켰어.

① 혜공왕 즉위(8세기 후반) 후부터 지배층의 권력 다툼
② 150년 동안 20명의 왕 교체 → 진골 귀족의 분열 심화, 왕권 약화
③ 지방 세력의 반란: 웅주 도독 김헌창, 해상 세력 장보고 등

> 왜? 아버지 김주원이 왕으로 추대되었지만, 김경신(원성왕)에게 밀려 왕위에 오르지 못한 것에 불만을 품은 김헌창이 웅주 도독으로 임명되었을 때 반란을 일으켰어.

(2) 농민의 봉기

① 배경: 진골 귀족의 권력 장악으로 녹읍 부활, 왕족 및 진골 귀족들의 사치와 향락, 자연재해 발생 → 농민 수탈 심화, 농민 생활 악화
② 농민의 저항: 조세 납부 거부
③ 농민 봉기: 진성 여왕 때 원종과 애노의 난(889)을 시작으로 전국으로 확산

(3) 새로운 세력의 등장

① **❶호족**: 신라 말 지방에서 새롭게 성장한 세력

등장	중앙 정부의 통제력 약화 → 지방에서 자신을 지키기 위해 독자적 세력 형성
출신	대부분 지방 촌주 출신, 지방으로 내려온 중앙 귀족, 군진 세력, 농민 출신의 도적 등
성장	성 축조, 자체 군대 조직, 독자적 행정 체계 마련, 불교의 ❷선종 세력 후원, ❸풍수지리설을 사상적 기반으로 함.

② 6두품: 골품제의 모순 비판, 사회 개혁 요구 → 진골 귀족의 반대에 부딪혀 호족 세력과 결탁

> 어떻게? 신라 말 활약한 6두품 가운데 신라 3최가 대표적이야. 최치원은 진성 여왕에게 개혁안을 올렸지만 받아들여지지 않았고, 최언위와 최승우는 각각 고려와 후백제 건설에 힘썼어.

2 신라의 분열과 후삼국의 성립

(1) 신라의 분열

① 후백제 건국(900): 군인 출신 견훤이 완산주(전주)에 도읍, 오늘날 전라도 전역과 충청도, 경상도 일부 지배

> 누구? 서남 해안을 지키는 군대의 지휘관이었어.

② 후고구려 건국(901): 신라 왕족 출신 궁예가 송악(개성)에 도읍 → 철원 천도, 태봉으로 국호 변경, 새로운 관제 마련
③ 신라: 세력이 약화되어 영토가 경주 부근의 경상도 일대로 축소

(2) 후삼국의 성립: 한반도에서는 후백제, 후고구려의 건국으로 신라가 다시 삼국으로 분열되어 후삼국 시대 전개

3 발해의 멸망

(1) 10세기 무렵 국제 정세

> 무엇? 당이 멸망하고, 송이 다시 통일할 때까지 화북을 통치했던 5개의 왕조(5대)와 화중·화남과 화북의 일부를 지배했던 여러 지방 정권(10국)이 흥망을 거듭한 시기를 의미해.

① 발해: 쇠퇴의 조짐, 국제 정세의 변화에 대처 못함, 지배층의 심각한 분열
② 중국: 당 멸망 후 5대 10국의 혼란, 거란의 세력 확대

(2) 발해의 멸망(926): 거란 공격으로 멸망 → 일부 유민 고려로 이동, 부흥 운동 실패

---

❶ 호족

신라 말 지방에서 대토지 소유와 사병을 중심으로 무력을 확보하였다. 또한 중앙과 비슷한 병부, 창부 등을 갖추고 지역민들을 통치하면서 독자적인 세력권을 확보해 나갔다. 이들은 골품 체제로부터 벗어나려는 경향을 보이면서 고려 왕조 성립에 큰 역할을 하였다.

❷ 선종

불교의 경, 논 등을 기반으로 하여 사상적인 이론을 세우는 교종에 대립하는 명칭이며 선불교라고도 한다. 정신 수양을 통한 개인의 깨달음을 중시하여 좌선이나 참선을 중요한 수행 방법으로 삼는다.

❸ 풍수지리설

산세와 지형이 인간의 길흉화복이나 왕조의 흥망성쇠와 관련 있다는 사상이다. 수도 금성(경주)의 운수가 다하였음을 주장하여 중앙 정부의 권위를 약화하고 지방 세력 성장에 영향을 주었다.

정답과 해설 12쪽

확인해 봐요

1 신라 말 (진골 / 6두품) 귀족들이 왕위 다툼을 벌이면서 왕권이 약화되었다.

2 신라 말 중앙의 통제가 약해진 틈을 타서 지방의 (도독 / 호족)이 성장하였다.

3 발해는 (거란 / 여진)의 공격을 받아 멸망하였다.

📖 교과서 활동 풀이

가자! 역사 속으로

📎 교과서 53쪽

합천 해인사 길상탑에서 발견된 벽돌에는 "기유년(889)부터 을묘년(895)까지 천지가 온통 난리로 어지러워 들판은 전쟁터가 되었다. 나라는 기울어지고 재앙이 절에까지 미쳤다."라고 적혀 있었습니다.

❓ 신라 말에 왜 이런 일들이 벌어졌을까요?

예시 답안 신라 말 진골 귀족들의 왕위 다툼과 사치와 향락 등으로 농민 수탈이 더욱 심해지자, 곳곳에서 농민 봉기가 일어났다. 더불어 왕실, 귀족과 긴밀한 관계를 맺고 있던 사찰을 공격하기도 하였다.

🔍 자료 해설

통일 신라 말 대부분의 절은 왕실과 귀족들의 후원을 받아 경제적 부를 누리고 있었어요. 이 자료는 진성 여왕 시기 백성들이 봉기하고 그 영향으로 절까지 공격의 대상이 되어 피해를 입었음을 기록한 것이에요. 이로써 백성들이 왕실이나 귀족에 대한 분노가 깊었다는 사실을 파악할 수 있지요.

❓ 신라 말에 지방 농민들이 봉기한 까닭은 무엇일까?

신라 말, 귀족과 농민의 삶

> • 재상의 집에는 녹이 끊이지 않으며, 노비가 3,000명이나 되고, 병사와 소·말·돼지도 이와 비슷하다. …… 곡식을 남에게 빌려주어서 늘리는데, 기간 안에 갚지 못하면 노비로 삼아 일을 시킨다.
> – 『신당서』 –
>
> • 봄에 백성들이 기근 때문에 자손을 팔아 살아갔다.
> • 왕이 사자를 보내 독촉하자, 이로 인해 곳곳에서 도적이 벌떼같이 일어났다.
> – 『삼국사기』 –

예시 답안 귀족들이 사치와 향락에 빠져 재정 부족 상태가 되었고, 이를 충당하기 위해 농민들에게 세금을 독촉하였다. 이에 고통받던 농민의 분노가 폭발하였다.

📎 교과서 53쪽

🔍 자료 해설

신라 말 왕실과 귀족은 대토지를 소유하고 사치와 향락에 빠졌어요. 농민들은 귀족들의 수탈에 시달리고, 자연재해까지 겹쳐 살기가 힘들어졌어요. 진성 여왕 때 지방에 관리를 보내 세금을 독촉하자, 농민들은 억눌렸던 분노를 표출하였지요.

탐구 해봐요 견훤과 궁예의 주장

📎 교과서 55쪽

견훤의 집안은 대대로 농민이었으나, 그의 아버지 아자개가 장군이 되면서 호족으로 성장하였다. 그는 신라 말에 반란을 일으켜 무진주(광주)를 점령하였다. 이후 완산주(전주)에 수도를 정하고 나라 이름을 후백제라고 하였다.

궁예는 신라 왕실의 자손으로 전해지나, 그 아버지가 누구인지는 명확하지 않다. 그는 열 살에 승려가 되었다가 호족 양길의 부하가 되었다. 세력을 키운 후에 독립하여 송악(개성)에 수도를 정하고 후고구려를 세웠다.

견훤: 신라와 당이 합세하여 백제를 멸망시켰으니, 이제 내가 의자왕의 오랜 울분을 씻겠노라.

궁예: 신라가 당에 군사를 청하여 고구려를 패배시켰으니, 내 반드시 그 원수를 갚겠다.

💡 활동 도우미

신라 말 지방 호족들은 민심을 얻기 위해 다양한 노력을 기울였어요. 그 가운데 견훤과 궁예는 각각 신라가 삼국을 통일하기 이전의 상태로 돌리는 것을 명분으로 삼고 새로운 국가 건설에 힘썼지요. 그리하여 견훤은 백제의 옛 땅에 후백제를, 궁예는 고구려의 옛 땅에 후고구려를 세우게 되었어요.

1 위 자료를 보고 견훤과 궁예가 각각 어느 나라를 계승하고자 하였는지 써 보자.

예시 답안 • 견훤: 백제 • 궁예: 고구려

2 견훤과 궁예가 각 나라를 계승하고자 한 까닭을 써 보자.

예시 답안 견훤은 옛 백제 지역 백성들의 호응을 이끌어 내기 위해 백제 부흥을 내세웠고, 궁예도 옛 고구려의 영토에서 신라에 대한 반감이 있는 사람들로부터 민심을 얻고자 고구려 계승을 내세웠다.

스스로 확인해요

❶ 신라 말 지방에서 새롭게 성장한 세력을 호족이라고 한다. (○)

❷ 신라 말 | 견 | 훤 |이/가 후백제를 세우고, | 궁 | 예 |이/가 후고구려를 세웠다.

이 주제의 핵심

이 주제에서는 남북국이 쇠퇴해 가는 과정을 알아보았어요. 신라는 혜공왕 이후 계속되는 정치적 불안과 농민 봉기로 혼란에 빠지게 되었고, 결국 지방 호족들이 성장하면서 후삼국의 분열을 맞게 되었다는 것을 기억해 두세요. 발해는 거란의 공격을 제대로 막아내지 못하면서 멸망하게 되었다는 것을 기억해야겠지요.

시험을 대비하는 실전 문제

기초를 튼튼하게 확인 문제

01 서로 관련 있는 내용끼리 연결하시오.

㉠ 문무왕 •   • ⓐ 후백제 건국

㉡ 견훤 •   • ⓑ 후고구려 건국

㉢ 궁예 •   • ⓒ 삼국 통일 완성

02 설명이 맞으면 ○, 틀리면 ×로 표시하시오.

(1) 신라의 신문왕은 태학을 설립하여 유학 교육을 장려하였다.   (   )

(2) 통일 이후 신라에서는 화백 회의의 의장인 상대 등의 권한이 강화되었다.   (   )

(3) 신라 말 호족 세력은 선종과 풍수지리설을 사상적 기반으로 삼았다.   (   )

(4) 발해는 당의 3성 6부 제도를 본떠 중앙 정치 조직을 마련하였다.   (   )

03 |보기|의 사건을 일어난 순서대로 나열하시오.

| 보기 |
ㄱ. 혜공왕 즉위   ㄴ. 후백제 건국
ㄷ. 원종과 애노의 난   ㄹ. 후고구려 건국

04 빈칸에 알맞은 말을 쓰시오.

(1) 통일 후 신라는 전국을 (   )로 나누고, 주요 지역에는 5소경을 설치하였다.

(2) 신라 말 일부 (   ) 출신 지식인들은 골품제의 모순을 비판하면서 사회 개혁을 요구하였다.

(3) 발해는 고구려를 계승한 나라였으나, 당이 문물을 수용하고 (   )의 전통도 흡수하였다.

내신을 탄탄하게 내신 문제

01 (가)에 들어갈 인물로 옳은 것은?

인물 카드

(가)

[주요 업적]
• 진골 귀족의 반란 진압
• 국학을 설립하여 유학 교육 장려
• 녹읍을 폐지하여 귀족의 특권 제한

① 무열왕   ② 문무왕

③ 신문왕   ④ 혜공왕

⑤ 경순왕

중요
02 교사의 질문에 대한 학생들의 답변으로 옳은 것은?

통일 후 신라는 넓어진 영토와 늘어난 인구를 효율적으로 통치하기 위해 어떠한 노력을 하였을까요?

① 지방에 9서당을 설치하고, 지방관을 파견하였어요.

② 지방 행정은 전국을 9주로 나누고 그 밑에 군·현을 설치하였어요.

③ 지방군으로 5소경을 조직하여 지방 세력의 성장을 억제하였어요.

④ 수도 금성의 지리적 단점을 보완하기 위해 북원경으로 천도하였어요.

⑤ 중앙군으로 10정을 조직하여 옛 고구려인, 백제인은 물론 말갈인까지 포함시켰어요.

03 (가)에 들어갈 용어와 관련 있는 것을 |보기|에서 고른 것은?

> 신문왕은 관리들에게 관료전을 지급하고, 귀족들에게 지급하던 | (가) |을/를 폐지하였다.

| 보기 |
ㄱ. 왕권을 강화하기 위해 폐지하였다.
ㄴ. 조세뿐만 아니라 노동력도 징발할 수 있었다.
ㄷ. 관리들에게 지급할 토지가 부족해져서 폐지하였다.
ㄹ. 귀족들의 특권을 약화시키기 위해 지급하였던 토지이다.

① ㄱ, ㄴ
② ㄱ, ㄷ
③ ㄴ, ㄷ
④ ㄴ, ㄹ
⑤ ㄷ, ㄹ

04 다음과 같은 영역을 이룬 발해의 발전 과정으로 옳지 <u>않은</u> 것은?

① 수도를 몇 차례 옮겼다.
② 당에서 발해를 '해동성국'이라 불렀다.
③ 문왕 때 지도와 같은 최대 영역을 이루었다.
④ 당의 3성 6부 제도를 본떠서 중앙 정치 조직을 운영하였다.
⑤ 5경 15부의 지방 행정 구역을 정비하고 지방관을 파견하였다.

중요

05 다음과 같은 발해의 통치 조직에 대한 설명으로 옳은 것은?

*( ) 안은 당의 관제

① 지방의 행정 구역으로 당의 3성 6부 체제를 본떴다.
② 중앙과 지방의 군사 조직으로 고구려의 전통을 계승하였다.
③ 선조성은 국가의 중요한 일을 결정하는 귀족 합의 기구이다.
④ 문왕 시기에 말갈의 전통을 수용하여 만든 중앙 정치 조직이다.
⑤ 당의 제도를 받아들이면서도 발해의 실정에 맞게 운영 방식을 바꿨다.

06 빈칸 부분에 들어갈 내용으로 가장 적절한 것은?

> • 교사: 신라 말에 혜공왕 이후 약 150년간 20명의 왕위 계승이 일어난 이유는 무엇일까요?
> • 학생: [   ]

① 성골 귀족들이 반란을 일으켰기 때문이에요.
② 진골 귀족 사이에 분열이 일어났기 때문이에요.
③ 화백 회의에서 왕을 선출하기 시작했기 때문이에요.
④ 농민들의 봉기를 중앙 정부가 제대로 막아내지 못했기 때문이에요.
⑤ 지방에서 세력을 키운 세력들이 중앙의 왕위 계승에 관여하였기 때문이에요.

중요

07 다음과 같은 시기의 신라 사회 모습을 |보기|에서 모두 고른 것은?

혜공왕 (765~780)	→	선덕왕 (780~785)	→	원성왕 (785~798)	→
헌강왕 (875~886)	→	정강왕 (886~887)	→	진성 여왕 (887~897)	

| 보기 |

ㄱ. 귀족들에게 지급하는 녹읍이 폐지되었다.
ㄴ. 왕실과 진골 귀족들이 농민을 수탈하였다.
ㄷ. 왕권을 강화하여 진골 귀족의 불만을 해소하였다.
ㄹ. 전국적으로 농민 봉기가 일어나 온 나라가 혼란에 빠졌다.
ㅁ. 농민들은 조세 납부 독촉과 자연재해로 어려운 상황이었다.

① ㄱ, ㄴ, ㄷ   ② ㄱ, ㄴ, ㅁ   ③ ㄴ, ㄷ, ㄹ
④ ㄴ, ㄹ, ㅁ   ⑤ ㄷ, ㄹ, ㅁ

08 다음 인물의 공통적 특징으로 옳은 것은?

내가 의자왕의 오랜 울분을 씻겠노라.

내 반드시 고구려의 원수를 갚겠노라.

① 신라 말 지방에서 성장한 호족이다.
② 지방에서 봉기를 주도하였던 농민이다.
③ 불교의 종파인 선종을 보급한 승려이다.
④ 골품제의 모순을 비판하였던 6두품 세력이다.
⑤ 중국에서 유행하던 풍수지리설을 소개한 학자이다.

09 다음과 같은 형세가 성립된 과정으로 옳지 **않은** 것은?

① 신라 군인 출신 견훤이 후백제를 건국하였다.
② 신라 왕족 출신으로 전하는 궁예가 후고구려를 건국하였다.
③ 새로운 국가 건설의 사상적 기반은 불교의 한 종파인 교종으로 삼았다.
④ 6두품 세력 가운데 사회 개혁을 추진하고자 건국을 도운 이들이 있었다.
⑤ 신라의 중앙 정부가 통제력을 잃게 되자 지방에서 세력을 키운 이들이 국가를 세우게 되었다.

10 발해의 멸망과 관련된 내용으로 옳은 것은?

① 당의 공격을 받아 멸망하였다.
② 멸망 후 많은 발해인이 고려로 내려왔다.
③ 돌궐 및 일본과 손을 잡고 당을 공격하였다.
④ 멸망 후 발해인들은 발해의 부흥을 꾀하지 않았다.
⑤ 지방에서 호족이 성장하여 지방의 군사와 행정을 장악하였다.

만점에 도전하는 **심화 문제**

중요

01 신라에서 다음과 같은 정책을 실시한 공통적인 목적은?

> • 화백 회의의 기능을 축소하였다.
> • 집사부 중심으로 정치를 운영하였다.
> • 유학 교육 기관인 국학을 설치하였다.
> • 관료전을 지급하고, 녹읍을 폐지하였다.

① 왕권을 강화하기 위해서
② 유학을 국가 이념으로 삼기 위해서
③ 무열왕 직계 자손만 왕위를 계승하기 위해서
④ 6두품에게 정치적 기반을 마련해 주기 위해서
⑤ 귀족들에게 나누어 줄 토지가 부족하였기 때문에

02 (가)에 들어갈 단어로 옳은 것은?

통일 이후 신라는 고구려인, 백제인을 아우르는 민족 통합의 의지를 가지고 있었어.

맞아. 그래서 고구려, 백제인은 물론 말갈인까지 포함하는 (가) 를/을 조직하여 중앙군으로 삼았지.

① 9주   ② 5경   ③ 10정
④ 5소경   ⑤ 9서당

03 신라가 다음과 같은 상황일 때 반란을 일으킨 인물을 |보기|에서 고른 것은?

> • 혜공왕이 진골 귀족들의 반란으로 살해되었다.
> • 진골 귀족들의 분열이 점점 심해지고 왕권이 약화되었다.
> • 소수의 진골 귀족에게 권력이 집중되고 녹읍이 부활하였다.

|보기|
ㄱ. 도선   ㄴ. 애노   ㄷ. 원종
ㄹ. 원효   ㅁ. 김헌창   ㅂ. 최치원

① ㄱ, ㄴ, ㄷ   ② ㄱ, ㄹ, ㅂ
③ ㄴ, ㄷ, ㄹ   ④ ㄴ, ㄷ, ㅁ
⑤ ㄹ, ㅁ, ㅂ

04 신라 말 호족 세력과 긴밀한 관계를 맺었던 사상들에 대한 설명을 |보기|에서 고른 것은?

|보기|
ㄱ. 화엄경을 읽고 깨달음을 얻고자 하였다.
ㄴ. 유교의 경전을 외우고 실천하고자 하였다.
ㄷ. 좌선이나 참선을 통하여 깨달음을 얻고자 하였다.
ㄹ. 지형의 기운이 인간의 길흉화복에 영향을 미친다고 하였다.

① ㄱ, ㄴ   ② ㄱ, ㄷ   ③ ㄱ, ㄹ
④ ㄴ, ㄷ   ⑤ ㄷ, ㄹ

③ 남북국의 문화와 대외 관계

학습 목표
통일 신라와 발해 문화의 특징을 설명할 수 있다.

주제 5 **통일 신라와 발해의 문화**

1 남북국의 불교문화

(1) 신라 문화의 특징: 신라의 토착 문화를 기반으로 고구려와 백제 문화를 흡수하고 당의 양식 수용

(2) 통일 신라의 불교 사상

① 통일 전후: 불교 사상 발전, 불교 신앙 전파, 교종 유행

원효	❶일심 사상 주장, 종파 간 갈등 해소 및 불교 대중화에 기여 어떻게? 누구나 '나무아미타불'만 외우면 극락정토에 갈 수 있다고 하였어.
의상	당에 유학, ❷화엄 사상 전파 어떻게? 통일 직후 신라 사회를 통합하는 데 큰 역할을 하였어.
혜초	인도와 중앙아시아 등지를 돌아보고 『왕오천축국전』 저술 어디? 천축국은 인도와 그 주변국을 가리켜.

② 통일 신라 말: 선종 유행, 지방에 선종 사찰 건립(불교 신앙의 중심지)

(3) 통일 신라의 불교문화

① 사원: 경주 불국사, 석굴암 등 → 뛰어난 건축 예술과 과학 기술을 보여 줌.

② 석탑: 3층 쌍탑 양식 유행 → 경주 불국사 삼층 석탑(석가탑)과 다보탑 등

③ ❸승탑과 탑비: 선종의 영향으로 발달, 지방 호족의 후원

④ 불상: 석굴암 본존불 등 다양한 석불 제작

⑤ 기타: 다양한 동종, 석조물 등 제작

(4) 발해의 불교문화 무엇? 우리나라에서 가장 오래된 상원사 동종, 가장 큰 성덕 대왕 신종 등이 있어.

① 발해 문화의 특징: 고구려 문화를 바탕으로 당·말갈 문화 흡수

② 불교문화: 웅장한 절터에서 불상(이불병좌상 등), 거대한 석등, 기와 등 발견 → 고구려 불상과 기와 양식의 영향을 받음. 어떻게? 이불병좌상은 부처를 표현하는 방식과 연꽃 모양의 후광이 고구려의 영향을 받았고, 기와의 연꽃무늬 꽃잎과 꽃잎 사이에 일자 모양의 작은 선은 고구려 양식에서 많이 볼 수 있어.

2 남북국의 유학과 문학 발전

(1) 통일 신라의 유학과 문학

① 유학 교육 강화: 왕권 강화 목적, 국학 설치(신문왕), ❹독서삼품과 시행(원성왕)

② 유학자: 강수(외교 문서 작성), 김대문(『화랑세기』 저술), 최치원(당의 빈공과 합격), 설총(향찰과 이두 용법 정리)

(2) 발해의 유학과 문학: 주자감 설치(유교 교육), 당의 빈공과에 다수 합격, 일본 방문 발해 사절단의 수준 높은 문장을 보여 줌.

3 남북국 사람들의 다양한 생활 모습

(1) 통일 신라 사람들의 생활 모습: 영토 확장과 인구 증가에 따른 경제력 성장

① 귀족: 풍요로운 생활, 많은 토지와 노비 소유, 기와집 거주, 사치품 수입

② 평민: 조세 부담, 군사 훈련 및 궁궐·성곽 축조에 동원, 초가집 거주

(2) 발해 사람들의 생활 모습: 농업·어업·수공업 등 발달, 주변 국가와 활발한 교류

① 귀족: 호화로운 생활, 대토지 소유, 기와집 거주, 비단·서적 등 수입

② 평민: 국가에 세금과 노동력 제공, 궁전과 관청 밖 초가집 거주

---

❶ 일심 사상
"모든 것이 오직 한마음[일심, 一心]에서 비롯된다."라는 원효의 사상이다. 원효는 일심이야말로 만물의 기반이고 일심의 세계가 불국토이며 극락이라고 보았다.

❷ 화엄 사상
'우주 만물이 서로 대립하지 않고 조화를 이룬다.'라는 것으로, 중국에서 성립하였다. 의상은 당에서 유학하고 돌아와 화엄 사상을 전파하였는데, 통일 직후 신라 사회를 통합하는 데 큰 역할을 하였다.

❸ 승탑
불법의 가르침을 받은 제자들이 스승을 기리려고 스승이 입적(入寂)한 뒤 스승의 사리를 보관하기 위해 만든 탑이다.

❹ 독서삼품과
국학 졸업생을 대상으로 유교 경전의 이해 수준을 상품, 중품, 하품으로 나누어 평가하여 관료로 선발하였다. 그러나 골품제의 폐쇄성 탓으로 제대로 운영되지 못하였다.

*정답과 해설 14쪽

확인해 봐요

1 원효는 백성들에게 불교 교리를 쉽게 전달하여 불교를 대중화시켰다. (○ , ×)

2 발해 유적지에서 발견된 이불병좌상은 고구려 문화의 영향을 강하게 받았다. (○ , ×)

3 신라와 발해 모두 경제가 발전하여 백성들도 대부분 기와집에서 거주하였다. (○ , ×)

교과서 활동 풀이

📎 교과서 56쪽

가자! 역사 속으로

『삼국유사』에는 신라의 승려 원효가 촌락에서 노래하고 춤추며 사람들을 교화하자, 가난하고 무지몽매한 무리까지 모두 '나무아미타불'을 부르게 되었다는 기록이 있습니다.

♥ 원효와 같은 승려들의 활동은 신라 사회에 어떤 영향을 미쳤을까요?

[예시 답안] 이전까지 주로 왕실이나 귀족들 중심으로 전파되었던 불교 교리를 일반 백성들도 쉽게 이해하고 접근할 수 있게 되었다.

나무아미타불
나무아미타불
나무아미타불?

💡 활동 도우미

원효는 한때 당에 건너가 불교 이론을 깊이 있게 공부하려던 승려였어요. 하지만 스스로 깨달음을 얻은 후 백성들에게 직접 다가가 불교를 쉽게 이해할 수 있도록 설법함으로써 불교 대중화에 기여하였어요.

탐구 해 봐요   경주 불국사로 보는 통일 신라의 불교문화

📎 교과서 57쪽

1 경주 불국사가 어떤 목적으로 지어진 절인지 생각해 보자.

[예시 답안] 신라인이 생각하는 부처님의 나라, 즉 불교의 이상 세계를 현실에 옮겨 놓고자 하였다.

2 경주 불국사와 같은 절을 지으려면 어떤 기술이 필요할지 추측해 써 보자.

[예시 답안] 아름다운 석조물을 만들기 위해 정밀한 수학 지식이 적용되고, 정교한 공예 기술, 전체적인 절의 배치와 건물의 축조 등에 뛰어난 건축술이 필요하였을 것이다.

💡 자료 해설

불국사는 부처가 사는 이상 세계를 표현하였어요. 앞마당에 있는 석가탑과 다보탑은 다보여래와 석가모니불이 이곳에 머문다는 상징성이 있어요. 청운교와 백운교는 부처의 세상으로 가기 위해 물과 구름을 건너야 한다는 불경 내용에 따라 지어진 이름이에요. 이외에도 수많은 건물과 석조물 등으로 신라인이 그리던 부처님의 나라를 구현하였다고 할 수 있어요.

스스로 확인해요

❶ 신라 승려 의상은 화엄 사상을 통해 신라인을 정신적으로 통합하고자 하였다. (○)

❷ 발해의 불교문화는 [고][구][려] 문화의 영향을 강하게 받았다.

역량 키우기 ❓ 역사 토론   복합적인 성격을 지닌 발해의 문화

📎 교과서 59쪽

생각하고 토론하기

1 제시된 자료를 바탕으로 발해 문화의 특징을 써 보자.

[예시 답안] 발해는 고구려 문화를 기반으로 당의 문화를 받아들이고 말갈의 토착 문화를 융합하여 독자적인 문화를 이루었다.

2 고구려를 계승한 발해 문화의 특징이 드러난 유물과 유적을 조사해 보자.

[예시 답안] 발해 성터에서 발견된 온돌 유적, 이불병좌상의 부처 표현과 연꽃 모양 후광, 발해 석등의 연꽃무늬, 기와 장식의 연꽃무늬, 정혜 공주 묘의 무덤 양식, 정효 공주 묘의 내부 천장 구조 등을 들 수 있다.

💡 활동 도우미

정효 공주 묘는 당의 영향을 받아 벽돌무덤으로 만들었지만, 내부의 모줄임 천장은 고구려 양식을 계승하였어요. 한편 일반 백성들이 주로 만든 흙무덤, 말갈식 토기 등은 말갈 문화의 전통을 보여 주는 것이랍니다.

이 주제의 핵심

이 주제에서는 남북국 문화의 특징과 사례를 알아보았어요. 통일 신라에서는 특히 불교 사상이 발달하여 불교가 널리 퍼지고 불교문화 발전에 큰 영향을 미쳤으며, 발해는 다양한 문화를 흡수하여 독자적인 문화를 이루었음을 기억해 두세요. 또한 남북국의 귀족과 평민들의 생활 모습이 어떠하였는지도 기억해야겠지요.

학습 목표
통일 신라와 발해의 대외 관계와 문화 교류 양상을 설명할 수 있다.

주제 6 통일 신라와 발해의 대외 관계

1 통일 신라의 대외 교류

(1) 당과의 교류 어떻게? 통일 신라는 나당 전쟁으로 악화되었던 당과의 관계를 회복하여 당과 적극적으로 교류하게 되었어.

① 사신·유학생·승려의 왕래: 당의 발달한 문화 사상 유입 → 신라 문화 발전의 계기 마련

② 상인의 증가: 무역 활동 → 산둥반도 등 당의 해안 지역에 ❶신라방 조성

(2) 일본과의 교류: 무역을 통한 경제 교류, 당과 일본 사이에서 중계 무역, 일본은 신라의 배를 이용하여 당에 진출

(3) 국제 무역항: 당항성, 울산항(서역 상인들과 직접 교역)

(4) 장보고의 활약: ❷청해진(완도) 설치, 당·신라·일본을 잇는 해상 무역 장악

어디? 오늘날 경기도 화성시 일대로 짐작되며, 당과 교류에 중요한 역할을 하였어.

2 발해의 대외 교류

(1) 특징: 5개의 교통로를 통해 신라, 당, 일본, 거란과 활발하게 교류

(2) 당과의 교류 어떻게? 당과의 교류는 육로로 영주도, 해상을 거칠 때는 조공도로 하였으며, 거란·일본·신라와는 각각 거란도, 일본도, 신라도로 교류하였어.

① 문왕 시기: 우호 관계 성립, 당의 선진 문물을 수용하여 체제 정비

② 발해관 설치: 당이 발해의 사신들이 머물 숙소를 산둥반도에 마련

③ 유학생 파견: 많은 유학생이 당에서 공부 → 빈공과에 합격

(3) 일본과의 교류: 당과 신라를 견제하기 위해 교류 → 사신·상인 왕래 빈번

(4) 신라와의 교류: 건국 초기 대립 → 신라도를 통해 때때로 사신 왕래

어떻게? 한때 발해는 신라와 대립하였으나, 발해와 당의 관계가 안정된 뒤에는 사신을 교환하고, 교통로를 설치하여 신라와 교역하였어.

핵심 자료 발해의 외교 관계

발해와 신라의 관계	발해와 일본의 관계
(신라) 원성왕 6년(787) 3월 사신을 북국(北國, 발해)에 예의를 갖추어 보냈다. (중략) 요동 땅에서 일어나 고구려의 북쪽 땅을 병합하고 신라와 더불어 경계를 서로 맞대었지만, 교류한 일이 역사에는 전하는 것이 없었다. 이때에 와서 일길찬 백어를 보내어 교류하였다. — 「동사강목」 —	(발해) 무왕 9년(727)의 사신 고제덕 등 24인을 일본에 파견하여 국서를 전하였다. 그 국서에서 말하기를 "고구려의 옛 땅을 회복하고 부여의 유속을 잇게 되었다."라고 하였다. 이때 일본에 전한 물품에 담비 가죽 300장이 포함되어 있었다. — 「속일본기」 —

🗹 핵심

발해가 신라, 일본과 맺은 외교 관계에 나타난 특징은 무엇일까?

발해는 한때 신라와 대립하였으나, 신라도를 통해 사신을 교환하였다. 또한 신라를 견제하기 위해 일본과 일찍부터 친선 관계를 유지하였고 무역도 활발하게 전개하였다.

---

❶ **신라방**
신라인들은 산둥반도 남쪽의 해안 일대와 화이허 강 하류에 이르는 지역에 주로 거주하면서 촌락을 형성하였다. 당에서는 이곳을 '신라방'이라 하여 자치를 허용해 주고, '신라소'라는 관청을 두어 행정을 관장하였다.

❷ **청해진**
청해진의 유적과 유물이 완도에서 가장 가까운 장도를 중심으로 여러 곳에서 발견되고 있다. 장보고가 흥덕왕에게 청하여 설치(828)하고, 문성왕 때 철폐(851)될 때까지 중국, 일본과 신라를 잇는 해상 교통의 요지에 위치한 해군 기지이며, 무역 거점지이다. 장보고는 이곳에서 축적한 부와 군사력으로 신라 말 중앙 정부의 왕위 쟁탈전에도 관여하여 김우징을 신무왕으로 즉위시키는 데 기여하였다.

⊕ 정답과 해설 14쪽

확인해 봐요

1 당의 산둥반도 일대의 해안 지역에 있었던 신라인의 집단 거주지는? ( )

2 청해진을 설치하고 해상 무역을 장악하였던 인물은? ( )

3 통일 신라와 발해 사이에 교류가 이루어졌음을 짐작할 수 있는 발해의 교통로는? ( )

📖 교과서 활동 풀이

가자! 역사 속으로

일본 도쿠시마 후쿠라항에 있는 비석에는 "발해 사절이 배를 타고 와서 이곳에 정박하다"라는 글이 쓰여 있습니다.

📌 교과서 60쪽

✅ 발해의 사절은 왜 일본에 갔을까요?

예시 답안 발해는 당과 신라를 견제하기 위해 건국 초기부터 일본과 정치적 목적의 사신 왕래가 빈번하였다. 그러다가 점차 교류가 확대되면서 많은 상인과 여러 물품이 오갔다.

💡 활동 도우미

발해는 건국 초부터 약 200년간 일본과 친선 관계를 유지하였어요. 기록에 따르면 발해에서 34회에 걸쳐 일본에 사신을 파견하였다고 해요. 일본에서도 발해에서 온 사신을 극진히 대접하였다고 하니 두 나라의 관계는 각별했다고 볼 수 있어요.

📋 교과서 사진 자료 문관상 토용과 경주 원성왕릉 무인상

📌 교과서 60쪽

문관상 토용(좌)은 높이 17cm로, 경주 용강동 돌방무덤에서 출토되었다. 턱을 가득 덮은 수염과 움푹 패인 눈, 오똑한 코가 서역인의 모습을 하고 있지만 두 손을 모으고 홀을 들고 있으며 흘러내린 옷주름의 표현 등으로 보아 신라 귀족으로 편입되었음을 짐작할 수 있다.

경주 원성왕릉 무인상(우)은 높이 257cm로, 머리에 쓴 터번과 곱슬머리 오똑한 콧날 등 서역인의 모습을 하고 있다. 이러한 유물을 통해 신라가 서역과 교류하였다는 사실뿐만 아니라 서역인에게 느꼈던 신라인의 감정도 엿볼 수 있다.

💡 활동 도우미

신라는 당, 일본과 적극적으로 교류하였을 뿐만 아니라 서역과도 활발히 교류하였어요. 귀족들이 진귀한 보석이나 옷감 등의 사치품을 서역인을 통해 구입한 것으로 짐작되지요. 이러한 교류를 통해 신라인들은 서역인들에 대해 좋은 인상을 받아 관리로 등용하거나 호위 무사로 채용하는 경우도 있었던 것으로 추측됩니다.

❓ 남북국 시대의 주요 무역항은 어디였을까?

📌 교과서 61쪽

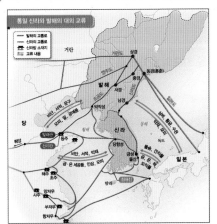

예시 답안 통일 신라는 당, 일본 등과 적극적으로 교류하였다. 따라서 수도 금성에서 가까운 울산항과 중국과 교류에 유리한 당항성이 국제 무역항으로서 기능을 수행하였다. 또한 장보고가 활약한 청해진이 당, 신라, 일본을 잇는 해상 무역의 중요한 거점이 되어 동아시아 국제 무역을 주도하였다.

💡 활동 도우미

신라는 통일 직후 당과 적대 관계였지만 얼마 지나지 않아 관계를 개선하고 해상 교통로를 개척하여 교류하였어요. 무역량이 늘어나고 유학생, 승려 등 인적 교류도 활발하게 이루어지면서 큰 선박이 오갈 수 있는 국제 무역항도 발달하고, 당·신라·일본을 잇는 해상 무역도 활발하게 이루어졌어요. 발해는 교통로인 5도를 만들어 주변 국가들과 교류하였는데, 조공도와 일본도 이외에는 주로 육로를 이용하였어요.

---

❶ 통일 신라는 당과 서역 사이에서 중계 무역을 하였다. (×)

❷ 당은 산둥반도에 발해 사신이 머무를 수 있는 [발][해][관]을/를 설치하였다.

이 주제의 핵심 이 주제에서는 통일 신라와 발해의 대외 관계에 대해 알아보았어요. 통일 신라는 당, 일본 등과 해상 교통로를 통해 활발하게 교류하였으며, 발해는 5도를 통해 주변 국가들과 교류하였음을 기억해 두세요. 남북국이 대외 교류를 통해 경제적 이익을 추구하는 것은 물론 문화 교류도 활발하게 이루어졌다는 사실도 기억해야겠지요.

기초를 튼튼하게 확인 문제

01 서로 관련 있는 내용끼리 연결하시오.

ㄱ 원효 •   • ⓐ 화엄 사상 전파

ㄴ 의상 •   • ⓑ 종파 갈등 해소 노력

ㄷ 혜초 •   • ⓒ 『왕오천축국전』 저술

02 설명이 맞으면 ○, 틀리면 ×로 표시하시오.

(1) 경주 불국사 삼층 석탑은 전형적인 당의 탑을 모방한 것이다. (   )

(2) 신라 원성왕 때 유교 경전의 이해 수준을 평가하는 독서삼품과를 시행하였다. (   )

(3) 산둥반도를 비롯한 당의 해안 지역에 신라인의 집단 거주지인 신라소를 만들었다. (   )

(4) 발해는 국학을 설치하여 귀족 자제에게 유교 경전을 가르쳤다. (   )

03 |보기|에서 신라의 불교문화와 관련된 유물 또는 유적을 고르시오.

| 보기 |

ㄱ. 다보탑   ㄴ. 영광탑

ㄷ. 석굴암   ㄹ. 이불병좌상

04 빈칸에 알맞은 말을 쓰시오.

(1) 신라의 (   )은/는 당의 빈공과에 합격하였으며, 뛰어난 문장으로 이름을 떨쳤다.

(2) 당과의 교류가 빈번해지면서 산둥반도에 발해 사신이 머물 수 있는 (   )이/가 설치되었다.

(3) 발해는 당과 신라를 견제하기 위해 (   )와/과 활발하게 교류하였다.

내신을 탄탄하게 내신 문제

01 다음과 같은 생각을 가진 인물의 업적으로 옳은 것은?

 모든 진리는 한마음에서 비롯된 것입니다. 그러니 불도에 귀의하여 깨달음을 얻고 일심의 근원으로 돌아와 열반을 성취하는 것이 삶의 의미입니다.

① 경주 불국사를 건축하였다.

② 백성들에게 불교의 교리를 쉽게 전달하였다.

③ 화엄 사상을 통해 신라인을 통합하고자 하였다.

④ 일상 그대로의 마음이 도라는 선종을 유행시켰다.

⑤ 인도와 주변 지역을 여행하고 와서 기행문을 썼다.

02 다음 유물 카드의 (가)에 들어갈 설명으로 옳은 것은?

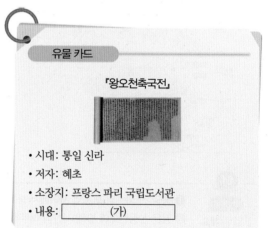

유물 카드

『왕오천축국전』

• 시대: 통일 신라
• 저자: 혜초
• 소장지: 프랑스 파리 국립도서관
• 내용: (가)

① 현존하는 가장 오래된 목판 인쇄물이다.

② 원효의 일심 사상을 풀이해 놓은 것이다.

③ 발해와 일본의 교류 내용을 기록한 것이다.

④ 의상의 화엄 사상을 시로 써 놓은 문서이다.

⑤ 인도와 그 주변 지역을 여행한 뒤 쓴 기행문이다.

신유형

03 (가)의 답사지에서 볼 수 있는 유물을 |보기|에서 고른 것은?

〈답사 계획서〉

▶ 1차 답사 지역

1. [(가)] : '부처님의 나라'라는 뜻이 담겨 있는 곳이다. 불교에서 추구하는 이상 세계를 현실에 그대로 표현하였다.

2. ...

|보기|

ㄱ. 영광탑　　　　ㄴ. 다보탑

ㄷ. 동궁과 월지　　ㄹ. 청운교

ㅁ. 이불병좌상　　ㅂ. 석가탑(삼층 석탑)

① ㄱ, ㄴ, ㄷ　　　② ㄱ, ㄷ, ㅁ

③ ㄱ, ㄹ, ㅁ　　　④ ㄴ, ㄹ, ㅂ

⑤ ㄹ, ㅁ, ㅂ

04 (가)에 해당하는 검색어는?

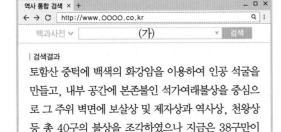

역사 통합 검색 × +　　　　　　　　　　－ □ ×

← → C 　http://www.OOOO.co.kr　　　　Q ⋮

백과사전 ▽　[(가)]　▽　검색

|검색결과

토함산 중턱에 백색의 화강암을 이용하여 인공 석굴을 만들고, 내부 공간에 본존불인 석가여래불상을 중심으로 그 주위 벽면에 보살상 및 제자상과 역사상, 천왕상 등 총 40구의 불상을 조각하였으나 지금은 38구만이 남아 있다.

① 석굴암　　　　② 불국사

③ 안압지　　　　④ 반월성

⑤ 포석정

05 두 학생의 대화 중 (가)에 들어갈 내용으로 알맞은 것은?

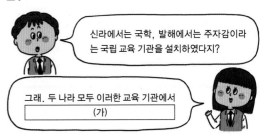

신라에서는 국학, 발해에서는 주자감이라는 국립 교육 기관을 설치하였다지?

그래. 두 나라 모두 이러한 교육 기관에서 [(가)]

① 유교 경전을 가르쳤다고 해.

② 주변국과의 관계를 연구했다고 해.

③ 불교 이론을 깊이 있게 연구했다고 해.

④ 활쏘기, 말타기 등 무예를 훈련했다고 해.

⑤ 중국어, 일본어 등 외국어 교육을 했다고 해.

중요

06 다음과 같은 업적을 남긴 인물과 관련된 설명으로 옳은 것은?

• 6두품 출신으로 당에 유학하여 빈공과에 합격하였다.

• 당의 관리로 있을 때 반란을 일으킨 황소에게 보낸 글이 유명하였다.

• 신라로 돌아와 관직에 오르기도 하였으나 이후 각지를 유랑하였다.

① 견훤과 함께 후백제 건국에 힘썼다.

② 『화랑세기』 등 역사 관련 저술을 남겼다.

③ 당에 보내는 외교 문서를 도맡아 작성하였다.

④ 사회 혼란을 해결할 방안을 왕에게 건의하였다.

⑤ 이두의 용법을 정리하며 유교 경전을 우리말로 쉽게 풀이하였다.

07 수행 평가 과제 중 (가)에 들어갈 그림으로 적절하지 않은 것은?

〈수행 평가〉

과제: 통일 신라 시대 사람들의 생활 모습을 그림으로 표현하시오.

(가)

① 화려한 장신구를 착용한 귀족의 모습

② 궁궐과 성곽을 짓는 데 동원된 평민의 모습

③ 귀족의 집에서 주인의 시중을 드는 노비의 모습

④ 기와집 마루에서 주사위 놀이를 하는 귀족의 모습

⑤ 귀족들과 함께 유교 경전을 공부하는 평민의 모습

중요
08 교사의 질문에 대한 학생의 답변으로 적절하지 않은 것은?

교사: 발해의 문화는 다양한 성격을 지녔다고 할 수 있는데, 예를 들어 볼까요?

학생: _____.

① 이불병좌상은 고구려 불상의 영향을 받았습니다.

② 발해 유적지에서 고구려와 같은 온돌 구조가 발견되었습니다.

③ 무덤 위에 벽돌 탑을 세운 것은 말갈 문화의 영향을 받은 것입니다.

④ 정효 공주 묘는 당의 영향을 받아 벽돌무덤 양식을 따르고 있습니다.

⑤ 수도 상경성은 당의 수도인 장안성을 본뜬 형태로 만들었습니다.

09 통일 신라의 대외 교류에 대한 설명으로 옳은 것을 |보기|에서 고른 것은?

|보기|

ㄱ. 일본과는 국교를 단절하고 교류를 하지 않았다.

ㄴ. 서역 상인들이 당을 거쳐 신라도로 건너와 직접 교역하였다.

ㄷ. 당항성, 울산항, 청해진 등이 국제 무역의 중요 거점지였다.

ㄹ. 당과의 교류가 활발하여 유학생, 승려, 상인들이 자주 왕래하였다.

① ㄱ, ㄴ   ② ㄱ, ㄷ   ③ ㄴ, ㄷ

④ ㄴ, ㄹ   ⑤ ㄷ, ㄹ

10 발해의 대외 교류에 대한 설명으로 옳지 않은 것은?

① 많은 유학생이 당에서 공부하였다.

② 5개의 교통로를 통해 주변 국가와 활발하게 교류하였다.

③ 신라와는 정치적으로 대립하였기 때문에 교류가 전혀 없었다.

④ 당과 신라를 견제하기 위해 일본과 일찍부터 활발하게 교류하였다.

⑤ 당의 산둥반도에는 발해 사신들이 머무를 수 있는 발해관이 설치되었다.

만점에 도전하는 심화 문제

신유형
01 창작 뮤지컬의 주인공으로 (가)에 들어갈 인물은?

> ☐ (가) ☐의 캐릭터는 기존의 규칙과 질서에 얽매이지 않고, 자유분방한 성격이다. 신라 당대 최고의 학식과 천재적인 두뇌의 소유자로, 불교를 대중화시키고, 파계를 불사하며 요석 공주와의 운명적 사랑을 한다. 당으로 유학 가는 도중 간밤에 달게 마신 물이 해골에 괸 물이었음을 알고, 모든 것이 마음먹기에 달렸음을 깨닫는다.

① 범일　　　　　② 원효
③ 의상　　　　　④ 자장
⑤ 혜초

신유형
02 '융합적인 성격을 지닌 발해의 문화'라는 주제로 사진전을 열 때 전시품으로 적절하지 <u>않은</u> 것은?

①
②
③
④
⑤

03 밑줄 친 (가)에 들어갈 내용으로 적절한 것은?

> 교사: 신라와 발해 모두 유학을 중요시하였음을 알 수 있는 근거에는 어떤 것이 있을까요?
> 학생: ＿＿＿＿＿ (가) ＿＿＿＿＿.

① 발해의 정효 공주의 묘비에 유학 경전의 구절이 인용되어 있어요.
② 신라에서는 주자감을 설치하여 귀족들에게 유교 경전을 가르쳤어요.
③ 발해에서는 국학을 설치하여 귀족부터 평민들까지 유교 경전을 가르쳤어요.
④ 신라와 발해의 학자들이 일본에서 태자의 스승이 되어 유교 경전을 가르쳤어요.
⑤ 발해에서는 유교 경전에 대한 이해에 따라 관리를 선발하는 독서삼품과가 시행되었어요.

04 (가)에 들어갈 국가와 신라, 발해가 교류하였음을 알 수 있는 근거를 |보기|에서 고른 것은?

> 사진은 발해 유적지에서 발견된 화폐인데, 이것으로 발해가 ☐ (가) ☐과/와 교류하였음을 알 수 있어.

> |보기|
> ㄱ. 신라방　　　　　ㄴ. 발해관
> ㄷ. 사하리　　　　　ㄹ. 영주도
> ㅁ. 발해 중대성첩　　ㅂ. 일본 후쿠리 항의 비석

① ㄱ, ㄴ, ㄷ　② ㄱ, ㄴ, ㄹ　③ ㄴ, ㄷ, ㄹ
④ ㄷ, ㅁ, ㅂ　⑤ ㄹ, ㅁ, ㅂ

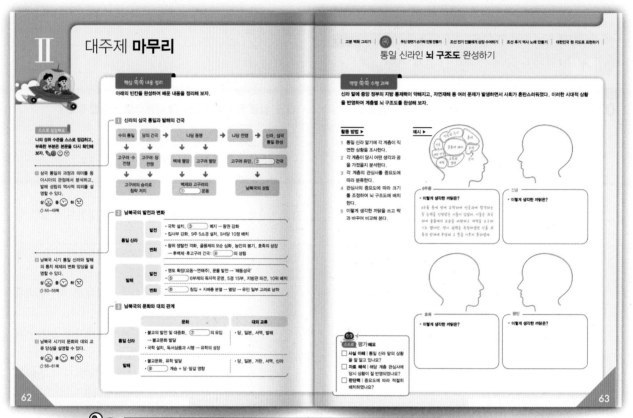

해결 열쇠 🔑 대주제에서 학습한 내용들을 복습하면서 빈칸에 알맞은 답을 채워 보아요.

핵심 쏙쏙 내용 정리

정답 ① 부흥 ② 발해 ③ 녹읍 ④ 후삼국 ⑤ 3성 ⑥ 거란
⑦ 선종 ⑧ 고구려

역량 쑥쑥 수행 과제

활동 방법 ▶

1단계 신라 말 진골, 6두품, 호족, 평민 등이 어떠한 상황에
놓여 있었는지 조사해 보아요.

2단계 혼란한 사회 상황에서 각 계층의 관심사, 이를 성취하
기 위한 방법, 또는 성취하기 어려운 이유 등을 조사해
보아요.

3단계 조사한 내용을 단어나 간결한 문장으로 표현해 보아요.

4단계 각 계층의 입장에서 가장 중요한 것부터 뇌 구조도 중
앙의 가장 넓은 부분부터 배치해 보아요.

5단계 짝과 서로 완성된 뇌 구조도를 소개하면서 자신의 생각
을 설명해 보아요.

예시 답안

진골: 왕위 쟁탈 / 사치, 향락 / 농민 수탈 / 살해 위협 / 복수 / 무관심 /
시끄러운 6두품들 / 불쌍한 백성들 (*제시한 순서대로 뇌구조의 넓은 면에
서부터 좁은 면으로 배치합니다.)

〈이유〉 무열왕 직계 자손이 왕위를 계승하는 것에 불만을 품은 일부 진골
귀족은 혜공왕 이후 본격적으로 왕위 다툼을 벌였으며, 백성들을 돌보지 않
고 사치와 향락에 빠져 조세 납부를 독촉하는 상황이었다.

호족: 독자적 세력 확보 / 군사력 확충 / 성 축조 / 민심 수습 / 선종 · 6두
품 세력과 결탁 / 풍수지리설 / 건국

〈이유〉 중앙 정부의 통제력이 약해지면서 지방에서 성장한 호족들은 군사
력을 갖추며 독자적인 세력을 확보하였다. 이때 민심을 얻기 위해 불교의
선종과 풍수지리설을 사상적 기반으로 삼고, 사회 개혁에 뜻을 둔 6두품과
도 결탁하고 있는 상황이었다.

농민: 경제적 여유 확보 / 자연재해 극복 / 진골 귀족에 대한 반발 / 조세
납부 거부 / 봉기 / 호족의 보호에 대한 기대 / 현실 도피 / 새로운 국가

〈이유〉 농민들에게 중요한 것은 무엇보다도 경제적으로 풍요로운 것이다.
그러나 중앙 정치의 혼란과 거듭되는 자연재해로 인해 백성들의 삶은 자식
을 포기하고 죽기를 각오하고 봉기를 일으켜야 하는 상황에 이르렀다. 따라
서 능력 있는 지도자의 등장에 기대를 가질 수밖에 없는 상황이었다.

II 창의·융합 프로젝트 풀이

📎 교과서 64~65쪽

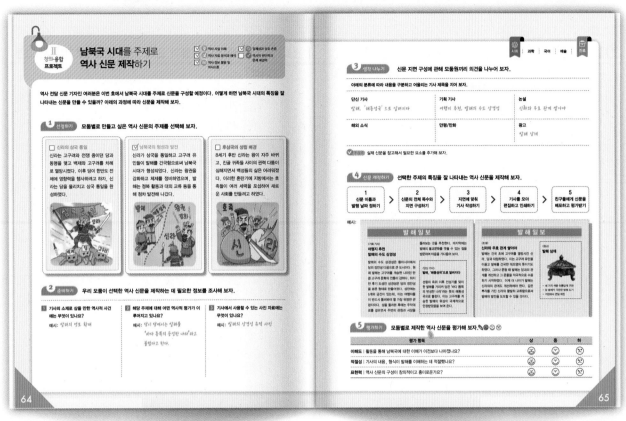

활동 예시 답안

1단계: 신문 주제 선정하기

- **우리 모둠이 선정한 주제:** 신라의 삼국 통일

2단계: 주제에 맞는 정보 조사하기

- **신라가 당과 동맹을 맺게 된 이유와 동맹의 대가는 무엇인가?**
  - → 백제의 공격을 막기 위해 군사적 도움을 받은 대가로 고구려를 함께 공격한 뒤 대동강 이북의 땅을 당에게 양보하기로 하였다.
- **백제와 고구려는 어떻게 멸망하였는가?**
  - → 나당 연합군이 백제, 고구려 순으로 공격하여 멸망하였다. 백제와 고구려의 저항이 컸고, 멸망 이후 부흥 운동이 일어났다.
- **나당 전쟁은 왜 시작되었는가?**
  - → 당이 약속을 어기고 한반도 전체를 지배하려는 욕심을 보였기 때문에 신라가 고구려 부흥 운동 세력과 함께 당을 공격하였다.

3단계: 신문 지면 구성에 대해 의논하기

- **속보:** 김춘추, 당 태종을 만나다
- **기획 기사/논설/해외 소식**

4단계: 역사 신문 제작하기(신라 신문)

속보! 김춘추, 당 태종을 만나다

6년 전 고구려에 구원을 요청하였으나 실패한 경험이 있는 김춘추는 이번에 반드시 군사 동맹을 성사시키겠다는 강한 의지를 가지고 신라를 출발하였다. ……

활동 소개

주제를 선택하여 신문을 만들어 보면서 역사적 사건을 깊이 있게 조사하게 됩니다. 이것을 다양한 입장에서 생각해 보며, 창의적인 방식으로 표현함으로써 그 시대를 살았던 사람들처럼 역사를 현실감 있게 느껴볼 수 있는 활동입니다.

💡 활동 도우미

신문 기사는 내용을 모르는 사람도 이해할 수 있도록 쉽고 친절한 글이어야 하며, 검증 가능한 사실만을 써야 합니다. 또한 읽거나 보고 싶은 생각이 들도록 화면 구성에도 관심을 갖도록 합니다.

진로 탐방 '기자', 그 직업이 알고 싶다!

Q: 기자가 하는 일은 무엇인가요?

우리 주변에서 일어나는 각종 정보를 신문, 잡지, 라디오, TV, 인터넷 등을 통해 일반인에게 신속하게 알려 주는 일을 합니다.

Q: 기자가 되려면 어떤 적성과 흥미를 을 갖추어야 하나요?

글쓰기 능력과 사회 현상을 정확히 이해하고 객관적으로 분석할 수 있는 능력이 있어야 합니다.

Q: 기자가 되려면 어떤 전공 공부를 하면 좋을까요?

대학에서 경제학, 국어국문학, 문예창작학, 사회학, 신문방송학, 언론홍보학, 정치외교학, 행정학 등을 전공하면 좋습니다.

01 (가)에 들어갈 서술형 평가의 주제로 적절한 것은?

〈서술형 평가〉

• 주제: ┌─(가)─┐ 를 서술하시오.
• 답안: 오랜 전쟁으로 고통 받던 백성들이 평화와 안정을 찾는 계기가 되었으며, 민족 문화의 토대가 마련될 수 있었다. 그러나 외세를 끌어들여 이룬 반민족적 행위이며, 옛 고구려의 영토를 대부분 잃어버리게 되었다.

① 삼국 통일의 의의와 한계
② 나당 동맹 성립의 의의와 한계
③ 고구려와 수, 당 전쟁의 의의와 한계
④ 백제, 고구려 부흥 운동의 의의와 한계
⑤ 왜와 나당 연합군이 치른 백강 전투의 의의와 한계

02 다음은 수업 시간에 정리한 필기 내용이다. 옳지 않은 것은?

1. 통일 신라의 중앙 및 지방 제도 정비
(1) 중앙 행정 조직
　㉠ 집사부 등 10여 개의 관청 조직
　㉡ 집사부의 장관인 상대등의 기능 강화
　㉢ 화백 회의의 권한 약화
(2) 지방 제도
　㉣ 전국을 9주로 나누고 그 밑에 군·현 설치
　㉤ 수도 금성의 단점을 보완하고자 5소경 설치

① ㉠　　　② ㉡　　　③ ㉢
④ ㉣　　　⑤ ㉤

03 (가)에 들어갈 인물과 관계 있는 것을 |보기|에서 고른 것은?

┌─(가)─┐ 는/은 신라에 귀국하여 그 흥덕왕을 뵙고 아뢰기를, "중국에서는 신라 사람들을 노비로 삼는 일이 자주 있습니다. 청해진을 설치하여 해적들로 하여금 사람들을 약탈하여 서쪽으로 가지 못하게 하기를 원합니다."라고 하였다. 왕이 1만 명을 주어 요청을 들어주었다.

|보기|
ㄱ. 당, 신라, 일본을 잇는 해상 무역을 장악하였다.
ㄴ. 신무왕에게 도움을 주고 왕위 다툼에 관여하였다.
ㄷ. 골품제의 모순을 비판하면서 사회 개혁을 요구하였다.
ㄹ. 아버지가 왕이 되지 못한 것에 불만을 품고 반란을 일으켰다.

① ㄱ, ㄴ　　② ㄱ, ㄷ　　③ ㄱ, ㄹ
④ ㄴ, ㄷ　　⑤ ㄷ, ㄹ

04 교사의 질문에 대한 학생의 답변으로 옳지 않은 것은?

교사: 혜공왕 이후 신라 말까지 백성들 중에 곳곳에서 도적이 되어 벌떼처럼 들고 일어나거나, 자손을 팔아 살아가는 일이 많아졌어요. 이 시기에 왜 이런 일이 일어났을까요?
학생: _____

① 거란이 세력을 확대하면서 신라를 공격하였어요.
② 중앙에서는 진골 귀족들 사이에 왕위 다툼이 벌어졌어요.
③ 귀족들이 사치와 향락에 빠져 농민을 지나치게 수탈하였어요.
④ 기근 등의 자연재해가 일어나서 백성들의 생활이 어려워졌어요.
⑤ 무거운 세금에 고통 받던 농민들이 조세 납부 독촉에 저항하였어요.

05 (가)에 이어질 내용으로 적절하지 <u>않은</u> 것은?

『구당서』에 대조영은 본래 고구려의 한 갈래라고 기록되어 있다. 따라서 발해는 고구려를 계승한 국가이다. 이를 뒷받침하는 것으로는 [(가)]

① 일본에 보낸 외교 문서에 고려(고구려)라고 표현하였다.
② 발해 유적지에서 고구려와 같은 온돌 구조가 발견되었다.
③ 발해의 왕은 스스로 '고구려 국왕'이라는 칭호를 사용하였다.
④ 발해 불상 가운데 이불병좌상은 고구려 불상의 영향을 받은 것이다.
⑤ 발해의 무덤 위에 벽돌 탑을 세운 것은 고구려의 양식을 계승한 것이다.

06 다음과 같은 시기에 만나 볼 수 <u>없는</u> 인물은?

• 신라는 삼국을 통일한 후 주변 국가와 활발히 교류하였다.
• 발해는 여러 교통로를 정비하여 주변 나라와 교류하였다.

① 당의 빈공과에 합격한 신라 유학생
② 유리그릇을 팔기 위해 울산항에 들어온 서역 상인
③ 산둥반도에 있는 발해관에 머물고 있는 발해 사신
④ 조공도를 통해 당에 불교를 배우러 가는 신라 승려
⑤ 신라의 배를 빌려 당에 가서 무역을 하는 일본 상인

서술형 문제

07 다음 글을 읽고 물음에 답하시오.

• 수 양제는 별동대를 보내 평양성을 공격하였다. 그러나 을지문덕이 이끄는 고구려군은 [(가)]에서 수의 군대를 크게 물리쳤다.
• 당 태종은 요동 지역의 고구려 성 몇 개를 함락하고 [(나)]을/를 공격하였다. 이곳에서 고구려군은 백성들과 몇 달에 걸친 당의 공격을 막아냈고, 결국 당의 침략을 저지하는 데 성공하였다.

(1) (가), (나)에 들어갈 말을 쓰시오.
(가) _____ , (나) _____

(2) 고구려가 수, 당의 침략을 모두 막아 낸 것이 역사적으로 어떤 의미를 갖는지 서술하시오.

----

08 신문왕이 다음과 같은 일을 하였던 근본적인 이유는 무엇이며, 이와 같은 이유로 실시한 것들을 <u>두 가지</u> 이상 서술하시오.

신문왕은 즉위 직후부터 왕비 김씨가 아들을 낳지 못한다는 이유를 들어 쫓아내고, 왕비의 아버지 김흠돌이 반란을 일으키자 이를 진압하고 관련자들을 철저히 응징하였다. 이후 진골 귀족은 그 세력을 잃고 말았다.

III 고려의 성립과 변천

이 대주제를 ≫ 배우면

- 고려의 후삼국 통일과 체제 정비 과정을 통해 고려 지배 체제의 특징을 설명할 수 있어요.
- 고려와 송, 거란, 여진과의 관계를 중심으로 대외 관계를 파악할 수 있어요.
- 원 간섭기 고려 사회의 변화를 파악할 수 있어요.
- 공민왕이 실시한 개혁 정책의 특징과 신진 사대부의 성장을 설명할 수 있어요.

나의 학습 계획표

이 대주제의 학습 주제

1 고려의 건국과 정치 변화
교과서 68~75쪽

주제 1	고려의 건국과 후삼국 통일
주제 2	통치 체제의 정비
주제 3	무신 정권과 농민·천민의 봉기

시험을 대비하는 실전 문제

2 고려의 대외 관계
교과서 76~79쪽

| 주제 4 | 국제 관계의 변화와 고려의 대응 |
| 주제 5 | 고려의 대외 교류 |

시험을 대비하는 실전 문제

3 몽골의 간섭과 고려의 개혁
교과서 80~85쪽

| 주제 6 | 몽골의 간섭과 고려 사회의 변화 |
| 주제 7 | 공민왕의 개혁과 새로운 세력의 등장 |

시험을 대비하는 실전 문제

4 고려의 생활과 문화
교과서 86~93쪽

주제 8	고려 시대의 생활 모습
주제 9	종교와 사상의 변화
주제 10	고려 시대의 인쇄 문화

시험을 대비하는 실전 문제

대주제를 정리하는 종합 문제

팔만대장경을
보관하는 건물을
장경판전이라고 해.

대주제 표지 사진 해설 ▶ 오른쪽 사진은 부처의 힘으로 몽골을 물리치려
는 마음을 담아 제작한 팔만대장경이에요. 대몽 항쟁이 고려 사회에 미친
영향을 상상해 보아요. 그리고 고려의 건국과 정치 변화를 동아시아 정세
속에서 살펴보고, 대몽 항쟁 이후 고려의 생활과 문화에 대해 알아보아요.

학습 계획일		학습일		나의 목표 달성도
월	일	월	일	☆ ☆ ☆ ☆ ☆
월	일	월	일	☆ ☆ ☆ ☆ ☆
월	일	월	일	☆ ☆ ☆ ☆ ☆
월	일	월	일	☆ ☆ ☆ ☆ ☆
월	일	월	일	☆ ☆ ☆ ☆ ☆
월	일	월	일	☆ ☆ ☆ ☆ ☆
월	일	월	일	☆ ☆ ☆ ☆ ☆
월	일	월	일	☆ ☆ ☆ ☆ ☆
월	일	월	일	☆ ☆ ☆ ☆ ☆
월	일	월	일	☆ ☆ ☆ ☆ ☆
월	일	월	일	☆ ☆ ☆ ☆ ☆
월	일	월	일	☆ ☆ ☆ ☆ ☆
월	일	월	일	☆ ☆ ☆ ☆ ☆
월	일	월	일	☆ ☆ ☆ ☆ ☆
월	일	월	일	☆ ☆ ☆ ☆ ☆

고려의 건국과 정치 변화

학습 목표
고려의 후삼국 통일 과정과 역사적 의의를 말할 수 있다.

주제 1

고려의 건국과 후삼국 통일

1 왕건의 고려 건국

(1) **왕건의 성장:** 송악의 호족 출신, 궁예의 신하로 후백제의 금성(나주)을 점령하는 데 큰 공을 세워 높은 지위에 오름.

> 어떻게? 후백제를 배후에서 공격할 수 있는 발판을 마련하였지.

(2) **궁예의 실정:** ❶미륵불을 자처하며 주변 사람 탄압 → 민심 이탈

(3) **고려 건국(918):** 신하들이 궁예를 몰아내고 왕건을 왕으로 추대 → 나라 이름을 고려로 바꾸고, 철원에서 송악으로 천도(919)

> 왜? 고구려를 계승한다는 의미야.

2 고려의 후삼국 통일

(1) **고려의 주도권 장악:** 고창(안동) 전투에서 후백제군에게 승리

(2) **후삼국 통일(936)**

① **신라의 멸망(935):** 경순왕이 스스로 투항

> 왜? 견훤이 막내 아들에게 왕위를 물려주려 하자, 불만을 품은 큰아들 신검이 견훤을 금산사에 가두고 스스로 왕위에 올랐다.

② **후백제의 멸망(936):** 왕위 계승을 둘러싼 내분 → 아들(신검)에게 왕위를 빼앗긴 견훤이 고려에 항복 → 고려가 후백제군 격파 → 후삼국 통일

(3) **후삼국 통일의 의의**

> 어떻게? 고려는 일리천(구미)에서 신검의 후백제군을 격파했어.

① **실질적 민족 통합 이룩:** 옛 삼국 출신과 발해 유민 포용

② **정치 참여 세력의 확대:** 호족과 6두품 세력이 건국과 통일 주도

3 안정과 통합을 위한 태조의 정책

> 왜? 후삼국 시대 각 지역을 장악한 호족 세력들이 원칙 없이 함부로 세금을 거두어 백성들의 고통이 심했기 때문이야.

(1) **민생 안정:** 세금 징수의 원칙 강조, ❷흑창 설치

(2) **호족 포섭:** 혼인 정책, 사성 정책

> 어떻게? 공로가 큰 호족에게 관직과 토지, 왕씨 성을 내려 주었어.

(3) **호족 견제:** ❸기인 제도, ❹사심관 제도

---

❶ **미륵불**
불교에서 말하는 미래의 부처이다. 석가모니의 가르침을 받지 못한 중생을 구제하는 임무를 맡는다고 한다.

❷ **흑창**
평상시에 곡식을 비축하고 있다가 식량이 부족한 봄철 춘궁기에 가난한 백성들에게 곡식을 빌려주고 추수한 후에 갚도록 한 빈민 구제 기관이다. 성종 때 의창으로 이름을 바꾸었다.

❸ **기인 제도**
호족의 자제를 수도 개경에 머물게 하여 출신 지역 행정에 도움을 주도록 하면서, 동시에 이들을 볼모로 삼아 호족 세력을 견제하는 제도이다.

❹ **사심관 제도**
지방 세력 출신으로 중앙 관직에 오른 사람을 출신 지역의 사심관으로 임명하여 그 지방을 통제하도록 한 제도이다. 최초의 사심관은 신라 경순왕이었다.

핵심 자료 **고려의 후삼국 통일 과정**

> 정답과 해설 17쪽

고려 건국 초의 영토
태조 북진 후의 영토
★ 주요 싸움터

발해 유민 입국

서경(평양)
철원
① 고려의 건국(918)
❷ 고려 수도 이전(919)
송악(개성) 고려
북원(원주)
동해
독도
황해
❼ 후백제 멸망(936)
고창(안동)
❹ 고창 전투(930)
후백제
❺ 공산 전투(927)
공산(대구) 금성(경주)
❺ 견훤의 항복(935)
완산주(전주)
무진주 신라
금성(광주)
나주
❻ 신라 항복(935)
건국 전 왕건의 점령지
탐라

> **핵심**
> **고려는 어떤 과정을 거쳐 후삼국을 통일하였을까?**
>
> 고려는 신라와 우호적으로 지냈으나 후백제와는 대립하였다. 고려는 공산(대구) 전투에서 후백제군에 패하였지만, 고창(안동) 전투에서 승리하여 주도권을 잡았다. 그러던 중 후백제에서 내분이 일어나 견훤이 고려에 투항하였다. 신라 경순왕도 나라를 고려에 넘겨 주었다. 이후 고려는 후백제를 공격하여 후삼국을 통일하였다.

확인해 봐요

1 궁예는 자신을 (   )이라고 부르며, 주변 신하와 백성들을 의심하여 민심을 잃었다.

2 고려는 후백제와의 전쟁에서 불리했지만 (   ) 전투에서 승리한 후 주도권을 잡았다.

3 고려는 후삼국 통일 과정에서 (   )의 유민까지 받아들여 민족의 통합을 달성할 수 있었다.

가자! 역사 속으로

교과서 68쪽

왕건은 후삼국을 통일하는 과정에서 지방 호족들의 딸을 아내로 맞아, 무려 29명의 부인을 두었다고 합니다.

왕건은 왜 여러 지방의 호족의 딸과 결혼하였을까요?

예시 답안　혼인을 통해 지방에서 독자적인 세력을 유지하고 있던 호족 세력을 포섭하기 위해서이다.

자료 해설

고려 건국 직후 호족들은 일정한 지역을 다스리며 실질적으로 백성을 지배하고 있었어요. 왕건은 각 지역의 여러 호족의 딸과 혼인함으로써 자신의 세력 기반을 다질 수 있었지요.

탐구 해 봐요　**후삼국 통일의 의의**

교과서 69쪽

자료 해설

후삼국 통일이 갖는 역사적 의미는 일반 백성들, 6두품과 호족들, 왕 등 각각의 입장에 따라 달라질 수 있어요.

활동 도우미

후삼국 통일이 갖는 역사적 의의를 다양한 입장에서 생각해 보아요.

1 고려의 후삼국 통일로 위 사람들에게 어떤 변화가 나타났는지 적어 보자.

예시 답안　• 고려의 백성들: 오랜 전쟁을 끝내고 같은 나라의 구성원이 되었다. / • 6두품: 골품제의 차별에서 벗어나 자신의 능력으로 신분을 상승할 수 있다는 기대감을 갖게 되었다. / • 태조 왕건: 통일 이후 나라를 어떻게 이끌 것인지, 주변 나라들과 어떤 관계를 맺을 것인지에 대해 고민하게 되었다.

2 후삼국 통일의 의의에 대해 생각해 보자.

예시 답안　고려는 신라와 후백제뿐만 아니라 거란에 멸망한 발해 유민까지 받아들여 민족의 재통합을 이루었으며, 골품제 사회의 한계를 딛고 호족과 6두품 계층도 정치에 참여하는 개방적인 사회로 나아가기 시작하였다. 또한 외세의 개입 없이 자주적으로 통일을 이루었다.

교과서 사진 자료　현릉과 왕건상

교과서 69쪽

고려 태조 왕건의 능인 현릉과 그 근처에서 출토된 왕건의 청동상이다. 발굴 당시 몸을 비롯한 여러 곳에 금도금을 한 조각과 얇은 비단 천들이 붙어 있었는데, 이는 제작 당시에 몸에 도금을 하였으며, 비단으로 만든 옷을 걸쳤음을 보여 준다. 또한 황제를 상징하는 통천관을 쓰고 있다.

활동 도우미

왕건의 청동상은 황제만이 쓸 수 있는 통천관을 쓰고 있어요. 이것이 의미하는 바를 생각해 보아요.

 스스로 확인해요

❶ 고려는 발해 유민을 받아들여 민족의 통합을 이루었다. (○)

❷ 태조는 공로가 큰 호족들을 포섭하기 위해 왕족의 성씨인 왕 씨를 내려 주는 사 성 정책을 시행하였다.

 이 주제의 핵심

이 주제에서는 고려의 건국과 후삼국 통일 과정을 알아보았어요. 고려는 후삼국을 통일하는 과정에서 발해 유민까지 받아들여 민족의 통합을 달성할 수 있었어요. 태조 왕건은 고려의 안정과 통합을 위해 혼인 정책, 사성 정책, 기인 제도, 사심관 제도 등을 시행하였음을 기억해 두세요.

학습 목표
고려의 통치 체제 정비 과정을 설명할 수 있다.

주제 2 # 통치 체제의 정비

1 왕권 강화와 유교 정치 이념 채택

(1) 광종의 정치 개혁 **왜?** 태조 사후 여러 왕자와 외척 간 권력 다툼으로 왕권이 불안정하였기 때문에 광종은 호족 세력을 누르고 왕권을 강화시키려고 하였어.
① **❶노비안검법**: 호족의 경제적·군사적 기반 약화 → 왕권 강화
② **과거제**: 왕권을 뒷받침할 새로운 인재 등용
③ **호족 숙청**: 개혁 정치에 불만을 가진 세력 숙청

(2) 성종의 통치 체제 정비
① **최승로의 ❷「시무 28조」 수용**: 유교 정치 사상을 통치 이념으로 삼음.
② **제도 정비**: 중앙 정치 기구 개편, 지방관 파견, 국가적 불교 행사 억제

2 중앙 정치 제도의 정비

(1) 2성 6부: 중서문하성(국가 정책 논의·결정), 상서성(6부 관할, 실제 정책 집행)
(2) 중추원: 군사 기밀, 왕의 명령 전달 → 국왕의 비서 기관
(3) 어사대, 삼사: 어사대(관리의 비리 조사), 삼사(곡식과 화폐의 출납 및 회계)
(4) 회의 기구: 도병마사(국방 문제 논의), 식목도감(법·제도 제정) → 고려 독자적 기구

3 지방 제도의 정비

(1) 정비 과정: 성종 때 12목 설치(최초의 지방관 파견), 현종 때 골격 완성
(2) 지방 행정: 5도(일반 행정 구역), 양계(군사 행정 구역), 경기(수도 개경과 그 주변 지역) → 향리가 지방의 실질적인 행정 담당 **왜?** 모든 지역에 지방관을 파견하지 못하였기 때문이지.
(3) ❸향·부곡·소: 향·부곡(농업 종사), 소(국가에서 필요한 물품 생산)
　　어떻게? 특수 행정 구역으로, 다른 지역 사람보다 더 많은 세금을 부담하고, 거주지 이동에 제한을 받았어.

4 관리 선발 제도

(1) 과거: 시험을 통해 관리 선발, 양인 이상이면 누구나 응시 가능, 문관·기술관·승관 선발, 문관 선발은 제술과와 명경과 중시 **무엇?** 제술과는 글 짓는 능력을, 명경과는 유교 경전에 대한 이해 능력을 시험하였어.
(2) 음서: 왕족과 공신의 후손, 5품 이상 관리 자손이 과거 없이 관리로 채용

---

❶ 노비안검법
후삼국 시대의 사회 혼란 및 전쟁을 틈타 호족들이 불법적으로 양인을 노비로 삼은 것을 조사하여 양민 신분을 회복할 수 있게 한 법이다.

❷ 시무 28조
최승로는 시무 28조에서 불교는 개인의 수양을 위한 종교로, 유교는 국가 체제를 위한 정치 이념으로 삼아야 한다고 하였다. 또한 지방관을 파견하고, 양인과 천인의 신분을 엄격히 할 것 등을 주장하였다.

❸ 향·부곡·소
특수 행정 구역으로 군·현 지역에 살고 있는 사람에 비해 더 많은 세금을 부담하고 차별 대우를 받았다. 향과 부곡의 주민은 주로 농업에 종사하였고, 소의 주민은 주로 수공업이나 광업 등에 종사하였다.

핵심 자료 **고려의 중앙 정치 제도**

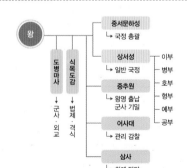

핵심
고려 중앙 정치 기구의 특징은 무엇일까?

고려는 당의 3성 6부 제도를 받아들여 고려의 실정에 맞게 2성 6부로 운영하였다. 도병마사와 식목도감은 고려만의 독자적인 기구였다. 이곳에서 중서문하성과 중추원의 고위 관료가 국가의 중요한 정책을 의논하여 결정하였다. 도병마사에서는 주로 국방 문제를, 식목도감에서는 새로운 법이나 제도를 제정하였다. 이를 통해 귀족 중심의 정치가 운영되었음을 알 수 있다.

📌 정답과 해설 17쪽

확인해 봐요

1 광종이 호족들의 경제력과 군사력을 약화시키기 위해 실시한 정책은? (　　　)
2 고려 시대 중앙 정치 기구 중 최고의 관청은? (　　　)
3 고려 시대 지방의 실질적인 행정을 담당하여 영향력이 컸던 하급 관리는? (　　　)

📖 교과서 활동 풀이

가자! 역사 속으로

중국에서 귀화한 쌍기는 광종에게 중국의 인재 선발 제도인 과거의 도입을 제안하였고, 광종은 이를 받아들였습니다.

📍 교과서 70쪽

✅ **광종이 과거제를 시행한 이유는 무엇일까요?**

예시 답안 유교 지식과 능력에 따라 관리를 선발하여 국왕이 원하는 인재를 기르기 위해서이다.

> 📍 **자료 해설**
>
> 광종은 과거제를 시행하여 유교적인 학식과 능력을 갖춘 인재를 등용하였어요.

> 📍 **활동 도우미**
>
> 과거제 도입의 배경에 대해 추측해 보아요.

Q **성종이 최승로의 건의를 받아들여 통치 이념으로 삼은 것은 무엇일까?** 📍 교과서 70쪽

 최승로의 「시무 28조」

> 〝
> **제7조** 임금께서 백성을 찾아가서 돌볼 수는 없으므로, 각 지방에 수령을 파견하십시오.
>
> **제13조** 우리나라에서는 봄에는 연등을 설치하고, 겨울에는 팔관회를 베풀어 …… 노역이 심하오니, 원컨대 이를 감하여 백성이 힘을 펴게 하소서.
>
> **제20조** 불교를 믿는 것은 자신을 수양하는 근본이며, 유교를 행하는 것은 나라를 다스리는 근원입니다. 자신을 수양하는 것은 내세에 복을 구하는 일이며, 나라를 다스리는 것은 오늘의 급한 일입니다. 〟
>
> – 「고려사」 –

예시 답안 유교

> 📍 **활동 도우미**
>
> 성종은 최승로의 「시무 28조」를 받아들여 유교 정치 이념을 바탕으로 통치 체제를 정비해 갔음을 생각해 보아요.

탐구 해 보아요   고려의 관리 선발 제도

 📍 교과서 72쪽

> 📍 **자료 해설**
>
> 이영은 향리 출신이지만 과거 응시에 제한이 없었기 때문에 중앙의 문신 관료로 성장할 수 있었어요.

1 자료①과 자료②를 참고하여 고려 사람들이 관리가 될 수 있는 두 가지 방법을 비교해 보자.

예시 답안 음서는 5품 이상 관리의 자손이 과거 시험을 거치지 않고 관리가 되는 방법이고, 과거는 시험을 통해 유교적 지식과 능력을 지닌 관리를 선발하는 제도이다.

2 자료②에서 이영이 과거에 응시한 이유에 대해 생각해 보자.

예시 답안 기존에는 관리가 되는데 가문이 중요한 요소였으나, 고려 시대에는 가문이 좋지 않더라도 시험을 통해 고위 관료가 될 수 있었다.

> 📍 **활동 도우미**
>
> 고려는 주로 과거와 음서로 관리를 선발하였어요. 두 제도를 통하여 고려 사회가 가문을 중시하는 귀족적 요소와 함께 능력을 강조하는 모습도 있었음을 생각해 보아요.

 스스로 확인해요

❶ 광종은 「시무 28조」를 받아들여 유교를 통치 이념으로 삼았다. (×)

❷ 고려는 모든 지역에 지방관을 파견하지 못했기 때문에, 지방에서 실질적인 행정을 담당하는 향리의 영향력이 컸다.

 이 주제의 핵심

이 주제에서는 고려의 통치 체제 정비 과정을 알아보았어요. 광종과 성종의 정책, 중앙 정치 제도, 지방 행정 제도, 관리 선발 제도 등을 확인해 보세요. 고려는 유교 정치 이념을 받아들여 통치 체제를 정비하였음을 기억해 두세요. 특히 과거 시험을 도입하여 관리를 선발하였는데, 관리들에게는 유교 경전에 대한 이해 능력을 중시하였어요.

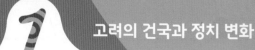
주제 3 무신 정권과 농민·천민의 봉기

1 문벌 귀족 사회의 동요

(1) 배경: ❶문벌 귀족 형성, 소수 가문의 권력 독점에 문벌 귀족 간 갈등 발생

(2) 이자겸의 난과 묘청의 서경 천도 운동

이자겸의 난 (1126)	대표적 문벌 경원 이씨 가문의 이자겸이 왕실과 혼인을 통해 막강한 권력 행사 → 이자겸의 난 → 인종이 척준경을 회유하여 이자겸 제거
묘청의 서경 천도 운동(1135)	정지상과 묘청 중심의 정치 개혁 추진 → 개경 세력의 반대 → 묘청 세력의 반란 → 김부식이 이끈 관군이 진압 무엇? 서경 천도, 금 정벌을 주장했어.

2 무신 정변의 발생

어떻게? 문신이 정치를 주도하면서 무신들은 2품 이상의 관직에 오를 수 없었고, 군대 최고 지휘관도 문신이 맡는 등 차별을 받았지.

(1) 배경: 문신 위주 정치, 무신에 대한 차별 대우, 의종의 사치와 향락

(2) 전개: 정중부 등 무신들이 보현원에서 정변 → 문신 제거, 명종을 왕으로 추대

3 최씨 무신 정권의 전개

(1) 성립: 최충헌이 권력을 장악한 이후 혼란 수습 → 4대 60여 년간 권력 유지

(2) 권력 기반: 정치적 기반(❷교정도감·정방), 군사적 기반(도방·❸삼별초)

4 농민과 천민의 봉기

(1) 배경: 정부의 지방 통제력 약화, 집권자들의 경제적 수탈 심화, 하층민의 신분 상승에 대한 기대감

(2) 농민들의 봉기: 김사미와 효심의 봉기 → 경상도 일대에서 세력 확대

(3) 향·부곡·소 지역민의 봉기: 망이·망소이의 봉기 → 한때 충청도 일대 점령

(4) 천민들의 봉기: 전주 관노의 봉기, 만적의 봉기 어떻게? 최충헌의 사노비로 알려진 만적은 노비들을 모아 봉기를 시도하였으나, 실행 전에 발각되어 실패했어.

❶ 문벌 귀족
여러 대에 걸쳐 고위 관료를 배출한 가문을 가리킨다. 이들은 과거와 음서를 통해 고위 관직을 독점하고 국정을 주도하였으며, 많은 토지를 소유하였다. 또한 왕실이나 다른 문벌 집안과의 혼인을 통해 권력을 유지·강화하였다.

❷ 교정도감
최충헌이 반대 세력을 제거하기 위해 설치한 기구이다. 이후 국정을 총괄하는 기구로 확대되어 무신 정권 내내 존속하였다.

❸ 삼별초
최우 정권 초기에 도적을 잡기 위해 설치한 야별초를 둘로 나눠 좌별초, 우별초라 하였다. 이후 몽골에 포로로 잡혀갔다 돌아온 병사로 조직된 신의군을 합하여 삼별초라 하였다.

핵심 자료 | 무신 집권자의 변천과 무신 정권의 지배 기구

1170	1174	1179	1183	1196	1219	1249	1257	1258	1268	1270	1270. 5.
이의방	정중부	경대승	이의민	최충헌	최우		최항	최의	김준	임연	임유무
중방				교정도감		교정도감·정방					

✓ 핵심

최씨 문신 정권의 권력 기반은 무엇이었을까?

무신 정권 초기에는 중방이 최고 권력 기구였으나, 최충헌이 집권한 이후에는 교정도감이 국가의 중요한 정책을 결정하고 집행하였다. 또한 사병 집단인 도방을 확대하여 호위를 강화하였다. 그의 아들 최우는 자신의 집에 정방을 설치하여 인사 행정을 담당하게 하였다. 교정도감과 정방이 정치적 권력의 배경이 되었다면, 도방과 삼별초는 군사적 기반, 최씨 가문의 농장은 경제적 기반이 되었다.

🔍 정답과 해설 17쪽

확인해 봐요

1 무신들이 의종을 쫓아낸 뒤 새 왕을 추대한 사건은 (이자겸의 난/무신 정변)이다.

2 최씨 무신 정권의 권력 기반은 (교정도감/중추원)이었다.

3 향·부곡·소 지역민의 봉기는 (망이·망소이/만적)의 봉기이다.

📖 교과서 활동 풀이

📎 교과서 73쪽

가자! 역사 속으로

보현원에서 잔치를 하던 의종은 경비를 서던 무신들에게 수박희(겨루기)를 시켰습니다. 나이가 많은 대장군 이소응이 경기에서 지자, 젊은 문신 한뢰는 그의 뺨을 때렸고, 이를 본 왕과 문신들은 즐거워하였습니다.

✔️ **고려 사회에서 무신은 어떤 대우를 받았을까요?**

예시 답안 문벌 귀족 사회에서 문신이 군사 지휘권까지 차지하였고, 무신과 하급 군인들은 문신들로부터 차별 대우를 받으며 각종 건축 공사에 동원되기도 하였다.

💡 **자료 해설**
무신들이 국왕의 명으로 수박희를 하다가 벌어진 사건에서 고려 전기 무신들이 어떤 대우를 받았는지 알 수 있어요.

💡 **활동 도우미**
무신 정변이 왜 일어났는지 생각해 보아요.

Q 이 사건들은 이후 고려 사회에 어떤 영향을 미쳤을까?

📎 교과서 73쪽

문벌 귀족 사회의 동요

이자겸의 난 | 1126

이자겸은 자신의 외손자인 인종이 왕위에 오르는 데 큰 역할을 했을 뿐만 아니라, 다른 두 딸 또한 인종과 혼인시켜 막강한 권력을 행사하였다. 왕위에 위협을 느낀 인종은 이자겸을 죽이려다 도리어 이자겸이 난을 일으켜 위기에 몰렸다. 이에 인종은 이자겸 일파인 척준경을 설득하여 이자겸을 제거하였다.

왕실과 경원 이씨의 혼인 관계도

- 16대 예종 — 문경 태후 (이자겸의 둘째 딸)
- 17대 인종 — 폐비 이씨 (이자겸의 셋째 딸) / 폐비 이씨 (이자겸의 넷째 딸)

묘청의 서경 천도 운동 | 1135

이자겸의 난 이후 왕권을 안정시키는 데 이바지한 정지상이 서경 출신 승려인 묘청을 추천하자, 인종은 이들을 중심으로 정치 개혁을 추진하였다. 묘청은 금 정벌과 서경 천도를 주장하였지만, 개경 귀족 세력이 이에 반대하였다. 서경 천도 계획이 좌절되자 묘청은 반란을 일으켰으나, 김부식이 이끈 관군의 공격으로 진압되었다.

서경으로 천도해야 합니다.

아니 되옵니다.

💡 **활동 도우미**
이자겸의 난은 소수의 가문이 권력을 독점한 사건이고, 묘청의 서경 천도 운동은 개경파와 서경파 문벌 귀족 간의 갈등으로 발생하였어요. 이 사건들이 고려 사회에 끼친 영향에 대해 생각해 보아요.

예시 답안 문벌 귀족 내부의 분열이 일어나고 정치 질서가 흔들렸다.

탐구 해 보아요 만적의 봉기는 왜 실패하였을까?

📎 교과서 75쪽

사노비였던 만적 등이 (개경의) 북산에 나무하러 가서 공사의 노비를 불러 모았다. 음모를 꾸미면서 말하기를, ⊙"무신이 집권한 이래 귀족과 고관이 천한 노비 가운데서 많이 나왔다. 장수와 재상의 씨가 따로 있는가? 때가 오면 아무나 할 수 있는 것이다."라고 하였다.

— 『고려사』—

장수와 재상의 씨가 어찌 따로 있겠습니까? 우리도 할 수 있습니다!

1 만적이 ⊙처럼 외칠 수 있었던 까닭을 말해 보자.
예시 답안 무신 정변 이후 하층민 중 최고 권력자가 된 사람들이 있었기 때문이다.

2 만적의 봉기가 실패한 이유를 짝과 이야기해 보자.
예시 답안 당시 대부분의 노비들은 신분 해방을 원했지만, 한편에서는 봉기가 성공하기 어려울 것이라 여기는 사람들도 있어, 동료 노비 중 누군가가 밀고하였다.

💡 **자료 해설**
무신 집권자 중 이의민은 천민 출신이었지만 무신 정변 당시 맹활약을 하여 출세하였지요. 이의민과 같은 천민 계층이 최고의 자리로 올라갈 수 있었다는 것에서 농민과 천민들은 ⊙과 같이 주장하였어요.

💡 **활동 도우미**
만적의 봉기가 실패한 이유를 생각해 보고, 신분 해방을 추구한 만적이 처한 시대적 한계는 무엇일지 생각해 보아요.

스스로 확인해요

❶ 최충헌은 강력한 통치 기구인 중방을 만들었다. (×)
❷ 사노비였던 만 적 은/는 신분 해방을 꿈꾸며 봉기를 시도하였다.

이 주제의 핵심

이 주제에서는 문벌 귀족 사회의 동요와 무신 정권의 성립, 농민과 천민의 봉기에 대해 알아보았어요. 이자겸의 난과 묘청의 서경 천도 운동, 무신 정변의 배경과 무신 정권 성립 과정을 살펴보아요. 또한 무신 정권의 정치적 변화상과 무신 정권에 농민과 천민이 저항한 이유를 파악해 보아요.

시험을 대비하는 **실전 문제**

01 서로 관련 있는 내용끼리 연결하시오.

ㄱ 태조 •   • ⓐ 12목 설치

ㄴ 광종 •   • ⓑ 혼인 정책

ㄷ 성종 •   • ⓒ 노비안검법

02 설명이 맞으면 ○, 틀리면 ×로 표시하시오.

(1) 고려 시대 중앙의 최고 관청은 군사 기밀을 다루는 중추원이다.   (   )

(2) 묘청의 서경 천도 운동을 진압한 인물은 김부식이다.   (   )

(3) 최씨 무신 정권의 정치적 권력 기반은 도병마사였다.   (   )

(4) 향·부곡·소 주민은 다른 지역 사람보다 더 많은 세금을 부담하였다.   (   )

03 보기의 사건들을 일어난 순서대로 나열하시오.

| 보기 |
ㄱ. 무신 정변   ㄴ. 이자겸의 난
ㄷ. 망이·망소이의 봉기   ㄹ. 묘청의 서경 천도 운동

04 빈칸에 알맞은 말을 쓰시오.

(1) 태조는 지방 호족의 자제를 수도 개경에 머물게 한 (   )을/를 실시하였다.

(2) 지방의 실질적인 행정 실무는 각 지역의 (   )이/가 담당하였다.

(3) 최충헌은 (   )(이)라는 강력한 통치 기구를 만들어 국가의 중요한 일을 결정하였다.

01 다음 후삼국의 통일 과정에 대한 설명으로 옳지 <u>않은</u> 것은?

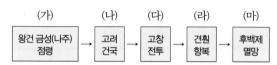

(가)	(나)	(다)	(라)	(마)
왕건 금성(나주) 점령	→ 고려 건국	→ 고창 전투	→ 견훤 항복	→ 후백제 멸망

① (가): 왕건이 이곳을 점령하여 궁예 밑에서 높은 지위에 오르게 되었다.

② (나): 왕건은 민심을 잃은 궁예를 몰아내고 왕위에 올랐다.

③ (다): 이 전투에서 후백제에게 패배하여 고려가 어려움을 겪었다.

④ (라): 후백제에서 왕위를 둘러싸고 내분이 일어나 견훤이 아들에게 왕위를 빼앗겼다.

⑤ (마): 왕건은 신검이 이끄는 후백제군을 격파하여 후삼국을 통일하였다.

02 다음과 관련 있는 왕의 정책으로 옳은 것은?

이 청동상은 개성 현릉 부근에서 출토되었는데, 황제를 상징하는 통천관을 쓰고 있다.

| 보기 |
ㄱ. 사심관 제도를 통해 호족을 통제하였다.
ㄴ. 노비안검법을 통해 호족의 세력을 약화하였다.
ㄷ. 가난한 백성을 구제하기 위해 흑창을 설치하였다.
ㄹ. 최승로의 '시무 28조'를 받아들여 유교 정치 사상을 통치 이념으로 삼았다.

① ㄱ, ㄴ   ② ㄱ, ㄷ   ③ ㄴ, ㄷ

④ ㄴ, ㄹ   ⑤ ㄷ, ㄹ

중요

03 다음 삽화가 가리키는 사건의 역사적 의의로 옳은 것은?

이제 한동안 전쟁은 없겠구나!

| 보기 |

ㄱ. 외세의 도움을 받았다는 한계가 있다.
ㄴ. 통일의 전 과정이 전쟁을 통해 이루어졌다.
ㄷ. 정치 참여 세력이 이전 시대보다 확대되었다.
ㄹ. 발해 유민을 받아들여 민족의 통일을 달성하였다.

① ㄱ, ㄴ   ② ㄱ, ㄷ   ③ ㄴ, ㄷ
④ ㄴ, ㄹ   ⑤ ㄷ, ㄹ

04 다음과 관련된 왕에 대한 설명으로 옳은 것은?

후삼국 시대의 사회 혼란 및 전쟁을 틈타 호족들이 불법적으로 노비로 삼은 사람을 조사하여 양민 신분으로 해방하는 법을 시행하였다.

① 전민변정도감을 설치하였다.
② 국가적인 불교 행사를 억제하였다.
③ 금이 요구한 사대 요구를 받아들였다.
④ 과거제를 시행하여 새로운 인재를 등용하였다.
⑤ 호족에게 왕씨 성을 하사하는 정책을 시행하였다.

05 (가), (나)에 들어갈 고려의 중앙 정치 기구를 옳게 연결한 것은?

__(가)__ 은/는 군사 기밀을 다루고 왕의 명령을 전달하였으며, __(나)__ 은/는 곡식과 화폐의 출납 및 회계를 담당하였다.

	(가)	(나)
①	상서성	중추원
②	중추원	삼사
③	어사대	삼사
④	중추원	상서성
⑤	어사대	상서성

06 밑줄 친 '이 기구'에 대한 설명으로 옳은 것을 |보기|에서 고른 것은?

이 기구는 중서문하성과 중추원의 고위 관료들로 구성되어 국가의 중요한 정책을 의논하여 결정하였다.

| 보기 |

ㄱ. 도병마사와 식목도감이 이에 해당한다.
ㄴ. 중국에는 없는 고려의 독자적 기구였다.
ㄷ. 곡식과 화폐의 출납 및 회계를 담당하였다.
ㄹ. 실제 업무를 나누어 담당하는 6부를 두었다.

① ㄱ, ㄴ   ② ㄱ, ㄷ   ③ ㄴ, ㄷ
④ ㄴ, ㄹ   ⑤ ㄷ, ㄹ

07 고려의 지방 제도에 대한 설명으로 옳지 <u>않은</u> 것은?

① 전국을 크게 5도, 양계, 경기로 나누었다.
② 모든 군·현에 지방관을 파견하여 다스렸다.
③ 성종은 12목에 지방관을 처음으로 파견하였다.
④ 향·부곡·소 주민은 거주지 이동에 제한을 받았다.
⑤ 지방의 실질적 행정은 그 지역의 향리가 담당하였다.

08 다음 대화와 관련된 사건에 대한 설명으로 옳지 <u>않은</u> 것은?

(가)   (나)

① (가)를 대표하는 인물은 묘청이다.
② (가)가 일으킨 난을 (나)가 진압하였다.
③ (나)를 대표하는 인물은 개경파인 김부식이다.
④ (나)는 금을 정벌하고 황제를 칭할 것을 주장하였다.
⑤ 이자겸의 난 이후 혼란한 상황이 난의 배경이 되었다.

신유형
09 (가) 시기에 볼 수 있는 모습으로 적절한 것은?

① 노비를 모아 봉기를 시도하는 만적
② 여진족을 정벌하고 9성을 쌓는 윤관
③ 노비안검법으로 호족 세력을 약화시키는 광종
④ 청해진을 설치하여 해상 무역을 장악한 장보고
⑤ 왕실과 결혼으로 막강한 권력을 행사하는 이자겸

10 밑줄 친 내용에 해당하는 대표적인 인물은?

> 사노비였던 만적 등이 (개경의) 북산에 나무하러 가서 공사의 노비를 불러 모았다. 음모를 꾸미면서 말하기를, "<u>무신이 집권한 이래 귀족과 고관이 천한 노비 가운데서 많이 나왔다. 장수와 재상의 씨가 따로 있는가?</u> 때가 오면 아무나 할 수 있는 것이다."라고 하였다.
> ─ 『고려사』 ─

① 묘청   ② 정중부   ③ 이의민
④ 최충헌   ⑤ 경대승

11 다음 지도와 같은 상황이 전개된 이유로 옳지 <u>않은</u> 것은?

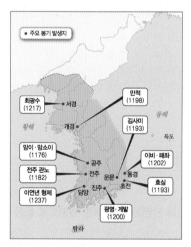

① 지방관들이 과도한 세금을 부과하였다.
② 무신들이 문신들로부터 차별 대우를 받았다.
② 권력자들이 백성의 토지를 빼앗아 대규모 농장을 확대하였다.
④ 신분 질서가 흔들리면서 신분 상승에 대한 기대감이 커졌다.
⑤ 무신들의 권력 다툼으로 정부의 지방 통제력이 약화되었다.

만점에 도전하는 **심화 문제**

01 후삼국 통일 과정에서 있었던 일로 옳지 <u>않은</u> 것은?

① 발해의 유민도 받아들였다.
② 후백제가 항복하여 통일을 이루었다.
③ 왕건은 혼인 정책으로 호족들을 포섭하였다.
④ 고려는 고창 전투에서 승리한 후 주도권을 잡았다.
⑤ 후백제에서는 왕위 계승을 둘러싸고 내분이 일어났다.

02 다음 건의를 받아들여 시행한 왕의 정책으로 옳지 <u>않은</u> 것은?

> 제7조   임금께서 백성을 찾아가서 돌볼 수는 없으므로, 각 지방에 수령을 파견하십시오.
> 제13조   우리나라에서는 봄에는 연등을 설치하고, 겨울에는 팔관회를 베풀어 …… 노역이 심하오니, 원컨대 이를 감하여 백성이 힘을 펴게 하소서.
> 제20조   불교를 믿는 것은 자신을 수양하는 근본이며, 유교를 행하는 것은 나라를 다스리는 근원입니다. 자신을 수양하는 것은 내세에 복을 구하는 일이며, 나라를 다스리는 것은 오늘의 급한 일입니다.
>
> – 『고려사』 –

① 노비안검법을 시행하였다.
② 지방에 12목을 설치하였다.
③ 국가적인 불교 행사를 억제하였다.
④ 유교 정치 사상을 통치 이념으로 삼았다.
⑤ 중앙과 지방에 학교를 세워 유학 교육을 장려하였다.

03 **중요** 고려 시대 중앙 정치 기구에 대한 설명으로 옳은 것은?

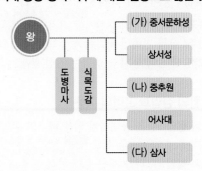

① (가): 고려의 독자적인 기구이다.
② (가): 실무 행정을 6부로 나누어 집행하였다.
③ (나): 군사 기밀을 다루고 왕의 명령을 전달하였다.
④ 도병마사는 (가)와 (다)의 구성원으로 이루어졌다.
⑤ (다): 관리의 비리를 살피고 정치의 잘잘못을 논하였다.

04 (가) 시기에 있었던 역사적 사실로 옳은 것은?

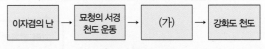

| 보기 |
ㄱ. 최승로가 '시무 28조'를 올렸다.
ㄴ. 정중부, 이의방 등이 정변을 일으켰다.
ㄷ. 공민왕이 반원 자주 정책을 시행하였다.
ㄹ. 명학소에서 망이와 망소이가 봉기를 일으켰다.

① ㄱ, ㄴ   ② ㄱ, ㄷ   ③ ㄴ, ㄷ
④ ㄴ, ㄹ   ⑤ ㄷ, ㄹ

고려의 대외 관계

학습 목표
10~12세기에 국제 관계의 변화에 따른 고려의 대응을 설명할 수 있다.

주제 4 **국제 관계의 변화와 고려의 대응**

1 10세기 동아시아 국제 관계의 큰 변화

어떻게? 당 멸망 후 50여 년 간 5대 10국으로 분열되어 혼란했어.

(1) **중국:** 5대 10국의 혼란기를 거쳐 송이 중국 통일

(2) **만주:** 유목 민족인 거란이 성장하여 세력 확대 → 고려와 국경을 접함.

(3) **고려:** 후삼국 통일 → 송과는 친선 관계, 거란과는 대립

2 거란의 침입과 고려의 대응

(1) **1차 침입:** 송을 공격하기 위해 배후의 위협을 없애려고 고려 침입 → 서희의 외교 담판으로 강동 6주 획득 **어떻게?** 고구려의 옛 땅은 거란의 영토라고 주장한 소손녕에 대해 서희는 고려가 고구려를 계승한 나라임을 밝혔어.

(2) **2차 침입:** 고려가 계속 송과 친선 관계 유지 → 거란의 침입으로 개경 함락 → 양규 등 고려 장수들의 활약으로 거란군 격퇴

(3) **3차 침입:** 고려의 강동 6주 반환 거부 → 거란의 대규모 침입 → 강감찬이 귀주에서 거란군 격퇴(귀주 대첩)

(4) **거란 격퇴 결과:** 고려와 송·거란 사이에 세력 균형 유지, 고려의 국경 방어 강화 (개경의 나성, 천리장성 쌓음)

3 여진의 침략과 고려의 대응

(1) **여진의 성장:** 만주와 고려 동북방에 여러 부족으로 나뉘어 거주 → 12세기 무렵 부족 통합 → 고려의 국경 침략 → 고려는 기병 중심인 여진족에게 자주 패함.

(2) **고려의 여진 정벌:** 윤관이 별무반 조직, 여진을 정벌하고 동북 9성 쌓음 → 여진의 요구와 방어의 어려움으로 1년여 만에 반환

(3) **여진의 강성:** 여진이 금 건국 후 거란(요)을 멸망시킴. → 금이 송을 남쪽으로 내몰고 화북 지방 점령 → 고려에 군신 관계 요구 → 이자겸 등이 금의 요구 수용 **어떻게?** 고려 조정에서는 반대 여론이 높았으나, 당시 집권자 이자겸 등이 금의 사대 요구를 받아들였어.

핵심 자료 **10세기~12세기 초 동아시아의 정세**

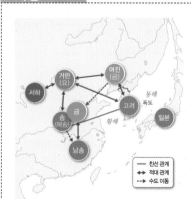

☑ 핵심
고려 전기에 해당하는 10세기에서 12세기 초까지의 동아시아 정세는 어떠하였을까?

10~12세기 동아시아는 다원적인 국제 정세를 보였다. 북방의 유목 민족인 거란과 여진이 성장하여 각각 나라를 건국하였고, 중원의 송은 이들과 각축하는 모습을 보였다. 이러한 다원적 국제 질서 속에서 고려도 실리를 취하며 기민한 외교 자세로 탄력적으로 대응하였다.

---

① 강동 6주
압록강 동쪽의 6개 마을이라는 뜻으로 지금의 평안북도 지역에 있는 흥화진, 통주, 귀주, 곽주, 철주, 용주이다.

② 개경의 나성
나성이란 도시의 외곽을 둘러싼 외성을 가리킨다. 따라서 개경의 나성은 귀주 대첩 이후 거란의 침입에 대비하여 개경 주위를 둘러싼 성을 말한다.

③ 천리장성
거란을 물리친 후 압록강에서 도련포에 이르는 지역에 쌓은 성이다.

④ 별무반
여진을 정벌하려고 조직한 특수 부대이다. 기병 부대인 신기군, 보병 부대인 신보군, 승려들로 이루어진 항마군으로 편성되었다.

⊘ 정답과 해설 18쪽

확인해 봐요

1 거란의 1차 침입 결과 고려는 서희의 외교 담판으로 여진족을 몰아낸 뒤 (   )을/를 확보하였다.

2 귀주 대첩 이후 고려와 송, 거란 사이에 세력 (   )이/가 이루어졌다.

3 윤관은 여진을 정벌하기 위해 (   )을/를 조직하였다.

가자! 역사 속으로

📄 교과서 76쪽

거란이 고려를 침입한 후, 거란군 진영에서 소손녕과 고려의 서희가 강화 회담을 위해 마주 앉았습니다.

고려는 송과 관계를 끊고 거란을 적대시하지 마시오.

❓ **서희는 거란의 침입을 막기 위해 소손녕을 어떻게 설득하였을까요?**

예시 답안 서희는 국제 정세를 파악하여 거란의 요구에서 수용할 만한 측면이 있다면 일부를 받아들이면서 협상을 하였다.

💡 **자료 해설**

서희는 거란의 의도를 알아차리고 소손녕과 외교 담판을 벌여 강동 6주를 얻고, 거란과 평화적인 관계를 만들었어요.

💡 **활동 도우미**

서희와 소손녕의 대화를 통해 서희가 소손녕을 어떻게 설득하였을지 상상해 보아요.

📋 교과서 지도 자료 ▶ 강동 6주와 천리장성

📄 교과서 77쪽

- 강동 6주
- → 거란의 1차 침입
- → 거란의 2차 침입
- → 거란의 3차 침입

백두산
거 란
여 진
강감찬의 귀주 대첩 (1019)
흥화진
천리장성
용주
철주
귀주
곽주
도련포
안융진
서희의 외교 담판 (993)
서경
고 려
동해
울릉도
독도
황해
신은현(신계)
개경

거란의 1차 침입 때 서희는 거란 장수 소손녕과 담판을 벌여 송과 외교 관계를 끊는다는 조건으로 압록강 동쪽 강동 6주를 확보하였다. 이로써 고려의 영토는 압록강 유역까지 확대되었다. 고려는 거란과의 전쟁 이후 천리장성을 쌓아 북방 민족의 침입에 대비하였다. 천리장성은 덕종 2년(1033)에 쌓기 시작하여 11년 만인 정종 10년(1044)에 완성하였다.

💡 **활동 도우미**

지도를 통해 거란의 침입에 대한 고려의 대응을 파악해 보아요.

🔍 탐구 해 봐요 국제 관계 속 고려의 외교적 대응

📄 교과서 77쪽

서희
"만약 여진족을 쫓아내고 우리 옛 땅을 돌려주어 성을 쌓고 도로를 통하게 해 준다면 거란과 관계를 맺을 것이다."
- 「고려사」 -

윤관
"제가 일찍이 선왕의 밀지를 받았고 이제 또 전하의 명령을 받았으니, 어찌 감히 우리 강토를 개척하고 지난날 국가의 치욕을 씻지 않을 수 있겠습니까?"
- 「고려사」 -

이자겸
"금이 군사가 세어 날로 강대해질 뿐만 아니라 우리의 국경과 인접하고 있으니 형세상 섬기지 아니할 수 없고 또한 작은 나라로서 큰 나라를 섬기는 것은 옛날 제왕이 취한 도리이니 우선 사신을 보내 예방해야 합니다."
- 「고려사」 -

1 세 인물이 고려가 처한 역사적 상황에 각각 어떻게 대응하였는지 적어 보자.

인물	서희	윤관	이자겸
대응	거란이 침입하자 외교 담판을 통해 강동 6주를 획득하였다.	별무반을 조직하여 여진을 정벌하고 동북 9성을 쌓았다.	금이 군신 관계를 요구하자 이를 수용하였다.

2 위의 인물 중 한 명을 선택하여 인물의 대응이 적절하였는지 친구들과 이야기해 보자.

💡 **자료 해설**

제시된 자료는 서희, 윤관, 이자겸이 각각 자신이 처한 상황에서 하였던 대응들입니다.

💡 **활동 도우미**

10~12세기 다원적 국제 관계 속에서 고려가 다른 나라와 마찰이 생겼을 때 어떤 대응을 하였는지를 생각하고 평가를 내려 보아요.

2 예시 답안 (이자겸) 자신의 권세를 지키기 위해 금의 요구를 수용한 것은 적절하지 않다고 볼 수 있다. 다만 현실적으로 금의 세력이 강했으므로 금의 요구를 수용한 일은 다방면으로 고려하여 평가해 보아야 한다.

스스로 확인**해요**

❶ 고려의 서희는 소손녕과의 담판을 통해 동북 9성을 획득하였다. (×)

❷ 윤관은 여진 정벌을 위해 별무반 을/를 조직하였다.

이 주제의 핵심

이 주제에서는 10세기 동아시아 국제 정세, 거란과 여진의 침입과 격퇴에 대해 알아보았어요. 고려의 거란 침략 격퇴로 동아시아에 고려·송·거란 사이에 세력 균형이 이루어졌음을 이해하도록 해요. 고려는 여진을 정벌하여 동북 9성을 쌓기도 하였지만, 이후 여진이 금을 건국하고 고려에 군신 관계를 요구하자 금과 사대 관계를 맺었음을 알아 두세요.

주제 5 고려의 대외 교류

1 고려와 여러 나라의 교류

(1) 송과의 교류: 송과 가장 활발하게 교류
  ① 문화적·경제적 실리 추구: 사신·승려·학자 등이 왕래하며 문화 교류, 여러 가지 물품을 교역하며 경제적 이익 추구   무엇? 이들은 송의 선진 문화를 수용하였지.
  ② 공식적·비공식적 교류 지속: 송과 적극적으로 친선 관계 유지, 북방 민족과의 관계 때문에 끊어지기도 하였으나 비공식적 교류는 계속됨.

(2) 거란 및 여진과의 교류: 공무역을 중심으로 교역, 고려는 농기구와 식량 등을 수출하고, 은·모피·말 등을 수입

(3) 일본과의 교류: 사신의 왕래나 상인들에 의한 민간 교류 활발, 고려는 유황이나 수은을 수입하고, 식량·인삼·서적 등을 수출

2 고려의 국제 무역항 ❶벽란도

(1) 벽란도: 수도 개경과 가까이 위치하여 고려의 국제 무역항으로 번성

(2) 동아시아 국제 무역 성행: 송, 아라비아 등 여러 나라 상인들이 찾아와 활발히 교류 → 고려가 ❷코리아라는 이름으로 서방 세계에 알려짐.

❶ 벽란도
개경과 가까운 거리에 있던 예성강 하구에 위치한다. 이곳에서는 국가의 공식 무역뿐만 아니라 상인들 사이의 사무역도 활발하게 이루어졌다. 11세기 초반 아라비아 상인도 벽란도에 도착하여 수은·향신료 등을 비단으로 바꾸어 갔다.

❷ 코리아의 유래
우리나라 이름 '코리아'는 고려 시대 무역항 벽란도에 다녀간 아라비아 상인들이 고려를 서양 세계에 알린 데서 '코리아'란 이름을 얻었다.

❸ 나전 칠기
나전 칠기는 전복 껍데기나 조개 껍데기를 숫돌로 얇게 갈아서 여러 가지 모양으로 박아 넣거나 붙인 칠기(옻칠한 나무 그릇)를 말한다. 고려 시대에는 정교하고 화려한 나전 칠기 제작이 성행하였다.

핵심 자료 고려 전기의 대외 교류

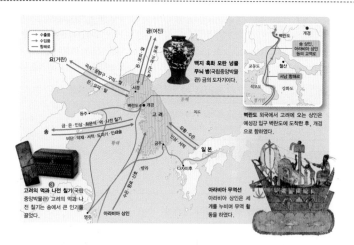

핵심

> **고려 전기 대외 교류의 특징은 무엇일까?**

고려는 건국 초부터 주변 여러 나라들과 활발하게 교류하였다. 특히 송과의 교류가 가장 활발하여 송의 문물을 적극적으로 받아들여 문화적·경제적 이익을 얻고자 하였다. 거란과 여진과는 공무역 중심으로, 일본과는 민간 교류가 활발히 이루어졌다.

✎ 정답과 해설 18쪽

확인해 봐요 ➕

1 고려 전기의 대외 교류에서 가장 활발하게 교류하였던 나라는?　(　　　)

2 고려가 거란과 여진으로부터 수입하던 품목은?　(　　　)

3 고려 시대에 번성한 국제 무역항은?　(　　　)

교과서 활동 풀이

가자! 역사 속으로

고려의 최대 무역항 벽란도에는 송과 아라비아를 비롯하여 일본·동남아시아 상인들이 교역을 위해 방문하였습니다. 이 과정에서 '고려(코리아)'라는 이름이 알려지기도 하였습니다.

📖 교과서 78쪽

✓ 고려는 다른 나라와 어떤 것들을 주고받았을까요?

예시 답안 각 나라에서 간행한 서적, 특산품, 문화재 등을 주고받았을 것이다.

💡 **자료 해설**

황해도 예성강 하류에 있던 벽란도는 고려의 국제 무역항으로 크게 번성하였어요. 벽란도는 고려의 수도인 개경에 가까이 위치해 있을 뿐만 아니라 수심이 깊어 배가 자유롭게 드나들 수 있는 등 교류에 유리한 조건을 지녔어요.

교과서 사진 자료 ▶ 동아시아 국제 교류의 모습을 보여 주는 신안선

📖 교과서 78쪽

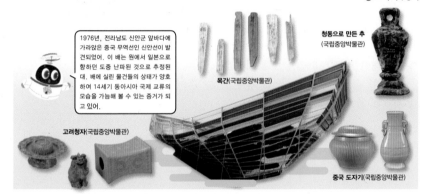

1976년, 전라남도 신안군 앞바다에 가라앉은 중국 무역선인 신안선이 발견되었어. 이 배는 원에서 일본으로 향하던 도중 난파된 것으로 추정된대. 배에 실린 물건들의 상태가 양호하여 14세기 동아시아 국제 교류의 모습을 가늠해 볼 수 있는 증거가 되고 있어.

고려청자(국립중앙박물관)
목간(국립중앙박물관)
청동으로 만든 추(국립중앙박물관)
중국 도자기(국립중앙박물관)

💡 **자료 해설**

신안선 발굴은 1975년 한 어부의 그물에 도자기가 걸려 올라오면서 시작되었어요. 이후 문화재청에서 1976년부터 본격적인 발굴을 시도하였지요. 그 결과 신안 해저선의 존재를 확인하였으며, 배와 함께 실려 있었던 2만 4천여 점의 문화재들이 발견되었어요.

목간은 글을 적은 나뭇조각이나 나뭇조각에 적은 편지나 문서를 말해요. 신안선에서 발견된 목간에는 동복사라는 일본 사찰 이름이 적혀 있는데, 이를 통해 신안선이 원에서 일본으로 향하던 배였음을 알 수 있어요.

Q 이규보가 바라보는 벽란도는 어떤 모습이었을까?

📖 교과서 79쪽

이규보가 관찰한 국제 무역항 '벽란도'

" 물결은 밀려왔다 다시 밀려가고, 오고 가는 뱃머리는 서로 잇대었구나.
아침에 이 누각 밑을 떠나면 한낮이 못 되어 남만에 이르겠네.
사람들은 배를 물 위의 말이라 하는데, 바람처럼 달리는 좋은 말도 이만 못하리.
　　　　　　　　　　　　　　　　　　　　　　　- 이규보, 「동국이상국집」 - "

예시 답안 이규보는 수도 개경 가까이에 위치한 벽란도를 통해 송, 거란, 여진, 일본, 아라비아 등 다양한 나라들과 교류하면서 각국 상인들이 몰려드는 모습을 보았을 것이다.

💡 **활동 도우미**

고려 시대에 번성하였던 벽란도의 모습에 주목해 보아요. 교과서 지도에 표시된 벽란도의 위치, 본문 내용을 읽고, 국제 무역항이 번성할 수밖에 없었던 이유가 무엇일지 추론해 보아요.

스스로 확인해요

❶ 고려는 송과의 교류에서 그들의 선진 문화를 수용하였다. (○)

❷ 고려가 다른 나라와 교류하면서 [벽][란][도] (이)라는 국제 무역항이 번성하였다.

이 주제의 핵심

이 주제에서는 고려가 주변 여러 나라와 활발하게 교류하였음을 알아보았어요. 고려 전기에 고려는 주변 국가와 활발하게 교류하였고, 특히 송과 교류를 하면서 선진 문화를 수용하였어요. 벽란도는 주변 국가뿐만 아니라 멀리 있는 아라비아 상인까지 와서 교류하였던 국제 무역항이었어요.

기초를 튼튼하게 **확인 문제**

01 서로 관련 있는 내용끼리 연결하시오.

ㄱ 윤관 •　　　　　　• ⓐ 강동 6주

ㄴ 서희 •　　　　　　• ⓑ 동북 9성

ㄷ 강감찬 •　　　　　　• ⓒ 귀주 대첩

02 설명이 맞으면 ○, 틀리면 ×로 표시하시오.

(1) 고려는 건국 초부터 송, 거란과 친선 관계를 맺으며 교류하였다. (　　)

(2) 윤관은 거란을 정벌하기 위해 특수 부대인 별무반을 조직하였다. (　　)

(3) 고려는 거란·여진과 공무역을 중심으로 교류하였다. (　　)

(4) 예성강 입구의 벽란도는 국제 무역항으로 번성하였다. (　　)

03 |보기|의 사건들을 일어난 순서대로 나열하시오.

| 보기 |

ㄱ. 귀주 대첩　　　　ㄴ. 윤관의 여진 정벌

ㄷ. 서희의 외교 담판　ㄹ. 금의 사대 요구 수용

----

04 빈칸에 알맞은 말을 쓰시오.

(1) (　　　)은/는 거란의 소손녕과 담판을 벌여 강동 6주를 확보하였다.

(2) 윤관은 (　　　)(이)라는 특수 부대를 이끌고 여진족을 격퇴하였다.

(3) 벽란도를 통해 고려가 서방 세계에 알려졌고 (　　　)(이)라는 이름도 세상에 널리 퍼졌다.

내신을 탄탄하게 **내신 문제**

01 (가)에 해당한 인물은?

고려는 송과 관계를 끊고 거란을 적대하지 마시오.

① 윤관　　　　　　② 서희

③ 이자겸　　　　　④ 강감찬

⑤ 장보고

중요

02 다음 주장과 직접 관련된 역사적 사실로 옳지 <u>않은</u> 것은?

"만약 여진족을 쫓아내고 우리 옛 땅을 돌려주어 성을 쌓고 도로를 통하게 해 준다면 거란과 관계를 맺을 것이다."

－『고려사』－

① 고려가 강동 6주를 확보하였다.

② 이 사건 직후 고려는 개경에 나성을 쌓았다.

③ 적의 장수는 송과의 관계를 끊을 것을 주장하였다.

④ 고려는 자신이 고구려를 계승한 후계자임을 주장하였다.

⑤ 적의 장수는 거란의 소손녕이고 고려의 대표는 서희였다.

신유형

03 지도와 관련된 전쟁 이후 국제 정세에 대한 설명으로 옳은 것은?

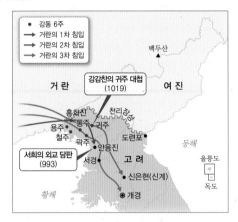

① 중국이 5대 10국의 혼란기에 접어들었다.
② 고려, 송, 거란 사이에 세력 균형이 이루어졌다.
③ 원을 물리치고 명이 새롭게 중원을 장악하였다.
④ 여진의 세력이 고려에 군신 관계를 요구해 왔다.
⑤ 고려는 송과는 친선 관계, 거란과는 적대적이었다.

04 다음 그림 자료와 관련 깊은 인물은?

돋보기로 확대된 부분에는 '고려지경(高麗之境: 고려의 영토)'이라고 써 있는 비문이 보인다. 즉 영토를 개척하고 경계비를 세우는 장면이다.

① 윤관   ② 서희
③ 이성계   ④ 이자겸
⑤ 정중부

05 다음 자료에서 윤관이 정벌하려고 한 나라와 이를 위해 조직한 군대를 옳게 연결한 것은?

"제가 일찍이 선왕의 밀지를 받았고 이제 전하의 명령을 받았으니, 어찌 감히 우리 강토를 개척하고 지난날 국가의 치욕을 씻지 않을 수 있겠습니까"

– 『고려사』 –

	나라	군대
①	거란	도방
②	여진	도방
③	몽골	별무반
④	여진	별무반
⑤	거란	삼별초

06 다음과 같은 주장을 한 인물은?

"금이 군사가 세어 날로 강대해질 뿐만 아니라 우리의 국경과 인접하고 있으니 형편상 섬기지 아니할 수 없고 또한 작은 나라로서 큰 나라를 섬기는 것은 옛날 제왕이 취한 도리이니 우선 사신을 보내 예방해야 합니다."

– 『고려사』 –

① 윤관   ② 서희
③ 강감찬   ④ 이자겸
⑤ 정중부

07 밑줄 친 '이 나라'에 해당하는 나라는?

> 고려는 <u>이 나라</u>에 사신, 학자, 승려 등을 보내 선진 문화를 수용하였다. 한때 북방 민족과의 관계 때문에 이 나라와의 공식적인 교류가 끊어지기도 하였으나, 비공식적 교류는 계속되었다.

① 당　　　　② 송　　　　③ 원
④ 여진　　　⑤ 거란

08 다음에서 설명하고 있는 배에서 나온 유물로 옳지 <u>않은</u> 것은?

> 1976년, 전라남도 신안군 앞바다에 가라앉은 중국 무역선인 신안선이 발견되었다. 이 배는 원에서 일본으로 향하던 도중 난파된 것으로 추정된다. 배에 실린 물건들의 상태가 양호하여 14세기 동아시아 국제 교류의 모습을 가늠해 볼 수 있는 증거가 되고 있다.

① 　　　②

③ 　　　④

⑤

09 다음 시에서 묘사하고 있는 고려 시대 무역항에 대한 설명으로 옳은 것을 |보기|에서 고른 것은?

> 물결은 밀려왔다 다시 밀려가고, 오고 가는 뱃머리는 서로 잇대었구나. 아침에 이 누각 밑을 떠나면 한낮이 못 되어 남만에 이르겠네.
> 사람들은 배를 물 위의 말이라 하는데, 바람처럼 달리는 좋은 말도 이만 못하리.
> – 이규보, 『동국이상국집』 –

> |보기|
> ㄱ. 이 무역항은 예성강 입구에 위치한 벽란도이다.
> ㄴ. 이 무역항에서는 국가의 공식 무역만 이루어졌다.
> ㄷ. 아라비아 상인과의 교역은 이 무역항에서 처음 이루어졌다.
> ㄹ. 이 시기에 고려는 코리아라는 이름으로 서방 세계에 알려졌다.

① ㄱ, ㄴ　　　② ㄱ, ㄷ　　　③ ㄱ, ㄹ
④ ㄴ, ㄷ　　　⑤ ㄷ, ㄹ

10 대외 교역에서 다음과 같은 특산품을 수출한 나라는?

먹　　　　　　　　나전 칠기

① 송　　　② 고려　　　③ 거란
④ 여진　　⑤ 일본

만점에 도전하는 **심화 문제**

01 다음과 같은 국제 정세가 형성된 시기에 고려에 있었던 일로 옳지 <u>않은</u> 것은?

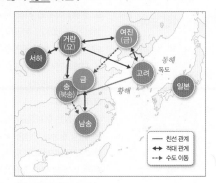

① 천리장성을 쌓았다.
② 수도를 강화도로 옮겼다.
③ 이자겸이 반란을 일으켰다.
④ 최승로가 시무 28조를 올렸다.
⑤ 윤관이 별무반을 이끌고 동북 9성을 쌓았다.

02 밑줄 친 '이 지역'을 지도에서 찾으면?

송에 대한 공격을 준비하던 거란은 배후의 위협을 없애려고 고려를 먼저 침입하였다. 서희는 거란의 소손녕과 담판에 나섰다. 그 결과 고려는 송과의 관계를 끊고 거란을 적대시하지 않는 대신 <u>이 지역</u>을 고려의 영토로 인정받았다.

① (가)
② (나)
③ (다)
④ (라)
⑤ (마)

03 (가)와 (나) 시기 사이에 있었던 역사적 사실을 |보기|에서 고른 것은?

(가) 서희는 거란의 장수 소손녕과 담판을 벌여 강동 6주를 확보하였다.
(나) 이자겸 등 고려 집권자들은 자신들의 권력을 유지하기 위해 금의 사대 요구를 받아들였다.

| 보기 |
ㄱ. 무신 정변   ㄴ. 천리장성 축조
ㄷ. 삼별초의 항쟁   ㄹ. 윤관의 9성 축조

① ㄱ, ㄴ   ② ㄱ, ㄷ   ③ ㄴ, ㄷ
④ ㄴ, ㄹ   ⑤ ㄷ, ㄹ

_{중요}
04 밑줄 친 '이곳'을 지도에서 찾으면?

<u>이곳</u>은 예성강 하구에 위치하였으며, 송의 상인은 물론 일본과 동남아시아, 아라비아 상인 등이 드나들었던 고려의 국제 무역항이다. <u>이곳</u>을 통해 고려가 '코리아'라는 이름으로 서방 세계에 알려졌다.

① (가)   ② (나)   ③ (다)
④ (라)   ⑤ (마)

③ 몽골의 간섭과 고려의 개혁

학습 목표
원 간섭기에 고려에 나타난 정치·사회·문화적 변화를 설명할 수 있다.

주제 6 몽골의 간섭과 고려 사회의 변화

1 고려와 몽골의 접촉

누구? 테무친이 몽골고원의 유목민을 통합하고 칭기즈 칸으로 추대되었어.

(1) 몽골의 성장: 13세기 초 칭기즈 칸이 몽골족 통일 후 세력 확대

(2) 고려와 몽골의 첫 접촉: 거란이 몽골군에 쫓겨 고려 침입 → 고려와 몽골 연합군이 거란 격퇴 → 고려와 몽골의 외교 관계 수립

(3) 외교 관계 단절: 몽골의 무리한 공물 요구, 몽골 사신 피살 사건
누구? 몽골 사신 저고여가 본국으로 돌아가던 중 피살되었어.

2 몽골과의 전쟁

(1) 몽골의 침입: 1차 침입(1231) → 최씨 정권의 강화도 천도 → 2차 침입(처인성 전투) → 이후 여러 차례 몽골의 침입
왜? 몽골의 침략에 맞서 장기 항전을 준비하기 위해서야.

(3) 몽골과의 강화: 최씨 정권 붕괴 → 몽골과 강화 추진 → 개경 환도

(4) 삼별초의 항쟁: 개경 환도 반대 → 강화도에서 진도와 제주도로 이동하며 항쟁 → 고려와 몽골 연합군에 의해 진압

3 원의 내정 간섭

(1) 원 간섭기의 고려: 독립국의 지위 유지, 고려 국왕이 원 공주와 결혼, 영토 상실(❶쌍성총관부·동녕부·탐라총관부 설치), ❷정동행성 설치(일본 원정 목적), 관제·왕실 용어 격하, ❸공녀와 공물 요구

(2) 고려와 원의 문물 교류: 몽골풍(변발·몽골식 복장 등), 고려양(고려 의복, 음식 등)

4 권문세족의 성장

누구? 주로 몽골 침입에 도움을 준 사람, 원과 혼인 관계를 맺은 사람, 몽골어를 잘하는 사람들이야.

(1) 성장: 원의 힘을 이용해 부와 권력 유지 → 새로운 지배 세력으로 성장

(2) 폐해: 농장 확대, 몰락 농민을 노비로 만들어 농장에 편입 → 국가 재정 궁핍

(3) 충선왕·충목왕의 개혁 시도: 권문세족의 반발과 원의 간섭으로 실패

핵심 자료 · 몽골의 침입과 항쟁

✓ **핵심**
몽골의 침입에 고려는 어떻게 항쟁하였을까?

1231년 몽골은 몽골 사신 피살 사건을 구실로 고려를 침입하였다. 박서 장군이 분전한 귀주성에서는 몽골군을 격퇴했지만, 그것만으로는 몽골군을 막을 수 없었다. 몽골의 1차 침입 후 최우는 서둘러 몽골과 강화를 맺은 후 강화도로 수도를 옮기고 장기 항전을 준비하였다.

그 뒤로도 몽골군은 여러 차례 고려를 침략했지만, 고려의 관군과 백성들은 끈질기게 맞서 싸웠다. 대표적인 사례가 충주성 전투였다. 그러나 몽골과의 전쟁이 길어지면서 고려의 국토는 황폐해졌으며, 많은 문화재가 불타 없어졌고 수많은 백성이 죽거나 포로로 끌려갔다.

---

❶ 쌍성총관부
고려 후기 몽골이 화주(지금의 함경남도 함흥) 이북을 직접 통치하기 위해 설치한 관청이다. 몽골의 세력이 약화되던 14세기 중반 공민왕은 반원 운동을 전개하면서 쌍성총관부를 공격하여 이 지역을 되찾았다.

❷ 정동행성
정식 명칭은 정동행중서성이다. '정동'은 일본 원정을, '행중서성'은 중앙 정부 기구인 중서성의 지방 파견 기관을 뜻한다. 원은 일본 원정을 위해 설치한 정동행성을 원정이 끝난 뒤에도 그대로 두어 고려의 정치를 간섭하였다.

❸ 공녀
원 간섭기 이후 원에 끌려간 여성들을 말한다. 고려에서는 딸을 공녀로 보내지 않기 위해 조혼의 풍습이 생겼다.

✎ 정답과 해설 20쪽

확인해 봐요

1 몽골의 1차 침입 이후 최씨 무신 정권은 장기 항전을 준비하기 위해 (   )(으)로 천도하였다.

2 (   )은/는 일본 원정을 위해 설치된 기구였지만, 원정이 끝난 뒤에도 남아 고려에 내정 간섭을 하였다.

3 고려와 원의 교류가 활발해지면서 고려에서는 몽골의 변발, 복장, 몽골어 등 (   )이/가 유행하였다.

📖 교과서 활동 풀이

가자! 역사 속으로

📎교과서 80쪽

1232년 12월 몽골군이 고려를 침입하자 김윤후는 처인성(경기 용인)에서 백성을 지휘하여 항전하였습니다. 이 전투에서 몽골군 지휘관 살리타를 활로 쏘아 죽이고 몽골군을 크게 물리쳤습니다.

✅ 몽골의 침략에 고려는 어떻게 저항하였을까요?

예시 답안 몽골의 계속된 침입에 고려군과 백성들은 끈질기게 맞서 싸웠다.

「처인성 전투」(민족 기록화)

💡 자료 해설

처인성 전투에서 승려 김윤후와 처인성 부곡민은 몽골의 장수 살리타를 사살하였다. 이로 인해 타격을 받은 몽골군이 일시적으로 철수하였다.

💡 활동 도우미

처인성 전투를 그린 민족 기록화를 보고, 당시 고려 사람들이 어떤 경험을 하게 되었을지 상상해 보아요.

📋 교과서 사진 자료 ▷ 고려에 유행한 몽골풍

📎교과서 81쪽

차례대로 '변발과 몽골식 복장을 한 모습', '소줏고리'이다.

💡 활동 도우미

고려와 원의 교류가 활발해지면서 고려에 몽골풍이 소개되었어요. 사진 자료 이외에 임금의 밥을 높여 부르는 '수라', '벼슬아치'와 같은 단어의 어미에 붙은 '−아치(치)' 등은 몽골 풍습에서 영향을 받았어요.

🤖 탐구 해 보요 ▷ 권문 세족의 횡포

📎교과서 82쪽

> 가 몇 해 사이에 힘 있는 무리가 마음대로 토지를 빼앗아 좋은 밭과 토지를 모두 자기들의 소유로 하고, 높은 산과 큰 하천으로 경계를 삼았습니다. 또한 각각의 집에서 보낸 교활한 노비들이 마음대로 빼앗고 거두어 그 폐해가 매우 심해 백성들이 마음 놓고 살 수 없고, 나라의 근본이 날로 위태로워졌습니다. …… 창고는 비고, 나라의 재정이 부족하고 끊어졌으며, 녹봉은 날로 감소하니 선비를 장려할 길이 없습니다.
> - 「고려사」 -

> 나 이인임·임견미·염흥방이 그 악한 종을 풀어놓아 좋은 토지를 가진 사람이 있으면 모두 물푸레나무로 때리고 빼앗았다. 그 주인이 비록 관아에서 발급한 문권이 있더라도 감히 항변하지 못하니, 이때 사람들이 이것을 물푸레나무 공문이라 하였다.
> - 「고려사절요」 -

1 (가)에서 밑줄 친 '몇 해 사이에 힘 있는 무리'는 누구이며, 이들로 인해 나타난 고려 사회의 문제점을 알아보자.

몇 해 사이에 힘 있는 무리	고려 사회의 문제점
권문세족	대농장 소유와 백성 수탈

2 (나)에서 토지를 빼앗긴 사람의 입장이 되어 고려 조정에 보낼 상소문을 작성해 보자.

예시 답안 전하! 최근 권문세족들이 백성들의 토지를 마음대로 빼앗고 있습니다. 이들은 농장을 소유하고, 가난한 백성들을 노비로 만들어 농장 일까지 시킨다고 합니다. 정부도 세금을 내야 할 백성이 줄어들어 재정이 어려워지고 있습니다. 이를 해결하기 위한 방안을 마련해 주옵소서.

💡 자료 해설

권문세족은 권력을 이용하여 불법적으로 광대한 토지를 차지하여 농장을 만들고, 국가에 세금을 내지 않았어요. 또한 백성들을 강제로 노비로 만들어 농장의 노동력으로 삼았지요. 이에 따라 국가에 세금을 내는 토지와 백성들이 줄게 되어 재정이 궁핍해지고 새로 관료가 된 사람들에게 지급할 토지가 부족하게 되었습니다.

스스로 확인해요

❶ 고려 정부가 몽골과 강화를 맺자 삼별초는 이를 거부하고 대몽 항쟁을 이어 갔다. (○)

❷ 원은 일본 원정을 위해 설치한 [정][동][행][성]을/를 이용하여 고려의 정치에 간섭하였다.

이 주제의 핵심

이 주제에서는 몽골의 침입에 맞서 싸운 대몽 항쟁 과정을 알아보았어요. 고려는 몽골과 오랜 전쟁 후 강화를 맺고 독립국의 지위는 유지하였지만, 원의 내정 간섭을 받게 되었어요. 이 과정에서 몽골풍과 고려양이 유행하였고, 권문세족이라 불리는 지배 세력이 형성되었어요. 권문세족은 권력을 이용하여 불법적으로 대규모 농장을 확대하였어요.

③ 몽골의 간섭과 고려의 개혁

학습 목표
공민왕의 개혁 정치와 신진 사대부의 성장을 설명할 수 있다.

주제 7 **공민왕의 개혁과 새로운 세력의 등장**

1 공민왕의 반원 자주 개혁 정책

(1) **반원 자주 정책:** 정동행성 폐지, 친원 세력 숙청, 몽골식 복장과 변발 금지, 쌍성총관부 수복 **왜?** 원이 쇠퇴하는 국제 정세 변화를 이용하여 원의 간섭에서 벗어나 자주성을 회복하려고 하였다.

(2) **내정 개혁:** 신돈 등용(❶전민변정도감 설치), 성균관 정비(유교 교육 강화)

(3) **공민왕의 개혁 실패:** 백성들의 지지를 받았으나 권문세족의 반발, 홍건적과 왜구의 침입으로 국내 정세 불안 → 신돈 제거, 공민왕 살해로 개혁 중단

2 홍건적과 왜구의 침입

(1) **홍건적의 침입:** 한족 농민 반란군인 홍건적의 침입, 한때 개경이 함락되어 공민왕이 복주(안동)로 피난

(2) **왜구의 침입:** 남쪽 지방 및 해안·내륙 지역까지 침입, 세금 운반 길이 중단되기도 함.

(3) **신흥 무인 세력의 성장:** 홍건적과 왜구의 침략을 막는 과정에서 백성의 신망을 얻어 성장 → 정치 세력 형성 **누구?** 최영과 이성계는 이 시기에 성장한 대표적인 신흥 무인들이야.

3 신진 사대부의 성장과 위화도 회군

(1) **신진 사대부의 등장:** 공민왕의 유학 진흥과 성균관 정비의 영향

(2) **신진 사대부의 특징:** 주로 과거를 통해 중앙 관리로 진출, ❷성리학을 학문적 바탕으로 도덕과 명분 중시, 현실 사회 개혁 추구, 명과 화친 주장

(3) **위화도 회군:** 명의 ❸철령위 설치 통보에 반발, 우왕과 최영의 요동 정벌 추진 → 이성계의 회군 → 최영 제거, 우왕 폐위 → 이성계가 정치적·군사적 실권 장악

(4) **신진 사대부의 분열:** 개혁의 방향을 둘러싸고 온건파(고려 왕조 유지·개혁 추진 주장)와 급진파(새 왕조 수립 주장)로 분열

---

❶ **전민변정도감**
'전민'은 토지와 농민, '변정'은 가려서 바로잡는 것, '도감'은 어떤 일을 처리하기 위해 임시로 설치한 관청을 말한다. 고려 후기 권문세족이 강제로 빼앗은 토지와 농민을 되돌려 놓기 위해 설치하였다.

❷ **성리학**
인간의 심성인 성(性)과 우주 만물의 이치인 리(理)를 연구하여 현실 정치에 적용하는 학문이다.

❸ **철령위**
우리나라의 철령 이북의 땅이 원래 원의 땅이었고, 명이 원을 북쪽으로 몰아냈으니, 이곳은 명의 땅이 되어야 한다고 주장하면서 명이 설치하려고 한 직할지이다. 이에 반발해 고려는 요동 정벌을 추진하였다.

핵심 자료 **홍건적과 왜구의 침입**

✅ **핵심**

**홍건적과 왜구의 침입은
고려 사회에 어떤 영향을 끼쳤을까?**

홍건적은 고려 말 두 차례에 걸쳐 침입하였다. 해적이 된 왜구는 해안 지역뿐만 아니라 내륙 지역과 개경 근처까지 침입해 큰 피해를 주었다. 그 영향으로 바닷길을 이용한 세금 운송이 끊기면서 국가 재정이 궁핍해졌다. 한편 홍건적과 왜구의 격퇴 과정에서 최영, 이성계 등 신흥 무인 세력이 성장하는 계기가 되기도 하였다.

정답과 해설 20쪽

확인해 봐요

1 공민왕 때 권문세족이 빼앗은 토지를 원래 주인에게 돌려주는 일을 했던 관청은? ( )

2 한때 개경이 함락되고 공민왕을 복주(안동)까지 피난가게 했던 이민족은? ( )

3 공민왕의 유학 진흥과 성균관 정비를 통해 성장한 세력은?
( )

---

102 Ⅲ. 고려의 성립과 변천

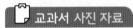

가자! 역사 속으로

📎 교과서 83쪽

공민왕은 왕위에 올라 고려를 개혁하기 위해 여러 정책을 시도합니다.

✅ 공민왕은 고려를 어떻게 바꾸고자 하였을 까요?

예시 답안 원의 간섭에서 벗어나고, 권문세족의 폐단을 바로잡는 방향으로 개혁을 실시하였을 것이다.

반원 자주 내정 개혁

💡 **자료 해설**

공민왕은 밖으로는 원 간섭에서 벗어나기 위해 반원 자주 정책을, 안으로는 사회·경제적 문제를 해결하기 위한 개혁을 추진하였어요.

💡 **활동 도우미**

반원 자주, 내정 개혁의 표제어를 통해 공민왕이 실시하였을 정책을 추측해 보아요.

📋 교과서 사진 자료 고려 성균관

📎 교과서 84쪽

공민왕은 새로운 정치 세력을 키우기 위해 성균관을 새로 정비하였다. 신진 사대부들은 최고 교육 기관인 성균관에서 성리학을 탐구하며 고려 사회를 개혁해 나갈 정치 세력으로 성장하였다.

💡 **활동 도우미**

성균관은 신진 사대부에게 어떤 곳이었는지 생각해 보아요.

🤖 탐구 해 봐요 공민왕의 개혁

📎 교과서 85쪽

보기
· 권문세족
· 신진 사대부
· 농민
· 천민

천민변정도감 설치
권문세족이 빼앗은 영토를 원래 주인에게 돌려주고 노비가 된 사람들을 양인으로 해방하였다.

정동행성 이문소 폐지
원이 설치한 고려의 내정 간섭 기구를 폐지하였다.

영토 수복
쌍성총관부를 공격하여 빼앗긴 땅을 되찾았다.

몽골풍 금지
몽골식 복장과 변발을 금지하였다.

성균관 정비
새로운 정치 세력을 양성하기 위해 유학 교육을 강화하였다.

공민왕의 개혁 정책

공민왕께서 어떤 목적으로 이러한 정책을 펼친 것 같습니까?

공민왕께서는 □□을/를 위해 개혁을 추진하셨습니다.

💡 **자료 해설**

14세기 중엽 공민왕은 원·명 교체기의 국제 정세의 변화를 이용하여 원의 간섭에서 벗어나 자주성을 회복하고, 고려 내부의 정치를 바꾸어 왕권을 강화하고자 하였어요.

💡 **활동 도우미**

공민왕의 개혁 내용을 파악하고 이를 통해 공민왕이 개혁을 추진한 목적을 생각해 보아요.

1️⃣ 공민왕이 개혁을 추진한 목적을 말풍선의 밑줄에 써 보자.

예시 답안 원 간섭기에 나라의 자주적인 면모를 세우고, 부패한 내정 개혁을 위해 개혁을 추진하였습니다.

2️⃣ 〈보기〉 중 하나의 입장을 선택하여 공민왕의 개혁 정책에 대한 자신의 의견을 제시해 보자.

예시 답안 권문세족은 대체로 친원적인 성향을 보이고 대토지(농장)를 소유하였기 때문에 공민왕의 정책에 반대의 입장을 보였을 것이다. 신진 사대부들은 성균관에서 공부한 성리학을 바탕으로 고려의 개혁을 주장하였으므로 대체로 공민왕의 개혁에 지지하는 입장을 보였을 것이다. 농민과 천민은 공민왕의 개혁 정책 중 특히 전민변정도감을 설치한 일에 지지를 보냈을 것이다.

 스스로 확인해요
❶ 공민왕은 불법적으로 노비가 된 사람들을 양인으로 되돌리고자 정동행성을 설치하였다. (×)
❷ 신진 사대부는 성리학 을/를 기반으로 현실 문제를 해결하고자 하였다.

 이 주제의 핵심

 이 주제에서는 공민왕의 개혁 정치와 새로운 정치 세력의 성장 배경과 활동 내용을 알아보았어요. 공민왕의 반원 자주 정책은 원의 간섭과 권문세족의 반발로 실패하였어요. 그러나 공민왕의 개혁에 힘입어 성리학적 지식을 갖춘 새로운 정치 세력으로 신진 사대부가 성장하였어요. 신진 사대부는 고려 사회 개혁 방향을 놓고 급진파와 온건파로 나뉘었어요.

시험을 대비하는 실전 문제

실전 문제

기초를 튼튼하게 확인 문제

01 서로 관련 있는 내용끼리 연결하시오.

ㄱ 신돈 •   • ⓐ 강화도 천도

ㄴ 최우 •   • ⓑ 처인성 전투

ㄷ 김윤후 •   • ⓒ 전민변정도감

02 설명이 맞으면 ○, 틀리면 ×로 표시하시오.

(1) 고려는 몽골군과 함께 거란족을 물리치면서 몽골과 처음 접촉하였다. ( )

(2) 원에서 유행한 고려의 음식, 복장 등을 몽골풍이라고 한다. ( )

(3) 공민왕은 내정 간섭의 중심이었던 정동행성을 폐지하였다. ( )

(4) 우왕은 이성계를 최고 사령관으로 삼아 요동 정벌을 추진하였다. ( )

03 |보기|의 역사적 사건들을 순서대로 나열하시오.

| 보기 |
ㄱ. 강화도 천도   ㄴ. 위화도 회군
ㄷ. 삼별초 항쟁   ㄹ. 쌍성총관부 탈환

04 빈칸에 알맞은 말을 쓰시오.

(1) 삼별초는 근거지를 진도와 (   )로 옮기며 항전하였으나 결국 고려와 몽골 연합군에게 진압되었다.

(2) 원 간섭기에는 원과 관련 있는 사람들이 새로운 지배 세력인 (   )을/를 형성하였다.

(3) 공민왕은 새로운 세력을 키우기 위해 (   )을/를 정비하여 유학 교육을 강화하였다.

내신을 탄탄하게 내신 문제

01 다음 민족 기록화의 내용과 관련 있는 인물을 |보기|에서 고른 것은?

| 보기 |
ㄱ. 최영   ㄴ. 살리타
ㄷ. 김윤후   ㄹ. 소손녕

① ㄱ, ㄴ   ② ㄱ, ㄷ   ③ ㄴ, ㄷ

④ ㄴ, ㄹ   ⑤ ㄷ, ㄹ

02 다음과 같은 사건이 있었던 곳을 지도에서 찾으면?

몽골의 계속된 침입에 고려의 관군과 백성들은 힘을 합쳐 싸웠다. 김윤후는 노비 문서를 불태워 노비들의 사기를 북돋워 주었고, 그 결과 끝까지 성을 지킬 수 있었고, 몽골군이 남쪽 지방으로 진격하는 것을 막았다.

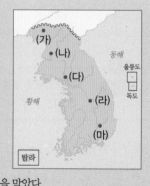

① (가)   ② (나)   ③ (다)   ④ (라)   ⑤ (마)

중요

03 다음과 같은 사실이 있었던 시기를 연표에서 고르면?

- 원은 고려에 쌍성총관부, 동녕부, 탐라총관부를 설치하여 지배하였다.
- 고려는 원 황제에게 충성을 의미하는 '충'자가 붙은 왕의 시호를 받았다.
- 금, 은, 인삼, 매 등의 특산물로 수시로 강요하여 수탈하였다.

918	1126	1170	1270	1388	1392
(가)	(나)	(다)	(라)	(마)	
고려 건국	이자겸의 난	무신 정변	개경 환도	위화도 회군	조선 건국

① (가)　② (나)　③ (다)　④ (라)　⑤ (마)

04 밑줄 친 '몽골풍'에 들어갈 자료로 적절한 것은?

원과 교류가 활발해지면서 고려에서는 몽골의 변발, 복장, 몽골어 등 몽골풍이 유행하였다.

| 보기 |

ㄱ.　ㄴ.

ㄷ.　ㄹ.

① ㄱ, ㄴ　② ㄱ, ㄷ　③ ㄴ, ㄷ
④ ㄴ, ㄹ　⑤ ㄷ, ㄹ

05 고려 말에 밑줄 친 '힘 있는 무리'를 부르는 명칭으로 옳은 것은?

몇 해 사이에 힘 있는 무리가 마음대로 토지를 빼앗아 좋은 밭과 토지를 모두 자기들의 소유로 하고, 높은 산과 큰 하천으로 경계를 삼았습니다. 또한 각각의 집에서 보낸 교활한 노비들이 마음대로 빼앗고 거두어 그 폐해가 매우 심해 백성들이 마음 놓고 살 수 없고, 나라의 근본이 날로 위태로워졌습니다. …… 창고는 비고, 나라의 재정은 부족하고 끊어졌으며, 녹봉은 날로 감소하니 선비를 장려할 길이 없습니다.

－「고려사」－

① 무신　　　　② 지방 호족
③ 문벌 귀족　　④ 권문세족
⑤ 신진 사대부

06 (가), (나)에 들어갈 내용으로 옳지 <u>않은</u> 것은?

공민왕의 개혁 정치

(1) 공민왕 이전의 개혁: 충선왕·충목왕의 개혁 시도
(2) 공민왕의 개혁: 14세기 원·명 교체기 이용
　(가) 반원 자주 정책: _____
　(나) 내정 개혁 정책: _____

① (가) – 정동행성 폐지
② (가) – 기철 등 친원파 숙청
③ (가) – 쌍성총관부, 탐라총관부 설치
④ (나) – 성균관을 정비하여 유학 교육 강화
⑤ (나) – 신돈을 등용하여 전민변정도감 설치

07 (가) 지역에 대한 설명으로 옳은 것은?

| 보기 |

ㄱ. 동녕부가 설치되었던 지역이다.
ㄴ. 외교적 교섭으로 되찾은 지역이다.
ㄷ. 쌍성총관부가 설치되었던 지역이다.
ㄹ. 공민왕이 무력으로 회복한 지역이다.

① ㄱ, ㄴ   ② ㄱ, ㄹ   ③ ㄴ, ㄷ
④ ㄴ, ㄹ   ⑤ ㄷ, ㄹ

08 다음 개혁에 대한 설명으로 옳지 <u>않은</u> 것은?

요즈음 기강이 크게 무너져 종묘와 학교 등과 백성이 대대로 농사를 지어온 땅을 권세가들이 거의 다 빼앗았다. …… 이제 도감을 두어 고치도록 하니, 잘못을 알고 스스로 고치는 자는 죄를 묻지 않을 것이나, 기한이 지나 일이 발각되는 자는 엄히 다스릴 것이다.

– 『고려사』 –

① 이 개혁은 백성들의 지지를 받았다.
② 밑줄 친 도감은 교정도감을 가리킨다.
③ 권문세족은 개혁에 강하게 반발하였다.
④ 신돈과 공민왕의 죽음으로 개혁은 중단되었다.
⑤ 홍건적과 왜구의 침입이 개혁에 영향을 주었다.

09 (가) 세력에 대한 설명으로 옳지 <u>않은</u> 것은? ^{중요}

공민왕 때 진행된 유학 진흥과 성균관 정비의 영향으로 ___(가)___ (이)라는 새로운 정치 세력이 성장하였다. 이들은 대체로 과거를 통해 중앙 관리로 진출한 사람들이었다.

① 성리학을 공부하였다.
② 도덕과 명분을 중시하였다.
③ 불교의 폐단에 대해 비판하였다.
④ 명보다는 원과 화친할 것을 주장하였다.
⑤ 불법으로 늘어난 농장에 대해 비판하였다.

10 다음 지도를 설명할 때 들어갈 내용으로 옳은 것을 |보기에서 고른 것은?

| 보기 |

ㄱ. 요동 정벌
ㄴ. 정동행성 설치
ㄷ. 개경의 나성과 천리장성 축조
ㄹ. 이성계와 신진 사대부의 권력 장악

① ㄱ, ㄴ   ② ㄱ, ㄹ   ③ ㄴ, ㄷ
④ ㄴ, ㄹ   ⑤ ㄷ, ㄹ

만점에 도전하는 심화 문제

신유형
01 (가)~(다) 학생이 발표한 내용을 일어난 순서대로 옳게 나열한 것은?

> **주제: 몽골의 침략과 간섭**
> (가) 일본 원정을 위해 정동행성을 설치했습니다.
> (나) 삼별초가 진도와 제주도로 옮기며 항전하였습니다.
> (다) 장기 항전을 준비하기 위해 수도를 강화도로 옮겼습니다.

① (가)-(나)-(다) ② (가)-(다)-(나)
③ (나)-(가)-(다) ④ (나)-(다)-(가)
⑤ (다)-(나)-(가)

02 다음 사건 이후 고려에서 일어난 사실로 옳지 않은 것은?

> 무신 정권의 군사적 기반이었던 삼별초는 몽골과의 강화를 거부하고 대몽 항쟁을 계속하였다. 삼별초는 근거지를 진도와 제주도로 옮기며 항전하였으나, 결국 고려와 몽골의 연합군에 의해 진압되었다.

① 고려 관직명의 격이 낮아졌다.
② 왕의 시호는 '충'자를 넣어 지어 주었다.
③ 정방을 설치하여 고려의 정치를 간섭하였다.
④ 많은 사람이 공녀와 환관으로 원에 끌려갔다.
⑤ 쌍성총관부, 동녕부, 탐라총관부가 설치되었다.

03 다음과 같은 문제점을 해결하기 위해 공민왕이 설치한 기구는?

> 이인임·임견미·염흥방이 그 악한 종을 풀어 놓아 좋은 토지를 가진 사람이 있으면 모두 물푸레나무로 때리고 빼앗았다. 그 주인이 비록 관아에서 발급한 문권이 있더라도 감히 항변하지 못하니, 이때 사람들이 이것을 물푸레나무 공문이라 하였다.
> ─ 『고려사절요』 ─

① 삼사 ② 도병마사
③ 정동행성 ④ 교정도감
⑤ 전민변정도감

04 다음 지도의 사건이 끼친 영향으로 옳은 것을 |보기에서 고른 것은?

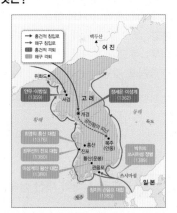

> **|보기|**
> ㄱ. 공민왕의 개혁이 실패로 돌아갔다.
> ㄴ. 고려의 관직명이나 왕실 호칭의 격이 낮아졌다.
> ㄷ. 고려, 송, 거란 사이에 세력 균형이 이루어졌다.
> ㄹ. 신흥 무인 세력이 새로운 정치 세력으로 성장하였다.

① ㄱ, ㄴ ② ㄱ, ㄹ ③ ㄴ, ㄷ
④ ㄴ, ㄹ ⑤ ㄷ, ㄹ

고려의 생활과 문화

학습 목표
고려 사람들의 혼인 형태와 가족 제도를 통해 고려 사회의 모습을 이해한다.

주제 8 고려 시대의 생활 모습

1 고려의 혼인 제도

무엇? 한 명의 남성이 한 명의 처를 두는 혼인 제도로 같은 신분층 내에서 혼인했어.

(1) 혼인 형태: 일부일처제가 일반적

(2) 가족 형태: 대체로 부부와 미혼 자녀로 구성된 소규모 가족 형태

(3) 혼인 풍속: ❶처가살이가 대부분

　① 혼인 후 대부분 신랑이 신부의 집으로 가서 일정 기간 머무름.

　② 여성이 가족 구성의 기준이 되는 경우가 많음.

　③ 자녀들은 대부분 외가에서 자랐으며, 자녀들이 자란 후에 분가

2 고려의 혈연 의식과 가족 문화

(1) 고려의 혈연 의식: 친가와 외가 양쪽 혈연을 모두 동등하게 중시, 부모도 아들과 딸의 차이를 두지 않음.

(2) 여성의 지위

　① 재산 상속: ❷남녀 균등하게 상속

어떻게? 부모가 죽으면 형제와 자매는 재산을 균등하게 분배하였고, 이를 위해 제비뽑기와 같은 방법을 사용하기도 하였어.

　② ❸호적 등재: 남녀 상관없이 태어난 순서대로 기재

　③ 호주·재혼 가능: 여성도 남성과 마찬가지로 호주가 될 수 있었고, 남녀 모두 이혼과 재혼에 제약이 거의 없음.

(3) 부모 봉양: 부모를 모실 때 아들과 딸을 구분하지 않음.

(4) 제사 의무: 부모의 제사를 아들과 딸이 돌아가며 지냄, 아들이 없으면 딸이나 외손자가 제사를 지냄.

---

❶ **처가살이**
사위가 장인의 집에 머무르는 것으로 남성이 '장가를 갔던' 것이다. 하지만 남성이 장가를 갔다고 해서 평생 그 집에 머무르는 것은 아니다. 결혼한 이후에 아이가 자라면 따로 분가하였다.

❷ **남녀 균등 상속**
고려 사회는 남성 중심의 계보가 아니었다. 고려의 가족은 내외 친족을 고루 포괄하고 있었다. 여기에 맞추어 상속도 아버지 쪽과 어머니 쪽에서 모두 이루어졌다. 즉 여성이 친정에서 받은 재산을 남편에게 귀속시키지 않았다.

❸ **호적**
호주를 중심으로 하여 호주와 가족과의 관계, 본적지, 이름, 생년월일 등 신분에 관한 사항을 기록한 공문서를 말한다.

핵심 자료　고려 시대의 재산 상속

어머니가 일찍이 재산을 나누어 줄 때 나익희에게는 따로 노비 40명을 물려 주려고 하였다. 나익희는 "제가 6남매 가운데 외아들이라 해서 어찌 사소한 것을 더 차지하여 여러 자녀들과 화목하게 살게 하려 한 어머니의 거룩한 뜻을 더럽히겠습니까?" 하고 사양하자, 어머니가 옳게 여기고 그 말을 따랐다.

－ 『고려사』 －

> **✓ 핵심**
> **나익희 집안의 상속 사례에서 알 수 있는 고려 시대 재산 상속의 특징은?**

자료의 내용은 나익희가 아들이라고 해서 더 받지 않겠다고 하고, 어머니는 그 말을 따랐다는 것이다. 고려 시대에는 외가와 친가 양쪽 혈연을 모두 중시하였다. 이러한 영향으로 재산 상속에서 아들과 딸에 차이를 두지 않고 균등하게 나눠 주었다. 나익희네 가족의 사례가 이러한 특징을 잘 나타내고 있다.

🔗 정답과 해설 21쪽

확인해 봐요

1 고려 시대 일반적인 혼인 형태는 (일부일처제, 일부다처제) 이다.

2 고려 시대에는 대체로 혼인 후 (신랑이 신부 집, 신부가 신랑 집)으로 가서 머물렀다.

3 고려 시대의 재산 상속은 (남성 중심, 남녀 균등)으로 이루어졌다.

교과서 활동 풀이

가자! 역사 속으로

오른쪽 장면은 어머니가 아들인 나익희에게 재산을 더 상속하려 하자, 아들이 이를 사양하는 모습입니다.

✔ 고려 시대에는 자녀들에게 재산 상속이 어떻게 이루어졌을까요?

[예시 답안] 아들과 딸을 구분하지 않고 균등하게 상속하였다.

⬤ 교과서 86쪽

> 너는 외아들이니 너에게 노비 40구를 더 주도록 하겠다.

> 외아들이라고 어찌 사소한 것을 더 차지하겠습니까?

⬤ 교과서 86쪽

★ 자료 해설

나익희의 어머니는 아들인 나익희에게 딸보다 더 많은 재산을 상속해 주려고 하였으나, 나익희가 그럴 수 없다며 사양하였어요.

★ 활동 도우미

나익희의 어머니가 재산을 상속하는 과정에서 생긴 일화를 통해 고려의 가족 문화가 어떤 특징을 지니고 있었는지 생각해 보아요.

Q 이규보가 장인과 장모의 은혜를 부모와 같이 여긴 이유는 무엇일까?

⬤ 교과서 86쪽

고려 관리 이규보의 처가에 대한 인식

> 혼인하면 남자는 처가로 갑니다. 필요한 것을 다 처가에 의존하니, 장인·장모의 은혜가 부모와 같습니다. 아아 장인이여! 저를 위해 돈독하게 두루 마련하시다가 세상을 떠나시니 저는 장차 누구에게 의지하란 말입니까?
> – 이규보, 「동국이상국집」 –

[예시 답안] 당시 고려에서는 대체로 혼인을 하면 처가에 부부가 들어가서 살고, 자식들도 처가에서 키우면서 장인과 장모의 도움을 많이 받았기 때문이다.

★ 활동 도우미

고려 시대의 모든 가족이 처가에 가서 살지는 않았으므로, 지나치게 일반화하지 않도록 유의합니다.

탐구 해 보요 기록으로 보는 고려 시대 여성의 지위

⬤ 교과서 87쪽

박유는 왕에게 글을 올려 말했다. "전하, 오랜 전쟁으로 남자가 많이 죽어서 결혼을 하지 못하는 여자가 많사옵니다. 청컨대 여러 신하, 관료들로 하여금 여러 부인을 두게 하되 품위에 따라 그 수를 감소하도록 하여 관품이 없는 보통 사람은 1처 1첩을 두도록 하소서."라고 하였다.
부녀자들이 이 소식을 듣고 원망하고 두려워하였다. 때마침 연등회 날 저녁에 박유가 왕의 행차를 호위하고 따라갔는데, 그걸 본 노인 여성이 박유를 손가락질하며 "첩을 두도록 하자고 요청한 자가 바로 저 늙은이란다."라고 하였다.

이에 그 소리를 들은 부녀자들이 박유에게 손가락질을 하였다. 당시 재상들 중에는 자신들의 부인을 무서워하는 자가 있어 박유의 건의를 토의하지 못하게 하였고 결국 실행되지 못하였다.
– 「고려사」 –

1 자료를 통해 알 수 있는 고려 사회의 일반적인 혼인 형태를 써 보자.

[예시 답안] 일부일처제

2 고려의 재상들이 박유의 건의를 받아들이지 않은 이유를 이야기해 보자.

[예시 답안] 고려의 여성들은 박유의 건의가 일부일처제의 원칙을 어긴다고 생각하여 크게 반발하였다. 이에 재상들은 여론이 악화되는 것을 두려워하였기 때문에 박유의 건의가 받아들여지지 않았다.

★ 자료 해설

박유는 고려 인구가 줄어든다는 이유로 벼슬에 따라 처를 여러 명 두자고 제안했어요. 그러나 당시 재상 중에는 처를 무서워하는 사람이 있어 이 논의를 중지시켰습니다. 그리고 박유는 거리에서 여성들의 손가락질을 받았어요.

★ 활동 도우미

박유의 일화를 통해 고려인들이 당대의 혼인 문화에 관해 어떤 생각을 가지고 있었는지 추론해 보아요.

스스로 확인해요

❶ 고려 시대에는 남녀가 집안의 재산을 균등하게 상속받았다. (○)

❷ 고려 사람들은 [남] 녀 상관없이 태어난 순으로 호적에 기록하였다.

이 주제의 핵심

이 주제에서는 고려의 혼인 제도와 가족 제도를 알아보았어요. 고려 시대 혼인 형태는 일부일처제가 일반적이었고, 처가살이가 대부분이었어요. 혈연 의식은 친가와 외가를 따지지 않고 양쪽 혈연 모두를 중시하였어요. 따라서 부모의 재산도 남녀 균등하게 상속하였고, 호적을 작성할 때 남녀 구분없이 태어난 순서대로 기록하였어요.

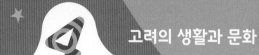

고려의 생활과 문화

학습 목표

고려 시대에 유행했던 종교와 사상의 변화를 불교와 성리학을 중심으로 설명할 수 있다.

주제 9 종교와 사상의 변화

1 불교의 발전

(1) **고려 초**: 유교, 불교, 도교, 풍수지리 등 다양한 사상 공존
(2) **국가의 불교 지원**: 태조가 훈요 10조에서 불교의 장려 당부, **❶국사·왕사 제도** 시행, 과거 시험에 승과 실시, 불교 행사(**❷연등회·팔관회**) 개최, 대장경 간행
(3) **불교문화 융성**: 전국에 수많은 사찰 건립, 불교 미술품(불상·석탑 등) 제작

2 불교 개혁 운동

(1) **배경**: 【무엇?】 불교가 왕실이나 귀족의 지원을 받는 과정에서 대토지를 소유하고, 세속화되는 승려들이 많았어. 불교의 세속화에 따른 사회적 폐단 증가
(2) **지눌의 개혁** 【어떻게?】 선종을 중심으로 교종을 포용하여 선종과 교종의 공존과 조화를 이루고자 하였어.
　① 무신 집권기에 불교계의 폐단을 비판하며 개혁 시도
　② 승려 본연의 자세로 돌아가 **❸참선에 힘쓸 것**과 교단 통합을 위해 노력
(3) **원 간섭기 이후**: 불교계의 개혁 운동 약화 → 권문세족과 연결되어 막대한 토지 소유, 고리대를 통해 재산 축적, 불교계의 폐단 극심

3 성리학의 수용

(1) **수용**: 충렬왕 때 안향에 의해 처음 소개
(2) **성리학**: 우주를 움직이는 원리, 인간의 심성, 사회에 대한 인간의 자세 등을 탐구
(3) **성리학의 발전**: 공민왕 때 **❹성균관** 정비 → 성리학 보급과 발달
(4) **신진 사대부의 성리학 수용**: 불교의 폐단을 비판하며 사회 개혁 추진

---

❶ 국사·왕사 제도
승려에게 주었던 최고의 승직으로, 덕이 높아 국가나 왕의 스승이 될 만한 승려에게 내린 칭호이다.

❷ 연등회
백성을 구원하는 부처의 덕을 등불에 비유하여 부처의 가르침이 무지로 가득한 어둠의 세계에 닿기를 기원하는 행사이다. 오늘날에도 부처님이 오신 날을 기념하여 연등 행사가 열린다.

❸ 참선(參禪)
선에 들어간다는 뜻으로, 깨달음을 얻기 위해 자기의 본래 모습을 찾기 위해 수행하는 것을 가리킨다.

❹ 성균관
고려 말기 유학을 가르쳤던 최고 교육 기관으로 조선 시대까지 이어졌다. 원에서 유학을 마치고 돌아온 이색은 성균관을 정비하고 정몽주, 정도전 등의 후학을 양성하는 등 성리학 보급과 발달에 크게 기여하였다.

핵심 자료 팔관회의 성격

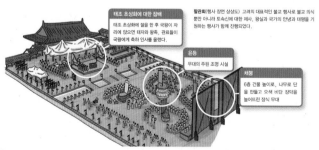

태조 초상화에 대한 참배
태조 초상화에 절을 한 후 국왕이 자리에 앉으면 태자와 왕족, 관료들이 국왕에게 축하 인사를 올렸다.

팔관회(행사 장면 상상도) 고려의 대표적인 불교 행사로 불교 의식뿐만 아니라 토속신에 대한 제사, 왕실과 국가의 안녕과 태평을 기원하는 행사가 함께 진행되었다.

윤등
무대의 주된 조명 시설

채붕
6층 건물 높이로, 나무로 단을 만들고 오색 비단 장막을 늘어뜨린 장식 무대

> **✓ 핵심**
>
> **팔관회는 어떤 성격의 행사일까?**

팔관회는 고려의 대표적인 불교 행사로 불교 의식뿐만 아니라 토속신에 대한 제사, 왕실과 국가의 안녕과 태평을 기원하는 행사가 함께 열렸다. 대체로 매년 11월 15일에 열렸는데, 개최 하루 전에는 왕이 역대 왕에게 제사를 지내고 신하들의 축하를 받았다. 행사 당일에는 송은 물론 여진, 일본, 이슬람 등지에서 온 사신과 상인들의 축하 인사와 선물을 받고 답례품을 주었다.

---

❷정답과 해설 21쪽

확인해 보요

1 고려 시대에는 부처의 힘으로 외적을 물리치고자 (　　　)을/를 간행하였다.

2 (　　　)은/는 무신 집권기에 불교계의 폐단을 비판하며 개혁을 시도하였다.

3 성리학을 개혁 사상으로 삼은 (　　　)은/는 불교계의 폐단을 강력히 비판하면서 사회를 개혁하고자 하였다.

📖 교과서 활동 풀이

가자! 역사 속으로

고려의 태조는 후대 왕들에게 전하고자 하는 내용을 「훈요 10조」로 남겼습니다. 이 내용을 보면 고려 초기에 사람들이 어떤 사상을 중시하였는지 파악할 수 있습니다.

📎 교과서 88쪽

> **「훈요 10조」**
> **제1조** | 불교의 힘으로 나라를 세웠으므로 사원을 세우고 주지를 파견하여 불도를 닦도록 할 것.
> **제10조** | 왕은 유교 경전과 역사를 열심히 공부하고, 옛일을 거울로 삼아 오늘을 경계할 것.

✅ 고려 사회에서는 어떤 사상이 중시되었을까요?

예시 답안 고려 시대에 불교는 종교적인 기능을 담당하였고, 유교는 정치 이념이자 도덕적인 기반이 되었다.

💡 **자료 해설**
「훈요 10조」에는 고려 초 여러 사상을 아우르며 국가를 정비하고자 하는 태조의 마음이 담겨 있어요.

💡 **활동 도우미**
태조가 작성한 「훈요 10조」를 통해 당시 고려 사람들이 중시하였던 사상과 종교가 무엇인지 생각해 보아요.

📋 교과서 사진 자료 보조국사 지눌

📎 교과서 89쪽

지눌은 무신 집권기에 불교계의 타락을 비판하고 승려들이 본연의 자세를 회복할 것을 주장하며 정혜결사(수선사)를 결성하고 수선사(송광사)를 중심으로 불교계의 개혁을 시도하였다. 그는 선종의 입장에서 교종을 포용하기 위해 참선과 경전 공부를 모두 해야 한다는 정혜쌍수와 내가 곧 부처라는 참된 깨달음을 단번에 달성하고 이를 꾸준히 실천하자는 돈오점수를 주장하였다.

💡 **활동 도우미**
지눌이 주장한 불교 개혁의 내용에 대해 좀더 구체적으로 생각해 보아요.

❓ 안향은 불교의 어떤 점을 비판하였을까?

안향이 생각하는 불교

📎 교과서 89쪽

> " 성인의 도는 바로 현실 생활에서 기본적인 윤리를 실천하는 것이다. 그런데 불교는 어떠한가. 부모를 버리고 집을 나서서 윤리를 파괴하니 이는 오랑캐 무리이다. "
> – 안향, 「회헌실기」 –

예시 답안 안향은 생활 속에서 기본적인 윤리, 도덕을 지키는 것이 중요하다고 생각하였는데, 불교는 출가할 때 부모를 버리게 되니 윤리적으로 맞지 않다고 비판하였다.

💡 **자료 해설**
성리학을 개혁 사상으로 삼은 신진 사대부들은 권문세족과 불교의 폐단을 강력히 비판하면서 사회를 개혁하고자 하였어요.

💡 **활동 도우미**
출가란 집과 세속의 인연을 떠나 불문에 들어 수행 생활을 한다는 뜻이에요.

🤖 스스로 확인해요

❶ 고려 후기 지눌을 중심으로 불교 개혁 운동이 전개되었다. (○)
❷ 성리학은 고려 후기 원에서 안향 에 의해 고려에 전래되었다.

이 주제의 핵심

이 주제에서는 불교 사상의 발전과 변화, 성리학의 수용에 대해 알아보았어요. 고려 시대 불교는 국가의 지원을 받으며 발달하였지만, 그 과정에서 사회적인 폐단을 낳기도 하였어요. 무신 집권기 지눌은 이를 비판하며 개혁을 시도하였으나, 권문세족의 후원을 받은 불교계의 폐단은 매우 극심하였어요. 고려 후기 원에서 들어온 성리학을 수용한 신진 사대부들은 불교의 폐단을 비판하며 사회를 개혁하고자 하였어요.

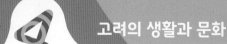
학습 목표
고려 시대 역사책의 특징과 인쇄술의 발달을 설명할 수 있다.

주제 10 **고려 시대의 인쇄 문화**

1 역사책의 편찬

(1) 고려 전기
　① ❶『7대 실록』: 현재 전하지 않음.
　②『삼국사기』: 12세기 인종의 명으로 김부식이 주도하여 편찬, 고구려·백제·신라에 대한 역사 기록. 고려가 통일 신라를 계승했다는 입장 → 유교적 합리주의 사관에 따라 서술

(2) 무신 집권기: 『동명왕편』(이규보 지음) → 주몽을 영웅으로 묘사, 고구려 계승 의식 강조　왜? 고려의 역사와 민족적 전통을 알리기 위해 지었어.

(3) 몽골의 침입과 원 간섭기
　①『삼국유사』: 승려 일연이 지음, 삼국의 역사와 설화, 우리 고유 문화와 불교에 대한 다양한 이야기 기록 → 처음으로 단군의 건국 이야기 기록
　②『제왕운기』: 이승휴가 지음, 고조선부터 고려 시대까지의 역사를 서술하여 중국과 구분되는 우리 역사 강조 → 단군 조선을 우리 민족 최초의 국가로 기록

2 인쇄술의 발달

(1) 목판 인쇄술
　① 불교 경전을 정리한 대장경의 목판본을 만들면서 최고 수준에 도달
　②『팔만대장경』: 우리나라 목판 인쇄술 및 기록 문화의 우수성을 보여 줌.

(2) 금속 활자 인쇄술: 고려 후기에 세계 최초로 금속 활자 발명
　① ❷『상정고금예문』: 금속 활자로 인쇄한 최초의 책이지만 현재 전해지지 않음.
　② ❸『직지』(1377): 현존하는 가장 오래된 금속 활자본으로 인정받음.
　어떻게? 활자(活字)란 글자가 살아 있다는 뜻이지. 금속으로 한 글자씩 활자를 만들어 이것을 조합한 후 활판에 고정해서 찍어냈지. 필요한 부수를 찍어내고 나면, 바로 배열만 달리 해서 또 찍어낼 수 있었지. 다양한 인쇄물을 빠르게 찍어낼 수 있는 방식이지.

---

❶『7대 실록』
고려 현종 때 편찬한 것으로, 태조·혜종·정종·광종·경종·성종·목종 등 7명의 왕에 대한 실록이다. 임진왜란 때 소실된 것으로 짐작되고 현재 전하지는 않는다.

❷『상정고금예문』
인종 때 최윤의가 지은 의례서를 강화 천도 이후인 1234년 강화도에서 금속 활자로 인쇄하였다. 이는 서양에서 금속 활자 인쇄가 시작된 것보다 200년이나 앞선 것이다.

❸『직지』
백운화상 경한이 불교의 선(禪)을 깨닫는데 필요한 내용을 뽑아 1377년 펴낸 불교 서적이다. 『백운화상초록불조직지심체요절』이 정식 명칭이다. 이 책은 금속 활자로 인쇄한 현존 세계 최고의 기록물이다. '직지심체'는 사람이 마음을 바르게 가졌을 때 이것이 부처님의 마음임을 깨닫게 된다는 뜻이다.

핵심 자료　　『삼국사기』

✔ 핵심
김부식은 왜 『삼국사기』를 편찬하였을까?

이자겸의 난과 묘청의 서경 천도 운동 이후 인종은 땅에 떨어진 왕권을 다시 세우고자 하였다. 그러기 위해 과거의 역사를 되돌아보았고, 군신의 의리, 군왕의 도를 역사에서 되찾고자 하였다.
이러한 인종의 의도와 역사적 상황에서 김부식은 『삼국사기』를 편찬하였다. 김부식은 유교적 합리주의 사관에 따라 『삼국사기』에서 설화나 신화 등 옛 기록의 신비한 내용을 대폭 축소하였다.

정답과 해설 21쪽

확인해 봐요

1 김부식이 편찬한 것으로, 현재까지 전해 오는 가장 오래된 역사책은?　　(　　　)
2 승려 일연이 지은 역사책으로, 우리나라 고유 문화와 불교에 대한 다양한 이야기가 실려 있는 역사책은?　　(　　　)
3 현존하는 가장 오래된 금속 활자본으로 인정받은 책은?
　　　　　　　　(　　　)

📖 교과서 활동 풀이

가자! 역사 속으로

『직지』는 역사학자 박병선에 의해 파리 국립 도서관에서 발견되었습니다. 이 책은 금속 활자로 인쇄한 현존하는 세계 최고의 기록물로 인정받아 세계 기록 유산으로 지정되었습니다.

✅ 고려 시대에 어떻게 인쇄 문화가 발달하였을까요?

예시 답안 우수한 품질의 종이와 먹 제조 기술, 청동 주조 기술 등 과학 기술과 지식을 공유하는 문화가 발달하였기 때문이다.

📄 교과서 90쪽

⭐ 활동 도우미

고려는 세계 최초의 금속 활자본이 만들어질 만큼 인쇄술 분야에서 두드러진 발달을 보였어요. 『직지』의 사례를 보면서, 고려의 인쇄 문화 발달에 관한 내용을 살펴보아요.

탐구 해 보아요   고려 인쇄술의 발달

📄 교과서 91쪽

목판 인쇄술은 나무에 글씨를 새긴 후 종이에 찍어 내는 기술이다. 하나의 판에 글씨를 새겨 여러 장의 인쇄물을 찍어 낼 수 있었다.

활판 인쇄술은 납이나 구리 따위의 금속으로 한 글자씩 활자를 만들고 이를 조합한 뒤, 활판에 고정하여 찍어 내는 방식이다. 활판 인쇄술은 여러 글자를 조합하여 다양한 인쇄물을 만들어 내는 데에 도움을 주었다.

『팔만대장경』(경남 합천)

남아 있는 금속 활자(고려 시대)
(좌) '복' 자 (국립중앙박물관),
(우) '전' 자 (고려 궁궐터)

복원된 『직지』 활자판

⭐ 자료 해설

한 가지 책을 대량 인쇄할 때는 목판 인쇄술이 적절하였지만, 많은 책을 소량으로 인쇄하는 데에는 활자의 배열만 다시 조합하는 활판 인쇄이 유리하였어요.

⭐ 활동 도우미

고려의 인쇄 문화는 나무에 글자를 조각하여 찍어 내는 목판 인쇄부터, 금속으로 활자를 만들고 활판을 이용하여 찍어 내는 활판 인쇄로까지 발달하였어요. 그 사례를 살펴보며 인쇄 문화의 발전과 그 영향을 생각해 보아요.

1 위 자료를 보고 목판 인쇄술과 활판 인쇄술의 차이점을 비교해 보자.

예시 답안 목판 인쇄는 나무판에 글자를 조각하여 찍어 내기 때문에 한 권의 책을 내는 데 많은 시간과 비용이 필요하고 보관하기 어려웠다. 반면 금속 활자는 활자를 주조해 두고, 필요할 때마다 글자를 조합하여 책을 인쇄할 수 있다.

2 인쇄술이 발달함에 따라 어떤 변화가 나타났을지 이야기해 보자.

예시 답안 기록·출판 문화가 발달하여, 고려에서 지식과 사상의 교류가 활발해지는 데 영향을 주었을 것이다.

스스로 확인해요

❶ 『삼국유사』는 유교적 합리주의 역사관에 의해 편찬된 역사책이다. (×)

❷ 직지은/는 금속 활자로 제작된 현존하는 가장 오래된 책이다.

역량 키우기 🎬 역사 탐방   유물과 유적으로 보는 고려 문화 탐방

📄 교과서 92쪽

💬 생각하고 써 보기

나는 탐방을 통해 본 고려 문화재 중 예시 답안 개성 만월대 궁궐터 가 제일 인상 깊었어. 왜냐하면 그 전에는 고려 궁궐터가 남아 있다는 사실을 알지 못했기 때문이다.

이 주제의 핵심

이 주제에서는 고려 시대 역사책 편찬과 인쇄술의 발달에 관해 알아보았어요. 고려 시대에는 유교적 합리주의 역사관에 따라 서술한 『삼국사기』, 민족적 자주 의식을 표출한 『삼국유사』, 『제왕운기』 등의 역사서가 편찬되었어요. 『팔만대장경』은 목판 인쇄술 및 기록 문화의 우수성을 보여 주었으며, 고려 후기에는 세계 최초로 금속 활자를 발명하였어요.

시험을 대비하는 실전 문제

기초를 튼튼하게 확인 문제

01 서로 관련 있는 내용끼리 연결하시오.

ㄱ 일연 •   • ⓐ 『동명왕편』
ㄴ 김부식 •   • ⓑ 『삼국유사』
ㄷ 이규보 •   • ⓒ 『삼국사기』

02 설명이 맞으면 ○, 틀리면 ×로 표시하시오.

(1) 고려 시대 혼인 형태는 일부다처제를 원칙으로
    하였다. ( )
(2) 고려의 혈연 의식은 외가, 친가 양쪽 혈연 모두를
    중시하였다. ( )
(3) 원 간섭기 이후에도 불교계의 개혁 운동은 계속
    되었다. ( )
(4) 청주 흥덕사에서 간행한 『직지』가 현존하는 가장
    오래된 금속 활자본으로 인정받고 있다. ( )

03 |보기|의 내용을 역사적 순서대로 나열하시오.

| 보기 |
ㄱ. 안향의 성리학 도입   ㄴ. 『팔만대장경』제작
ㄷ. 지눌의 불교 개혁   ㄹ. 승과로 관리 선발

04 빈칸에 알맞은 말을 쓰시오.

(1) 고려 시대에는 혼인 후 신랑이 신부의 집으로 가
    서 머무는 (   )이/가 대부분이었다.
(2) 성리학을 개혁 사상으로 삼은 (   )들은 불교
    의 폐단을 강력히 비판하면서 사회를 개혁하고자
    하였다.
(3) 이승휴가 저술한 (   )은/는 중국과 구분되는
    우리 역사를 강조하였다.

내신을 탄탄하게 내신 문제

중요
01 다음과 같은 인식이 일반적이던 시대의 생활 모습으로
옳은 것을 |보기|에서 고른 것은?

> 필요한 것을 다 처가에 의존하니, 장인·장모의 은혜가
> 부모와 같습니다. 아아 장인이여! 저를 위해 돈독하게
> 두루 마련하시다가 세상을 떠나시니 저는 장차 누구에
> 게 의지하란 말입니까?
>
> – 이규보, 『동국이상국집』–

| 보기 |
ㄱ. 혼인 형태는 일부다처제였다.
ㄴ. 혼인 후 처가살이를 하는 경우가 많았다.
ㄷ. 대개 같은 신분 내에서 혼인이 이루어졌다.
ㄹ. 자녀들은 대부분 친가에서 친조부의 보살핌을 받으
   며 자랐다.

① ㄱ, ㄴ   ② ㄱ, ㄷ   ③ ㄴ, ㄷ
④ ㄴ, ㄹ   ⑤ ㄷ, ㄹ

02 다음과 같은 혈연 의식을 가졌던 시대의 가족 문화에 대
한 설명으로 옳은 것은?

> 할아버지를 부를 때 할아버지, 외할아버지를 구분하지
> 않고 '한아비'로 통일하여 불렀다. 아버지의 형제(숙부)
> 나 어머니의 남자 형제(삼촌)는 '아자비'로, 고모와 이모
> 는 '아자미'로 통칭하여 불렀다.

① 친가와 외가를 엄격히 따졌다.
② 부모가 죽은 후에 아들만 제사를 지냈다.
③ 호적을 작성할 때 남녀 순으로 기록하였다.
④ 재산 분배는 딸보다 아들에게 많이 주었다.
⑤ 재산 분배를 위해 제비뽑기 방법도 사용하였다.

03 (가)에 들어갈 용어로 옳은 것은?

① 무천
② 영고
③ 팔관회
④ 연등회
⑤ 화백 회의

05 다음에서 설명하는 인물은 누구인가?

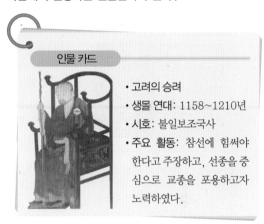

인물 카드

• 고려의 승려
• 생몰 연대: 1158~1210년
• 시호: 불일보조국사
• 주요 활동: 참선에 힘써야 한다고 주장하고, 선종을 중심으로 교종을 포용하고자 노력하였다.

① 지눌
② 최우
③ 일연
④ 신돈
⑤ 의상

04 다음과 같은 사실이 나타나게 된 배경으로 옳지 <u>않은</u> 것은?

> 왕실이나 귀족들은 불교 행사를 후원하고 사찰을 세웠으며 일반 백성도 복을 빌기 위해 사찰을 찾았다. 이에 고려 시대에는 불교가 문화의 중심을 이루어 불상, 석탑 등이 많이 만들어졌다.

① 승과를 두어 승려를 관리로 선발하였다.
② 불교 이외의 사상에 대해서는 억제하였다.
③ 명망이 높은 승려를 국사나 왕사로 삼았다.
④ 역대 왕들은 연등회와 팔관회를 자주 열었다.
⑤ 태조는 훈요 10조를 남겨 불교를 장려하였다.

06 다음 인물이 우리나라에 처음 소개한 학문에 대한 설명으로 옳지 <u>않은</u> 것은?

① 조선 건국의 사상적 기반이 되었다.
② 고려 전기에 송으로부터 수용되었다.
③ 신진 사대부가 이를 개혁 사상으로 삼았다.
④ 이색, 정도전, 정몽주 등이 연구를 더욱 심화하였다.
⑤ 우주가 움직이는 원리, 인간의 마음과 성품 등이 탐구 대상이 되었다.

중요

07 다음 역사책에 대한 설명으로 옳은 것을 |보기|에서 고른 것은?

1145년 김부식 등이 인종의 명을 받아 편찬한 역사책으로, 삼국의 역사를 기록하고 있다.

| 보기 |
ㄱ. 단군을 우리 민족의 시조로 설정하였다.
ㄴ. 현재까지 전해 오는 가장 오래된 역사책이다.
ㄷ. 고려가 신라를 계승하였다는 입장을 취하고 있다.
ㄹ. 우리 고유 문화와 불교에 관한 다양한 이야기를 담고 있다.

① ㄱ, ㄴ   ② ㄱ, ㄷ   ③ ㄴ, ㄷ
④ ㄴ, ㄹ   ⑤ ㄷ, ㄹ

08 (가)에 해당하는 역사책으로 옳은 것을 |보기|에서 고른 것은?

무신 정변과 몽골의 침략을 겪은 후에는 전통 문화와 자주적인 의식을 반영한 역사책들이 편찬되었다. 특히, [(가)]은/는 단군을 우리 민족의 시조로 설정하였다.

| 보기 |
ㄱ. 『삼국유사』   ㄴ. 『삼국사기』
ㄷ. 『제왕운기』   ㄹ. 『상정고금예문』

① ㄱ, ㄴ   ② ㄱ, ㄷ   ③ ㄴ, ㄷ
④ ㄴ, ㄹ   ⑤ ㄷ, ㄹ

09 다음 자료에 대한 설명으로 옳지 <u>않은</u> 것은?

『팔만대장경』(경남 합천)

① 목판 인쇄술의 우수성을 보여 준다.
② 몽골의 침략을 막기 위해 만들었다.
③ 해인사의 장경판전에 보관되고 있다.
④ 불교 경전을 정리한 것이 대장경이다.
⑤ 여러 글자를 조합하여 다양한 인쇄물을 만든 것이다.

10 다음에 소개된 문화유산으로 옳은 것은?

나는 지난 주말에 경상남도 영주를 답사하고 왔어. 가장 기억에 남는 것은 고려 시대에 만들어진 목조 건축물이야. 이 건물은 배흘림 기둥을 세우고, 기둥 위에만 공포를 올린 주심포 양식으로 지었다고 해.

①
흥덕사

②
부석사 무량수전

③
고려 궁지

④
경복궁

⑤
불국사

만점에 도전하는 심화 문제

신유형

01 다음 대화가 가능하였던 시대의 가족 문화에 대한 설명으로 옳지 <u>않은</u> 것은?

> 너는 외아들이니 너에게 노비 40명을 더 주도록 하겠다.
>
> 외아들이라고 어찌 사소한 것을 더 차지하겠습니까?

① 재산은 남녀 균등 분배하였다.
② 혼인 후 처가살이가 대부분이었다.
③ 외가와 친가 양쪽 혈연 모두를 중시하였다.
④ 호적을 작성할 때 남녀 순서대로 기록하였다.
⑤ 딸이 노부모를 모시거나 제사를 지내기도 하였다.

02 다음 자료의 행사에 대한 설명으로 옳은 것을 |보기|에서 고른 것은?

> 태조 초상화에 절을 한 후 국왕이 자리에 앉으면 태자와 왕족, 관료들이 국왕에게 축하 인사를 올렸다.

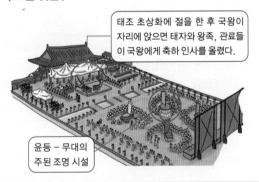

> 윤등 – 무대의 주된 조명 시설

| 보기 |
ㄱ. 풍수지리와 관련된 행사였다.
ㄴ. 왕실과 국가의 안녕과 태평을 기원하였다.
ㄷ. 고려 시대에는 절을 새로 지을 때도 열었다.
ㄹ. 불교 의식과 토속신에 대한 제사도 이루어졌다.

① ㄱ, ㄴ ② ㄱ, ㄷ ③ ㄴ, ㄷ
④ ㄴ, ㄹ ⑤ ㄷ, ㄹ

03 다음 설명에 해당하는 문화유산으로 옳은 것은?

> • 소재지: 여주 고달사지
> • 특징: 승려들의 유골이나 사리를 모신 조형물이다. 여덟 개의 지붕과 밑부분이 원형인 팔각 원당형이 일반적이다.

① ② ③
④ ⑤

중요

04 (가)에 대한 설명으로 옳은 것을 |보기|에서 고른 것은?

> (가) 은/는 납이나 구리 따위의 금속으로 한 글자씩 활자를 만들고 이를 조합한 뒤, 활판에 고정하여 찍어 내는 방식이다.

| 보기 |
ㄱ. 『팔만대장경』이 대표적인 사례이다.
ㄴ. 『직지』가 현존하는 가장 오래된 인쇄물이다.
ㄷ. 『상정고금예문』이 최초의 책이지만 현재 전해지지 않고 있다.
ㄹ. 하나의 판에 글씨를 새겨 여러 장의 인쇄물을 찍어 낼 수 있었다.

① ㄱ, ㄴ ② ㄱ, ㄷ ③ ㄴ, ㄷ
④ ㄴ, ㄹ ⑤ ㄷ, ㄹ

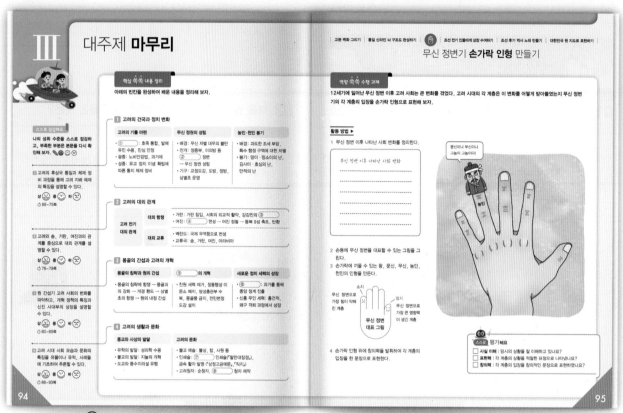

해결 열쇠

대주제에서 학습한 내용들을 복습하면서 빈칸에 알맞은 답을 채워 보아요.

핵심 쏙쏙 내용 정리

정답 ① 태조 ② 무신 ③ 귀주 대첩 ④ 별무반 ⑤ 공민왕
⑥ 신진 사대부 ⑦ 목판 ⑧ 상감

역량 쏙쏙 수행 과제

활동 소개 ▶

무신 정변기 손가락 인형 만들기를 통해 무신 정변 이후의 사회 변화를 파악해 본다.

활동 방법 ▶

1단계: 조사·정리하기 무신 정변기 각 계층의 상황을 조사하고 정리하기

2단계: 손가락 인형 만들기 당시 각 계층의 상황을 표정과 대사를 통해 나타내기

3단계 비교하기 자신이 만든 손가락 인형을 짝에게 소개하고 서로 비교하기

무신 정변기 손가락 인형 만들기 활동 활동 도우미

• 여러 계층의 표정과 대사를 비교해 가며 무신 정변이 고려 시대 사람들에게 어떤 영향을 미쳤는지를 설명할 수 있다.
• 손가락에 해당 계층을 선정한 이유가 무엇인지 서로 비판하고 이야기할 수 있다.

예시 답안

가장 약한 계층이었기 때문에 새끼손가락에 천민 계층을 표현했어요."
"무신이 가장 강력한 계층이었으므로 엄지손가락에 무신을 표현했어요."

평가 요소	평가 항목	상	중	하
적절성	각 계층을 나타내는 인형의 표정이 적절하게 표현되었는가?	5	3	1
정확성	인형의 대사와 손등에 그린 그림의 내용이 역사적 상황과 일치하는가?	5	3	1
창의성	각 계층의 입장과 당시의 상황을 창의적인 문장과 그림으로 표현하였는가?	5	3	1
점수 분포		4~20점		

활동 예시 답안

자료 조사하기

● 주제와 관련된 역사적 사건
· 주제가 고려 사회에 끼친 영향
· 주제에 대한 역사적 평가

뉴스 대본 작성하기(활동 예시)

> 뉴스 진행자: 안녕하십니까? 오늘은 공민왕의 반원 자주 정책에 대해 알아보겠습니다. 전민변정도감에 있는 ○○○ 기자 나와 주세요.
>
> 기자: 네, ○○○ 기자입니다.
>
> 뉴스 진행자: 공민왕이 파격적인 개혁 정치를 시행하고 있다는 데 사실입니까?
>
> 기자: 그렇습니다. 공민왕은 원 간섭에서 벗어나 자주성을 회복하고 고려 내부도 개혁하여 왕권 강화를 꾀하고자 하고 있습니다. 여기 한 권문세족에게 인터뷰를 요청해 보겠습니다.
> 공민왕이 즉위한 후 가장 달라진 점은 무엇인가요?
>
> 권문세족: 우리 권문세족의 힘이 약해졌습니다. 특히 공민왕이 신돈을 등용해서 우리 권문세족이 차지하고 있던 토지를 주인에게 돌려 주었지요.

활동 소개

모둠별로 선택한 내용을 토대로 아나운서와 기자가 되어 뉴스 보도를 하면서 그 시대에 살았던 사람들의 생활 모습과 생각을 좀더 현실감 있게 느껴 볼 수 있는 활동입니다.

진로 탐방 '아나운서', 그 직업이 알고 싶다!

Q: 아나운서가 하는 일은 무엇인가요?
기본적으로 TV 라디오 등 매체에 속해 뉴스와 정보를 전달하는 진행자나 앵커 역할을 합니다.

Q: 아나운서가 되려면 어떤 적성과 능력을 갖추어야 하나요?
정치·경제·사회·문화 등 다양한 분야에 관심을 가지고 뉴스나 신문을 보고 읽는 습관을 길러야 해요. 그리고 가장 중요한 것은 전달력이므로 목소리, 발음과 억양을 잘 조절해야 합니다.

Q: 아나운서가 되려면 어떤 전공 공부를 하면 좋을까요?
관련학과는 국어국문학과, 신문방송학과 등이 있지만, 전공 제한은 없습니다.

대주제를 정리하는 종합 문제

01 (가) 지역에 대한 설명으로 옳은 것은?

> 고려에는 ___(가)___ (이)라는 특수 행정 구역이 있었다. 이곳 주민들은 농사를 짓거나 국가가 필요로 하는 물품을 만들어 조달하였다. 이들은 다른 지역의 사람보다 더 많은 세금을 부담하고 거주지 이동에 제한을 받는 등 차별을 받았다.

① 성종 때 처음으로 지방관을 파견하였다.
② 군사 행정 구역으로 동계와 북계를 두었다.
③ 태조 때 이곳에 사심관을 파견하여 다스렸다.
④ 무신 집권기에 망이·망소이의 난이 일어났다.
⑤ 서희가 거란과 담판을 벌여 이곳을 확보하였다.

02 고려의 관리 등용 제도를 나타낸 표이다. (가)에 대한 설명으로 옳은 것은?

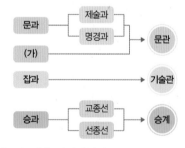

① 글 짓는 능력을 시험하였다.
② 양인 이상이면 누구나 응시할 수 있었다.
③ 유교 경전에 대한 이해 능력을 시험하였다.
④ 법률, 지리, 의술에 대한 능력을 시험하였다.
⑤ (가)로 관리가 된 사람들도 과거 합격을 더 명예롭게 여겼다.

03 다음 지도와 같은 봉기가 일어난 시기에 있었던 일로 옳은 것은?

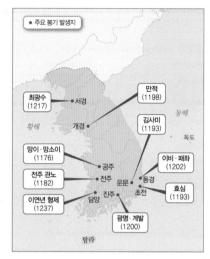

① 요동 정벌을 추진하였다.
② 노비안검법을 시행하였다.
③ 처음으로 12목에 지방관을 파견하였다.
④ 개경에 나성, 북쪽에 천리장성을 쌓았다.
⑤ 교정도감에서 국가의 중요한 일을 결정하였다.

04 (가)에 대한 설명으로 옳은 것을 |보기|에서 고른 것은?

> 원 간섭기에는 몽골의 침입에 도움을 준 사람, 원과 혼인 관계를 맺은 사람, 몽골어를 잘하는 사람 등 원과 관련이 있는 사람들이 높은 지위에 올랐다. 이들은 이전부터 세력을 유지하였던 권력층과 함께 새로운 지배 세력인 ___(가)___ 을/를 형성하였다.

|보기|
ㄱ. 공민왕의 개혁에 크게 반발하였다.
ㄴ. 원보다는 명과 화친할 것을 주장하였다.
ㄷ. 농장을 경영하고, 국가에 세금도 내지 않았다.
ㄹ. 이자겸의 난과 묘청의 서경 천도 운동을 일으켰다.

① ㄱ, ㄴ　　　② ㄱ, ㄷ　　　③ ㄴ, ㄷ
④ ㄴ, ㄹ　　　⑤ ㄷ, ㄹ

05 다음과 같은 일이 있었던 시기의 역사적 사실로 옳은 것은?
●●●

> 박유는 왕에게 글을 올려 말했다. "전하, 오랜 전쟁으로 남자가 많이 죽어서 결혼을 하지 못하는 여자가 많사옵니다. 청컨대 여러 신하, 관료들로 하여금 여러 부인을 두게 하되 품위에 따라 그 수를 감소하도록 하여 관품이 없는 보통 사람은 1처 1첩을 두도록 하소서."라고 하였다. 부녀자들이 이 소식을 듣고 원망하고 두려워하였다. …… 당시 재상들 중에는 자신들의 부인을 무서워하는 자가 있어 박유의 건의를 토의하지 못하게 하였고 결국 실행되지 못하였다.
>
> – 『고려사』 –

① 왕의 시호에 '충'자가 들어갔다.
② 서희가 강동 6주를 확보하였다.
③ 윤관이 별무반을 만들어 여진을 정벌하였다.
④ 몽골과 장기 항전을 위해 강화로 천도하였다.
⑤ 호족을 견제하기 위해 기인 제도가 실시되었다.

06 (가)에 들어갈 내용에 대한 설명으로 옳은 것을 |보기|에서 고른 것은?
●●●

> 신진 사대부들은 [(가)]을/를 공부하였다는 공통점이 있다. 그들은 도덕과 명분을 중시하였고, '세상을 경영하여 백성을 구제한다.'라는 목표로 개혁을 주장하였다. 이들은 문란해진 고려의 정치 제도·불교의 폐단·불법으로 늘어난 농장 등을 비판하고, 현실의 사회 문제를 해결하고자 노력하였다.

|보기|
ㄱ. 서경 천도 운동의 배경이 되었다.
ㄴ. 고려 건국의 사상적 기반이 되었다.
ㄷ. 안향이 원에서 받아들여 처음 소개하였다.
ㄹ. 우주의 원리와 인간의 마음 등을 탐구 대상으로 삼았다.

① ㄱ, ㄴ   ② ㄱ, ㄷ   ③ ㄴ, ㄷ
④ ㄴ, ㄹ   ⑤ ㄷ, ㄹ

서술형 문제

07 (가)에 들어갈 뉴스 대본의 내용을 **세 가지** 서술하시오.
●●●

> 뉴스 진행자 | 안녕하십니까. 오늘은 최근 고려에서 유행하는 몽골풍에 대해 알아보겠습니다. 개경 시내에 나가 있는 ○○○ 기자 나와 주세요.
> 기자 | 네, ○○○ 기자입니다.
> 뉴스 진행자 | 고려에서 원의 문물이 유행한다고 하는데, 실제로 그런가요?
> 기자 | 그렇습니다. [(가)]

08 다음 자료를 읽고 물음에 답하시오.
●●●

> 14세기 중엽 원이 쇠퇴하고 중국 각지에서 한족이 반란을 일으켰다. 이러한 국제 정세를 파악한 [ ]은/는 반원 자주 정책과 내정 개혁을 추진하였다.

(1) 빈칸에 들어갈 인물을 쓰시오.

(2) 밑줄 친 반원 자주 정책의 내용 <u>세 가지</u>를 서술하시오.

IV

조선의
성립과 발전

이 대주제를 >>
배우면

- 조선의 유교적 통치 이념을 통치 체제의 정비와 대외 관계를 통해 설명할 수 있어요.
- 사림 세력의 성장 과정과 사림 세력의 집권에 따른 정치 변화의 내용을 설명할 수 있어요.
- 왜란과 호란이 동아시아 정세에 미친 영향을 설명할 수 있어요.

나의 학습 계획표

이 대주제의 학습 주제

1 통치 체제와 대외 관계
교과서 100~105쪽

주제 **1** 조선의 건국

주제 **2** 통치 체제의 정비와 대외 관계

시험을 대비하는 실전 문제

2 사림 세력과 정치 변화
교과서 106~109쪽

주제 **3** 사림의 등장과 사화

주제 **4** 사림의 성장과 붕당의 형성

시험을 대비하는 실전 문제

3 문화의 발달과 사회 변화
교과서 110~115쪽

주제 **5** 훈민정음과 유교 윤리의 보급

주제 **6** 조선 전기 문화의 발달

시험을 대비하는 실전 문제

4 왜란·호란의 발발과 영향
교과서 116~121쪽

주제 **7** 7년간 조선을 뒤흔든 임진왜란

주제 **8** 호란과 북벌론

시험을 대비하는 실전 문제

대주제를 정리하는 종합 문제

경복궁의 중심에 있는 근정전은 '부지런하게 정치하라.'는 뜻을 가지고 있어.

대주제 표지 사진 해설 ▶ 오른쪽 사진은 조선의 으뜸 궁궐인 경복궁이에요. 경복궁에 담긴 명칭의 의미를 통해 조선 건국의 기본 이념을 유추해 보아요. 조선의 통치 체제와 대외 관계, 사림 세력의 집권에 따른 정치 변화, 왜란과 호란이 동아시아 정세에 미친 영향을 알아보아요.

학습 계획일		학습일		나의 목표 달성도
월	일	월	일	☆ ☆ ☆ ☆ ☆
월	일	월	일	☆ ☆ ☆ ☆ ☆
월	일	월	일	☆ ☆ ☆ ☆ ☆
월	일	월	일	☆ ☆ ☆ ☆ ☆
월	일	월	일	☆ ☆ ☆ ☆ ☆
월	일	월	일	☆ ☆ ☆ ☆ ☆
월	일	월	일	☆ ☆ ☆ ☆ ☆
월	일	월	일	☆ ☆ ☆ ☆ ☆
월	일	월	일	☆ ☆ ☆ ☆ ☆
월	일	월	일	☆ ☆ ☆ ☆ ☆
월	일	월	일	☆ ☆ ☆ ☆ ☆
월	일	월	일	☆ ☆ ☆ ☆ ☆
월	일	월	일	☆ ☆ ☆ ☆ ☆

1 조선의 건국

학습 목표
조선이 국가의 기틀을 마련하는 과정을 설명할 수 있다.

주제 1 ## 조선의 건국

1 조선의 건국 과정

(1) 위화도 회군(1388): 이성계와 신진 사대부 정치적·경제적 실권 장악
(2) ❶과전법 실시(1391): 토지 제도 개혁(세금을 거두는 권리 재분배) → 농민 생활 안정, 관료들에 대한 경제적 기반 마련
(3) 일부 온건파 사대부 제거: 고려 왕조 유지를 주장한 정몽주 일파 제거
(4) 조선 건국(1392): 이성계를 왕으로 추대
　① 한양 천도(1394): 나라의 중앙에 위치, 외적 방어에 유리, 교통 편리
　② 유교(성리학)를 통치 이념으로 정립, 유교적 이상 정치 실현

2 국가의 기틀 마련

어떻게? 정도전은 백성이 국가의 근본이라는 민본정치를 내세웠으며, 민심을 잘 아는 능력 있는 재상이 정치를 이끌어야 한다고 주장했어.

(1) 태조: 조선 건국, 한양 천도, 재상 중심의 정치 추구(정도전 주장)
(2) 태종: 국왕 중심의 중앙 집권 체제 확립, 사병 폐지, 호구 조사 및 호패법 실시
(3) 세종: ❷집현전 설치, 훈민정음 창제, 경연 실시, 조세 제도 정비 → 유교 정치 실현
(4) 세조: 왕권 강화, 집현전 폐지, 경연 중단, 『경국대전』 편찬 시작
(5) 성종: 경연 부활, 홍문관 설치, ❸『경국대전』 완성 → 국가의 통치 질서 확립
어떻게? 중앙의 6조 체제에 맞춰 6개 법전으로 구성되었어.

❶ **과전법**
고려 말 권문세족이 가진 토지를 몰수하여 경기 일대의 토지를 관료에게 분배하고 수조권(세금을 거둘 수 있는 권리)을 지급한 토지 제도이다.

❷ **집현전**
궁중에 설치한 학문 연구 기관이다. 정인지·신숙주·성삼문 등 조선 최고의 인재들을 발탁하여 독서, 학문 연구, 정책 과제 연구, 주요 간행물 편찬 사업 등의 임무를 수행하였다.

❸ 『**경국대전**』
조선의 기본 법전으로, 세조 때 편찬하여 성종 때 완성되었다. 『경국대전』의 완성은 통일된 성문법적 질서를 세우고, 조선 왕조의 법률 체계와 통치 규범을 확립했다는 데 큰 역사적 의미가 있다.

핵심 자료 ### 유교 이념으로 건설된 한양

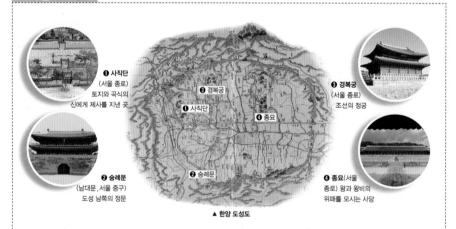

❶ 사직단
(서울 종로)
토지와 곡식의
신에게 제사를 지낸 곳

❸ 경복궁
(서울 종로)
조선의 정궁

❷ 숭례문
(남대문, 서울 중구)
도성 남쪽의 정문

❹ 종묘(서울
종로) 왕과 왕비의
위패를 모시는 사당

▲ 한양 도성도

✅ **핵심**

조선의 기본 통치 원리인 유교는 한양 건설에 어떻게 반영되었을까?

조선은 북악산 앞에 경복궁을 짓고, 동쪽에는 종묘(왕과 왕비의 위패를 모시는 사당), 서쪽에는 사직단(토지와 곡식의 신에게 제사지내는 곳)을 만들었다. 또한 도성에 설치된 4개의 성문 중 동대문은 흥인지문, 서대문은 돈의문, 남대문은 숭례문, 북대문은 숙정문(소지문)으로 이름을 정하였으며, 4대문의 중앙에 보신각을 설치하여 유교의 5가지 덕목인 '인의예지신'을 실천하고자 하였다.

📝 정답과 해설 24쪽

🏴 **확인해 봐요**

1 이성계 등 새 왕조 건국의 주도 세력은 나라 이름을 조선으로 정하고 도읍을 (　　　)으로 옮겼다.
2 (　　　)은/는 사병을 없애고, 호구 조사 및 호패법을 시행하는 등 국왕 중심의 중앙 집권 체제를 확립하였다.
3 성종 때 (　　　)이 완성됨으로써 조선의 기본 통치 방향과 기틀이 마련되었다.

📖 교과서 활동 풀이

가자! 역사 속으로

📄 교과서 100쪽

태조 이성계는 수도를 한양으로 옮기면서 조선의 기본 이념을 담아 조선의 정궁인 경복궁의 동서에 종묘와 사직단을 배치하였습니다.

✅ 조선은 어떤 이념을 바탕으로 건국되었을까요?

예시 답안 궁궐의 동쪽에 종묘를 두고, 서쪽에 사직단을 만든 이유는 고대 중국에서 이상 사회로 여겨졌던 하·은·주의 정치를 정리한 『주례』에 따른 것이다. 이를 통해 조선이 유교를 바탕으로 건국되었다는 사실을 알 수 있다.

💡 자료 해설

왕실 조상들의 신주를 모시고 제사지내는 종묘, 국가 경제의 중요한 근간이 되는 토지와 곡식의 신에게 제사지내는 사직단은 모두 유교 이념과 관련이 있어요. 또한 유교에서 중요하게 여기는 경전인 『주례』에는 '궁궐의 동쪽에 종묘를 두고, 서쪽에 사직단을 설치해야 한다.'라고 기록되어 있어요.

📋 교과서 사진 자료 호패

📄 교과서 101쪽

태종은 중앙 집권 체제를 확립하기 위해 각종 제도를 정비하였다. 먼저 전국적으로 토지 조사를 실시하였으며, 가구 수와 인구를 파악하기 위해 호구 조사를 시행하고 호적을 새롭게 정비하였다. 그리고 이를 바탕으로 16세 이상의 남자들에게 일종의 신분증인 호패를 지니고 다니도록 하는 호패법을 시행하였다. 호구 조사와 호패법 시행을 통해 인구를 파악하고 세금 징수와 군역 부과의 기초 자료를 마련하였다.

💡 활동 도우미

태종이 호구 조사와 호패법을 시행한 목적을 국왕 중심의 중앙 집권 체제 확립과 연관 지어 파악해 보아요.

🤖 탐구 해 보요 경연과 『경국대전』을 통한 국가의 기틀 정비

📄 교과서 101쪽

자료① 왕과 신하가 함께 나라를 다스리는 경연
조선 시대에는 왕이 유교적 지식과 소양을 갖출 수 있도록 신하들과 유교 경전을 공부하는 경연이 실시되었다. 경연 후에는 왕과 신하가 함께 정책을 의논하는 자리를 갖기도 하였다.

자료② 유교적 통치 체제의 완성, 『경국대전』
『경국대전』은 조선 왕조의 기본 법전으로 이전, 호전, 예전, 병전, 형전, 공전의 6전 체제로 구성되어 있다. 내용은 조선의 정치·경제·사회·문화의 기본 제도를 담고 있다.

『경국대전』 (국립중앙박물관)

💡 자료 해설

경연은 왕과 신하가 함께 유교 경전과 역사서를 읽고 공부하는 제도로, 학문은 물론 정치 현안에 대해 의논하였어요. 경연은 유교의 이상 정치 실현과 함께 왕의 전제 권력 행사를 견제하는 기능도 하였어요.

『경국대전』은 세조 때 편찬되기 시작하여 성종 때 완성되었어요. 관리의 임면, 호적, 조세, 과거, 군사 제도 등 조선의 통치 체제와 관련된 규정들이 기록되어 있어요.

1 자료① 을 통해 조선 시대에 경연을 중시한 이유를 생각해 보자.
예시 답안 왕에게 유교 경전을 가르치고 유교의 이상 정치를 실현하기 위해서이다.

2 자료② 를 토대로 『경국대전』이 편찬된 의의를 써 보자.
예시 답안 중앙 및 지방 통치 체제를 마련하고 중앙 집권 체제를 확립하여 성문법 체계를 갖추고 유교 중심의 통치 질서 질서를 확립하였다.

🤖 스스로 확인해요

❶ 고려 말 신진 사대부의 경제 기반을 마련하고 농민 생활의 안정을 가져온 토지 개혁을 과전법이라고 한다. (○)
❷ 태종은 [호][패][법]을/를 시행하여 국가 재정을 확충하였다.

이 주제의 핵심 이 주제에서는 조선이 건국되는 과정과 국가의 기틀을 마련해 나가는 과정을 알아보았어요. 조선의 건국 과정과 통치 이념, 태조부터 성종까지 제도를 정비하고 국가의 기틀을 만들어 나간 과정을 기억해 두세요. 한양을 새로운 도읍으로 정한 이유, 중앙 집권 체제의 확립 과정, 『경국대전』의 완성이 갖는 역사적 의미를 파악하는 것도 중요합니다.

주제 2 # 통치 체제의 정비와 대외 관계

1 유교적 교양을 갖춘 인재 등용

(1) 교육 제도: 유교적 교양과 능력을 갖춘 인재 양성이 목적
(2) 교육 기관: 중앙(4부 학당, 성균관), 지방(향교)
어떻게? 성균관은 조선의 최고 교육 기관으로 소과 합격자나 양반 자제들이 입학할 수 있었어.
(3) 관리 등용 제도: ❶과거, 음서, 천거 제도
　① 과거: 문과(문관 선발), 무과(무관 선발), 잡과(기술관 선발)
　② 음서: 공신이나 2품 이상 관리의 자제로 제한, 고위 관리로 승진하기 어려움.

2 유교 이념을 바탕으로 한 통치 체제 정비

(1) 중앙 정치 조직: 의정부와 6조 중심

의정부	영의정·좌의정·우의정 등 3정승이 모여 정책 심의·결정		
6조	의정부의 지휘를 받아 정책 집행(이·호·예·병·형·공조)		
❷3사	• 사헌부: 관리의 비행 감찰, 풍속 교정 • 사간원: 왕이 올바른 정치를 하도록 간언 • 홍문관: 왕의 정책 고문(자문, 경연 담당)		언론 기능 담당 → 권력의 독점과 부정 방지
승정원	왕명 출납(왕의 비서 역할 – 왕의 명령 발표, 상소문 처리)		왕권 뒷받침
의금부	특별 사법 기관, 반역죄 등 나라의 큰 죄인 조사		
한성부	한양의 행정 및 치안 담당	**춘추관**	역사서 편찬 및 보관
성균관	최고 교육 기관(국립 대학), 유학 교육		

(2) 지방 행정 조직: 8도 아래 부·목·군·현 설치 어떻게? 고려의 특수 행정 구역이었던 향·부곡·소는 없어졌어.
　① 관찰사: 각 도에 파견되어 수령을 지휘·감독
　② 수령: 모든 군·현에 파견 → 농업 장려, 세금 징수, 군사 지휘, 각종 소송 담당
　③ 향리: 수령 보좌, 지방 행정 실무 담당, 직역 세습 → 고려 시대보다 권한 약화

3 조선 전기의 대외 관계 어떻게? 조선은 왕이 교체될 경우 명의 책봉을 받아 왕의 지위를 인정받았고, 사신을 파견할 때 조공을 바치고 답례품을 받아 왔다.

(1) 명과의 관계: ❸사대 관계(정기적으로 사신 파견, 조공 무역 시행)
　① 조공 무역: 인삼·가죽 등 특산물을 바치고 약재·서적·비단 등을 받음.
　② 의의: 명의 우월한 지위를 인정, 조선의 안정 확보, 선진 문물 수용
(2) 여진·일본과의 관계: 교린 정책(대등한 관계 유지, 회유책과 강경책 함께 실시)
　① 여진: 회유책(무역소 설치), 강경책(4군·6진 설치) 어떻게? 세종은 압록강 유역에 4군(최윤덕), 두만강 유역에 6진(김종서)을 설치하였다.
　② 일본: 회유책(3포 개항), 강경책(쓰시마섬 정벌)
(3) 기타: 류큐(오키나와), 자와(인도네시아), 시암(타이) 등 동남아시아 지역 국가들과도 교류
어떻게? 조선 정부는 이종무가 지휘하는 대규모 군대를 상륙시켜 왜구를 토벌하도록 하였어.

❶ 과거
조선은 과거, 음서, 천거 등의 방법으로 관리를 선발하였는데, 그중 과거의 문과 시험이 가장 중시되었다. 과거는 양인 이상이면 누구나 응시할 수 있었지만, 문과의 경우 서얼이나 재가한 여성의 자제들은 시험에 응시할 수 없었다.

❷ 3사
고려의 삼사는 회계 기능을 담당하는 곳이었지만, 조선의 3사는 언론 기능을 담당한 사헌부·사간원·홍문관을 함께 부르는 명칭이었다.

❸ 사대교린
'사대'는 큰 나라를 섬긴다는 뜻이고, '교린'은 인접한 국가들과 교류한다는 의미이다. 조선은 명과 조공·책봉 체제를 바탕으로 사대 관계를 맺었는데, 이는 당시 중국 중심의 동아시아 국제 질서 속에서 일반적으로 이루어지던 외교 형식이었다. 한편 여진이나 일본, 류큐 왕국을 대상으로는 교린 정책을 펼쳤다. 상황에 따라 회유책과 강경책을 함께 실시하며 대등한 관계를 유지하였다.

⊘ 정답과 해설 24쪽

확인해 봐요

1 조선은 주로 음서를 통해 관리를 선발하였다. 　(○, ×)
2 3사는 언론 기관으로 왕과 대신들을 견제하는 역할을 담당하였다. 　(○, ×)
3 조선은 여진·일본 등과 사대 관계를 맺었으며, 명에 대해서는 교린 정책을 실시하였다. 　(○, ×)

교과서 활동 풀이

가자! 역사 속으로

📍 교과서 102쪽

세종이 신하들의 반대에도 불구하고 궁궐에 불당을 짓겠다고 하자, 사간원 관리는 자신들의 역할에 따라 왕의 명령에 반대하는 상소를 올렸습니다.

✅ 사간원은 어떤 역할을 맡아보던 기관이었을까요?

예시 답안 사간원은 왕의 언행이나 인사, 정치 등에 잘못이 있을 때 이를 바로잡는 언론의 역할을 수행함으로써 권력의 독점과 부정을 방지하였다.

💡 활동 도우미

교과서 103쪽 조선의 중앙 정치 기구 표와 설명을 참고하여 사헌부, 사간원,, 홍문관이 언론을 담당하는 기관으로써 권력의 독점과 부정을 방지하는 역할을 수행하였음을 파악해 보아요.

Q 왕권을 견제하는 기관에서는 어떤 일을 하였을까?

📍 교과서 103쪽

예시 답안 사헌부는 관리들의 비리를 감찰하고 부정을 저지른 관원을 탄핵하였다. 사간원은 왕의 언행이나 정치, 인사에 잘못이 있을 때 이를 논박하는 글을 올려 바로잡았다. 홍문관은 궁중의 서적을 관리하고, 왕의 자문에 응하였다. 3사의 언론 활동은 고위 관료는 물론 왕도 함부로 막을 수 없었다.

💡 자료 해설

사헌부, 사간원, 홍문관의 3사는 언론 기관으로서 권력의 독점과 부정을 방지하는 역할을 하였다.

탐구 해 봐요   조선과 명은 외교를 통해 무엇을 얻었을까?

📍 교과서 105쪽

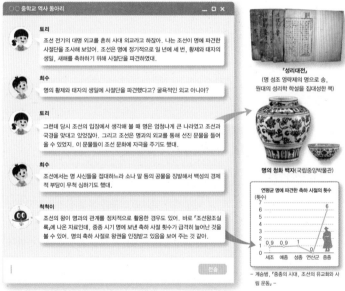

○○ 중학교 역사 동아리

토리 조선 전기의 대명 외교를 흔히 사대 외교라고 하잖아. 나는 조선이 명에 파견한 사절단을 조사해 보았어. 조선은 명에 정기적으로 일 년에 세 번, 황제와 태자의 생일, 새해를 축하하기 위해 사절단을 파견하였대.

희수 명의 황제와 태자의 생일에 사절단을 파견했다고? 굴욕적인 외교 아니야?

토리 그런데 당시 조선의 입장에서 생각해 볼 때 명은 엄청나게 큰 나라였고 조선과 국경을 맞대고 있었잖아. 그리고 조선은 명과의 외교를 통해 선진 문물을 들여올 수 있었지. 이 문물들이 조선 문화에 자극을 주기도 했대.

희수 조선에서는 명 사신들을 접대하느라 소나 말 등의 공물을 징발해서 백성의 경제적 부담이 무척 심하기도 했대.

척척이 조선의 왕이 명과의 관계를 정치적으로 활용한 경우도 있어. 바로 『조선왕조실록』에 나온 자료인데, 중종 시기 명에 보낸 축하 사절 횟수가 급격히 늘어난 것을 볼 수 있어. 명의 축하 사절로 왕권을 인정받고 있음을 보여 주는 것 같아.

전송

『성리대전』
(명 성조 영락제의 명으로 송, 원대의 성리학 학설을 집대성한 책)

명의 청화 백자(국립중앙박물관)

연평균 명에 파견한 축하 사절의 횟수
(횟수)
7
6 ······························· 6
5
4
3
2
1 0.9 0.9
0
세조 예종 성종 연산군 중종

- 계승범, 『중종의 시대, 조선의 유교화와 사림 운동』 -

💡 활동 도우미

조선은 명과 사대 관계를 맺고 동아시아에서 명의 우월적 지위를 인정하는 대신 정치·경제·문화적 실리를 추구하였어요. 이와 같은 관점에서 조선이 명으로부터 얻은 것과 잃은 것을 파악해 보고, 사대 외교에 대한 자신의 생각을 정리해 보아요.

1 학생들의 대화를 통해 조선과 명의 외교 관계에 대해 정리해 보자.

예시 답안 『성리대전』, 청화 백자와 같은 선진 문물을 받아들일 수 있었지만, 소·말 등 과도한 공물 부담을 지기도 하였다.

2 조선과 명의 외교에 대한 나의 의견을 채팅창에 써 보자.

예시 답안 조선은 명과 사대 외교로 경제적 부담을 지기는 하였다. 하지만 정치적 안정을 확보할 수 있었고, 교역을 통해 경제적 이득을 얻었으며, 선진 문물을 수용할 수 있었다는 점에서 긍정적인 측면도 있었다.

스스로 확인해요

❶ 조선 시대 성균관은 최고 교육 기관으로 소과 합격자 및 양반 자제들이 입학할 수 있었다. (○)

❷ 사간원, 사헌부, 홍문관은 ③ 사 (으)로 불렸는데, 이는 왕권을 견제하는 역할을 하였다.

이 주제의 핵심

이 주제에서는 조선의 통치 체제 정비 노력과 사대교린의 대외 정책을 알아보았어요. 조선의 관리 선발 제도 정비, 중앙과 지방의 정치 조직 정비, 명에 대한 사대 관계, 여진과 일본에 대한 교린 정책을 기억해 두세요. 특히 유교 이념이 통치 체제 정비와 주변국과의 외교 관계 수립에 어떤 영향을 미쳤는지 파악하는 것도 필요합니다.

시험을 대비하는 **실전 문제**

기초를 튼튼하게 **확인 문제**

01 서로 관련 있는 내용끼리 연결하시오.

- ㉠ 의정부 •　　　• ⓐ 정책 심의·결정
- ㉡ 3사 •　　　• ⓑ 왕의 비서 역할 수행
- ㉢ 승정원 •　　　• ⓒ 권력 독점·부정 방지

02 설명이 맞으면 ○, 틀리면 ×로 표시하시오.

(1) 이성계는 정도전의 주장에 따라 재상 중심의 정치를 추구하였다. (　　)

(2) 3사로 불린 사헌부, 사간원, 홍문관은 언론 기능을 담당하였다. (　　)

(3) 조선은 전국을 8도로 나누고 향리를 파견하여 수령을 지휘·감독하였다. (　　)

(4) 조선은 주로 과거를 통해 관리를 선발하였는데, 양인은 과거에 응시할 수 없었다. (　　)

03 |보기|의 사실들을 역사적 순서대로 나열하시오.

| 보기 |
ㄱ. 호패법을 실시하였다.
ㄴ. 한양으로 천도하였다.
ㄷ. 『경국대전』을 완성하였다.
ㄹ. 집현전을 설치하여 훈민정음을 창제하였다.

04 빈칸에 알맞은 말을 쓰시오.

(1) 조선은 (　　　)을/를 국가 통치 이념으로 삼았다.

(2) 조선은 유교적 교양과 능력을 갖춘 인재를 관리로 등용하기 위해 최고 교육 기관으로 (　　　)을/를 두었다.

(3) 세종은 여진을 정벌하여 압록강 유역에 (　　　)을/를 설치하고, 두만강 유역에 (　　　)을/를 설치하였다.

내신을 탄탄하게 **내신 문제**

01 (가)에 들어갈 개혁의 내용으로 옳은 것은?

> 신흥 무인 세력인 이성계와 신진 사대부인 정도전은 고려 사회를 개혁하고자 하였다. 이들은 위화도 회군 이후 　(가)　 을/를 시행하여 농민의 생활을 안정시키고, 자신들의 경제적 기반을 마련하였다.

① 사병을 없애 군사력을 왕에게 집중하였다.

② 호구 조사를 통해 군역 대상자를 파악하였다.

③ 왕과 신하가 함께 유교 경전을 읽고 토론하였다.

④ 토지의 세금을 거둘 수 있는 권리를 재분배하였다.

⑤ 젊고 유능한 학자들을 발탁하여 학문과 정책 연구를 장려하였다.

 중요
02 (가)에 들어갈 내용으로 옳은 것은?

> 〈조선의 건국 과정〉
>
> 이성계가 위화도 회군을 통해 실권을 장악하였다.
>
>
>
> 과전법을 시행하여 토지 제도를 개혁하였다.
>
> ↓
>
> (가)
>
> ↓
>
> 이성계가 왕위에 오르고, 국호를 조선으로 바꾸었다.

① 도읍을 개경에서 한양으로 옮겼다.

② 삼별초가 대몽 항쟁을 전개하였다.

③ 조광조가 현량과 시행 등 개혁을 추진하였다.

④ 이성계가 황산에서 왜구를 크게 물리쳐 승리하였다.

⑤ 정몽주 등 고려 유지를 주장한 신진 사대부를 제거하였다.

03 다음 제도를 시행한 국왕의 재위 시기에 있었던 사실로 옳은 것은?

- 명칭: ○○
- 소개: 오늘날의 주민등록증과 같은 것으로 16세 이상의 성인 남성은 의무적으로 지니고 다녔으며, 신분에 따라 기록된 내용이 달랐다. 호적을 정비하여 국가 재정의 근간이 되는 부역과 군역 대상자를 확실히 파악하고, 유이민의 이탈을 방지하기 위해 시행하였다.

① 왜구의 근거지인 쓰시마섬을 정벌하였다.
② 사병을 없애 군사력을 왕에게 집중하였다.
③ 사성 정책을 시행하여 호족들을 회유하였다.
④ 과전법을 시행하여 토지 제도를 개혁하였다.
⑤ 녹읍을 폐지하고 귀족의 특권을 제한하였다.

04 밑줄 친 '국왕'의 업적으로 옳은 것은?

> 수호: 이번에 우리 모둠에서 발표할 국왕의 업적에 대해 이야기해 보자.
> 혜리: 집현전을 설치하여 유능한 학자들의 학문과 정책 연구에 힘쓰도록 하였어.
> 유빈: 왕과 신하가 함께 유교 경전을 공부하는 경연도 자주 열었지.

① 사병을 폐지하였다.
② 삼별초를 설치하였다.
③ 균역법을 시행하였다.
④ 훈민정음을 창제하였다.
⑤ 『경국대전』을 완성하였다.

05 (가)에 들어갈 국왕에 대한 설명으로 옳은 것은?

집현전을 계승한 홍문관을 설치하고 경연을 다시 연 왕은?

① 조세 제도를 정비하였다.
② 도읍을 한양으로 옮겼다.
③ 『경국대전』을 완성하였다.
④ 사심관 제도를 시행하였다.
⑤ 사병을 폐지하고 호패법을 시행하였다.

06 (가)에 대한 설명으로 옳은 것은?

> (가) 는 따로 정원이 없어서 당에서는 해마다 뽑는 것이 150명을 넘지 않았고, 송에서는 3년마다 한 번 시행하여 많을 때는 1,500명에 이르렀습니다. 우리나라에서는 3년마다 규정에 따라 33명을 뽑아서 을과 3명은 즉시 발탁하고, 나머지 30명은 삼관에 나누어 임명하였습니다.

① 고위 관리로의 승진에 제한이 있었다.
② 문관을 선발하는 문과가 가장 중시되었다.
③ 승려를 대상으로 하는 승과를 운영하였다.
④ 무관을 선발하는 무과는 운영하지 않았다.
⑤ 대상을 2품 이상 관리의 자제로 제한하였다.

중요

07 밑줄 친 '국가'의 중앙 정치 조직에 대한 설명으로 옳은 것을 |보기|에서 고른 것은?

> 이 국가의 교육은 유교적 교양과 능력을 갖춘 인재를 길러 관리로 진출시키는 데 목적이 있었다. 중앙의 4부 학당과 지방의 향교가 중등 교육을 맡았고, 소과 합격자나 양반 자제들이 입학한 성균관은 최고 교육 기관의 역할을 수행하였다.

| 보기 |
ㄱ. 삼사는 회계를 담당하였다.
ㄴ. 2성 6부를 중심으로 운영되었다.
ㄷ. 승정원과 의금부가 왕권을 뒷받침하였다.
ㄹ. 6조는 의정부의 지휘를 받아 정책을 집행하였다.

① ㄱ, ㄴ   ② ㄱ, ㄹ   ③ ㄴ, ㄷ
④ ㄴ, ㄹ   ⑤ ㄷ, ㄹ

08 (가)에 들어갈 내용으로 옳은 것은?

> **탐구 계획 보고서**
> 주제: 조선의 중앙 정치 기구
> (1) 의정부: (가)
> (2) 의금부: 국가의 중죄인을 다스림.
> (3) 승정원: 왕명 출납(왕의 비서 역할)

① 역사책 편찬
② 왕의 고문 역할
③ 풍속 교정과 감찰
④ 모든 정책의 심의·결정
⑤ 한성의 행정과 치안 담당

09 교사의 질문에 대한 학생의 답변으로 옳지 <u>않은</u> 것은?

> • 교사: 조선 시대 지방 정치 조직에 대해 말해 볼까요?
> • 학생: _____

① 전국을 8도로 나누었습니다.
② 대부분의 군현에 수령을 파견하였습니다.
③ 향·부곡·소의 특별 행정 구역을 설치하였습니다.
④ 수령은 농업 장려, 세금 징수 등의 업무를 담당하였습니다.
⑤ 향리는 수령을 보좌하며 지방 행정 실무를 처리하였습니다.

중요

10 (가), (나)의 사례로 옳은 것을 |보기|에서 고른 것은?

> 조선은 이웃 나라와 가까이 지내는 교린 정책을 시행하였다. 이에 일본에 대해서도 상황에 따라 (가) 강경한 토벌책과 (나) 온건한 회유책이 함께 이루어졌다.

| 보기 |
ㄱ. (가)-별무반을 설치하여 동북 9성을 쌓았다.
ㄴ. (가)-왜구의 근거지인 쓰시마섬을 정벌하였다.
ㄷ. (나)-일부 항구를 개항하여 제한적인 무역을 허용하였다.
ㄹ. (나)-경성, 경원에 무역소를 두어 제한적인 교류를 허용하였다.

① ㄱ, ㄴ   ② ㄱ, ㄷ   ③ ㄴ, ㄷ
④ ㄴ, ㄹ   ⑤ ㄷ, ㄹ

만점에 도전하는 **심화 문제**

01 (가)~(다)에 들어갈 중앙 정치 기구에 대한 설명으로 옳은 것은?

> • [(가)] : 시정을 논하여 바르게 이끌고 모든 관원을 살피며, 풍속을 잡고, 원통하고 억울한 일을 풀어 주고, 건방지고 거짓된 행위를 금하는 등의 일을 맡는다.
> • [(나)] : 간쟁하고 정사의 잘못을 논박하는 직무를 관장한다.
> • [(다)] : 궁궐 안에 있는 경적을 관리하고 문한을 관리하며, 왕이 물을 일에 대비한다. 모든 문관을 임용한다.
>
> – 『경국대전』 –

① (가)는 홍문관으로 왕의 고문 역할을 맡았다.
② (나)는 사헌부로 관리의 비리 감찰을 맡았다.
③ (다)는 사간원으로 간언, 간쟁의 역할을 맡았다.
④ (가), (나), (다)는 모두 왕권 강화를 뒷받침하였다.
⑤ (가), (나), (다)는 3사로 불렸으며 언론 기능을 담당하였다.

02 다음 사건이 일어난 시기를 연표에서 옳게 고른 것은?

> 조선 건국 이후에도 왜구들이 서·남해안 지역을 계속 침략하였다. 이에 조선은 이종무를 보내 왜구의 근거지인 쓰시마섬을 정벌하게 하였다.

1392	1394	1485	1506	1510	1592
	(가)	(나)	(다)	(라)	(마)
조선 건국	한양 천도	경국대전 완성	중종 반정	삼포 왜란	임진왜란 발발

① (가) 　　② (나) 　　③ (다)
④ (라) 　　⑤ (마)

03 다음 대화의 주제로 가장 적절한 것은?

 명에 대해서는 정기적으로 사신을 보내 인삼이나 가죽 등을 바치고, 약재나 서적 등을 받아 왔지.

 일본, 여진에 대해서는 상황에 따라 회유책과 토벌책을 병행하였어.

① 지방 행정 구역의 정비
② 사대 교린의 외교 정책
③ 중앙 정치 기구의 조직
④ 사림의 등장과 사화의 발생
⑤ 유교 이념에 입각한 통치 체제 정비

04 밑줄 친 부분에 대한 설명으로 옳지 않은 것은?

> 조선은 명과 사대 관계를 맺어 왕권 안정을 꾀하고 문화적·경제적 이익을 추구하였다. 일본·여진과는 교린 정책을 유지하여 강격책과 회유책을 병행하였다.

① 여진과는 3포를 통해 교류하였다.
② 일본에 제한적 교류를 허용하였다.
③ 왜구를 소탕하기 위해 쓰시마섬을 토벌하였다.
④ 여진이 북쪽 국경을 침범하자 4군과 6진을 설치하였다.
⑤ 여진과 일본인 중 조선에 협력하거나 귀순한 자에게 토지와 관직을 주었다.

사림 세력과 정치 변화

학습 목표
사림의 등장 배경과 사화를 설명할 수 있다.

주제 3 사림의 등장과 사화

1 사림의 등장과 성장

(1) 훈구파와 사림 세력

구분	훈구파	사림 세력
형성	세조 즉위에 도움을 준 세력	지방에서 학문·교육에 힘쓴 유학자들
특징	고위 관직 독점, 많은 토지와 노비 소유, 중앙 집권 체제 추구	지방의 중소 지주, 향촌 자치와 왕도 정치 추구

> 무엇? 왕이 높은 도덕성을 바탕으로 신하와 협력하여 백성을 다스리는 정치야.

(2) 사림 세력의 정치적 성장

① 계기: 성종 즉위 후 훈구파를 견제하기 위해 사림 등용
② 정치적 성장: 과거를 통해 관직 진출 → 주로 3사에 배치, **❶공론 정치** 주도 → 훈구파의 권력 독점과 비리 비판

> 어떻게? 성종은 사림 세력을 3사에 배치하고, 3사의 언론 기능을 강화함으로써 훈구파를 견제하려고 하였어.

2 사화의 발생

(1) 계기: 훈구파와 사림파의 대립

(2) 4대 사화

> 어떻게? 훈구파는 항우에게 죽임을 당한 초의 회왕을 추모하는 김종직의 '조의제문'이 세조의 왕위 찬탈을 풍자했다고 주장하였어.

사화	시기	내용
무오사화	연산군(1498)	김종직의 '조의제문'을 계기로 발생, 사림 세력 큰 피해
갑자사화	연산군(1504)	연산군의 생모 폐위에 관련된 훈구파·사림파 모두 피해
기묘사화	중종(1519)	• **❷중종반정** 이후 중종이 조광조 등 사림 등용 • 조광조의 개혁: 현량과 실시, 소격서 폐지, **❸위훈 삭제** 등 • 기묘사화: 조광조의 급진적 개혁에 대한 훈구파의 반발 → 조광조 등 사림 세력 제거
을사사화	명종(1545)	외척 세력의 권력 다툼으로 발생, 사림 세력 큰 피해

> 무엇? 왕실의 도교 행사를 주관하던 예조 소속 관청이야.

핵심 자료 조광조의 현량과 시행

조광조가 아뢰기를 "국가에서 사람을 등용할 때 과거 시험에 합격한 사람을 중요하게 여깁니다. 그러나 매우 현명한 사람이 있다면 어찌 꼭 과거 시험에만 국한하여 등용할 수 있겠습니까. 한의 제도를 본받아 현량과를 실시하여 덕행이 있는 사람을 천거하여 인재를 찾으십시오."라고 하였다.

– 「중종실록」 –

> ✅ **핵심**
> **조광조는 현량과를 통해 어떤 인재를 등용하고자 하였을까?**

조광조는 서울과 지방에서 학문과 덕행을 고루 갖춘 인재를 추천하여 간단한 시험을 통해 관리로 채용하는 현량과를 시행하였다.

---

❶ 공론 정치
공론은 여러 사람의 뜻을 모은 공정하고 바른 의견이란 뜻이다. 조선 초기에는 주로 공론이 대간의 언론을 의미하였으나, 사림 집권기에는 붕당 내에서 토론을 거쳐 합의된 의견으로 일종의 여론을 의미하였다.

❷ 중종반정
무오사화, 갑자사화 등으로 사림뿐만 아니라 일부 훈구파까지 제거한 연산군은 언론을 탄압하고 폭압적인 정치를 이어 갔다. 결국 박원종, 성희안 등 훈구 대신들이 주도하여 연산군을 추방하는 반정을 일으켰다. 이때 연산군의 이복 동생인 진성 대군이 중종으로 추대되었다.

❸ 위훈 삭제
사림 세력은 중종반정 때 공신으로 임명된 사람들 중에 실제로 공이 없으면서도 벼슬과 재물을 받은 사람들을 찾아내 그 자격을 박탈해야 한다고 주장하였다. 결과적으로 위훈 삭제 사건은 중종이 조광조에 대한 신임을 거두는 계기가 되었고, 기묘사화의 발단이 되었다.

> ◈ 정답과 해설 25쪽

확인해 보요

1 성종이 훈구파를 견제하기 위해 적극적으로 등용한 정치 세력은? ( )
2 조광조가 추진한 개혁 정책의 하나로 추천을 통해 인재를 선발한 제도는? ( )
3 조광조의 개혁 정치에 대한 훈구 세력의 반발로 일어난 사건은? ( )

📖 교과서 활동 풀이

가자! 역사 속으로

📎 교과서 106쪽

성균관 문묘에서는 지금도 매년 봄, 가을에 두 차례 큰 제사를 지냅니다. 그곳에는 조선 시대 사림이라고 불린 유학자 조광조, 이황, 이이 등이 모셔져 있습니다.

✔ 사림은 어떻게 등장하였을까요?

예시 답안 사림은 대체로 지방에서 성리학 연구와 교육에 힘쓴 유학자로, 왕도 정치와 향촌 자치를 추구하였다. 성종은 훈구 세력을 견제하기 위해 사림을 대거 등용하였다.

⭐ 자료 해설

세조 즉위 이후 예종, 성종을 거치면서 훈구파가 정치적 실권을 장악하였어요. 이러한 상황에서 성종은 비대해진 훈구파를 견제하기 위해 사림 세력을 대거 등용하였어요. 사림은 주로 3사에 배치되었으며, 훈구파의 권력 독점과 비리를 비판하였어요. 이 과정에서 수차례 사화가 발생하였습니다.

Q 성종이 3사의 언론을 격려한 이유는 무엇일까?

📎 교과서 106쪽

예시 답안 성종은 3사의 언론 활동을 강화함으로써 훈구파와 사림파 세력 사이에 균형을 맞추려고 하였다.

💡 활동 도우미

성종이 신하들 내부의 견제 구도를 형성하려 한 까닭이 무엇인지 생각해 보아요.

📋 교과서 자료　　　조선의 4대 사화-김종직의 「조의제문」

📎 교과서 107쪽

의리와 충절을 중시하는 사림파에게 세조의 왕위 찬탈은 그냥 넘어갈 수 없는 문제였다. 이에 사관으로 활동한 김일손은 스승인 김종직이 쓴 「조의제문」을 사초에 싣고, 훈구파의 거두였던 이극돈의 비리를 적나라하게 기록하였다. 하지만 비밀이 원칙인 사초가 훈구파에 의해 드러나고 연산군에게까지 보고되면서 무오사화가 일어나게 되었다.

💡 활동 도우미

중앙 정계에 진출한 사림이 3사에서 어떤 일을 하였을지 파악해 보고, 이를 바탕으로 훈구파와 사림파의 관계가 어떻게 변해 갔을지 생각해 보아요.

🤖 탐구 해 보요　　　조광조의 개혁 정책

📎 교과서 107쪽

㉮ 위훈 삭제

전하, 중종반정 당시 아무런 공을 세우지 않고도 공신의 자리에 올라 조정에서 녹을 먹는 사람들의 거짓된 공훈을 삭제해야 합니다.

㉯ 소격서 폐지

전하, 도교와 같은 잘못된 교리를 주관하는 관청을 두는 것은 위험한 일입니다. 세종과 성종 때 소격서를 폐지하지 않으신 것은 큰 잘못입니다.

⭐ 자료 해설

조광조는 유교적 이상 정치와 왕도 정치의 실현을 위해 과감한 개혁을 추진하였어요. 이러한 조광조의 개혁은 훈구 세력의 반발을 샀을 뿐만 아니라, 중종에게도 큰 부담이 되었어요. 결국 조광조는 전라도 능주로 유배당하였다가 후에 사약을 받았어요. 그를 따르던 사림 세력도 죽음을 당하거나 큰 화를 당하였습니다.

1 조광조가 위와 같은 개혁 정책을 주장한 이유를 말해 보자.

예시 답안 유교 정치 이념에 바탕을 둔 왕도 정치를 실현하고자 하였다.

2 위 자료와 본문을 참고하여 조광조의 개혁 정책에 대한 중종과 훈구파의 반응을 생각해 보자.

예시 답안 중종: 조광조의 개혁은 너무 급진적이고 이상적이야. 왕권마저 약해지겠군.
훈구파: 조광조의 개혁이 계속되면 결국 훈구파는 모두 쫓겨나고 말 거야.

스스로 확인 해요

❶ 성종 때 과거를 거쳐 신진 관료가 된 훈구파는 사림의 권력 독점과 비리를 공격하였다. (×)
❷ 중종 때 추천으로 인재를 선발하는 제도를 현 량 과 (이)라고 한다.

이 주제의 핵심

이 주제에서는 사림의 등장 배경과 사화에 대해 알아보았어요. 성종이 사림을 대거 등용한 배경을 훈구파의 세력 확대와 관련지어 이해하고, 훈구파와 사림파가 정치 상황의 변화에 따라 어떤 관계를 형성하였는지를 파악해 두세요. 특히 중종이 조광조를 비롯한 사림을 등용한 이유, 조광조 일파의 개혁 정책을 파악하는 것이 중요합니다.

주제 4 # 사림의 성장과 붕당의 형성

1 사림의 성장과 서원

(1) **서원:** 사림들이 세운 사립 교육 기관

(2) **서원의 기능:** 덕망 있는 유학자들에 대한 제사, 성리학 연구, 지방 양반 자제 교육 (후진 양성) **어떻게?** 사림은 서원을 건립하여 향촌에 성리학을 보급하였어. 또한 서원은 지방 문화의 발전에도 이바지하였지.

(3) **국가의 장려:** 중종 때 주세붕이 세운 백운동 서원은 명종 때 최초의 ❶사액 서원이 됨. → 서적·토지·노비 등 지급, 세금 면제

(4) **영향:** 사림의 결속 강화, 정치 여론 형성, 붕당 형성의 토대

2 향약의 보급

어떻게? 사림은 지역의 여론을 공론화하고, 모범이 되는 유학자들을 제사 지냄으로써 자신들의 정체성을 지켜 나갈 수 있었어.

(1) ❷**향약:** 향촌의 공동체 조직에 유교적 윤리를 더하여 만든 향촌 자치 규약

(2) **보급:** 사림이 각 고을 실정에 맞는 향약을 만들어 시행

(3) **영향:** 지방민을 유교 이념에 맞게 교화·통제 → 사림이 향촌에서 주도권 장악

3 붕당의 형성

어떻게? 중앙에 진출한 사림들은 사헌부·사간원·홍문관의 3사를 중심으로 공론을 형성하고, 이를 바탕으로 대신과 국왕까지 견제하며 세력을 키워 나갔어.

(1) **사림의 집권:** 16세기 후반 선조 때 사림이 중앙 정치의 주도권 장악

(2) **사림의 분열:** 왕실 외척의 정치 참여 문제를 둘러싸고 의견 충돌, 정치적 입장과 학문적 성향도 영향을 미침.

(3) **붕당의 형성:** ❸이조 전랑의 임명 문제를 두고 사림 내부의 대립 심화 → 동인과 서인으로 나뉨.

❶ 사액 서원

서원 이름을 쓴 현판을 하사받은 서원이다. 최초의 서원인 백운동 서원은 명종 때 풍기 군수 이황의 건의로 '소수 서원'이라는 편액을 하사받았다.

❷ 향약

향약은 중종 때 조광조 등이 중국의 「여씨향약」을 번역하여 보급하였다. 그후 이황과 이이 등이 우리 실정에 맞는 향약을 만들어 군현, 마을 단위로 시행하였다. 향약의 주요 덕목은 '좋은 일은 서로 권한다(덕업상권), 허물을 서로 고쳐준다(과실상규), 예의와 풍속으로 서로 교류한다(예속상교), 어려운 일은 서로 돕는다(환난상휼)' 등이다.

❸ 이조 전랑

관리들의 인사권을 담당하고 있던 이조의 정랑과 좌랑을 함께 부르는 말이다. 이조 전랑은 직급이 낮았지만 3사의 관리와 자신의 후임자를 추천할 수 있는 매우 중요한 관직이었다.

핵심 자료 ### 사림의 계보와 붕당의 형성

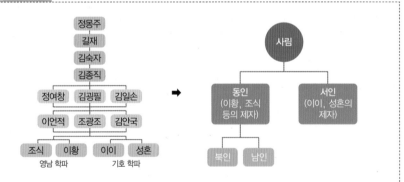

✏️ 정답과 해설 25쪽

확인해 봐요

1 (서원 / 향약)은 덕망 있는 유학자들을 제사지내고, 지방의 양반 자제들을 교육하는 곳이었다.

2 사림은 (이조 전랑 / 영의정)의 임명 문제를 놓고 크게 대립하였다.

3 사림은 학문적 성향에 따라 붕당을 형성하였는데, 이황과 조식 등의 제자들은 (동인 / 서인)을 형성하였다.

✓ **핵심**

붕당의 형성에는 어떤 것들이 영향을 미쳤을까?

정치 개혁을 둘러싼 사림 내부의 갈등은 이조 전랑의 임명 문제를 둘러싸고 더욱 심화되었다. 결국 사림 세력은 동인과 서인으로 나뉘어 붕당을 형성하였다. 이러한 붕당의 형성에는 정치적 입장뿐만 아니라 학문적 성향, 지역적 차이도 영향을 미쳤다. 대체로 동인은 이황과 조식 등의 학문을 따르는 영남 지역 사림이 많았고, 서인은 이이와 성혼의 학문을 따르는 경기·충청 지역 사림이 중심을 이루었다. 이후 동인은 이황의 학문을 따르는 남인과 조식 등의 학문을 따르는 북인으로 나뉘었다.

교과서 활동 풀이

가자! 역사 속으로

서원은 성리학을 연구하고 가르치는 곳으로, 사림은 이곳을 기반으로 세력을 키울 수 있었습니다.

📌 교과서 108쪽

✔ 사림은 서원을 통해 어떻게 세력을 키웠을까요?

예시 답안 사림은 지방 곳곳에 서원을 세워 덕망 있는 유학자에게 제사를 지냄으로써 정체성을 지키고, 성리학을 연구하고 후학을 교육함으로써 세력을 계속 재상산하였다.

영주 소수 서원(경북 영주)의 현판

✦ 자료 해설

사림은 서원에서 지역 여론을 공론화하고 도학적 모범을 보인 인물에게 제사를 지냄으로써 정체성을 유지하였어요. 또한 성리학을 연구하고 교육함으로써 학파를 유지하고 유학자를 재생산하여 성리학을 융성시켰어요.

Q 사림이 향약을 만든 이유는 무엇일까?

📌 교과서 108쪽

예안향약 처벌 조항

극벌에 처할 죄	중벌에 처할 죄	하벌에 처할 죄
· 부모에게 불손한 자	· 이웃과 화합하지 않는 자	· 좌중에서 떠들썩하게 다투는 자
· 형제가 서로 싸우는 자	· 염치없이 선비의 품위를 더럽힌 자	· 자리를 마음대로 바꾸는 자
· 마을 어른을 욕보이는 자	· 마을의 규약을 어긴 자	
· 수절한 과부를 더럽힌 자		

– 「퇴계선생문집」 42권 –

예시 답안 사림은 각 고을의 실정에 맞는 향약을 만들어 시행함으로써 유교 이념에 맞추어 풍속을 교화하거나 통제하고자 하였다.

✦ 활동 도우미

예안향약은 향약의 4대 덕목 중 과실상규(過失相規)를 중시하여 30여 개 조목이 모두 처벌 대상자를 규정한 것이었어요. 극벌, 중벌, 하벌에 처할 죄의 항목들을 살펴보고, 향약에서 처벌하는 항목들이 무엇인지 공통적인 요소를 찾아봅시다.

탐구 해봐요 붕당의 형성

📌 교과서 109쪽

"선조 때 김효원이 과거에 장원으로 합격하여 □□□□의 후보에 올랐으나 그가 외척 윤원형의 문객이었다고 하여 심의겸이 반대하였습니다. 이후 심충겸(심의겸의 동생)이 □□□□(으)로 추천되자 김효원은 왕실의 외척이라는 이유로 이에 적극적으로 반대하였습니다.
이때 양쪽을 지지하는 세력이 갈리면서 김효원의 집이 한양의 동쪽, 심의겸의 집이 한양의 서쪽에 있어 '동인'과 '서인'으로 불리게 되었습니다."

– 이긍익, 「연려실기술」 –

서인 동인

1 빈칸에 들어갈 관직과 그 역할을 써 보자.

예시 답안 이조 전랑 – 3사 관리의 인사 추천권이 있었고, 자신의 후임자를 추천할 수 있었다.

2 자료를 통해 붕당이 동인과 서인으로 나뉜 이유를 설명해 보자.

예시 답안 이조 전랑의 임명 문제를 둘러싸고 김효원과 심의겸이 대립하면서 동인과 서인의 붕당이 형성되었다.

✦ 자료 해설

이조 전랑의 임명 문제를 둘러싸고 김효원을 지지하는 세력과 심의겸을 지지하는 세력이 나뉘면서 동인과 서인이 형성되었어요. 동인은 주로 조식과 이황 등의 학문을 이은 영남학파의 유학자들로 외척 정치 청산에 강경한 입장을 취하였어요. 반면에 서인은 외척 중에서도 일부 양심 있는 자들은 수용할 수 있다는 온건론을 취하였어요. 서인은 주로 이이와 성혼의 학문을 이은 서울, 경기 지역의 기호학파 유학자들이 주축을 이루었습니다.

스스로 확인해요

❶ 사림은 향촌에서 서원과 향약을 바탕으로 세력을 확대하였다. (○)
❷ 이조 전랑의 임명 문제를 둘러싸고 봉당이/가 형성되었다.

이 주제의 핵심

이 주제에서는 사림의 성장과 붕당의 형성에 대해 알아보았어요. 사림은 여러 차례 사화를 겪었음에도 서원과 향약을 통해 향촌 사회에서 꾸준히 세력을 키워나갔다는 사실을 기억하세요. 또한 사림이 선조 때 정권을 장악한 이후 외척 정치의 청산 문제, 이조 전랑의 임명 문제, 학문적 성향 등으로 각각 붕당을 형성하였음을 파악하는 것이 중요합니다.

기초를 튼튼하게 확인 문제

01 서로 관련 있는 내용끼리 연결하시오.

ㄱ 무오사화 •　　• ⓐ 외척 세력 간의 대립

ㄴ 갑자사화 •　　• ⓑ 김종직의 「조의제문」

ㄷ 기묘사화 •　　• ⓒ 연산군의 생모 폐비 윤씨 사건

ㄹ 을사사화 •　　• ⓓ 조광조의 개혁 정치에 대한 반발

02 설명이 맞으면 ○, 틀리면 ×로 표시하시오.

(1) 서원은 덕망 있는 유학자를 제사 지내고, 지방의 양반 자제들을 교육하는 곳이었다. (　　)

(2) 향약은 향촌의 공동체 조직에 유교 윤리를 더하여 만든 향촌 자치 규약이다. (　　)

(3) 사림들은 이조 전랑의 임명 문제를 놓고 다투다가 결국 남인과 북인으로 나뉘었다. (　　)

03 |보기|의 사실들을 발생한 순서대로 나열하시오.

> |보기|
> ㄱ. 연산군이 쫓겨나고 중종이 왕위에 올랐다.
> ㄴ. 조광조가 현량과를 시행하고 개혁을 추진하였다.
> ㄷ. 성종이 훈구파를 견제하기 위해 사림을 대거 등용하였다.
> ㄹ. 서원, 향약을 통해 세력을 키운 사림이 선조 때 정권을 장악하였다.

04 빈칸에 알맞은 말을 쓰시오.

(1) 사림은 주로 언론 기관인 (　　)에 진출하여 훈구 세력의 잘못을 비판하면서 이들과 대립하였다.

(2) 조광조는 도교 행사를 주관하던 (　　)을/를 폐지하는 등의 개혁을 추진하였다.

(3) 선조 때 사림들은 이조 전랑의 자리를 두고 다투었고, 결국 동인과 서인으로 나뉘어 (　　)을/를 형성하였다.

내신을 탄탄하게 내신 문제

01 (가)에 들어갈 대답으로 가장 적절한 것은?

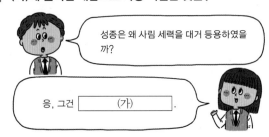

성종은 왜 사림 세력을 대거 등용하였을까?

응, 그건 　　(가)　　 .

① 성리학을 수용하기 위해서야.

② 훈구파를 견제하기 위해서야.

③ 친원 세력을 제거하기 위해서야.

④ 홍건적과 왜구의 침략을 막기 위해서야.

⑤ 불교의 힘을 빌려 외침을 극복하기 위해서야.

02 밑줄 친 '글'이 끼친 영향으로 옳은 것은?

> 꿈에 키가 크며 화려한 무늬의 옷을 입은 신령스러운 사람이 나타나 말하기를 "나는 초 회왕이다. 항우에게 죽임을 당하여 빈 강에 잠겨 있다."라는 말을 마치고 홀연히 사라졌다. 깜짝 놀라 잠에서 깨어 생각해 보았다. 회왕은 남방의 초 사람이고 나는 동이 사람인데, 땅이 만 리나 떨어져 있고 시대 또한 천 년이 떨어져 있는데, 내 꿈에 나타난 것은 무슨 징조일까? …… 글을 지어 의제를 조문한다.
> - 『연산군일기』 -

① 병자호란을 유발하였다.

② 붕당의 형성을 초래하였다.

③ 윤원형과 윤임의 대립을 발생시켰다.

④ 무오사화가 일어나는 계기가 되었다.

⑤ 사림이 중앙 정계에 진출하는 데 기여하였다.

03 (가)에 들어갈 내용으로 적절한 것은?

> 사화를 일으키는 등 폭정을 일삼던 연산군이 쫓겨나고 중종이 왕위에 올랐다. 이 과정에서 반정을 주도한 훈구파는 다시 권력을 차지하였다. 중종은 이들을 견제하고자 _____ (가) _____

① 최승로의 시무 28조를 수용하였다.
② 조광조를 비롯한 사림을 등용하였다.
③ 홍문관을 설치하고 경연을 다시 열었다.
④ 과전법을 시행하여 토지 제도를 개혁하였다.
⑤ 신돈을 등용하여 전민변정도감을 설치하였다.

04 (가)에 들어갈 내용으로 옳은 것은?

현량과를 추진하였어.

조광조는 어떻게 왕도 정치를 실현하고자 했을까?

소격서를 폐지하고, _____ (가) _____ .

① 위훈 삭제를 추진하였어.
② 과전법의 시행을 주장하였어.
③ 전민변정도감의 설치를 주도하였어.
④ 팔관회 등 불교 행사를 자주 열었어.
⑤ 명과 후금 사이에서 중립 외교를 추진하였어.

05 다음 자료를 활용한 탐구 주제로 가장 적절한 것은?

> 과거의 격식은 조종조에서도 각각 달랐으니, 경서를 강독하기도 하고 아니하기도 하였습니다. 지금 거론되는 천거를 통해 (관리를) 뽑는 일은 놀랄 일이 아닙니다. 처음에 천거로 하면 덕행이 있는 자가 빠지지 않을 것이고, (그 다음에) 책(策)으로 시험하면 그의 재행(才行)을 볼 수 있으니, 지극히 좋은 방법입니다.
> – 『중종실록』 –

① 6조의 설치
② 붕당의 형성
③ 현량과의 시행
④ 과거 제도의 정비
⑤ 사대 교린의 외교 관계 수립

06 (가), (나) 시기에 있었던 사실로 옳은 것은?

1498		1545		1592
	(가)		(나)	
무오사화		을사사화		임진왜란

① (가)-김종서가 6진을 개척하였다.
② (가)-김종직이 조의제문을 작성하였다.
③ (나)-폭정을 일삼던 연산군이 쫓겨났다.
④ (나)-동인과 서인의 붕당이 형성되었다.
⑤ (가), (나)-사림이 정치의 주도권을 장악하였다.

중요

07 (가), (나)에 대한 설명으로 옳은 것을 |보기|에서 고른 것은?

- (가) 은/는 덕망 있는 유학자를 받들어 제사 지내고, 성리학을 연구하며 지방 양반 자제들을 교육 하는 곳이다.
- (나) 은/는 향촌의 공동체 조직에 유교 윤리 를 더하여 만든 향촌 자치 규약이다.

| 보기 |
ㄱ. (가)-최고 교육 기관의 역할을 수행하였다.
ㄴ. (가)-사림이 세력을 키울 수 있는 기반이 되었다.
ㄷ. (나)-중앙 집권 체제의 확립에 이바지하였다.
ㄹ. (나)-사림이 향촌 사회에서 주도권을 잡는 데 기여 하였다.

① ㄱ, ㄴ　　　② ㄱ, ㄷ　　　③ ㄴ, ㄷ
④ ㄴ, ㄹ　　　⑤ ㄷ, ㄹ

신유형

08 (가)에 들어갈 내용으로 옳은 것은?

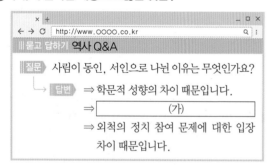

① 중종반정에 따른 입장 차이 때문입니다.
② 위화도 회군에 대한 입장 차이 때문입니다.
③ 이조 전랑의 임명에 대한 입장 차이 때문입니다.
④ 세조의 왕위 찬탈에 대한 입장 차이 때문입니다.
⑤ 광해군의 중립 외교 정책에 대한 입장 차이 때문입니다.

09 (가), (나)에 대한 설명으로 적절한 것을 〈보기〉에서 고른 것은?

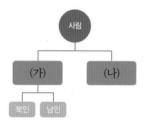

| 보기 |
ㄱ. (가)는 중종 때 기묘사화로 인해 큰 피해를 입었다.
ㄴ. (나)는 대체로 이이와 성혼의 제자들이 주축을 이루 었다.
ㄷ. (나)는 외척 정치의 청산 문제에 있어서 강경한 입 장을 취하였다.
ㄹ. (가), (나)는 비판과 견제를 통해 상대방을 인정하 면서 붕당 정치를 전개하였다.

① ㄱ, ㄴ　　　② ㄱ, ㄷ　　　③ ㄴ, ㄷ
④ ㄴ, ㄹ　　　⑤ ㄷ, ㄹ

10 (가)~(다)에 대한 설명으로 옳은 것은?

사림이 집권한 이후 (가) 의 정치 참여 문제를 둘러싸고 의견이 나뉘었다. 이들은 (나) 의 임 명 문제를 놓고 더욱 대립하였다. 결국 사림은 동인과 서인으로 나뉘어 (다) 을 형성하였다.

① (가)-세조 즉위에 도움을 준 세력을 말한다.
② (가)-연산군을 쫓아내는 중종반정을 주도하였다.
③ (나)-풍속 교정, 관리 감찰 등의 일을 맡았다.
④ (나)-각 도에 파견되어 수령을 지휘·감독하였다.
⑤ (다)-정치적 입장, 학문적 성향이 영향을 미쳤다.

만점에 **도전**하는 **심화 문제**

중요

01 (가)에 들어갈 내용으로 옳은 것은?

> **사림의 정치적 성장**
> • 성종의 즉위와 사림의 중앙 정계 진출
> • 조광조 일파의 개혁 정책과 왕도 정치 추구
> • [(가)]

① 비변사의 기능 강화
② 3사의 언론 활동 강화
③ 지눌의 불교계 폐단 개혁
④ 쌍기의 건의와 과거제의 시행
⑤ 국제 무역항으로서 벽란도의 번성

02 (가)에 들어갈 인물에 대한 설명으로 옳은 것은?

> [(가)]의 개혁 정책
> 1. 목적: 왕도 정치 실현
> 2. 내용
> (1) 현량과 실시
> (2) 소격서 폐지
> ……

① 과전법을 시행하여 토지 제도를 개혁하였다.
② 세계 지도인 「혼일강리역대국도지도」를 제작하였다.
③ 시무 28조를 올려 유교 정치 이념에 따른 개혁을 주장하였다.
④ 전민변정도감을 설치하여 불법적으로 노비가 된 자들을 해방하였다.
⑤ 중종반정 때 부적절하게 공신이 된 자들의 공훈을 삭제하고자 하였다.

03 밑줄 친 '이 장소'에 대한 설명으로 옳은 것은?

> 사림은 지방 곳곳에 건립된 이 장소에서 결속을 강화하고 여론을 형성하였습니다.

① 향촌에 성리학을 보급하였다.
② 소과 합격자만 입학이 가능하였다.
③ 관리의 잘못된 행위를 조사하였다.
④ 나라의 중대한 죄인을 다스리는 일을 맡았다.
⑤ 국가에서 필요로 하는 물품을 만들어 조달하였다.

04 밑줄 친 '이 관직'에 대한 설명으로 옳은 것을 〈보기〉에서 고른 것은?

> "선조 때 김효원이 과거에 장원으로 합격하여 <u>이 관직</u>의 후보에 올랐으나 …… 심의겸이 반대하였다. 이후 심충겸(심의겸의 동생)이 <u>이 관직</u>에 추천되자 김효원은 왕실의 외척이라는 이유로 이에 반대하였다.

> **| 보기 |**
> ㄱ. 곡식과 화폐의 출납을 담당하였다.
> ㄴ. 후임자를 추천할 수 있는 권리가 있었다.
> ㄷ. 3사 관리를 추천할 수 있는 권리가 있었다.
> ㄹ. 군사 기밀을 다루고 왕의 명령을 전달하였다.

① ㄱ, ㄴ　　② ㄱ, ㄷ　　③ ㄴ, ㄷ
④ ㄴ, ㄹ　　⑤ ㄷ, ㄹ

3 문화의 발달과 사회 변화

학습 목표
조선 정부의 훈민정음 창제 목적과 유교 윤리의 보급 배경을 설명할 수 있다.

주제 5 훈민정음과 유교 윤리의 보급

1 훈민정음 창제

(1) **배경:** 말과 글(한자)이 다른 데에서 오는 불편함. _{왜?} 한자는 배우기 어려워 지배층만 사용하고, 대부분 백성은 글자를 몰라 일상생활이 불편하였어.

(2) **목적:** 누구나 문자를 쉽게 배우고 쓸 수 있는 편리한 문자 생활, 백성에게 유교 덕목을 가르쳐 안정적으로 나라를 다스리기 위함.

(3) **창제·반포:** 세종과 집현전 학자들이 연구 → 훈민정음 창제(1443), 반포(1446)

(4) **의의:** 일반 백성들도 문자 생활 가능, 민족 문화 발달의 토대 마련
_{어떻게?} 불경을 한글로 언해하는 사업도 한글 보급에 기여했고, 조선 후기에는 한글 소설이 크게 유행하며 한글의 보급에 이바지했지. 결국 갑오개혁 이후에는 국가의 공식적인 문서에도 한글을 사용하게 되었어.

2 유교 윤리의 보급

(1) **배경:** 유교(성리학)를 국가 통치의 기본 원리로 삼음, 사림 세력의 정치적 성장

(2) **유교 윤리**
  ① 명분론 중시: 각자의 지위에 맞는 역할과 윤리 강조
  ② 충신·효자·열녀 등의 유교 덕목 강조

(3) **국가의 노력**
  ① 윤리·의례 서적 편찬: 유교 윤리를 쉽게 설명한 ❶『삼강행실도』와 국가 행사의 의례를 정리한 『국조오례의』 간행
  ② 효자비·열녀문 건립: 충신과 효자, 열녀 등에 대한 표창

(4) **사림의 노력**
  ① 향촌 사회의 지배력 강화: 향약 시행, ❷『소학』 보급
  ② 성리학적 사회 질서 유지: ❸『주자가례』 보급, 가묘와 사당 설치
  _{무엇?} 조상의 위패를 모시고 제사를 지내기 위해 집안에 설치했어.

❶ 『삼강행실도』
우리나라와 중국의 서적에서 모범이 될 만한 효자·충신·열녀 각 110명씩을 뽑아 그림과 함께 행적을 기록하였다. 성종 때에는 효자·충신·열녀를 각 35명으로 줄이고 한글 설명을 추가하였다.

❷ 『소학』
12세기 중국 송의 학자 유자징이 8세 안팎의 아동에게 유학을 가르치기 위해 편찬한 책으로 유학 교육의 입문서 역할을 하였다. 일상생활에서 지켜야 할 예의 범절, 옛 성현들의 좋은 교훈, 충신과 효자의 행적 등 유교 사회에서 지켜야 할 기본적이고 필수적인 도덕 규범을 담고 있다.

❸ 『주자가례』
중국 송의 주자가 가정에서 지켜야 할 예의 범절에 대해 정리한 것으로, 관례(성인식)·혼례·상례·제례 등의 내용이 포함되어 있다.

핵심 자료 『소학』과 『주자가례』의 보급

『소학』

『주자가례』

✓ **핵심**

사림은 왜 『소학』, 『주자가례』를 보급하려고 노력하였을까?

사림은 각 고을의 실정에 맞는 향약을 시행하고, 유학 교육의 기본 서적인 『소학』과 가정에서 지켜야 할 각종 의례를 정리한 『주자가례』 등의 책을 보급하였다. 사림은 이를 바탕으로 향촌 사회의 지배력을 강화하고, 성리학적 사회 질서를 유지하고자 하였다.

⊘ 정답과 해설 27쪽

확인해 봐요

1 세종은 ( )을/를 창제하여 백성들이 쉽게 배우고 쓸 수 있게 하고자 하였다.

2 조선에서는 일상생활에서도 ( )을/를 보급하기 위해 윤리와 의례에 관한 서적들을 간행하였다.

3 사림은 가정에서 지켜야 할 각종 의례를 정리한 ( )을/를 만들어 보급하였다.

교과서 활동 풀이

가자! 역사 속으로

정부는 세종대왕의 한글 창제 정신을 널리 알리고 세계 문자 해독력 향상을 위하여, 유네스코와 공동으로 '유네스코 세종대왕 문해상'을 만들었습니다.

Ⓥ 문자 해독력 향상에 앞장선 사람들에게 왜 세종 대왕 문해상을 시상할까요?

[예시 답안] 세종대왕이 한글을 창제함으로써 한국인은 누구나 쉽게 글을 배우고 쓸 수 있게 되었기 때문에 이를 본받아 문해력 향상에 앞장선 사람들에게 세종대왕 문해상을 시상하였다.

📄 교과서 110쪽

🔎 자료 해설

세종은 백성들이 누구나 쉽게 글을 배우고 쓸 수 있게 하기 위해 한글을 창제하였어요. 대한민국 정부는 세종대왕의 뜻을 본받아 1989년 유네스코 세종대왕 문해상을 창설하였고, 문해력 향상이나 개발 도상국 모어의 발전에 도움을 준 개인, 단체, 기관에게 이 상을 수상하고 있어요.

탐구 해 보요 『훈민정음』 서문을 통해 보는 창제의 목적

📄 교과서 110쪽

- 어리석은 백성이 말하고 싶어도 마침내 그 뜻을 펴지 못하는 이가 많다. 내가 이것을 매우 딱하게 여겨 새로 스물여덟 자를 만들어 내노니 사람마다 쉽게 익혀 날마다 씀에 편리하도록 함에 있으리라. — 『훈민정음(언해본)』 —
- 지혜로운 사람은 아침이 끝나기 전에 한글을 이해하고, 어리석은 사람도 열흘이면 알 수 있다. 이로써 글을 해석하면 그 뜻을 알 수가 있으며, 바람 소리와 학의 울음이든지, 닭 울음소리나 개 짖는 소리까지도 모두 표현해 쓸 수 있게 되었다. — 『훈민정음(해례본)』, 정인지 서문 —

『훈민정음(언해본)』(국립한글박물관)

1 위 자료를 보고 세종이 '훈민정음'을 만든 목적을 이야기해 보자.

[예시 답안] 백성들이 글을 쉽게 배우고 쓸 수 있게 하기 위해서이다.

2 '훈민정음'의 창제로 언어생활이 어떻게 달라졌을지 생각해 보자.

[예시 답안] 자신의 생각이나 말을 글로 표현할 수 있게 되었으며, 이를 다른 사람에게 편지, 책 등의 문서로 전달할 수 있게 되었다.

🔎 자료 해설

훈민정음은 '백성을 가르치는 바른 소리'라는 의미를 갖고 있어요. 따라서 일반 백성도 우리말을 쉽게 배울 수 있어 자기 생각을 글로 표현할 수 있게 되었어요.

🔎 활동 도우미

『훈민정음(언해본)』과 『훈민정음(해례본)』의 정인지 서문을 읽고 한글 창제의 목적을 파악해 보아요. 그리고 한글이 백성들의 일상생활에 어떤 변화를 가져왔을지 생각해 보아요.

Ⓠ 『삼강행실도』는 왜 같은 내용을 그림과 한글로 추가 설명하였을까?

📄 교과서 111쪽

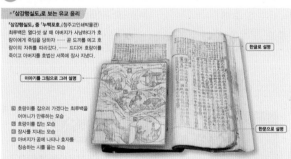

› 『삼강행실도』로 보는 유교 윤리

『삼강행실도』, 중 『누백포호』(청주고인쇄박물관)
최루백은 열다섯 살 때 아버지가 사냥하다가 호랑이에게 죽임을 당하자 …… 곧 도끼를 메고 호랑이의 자취를 따라갔다. …… 드디어 호랑이를 죽이고 아버지를 홍법산 서쪽에 장사 지냈다.

[이야기를 그림으로 그려 설명]
[한글로 설명]
[한문으로 설명]

① 호랑이를 잡으러 가겠다는 최루백을 어머니가 만류하는 모습
② 호랑이를 잡는 모습
③ 장사를 지내는 모습
④ 아버지가 꿈에 나타나 효자를 칭송하는 시를 읊는 모습

[예시 답안] 한문을 모르는 백성들을 위해 보다 쉽게 익힐 수 있는 한글이나 글을 모르더라도 내용을 파악할 수 있도록 그림을 추가하였을 것이다.

🔎 자료 해설

『삼강행실도』는 백성들에게 충신, 효자, 열녀 등 유교 덕목을 가르쳐서 나라를 보다 안정적으로 다스리기 위해 편찬한 책이에요. 하지만 일반 백성의 입장에서 한문을 읽고 이해하기 쉽지 않기 때문에 한글이나 그림을 추가하여 설명하였어요.

스스로 확인해요

❶ 성리학에서는 지배층과 피지배층, 남자와 여자의 구분이 강조되었다. (○)
❷ 조선 정부는 윤리 · 의례서 등을 편찬하여 [유][교] [윤][리]을/를 보급하고자 하였다.

이 주제의 핵심

이 주제에서는 훈민정음 창제와 유교 윤리의 보급에 대해 알아보았어요. 세종이 훈민정음을 창제한 목적과 의의를 이해하고, 조선 정부가 일상생활에까지 유교 윤리를 보급하기 위해 어떤 노력을 하였는지 살펴보아요. 특히 『삼강행실도』, 『소학』, 『주자가례』가 유교 윤리의 보급과 관련하여 어떤 역할을 하였는지 파악하는 것이 중요합니다.

주제 6 조선 전기 문화의 발달

1 과학 기술의 발달

(1) **목적**: 부국강병(국방력 강화), 민생 안정
(2) **천문학·역법 발달** 왜? 자연 현상은 국왕의 권위와 연결지어 생각했고, 농업 발전 등 백성들의 생활 안정에 영향을 미쳤기 때문이야.

천문도	「천상열차분야지도」 – 태조 때 제작, 새 왕조의 권위 표현
천문 관측	간의·혼천의 – 천체 운행 관찰 및 위치 측정
시각 측정	자격루(물시계)·앙부일구(해시계) – 물의 흐름과 해의 그림자를 이용하여 시각 측정
강수량 측정	측우기 – 가뭄과 홍수에 대비
역법책	❶「칠정산」 – 한양을 기준으로 역법 정리 어떻게? 일출과 일몰, 일식과 월식의 정확한 때를 한양을 기준으로 계산할 수 있게 되었어.

2 각종 서적의 편찬

(1) **역사서 편찬**: 『고려사』, 『고려사절요』, 『조선왕조실록』 등
(2) **지도와 지리서 편찬**: 중앙 집권화, 국방력 강화 → ❷「혼일강리역대국도지도」(세계 지도), 「팔도도」(전국 지도) 제작, 『동국여지승람』 편찬
무엇? 각 지역의 연혁, 토지, 인물, 풍속 등의 정보가 담겨 있어.

3 양반 중심의 예술 발달

(1) **도자기**: 전기에는 분청사기와 백자가 함께 유행, 16세기 이후 백자가 주로 사용
(2) **그림**: 안견 ❸「몽유도원도」, 강희안 「고사관수도」, 16세기에는 사군자 유행
(3) **음악**: 궁중 음악인 아악 정리(세종), 『악학궤범』 편찬(성종), 종묘 제례악 완성
누가? 박연은 편경 제작, 아악 정리에 큰 업적을 남겼지.

핵심 자료 「몽유도원도」와 「고사관수도」

안견, 「몽유도원도」

강희안, 「고사관수도」

✓ 핵심

조선 시대 그림은 주로 어떤 사람들이 그렸을까?

도화서 출신의 화가와 양반 사대부들이 주로 그렸다. 도화서 출신 안견은 「몽유도원도」에서 현실 세계와 이상 세계를 조화롭게 표현하였다. 문인 화가인 강희안은 「고사관수도」에서 흐르는 물을 바라보며 명상에 잠긴 선비의 내면 세계를 표현하였다.

❶ **「칠정산」**
7개의 움직이는 별을 계산한다는 뜻이다. 해와 달, 수성, 금성, 화성, 목성, 토성의 위치를 파악하여 절기는 물론 일식과 월식 등을 정확하게 예측하였다.

❷ **「혼일강리역대국도지도」**
태종(1402) 때 만든 현존하는 동양에서 가장 오래된 세계 지도이다. 아프리카, 아라비아, 유럽 지역이 나타나 있다. 조선을 아프리카와 유럽을 합친 것보다 크게 표현함으로써 조선 왕조의 개창을 만방에 과시하려는 의도가 담겨 있다.

❸ **「몽유도원도」**
「몽유도원도」는 '꿈속에서 복숭아 밭을 노니는 그림'이란 뜻이다. 세종의 셋째 아들인 안평 대군이 꿈에서 본 무릉도원의 풍경을 토대로 도화서 화원 안견이 그린 그림으로 조선 전기 최고의 걸작으로 손꼽힌다. 현실 세계, 무릉도원 입구, 이상 세계인 무릉도원 등 세 부분으로 구성되어 있다.

🔗 정답과 해설 27쪽

확인해 봐요

1 태조는 옛 천문도를 바탕으로 「혼일강리역대국도지도」를 제작하였다. (○, ×)
2 세종은 중국과 아라비아의 역법을 참고하여 한양을 기준으로 하는 역법책인 『칠정산』을 제작하였다. (○, ×)
3 조선은 역대 국왕들의 통치 기록을 모아 『조선왕조실록』을 편찬하였다. (○, ×)

교과서 활동 풀이

📄 교과서 112쪽

가자! 역사 속으로

조선 초에 만들어진 「혼일강리역대국도지도」에는 중국, 유럽, 아프리카까지 그려져 있습니다.

✅ 당시 이러한 세계 지도가 만들어질 수 있었던 배경은 무엇일까요?

예시 답안 국가의 힘을 중앙으로 모으고 국방력을 강화시키기 위해 지도 제작과 지리책 편찬에 노력하였기 때문이다.

유럽
아프리카
아라비아
반도

조선
중국
일본

「혼일강리역대국도지도」(일본 류코쿠대학교)

🔆 자료 해설

조선은 중앙 집권을 추구하고 국방력을 강화하기 위해 여러 지도와 지리책을 편찬하였어요. 그중에서 세계 지도인 「혼일강리역대국도지도」는 원의 지도를 바탕으로 조선, 일본 지도를 하나로 합쳐 제작되었어요. 이 과정에서 조선의 모습이 크게 과장해서 표현되었습니다.

탐구 해봐요 왕도 보지 못한 역사책, 「조선왕조실록」

📄 교과서 113쪽

🔆 활동 도우미

「조선왕조실록」은 태조부터 철종 때까지 472년 동안 조정에서 일어나거나 보고된 일들을 연월일 순서에 따라 기록한 책으로 총 1,893권 888책의 방대한 기록물이에요. 조선 정부가 이처럼 역사를 자세히 기록한 이유에 대해 생각해 보아요. 그리고 임진왜란을 전후해서 사고의 위치가 도시에서 산속으로 바뀐 이유를 생각해 보고, 안의와 손홍록 등 전쟁의 와중에서도 실록을 보존하기 위해 노력했던 사람들에 대해 추가로 조사해 봅시다.

1 국가적 차원에서 조선 왕조가 역사책을 편찬한 이유를 생각해 보자.

예시 답안 역대 국왕들의 재위 기간에 일어나거나 보고된 일들을 연대순으로 기록한 이유는 후대에 역사의 교훈으로 삼기 위함이었다.

2 「조선왕조실록」이 여러 번의 전쟁에도 지금까지 보존될 수 있었던 이유를 조사해 보자.

예시 답안 3년에 한 번씩 책을 꺼내 바람에 말리고 습기를 제거함으로써 부식 및 충해를 방지하였으며, 사관 이외에는 그 누구도 열람하지 못하게 하였다. 또한 조선 전기에는 춘추관과 전주, 성주, 충주 등 4개 사고에 보관하였으며, 임진왜란 후에는 춘추관 이외에 묘향산, 적상산, 오대산, 태백산의 4곳에 보관함으로써 실록을 보존하기 위해 힘썼다.

스스로 확인해요

❶ 태조 때에는 천문도를 바탕으로 역법서인 「칠정산」을 제작하였다. (×)
❷ 조선 초기에는 화려한 청자 대신 청자에 흰 흙을 분처럼 칠한 분 청 사 기 이/가 유행하였다.

역량 키우기 ⚙️ 역사 탐방 문화유산과 과학 기술로 보는 유교 윤리의 보급

📄 교과서 115쪽

생각하고 써 보기

나는 탐방을 통해 조선 정부가 유교 문화를 보급하려 한 배경과 그 노력을 파악할 수 있었어. 그 이유는 예시 답안 조선의 통치자들이 유교를 국가의 통치 이념으로 삼아 민본 정치를 실현하려고 노력했기 때문이야.

이 주제의 핵심

이 주제에서는 조선 전기 문화의 발달에 대해 알아보았어요. 조선 전기 과학 기술이 농업 발전과 관련되어 천문학과 역법을 중심으로 발달하였음을 기억해 두세요. 또한 역사 · 지리와 관련하여 다양한 서적이 편찬되었고, 도자기 · 그림 · 음악 등 예술의 다양한 분야에서 양반 중심의 문화가 발전하였다는 것을 파악하는 것도 중요합니다.

시험을 대비하는 실전 문제

기초를 튼튼하게 확인 문제

01 서로 관련 있는 내용끼리 연결하시오.

ㄱ 역사책 • • ⓐ『칠정산』

ㄴ 역법책 • • ⓑ『조선왕조실록』

ㄷ 세계 지도 • • ⓒ「혼일강리역대국도지도」

02 설명이 맞으면 ○, 틀리면 ×로 표시하시오.

(1) 사림은 향약을 시행하고 『소학』을 보급하여 향촌 사회에 대한 지배력을 강화하였다. ( )

(2) 세종은 백성들이 누구나 글을 쉽게 배우고 쓸 수 있게 하고자 훈민정음을 창제하였다. ( )

(3) 조선 초기에는 분청사기와 백자가 함께 유행하다가, 16세기 이후 청자가 주로 사용되었다. ( )

03 |보기|의 조선 전기 문화 유산을 제작·간행된 순서대로 나열하시오.

> |보기|
> ㄱ. 측우기 제작
> ㄴ. 「동국여지승람」 편찬
> ㄷ. 「천상열차분야지도」 제작
> ㄹ. 「혼일강리역대국도지도」 제작

04 빈칸에 알맞은 말을 쓰시오.

(1) 유교에서는 사람마다 지위에 맞는 역할이 정해져 있다는 ( )을/를 중시하여 지배층과 피지배층, 남자와 여자 등에 대한 구분을 강조하였다.

(2) 세종은 우리나라와 중국의 서적에서 모범이 될 만한 충신, 효자, 열녀 이야기를 글과 그림으로 구성한 ( )을/를 편찬하였다.

(3) 안견은 ( )에서 현실 세계와 이상 세계가 공존하는 꿈속의 낙원을 표현하였다.

내신을 탄탄하게 내신 문제

01 (가)에 대한 설명으로 가장 적절한 것은?

> 지혜로운 사람은 아침이 끝나기 전에 [(가)]을/를 이해하고, 어리석은 사람도 열흘이면 알 수 있다. …… 바람 소리와 학의 울음이든지, 닭 울음소리나 개 짖는 소리까지도 모두 표현해 쓸 수 있게 되었다.

① 호족들을 회유하기 위해 만들었다.

② 중종반정이 일어나는 계기가 되었다.

③ 민족 문화의 발전에 크게 기여하였다.

④ 금속 활자를 발명하는 데 영향을 끼쳤다.

⑤ 중앙 집권화와 국방력 강화를 위해 제작하였다.

02 (가) 인물에 대한 설명으로 옳은 것은?

유네스코 [(가)] 문해상

1. 제정 시기: 1989년

2. 대상: 문해 또는 개발도상국 모어(母語) 발전·보급에 기여한 개인 또는 단체(기구)

3. 수상일: 매년 9월 8일 세계 문해의 날

① 후금과 형제의 관계를 맺었다.

② 삼별초를 만들어 군사력을 확충하였다.

③ 의주로 피난을 가고 명에 원군을 요청하였다.

④ 장용영을 설치하여 군사적 기반을 강화하였다.

⑤『삼강행실도』를 편찬하여 유교 윤리를 보급하였다.

정답과 해설 27쪽

중요

03 (가)의 창제 목적에 대한 설명으로 가장 적절한 것은?

이 책은 (가) 중 세종이 쓴 '서'와 '예의' 두 부분을 한글로 번역한 것입니다.

① 명과 사대 관계를 맺기 위해
② 군역 및 부역 대상자를 파악하기 위해
③ 서원에서의 유학 교육을 강화하기 위해
④ 몽골의 침략 과정에서 자주의식을 높이기 위해
⑤ 말과 글이 다름에서 오는 불편함을 해결하기 위해

04 (가)에 들어갈 탐구 주제로 가장 적절한 것은?

탐구 활동 계획서

• 탐구 주제: (가)
• 탐구 활동
  - 1모둠: 『삼강행실도』의 편찬
  - 2모둠: 가묘와 사당의 설치
  - 3모둠: 『주자가례』의 보급

① 유교 윤리의 보급
② 사림 세력의 정치적 성장
③ 불교의 사회·경제적 폐단
④ 호족의 등장과 선종의 발전
⑤ 풍수지리설과 지방 세력의 성장

05 (가), (나)에 대한 설명으로 옳은 것은?

(가)   (나)

① (가)-금속 활자로 인쇄한 최초의 책이다.
② (가)-역대 국왕의 통치 기록을 모아 놓았다.
③ (가)-유학 교육의 기본 서적으로 보급되었다.
④ (나)-시각을 측정하는 기구로 농사에 활용하였다.
⑤ (나)-천체 운행과 위치를 측정하는 천문 시계이다.

06 다음 지도에 대한 설명으로 옳은 것을 〈보기〉에서 고른 것은?

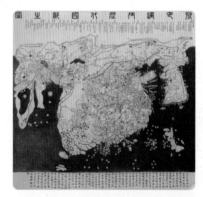

| 보기 |
ㄱ. 세종 시기 장영실 등이 제작하였다.
ㄴ. 중국, 유럽, 아프리카까지 포함하여 만들었다.
ㄷ. 성리학적 사회 질서를 보급하기 위해 제작하였다.
ㄹ. 조선 왕조의 개창을 만천하게 과시하기 위해 제작하였다.

① ㄱ, ㄴ   ② ㄱ, ㄷ   ③ ㄴ, ㄷ
④ ㄴ, ㄹ   ⑤ ㄷ, ㄹ

중요

07 (가)에 들어갈 내용으로 옳은 것을 〈보기〉에서 고른 것은?

조선 전기에 천문학과 역법이 발달하였던 이유는 무엇일까?

조선은 건국 초부터 과학 기술의 발전에 힘썼는데, 특히 (가) 천문학과 역법이 발달했지.

| 보기 |

ㄱ. 송과의 교류로 선진 문화를 수용하였기 때문에
ㄴ. 박지원, 박제가 등 북학파가 성장하였기 때문에
ㄷ. 백성들의 생활 안정에 농사의 영향이 컸기 때문에
ㄹ. 자연 현상을 국왕의 권위와 연결시켜 생각하였기 때문에

① ㄱ, ㄴ   ② ㄱ, ㄷ   ③ ㄴ, ㄷ
④ ㄴ, ㄹ   ⑤ ㄷ, ㄹ

08 밑줄 친 내용에 해당하는 사례로 옳은 것은?

모둠별 발표 계획

주제: 조선 전기 문화의 발달

1모둠 – 과학 기술의 발달
2모둠 – 양반 중심의 예술 발달
3모둠 – 지도 제작과 지리책의 편찬
4모둠 – 유교 의례와 관련된 음악의 발전

① 「대동여지도」를 제작하였다.
② 혼천의, 자격루 등을 만들었다.
③ 안경, 망원경 등 서학을 수용하였다.
④ 세계 최초로 금속 활자를 발명하였다.
⑤ 거중기를 활용하여 수원 화성을 건설하였다.

09 그림에 대한 설명으로 옳은 것은?

① 도화서 출신의 화가인 안견의 작품이다.
② 백성들의 일상생활 모습을 생생하게 담았다.
③ 자연 속에서 선비의 여유로운 모습을 나타냈다.
④ 서민들의 구체적이면서 현실적인 소망을 담은 그림이다.
⑤ 매화, 난초, 국화, 대나무를 소재로 한 사군자 그림이다.

10 (가)에 들어갈 내용으로 옳은 것은?

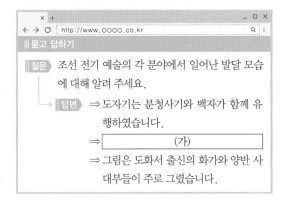

http://www.○○○○.co.kr

묻고 답하기

질문 조선 전기 예술의 각 분야에서 일어난 발달 모습에 대해 알려 주세요.

답변 ⇒ 도자기는 분청사기와 백자가 함께 유행하였습니다.
⇒ (가)
⇒ 그림은 도화서 출신의 화가와 양반 사대부들이 주로 그렸습니다.

① 월정사 팔각 구층 석탑이 세워졌습니다.
② 판소리, 탈춤 등 공연이 성행하였습니다.
③ 「홍길동전」 등 한글 소설이 크게 유행하였습니다.
④ 음악은 아악이 정리되고 종묘 제례악이 완성되었습니다.
⑤ 영주 부석사 무량수전, 예산 수덕사 대웅전 등이 건축되었습니다.

만점에 **도전**하는 **심화 문제**

01 밑줄 친 '이 문자'가 창제된 시기를 연표에서 옳게 고른 것은?

> 어리석은 백성이 말하고 싶어도 마침내 그 뜻을 펴지 못하는 이가 많다. 내가 이것을 매우 딱하게 여겨 새로 이 문자를 만들어 내노니 사람마다 쉽게 익혀서 날마다 씀에 편리하도록 함에 있으리라.

(가)	(나)	(다)	(라)	(마)

조선 건국 세조 즉위 중종반정 기묘사화 임진왜란 병자호란

① (가)   ② (나)   ③ (다)   ④ (라)   ⑤ (마)

02 (가)에 들어갈 탐구 주제로 가장 적절한 것은?

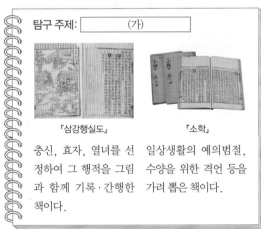

탐구 주제: (가)

「삼강행실도」   「소학」

충신, 효자, 열녀를 선정하여 그 행적을 그림과 함께 기록·간행한 책이다.

일상생활의 예의범절, 수양을 위한 격언 등을 가려 뽑은 책이다.

① 서민 문화의 발달
② 불교 개혁 운동의 전개
③ 실학에 대한 연구의 확대
④ 통신사를 통한 학문과 예술의 교류
⑤ 성리학적 사회 질서 확산을 위한 노력

03 (가)에 대한 설명으로 옳은 것은?

> 다음은   (가)   에 대한 연관 단어 조사 결과입니다. 글자가 클수록 여러분들의 관심이 높다는 의미입니다.

성주, 전주, 충주
춘추관   사고
유네스코 세계
1,893권   기록 유산
사관   472년

① 현재까지 전해 오는 가장 오래된 역사책이다.
② 중국, 아라비아의 역법을 참고하여 편찬하였다.
③ 우리나라 실정에 맞는 농사법을 소개한 책이다.
④ 태조부터 철종까지의 통치 기록을 모아 편찬하였다.
⑤ 각 지역의 연혁, 토지, 인물 등의 정보가 담겨 있다.

04 밑줄 친 '이 시기' 문화의 설명으로 옳지 않은 것은?

> 이 시기에는 분청사기와 백자가 유행하였고, 그림은 도화서 출신의 화가와 양반 사대부들이 주로 그렸습니다.

① 아악이 정리되고, 종묘 제례악이 완성되었다.
② 『삼국사기』, 『삼국유사』 등의 역사책이 편찬되었다.
③ 사대부 사이에서 사군자를 그리는 것이 유행하였다.
④ 안견은 「몽유도원도」에서 꿈속의 낙원을 표현하였다.
⑤ 국왕의 통치 기록을 모은 『조선왕조실록』이 편찬되었다.

왜란·호란의 발발과 영향

학습 목표
임진왜란의 전개 과정에서 수군과 의병의 활약을 알 수 있다.

주제 7 # 7년간 조선을 뒤흔든 임진왜란(1)

1 임진왜란의 발발

(1) 왜란 이전의 조선과 일본의 상황

① 조선: 사화와 붕당 발생으로 정치 혼란, 군역 제도 문란 → 국방력 약화

② 일본: 도요토미 히데요시의 전국 시대 통일 → 지방의 다이묘 견제, 일본 국내의 정치 안정, 대륙 진출을 위한 침략 준비

(2) 전쟁의 발발(1592): 일본군이 명을 정벌하러 가는 데 길을 빌려 달라는 구실로 조선 침략 → 부산진과 동래성 함락 → 신립의 충주 방어 실패 → 한성 함락 → 선조는 의주로 피난, 명에 원군 요청 → 일본군이 평양을 거쳐 함경도로 진격

어떻게? 명은 일본군이 대륙까지 침략할 것을 우려하여 조선에 군대를 파견하였어.

2 수군과 의병의 활약

(1) 수군의 활약: 이순신이 이끄는 수군이 옥포, 당포 ❶한산도 등에서 승리 → 전라도 곡창 지대 보호, 서·남해안의 일본군 보급로 차단

(2) ❷의병의 활약: 곽재우, 조헌, 정문부, 휴정·유정(승병) 등 → 향토 지리에 밝은 이점을 이용한 전술로 일본군에 큰 타격을 줌.

어떻게? 휴정은 1,500여 명의 승병을 이끌고 평양 탈환전에 참가하기도 하였어.

(3) 관군의 활약: 관군 재정비 → 진주성(김시민), 행주산성(권율)에서 승리, 명의 지원군 파견 → 조·명 연합군의 평양성 탈환

❶ 한산도

1592년 7월, 이순신의 수군은 견내량 포구에 있던 일본 함대를 한산도 앞바다로 유인하였다. 이순신은 이곳에서 학익진 전술을 펼쳐 일본군을 크게 격파하였다(한산도 대첩).

❷ 의병

의병장은 대체로 전직 관료, 지방의 사족, 승려 등이 맡았으며, 병사들은 대부분 농민들이었다. 의병들은 익숙한 향토 지리를 활용한 게릴라 전술로 일본군에 큰 타격을 주었다.

❸ 조총

일본은 표류한 포르투갈인으로부터 처음 조총을 구입하였다. 이후 조총은 무사 가문들이 세력을 다투던 전국 시대 전투에서 활발히 이용되었고, 조선을 침략하였을 때 중요한 무기가 되었다.

핵심 자료 「동래부순절도」를 통해 본 임진왜란

지붕에서 기와를 던지는 여인

궁궐을 향해 절하는 송상현

활로 공격하는 조선군

❸조총을 든 일본인

✓ **핵심**

> **조선은 왜 임진왜란 초반에 일본군에 크게 밀렸을까?**

「동래부순절도」는 임진왜란 초기 동래부 부사 송상현과 백성의 항전을 묘사한 기록화이다. 오랫동안 큰 전쟁을 겪지 않았던 조선은 군역 제도가 문란해지면서 국방력이 약해져 있었다. 또한 근접전에서 강력한 위력을 발휘하는 조총에 대한 대비와 대응이 제대로 이루어지지 못하였기 때문에 전쟁 초반에 크게 밀리는 결과가 나타났다.

✐ 정답과 해설 29쪽

확인해 봐요

1 100여 년 간에 걸친 전국 시대의 혼란을 끝내고 일본을 통일한 인물은? ( )

2 조선의 수군을 이끌었으며, 한산도에서 일본군에 크게 승리한 인물은? ( )

3 향토 지리에 밝은 이점을 활용하여 일본군에게 큰 타격을 주었던 사람들은? ( )

교과서 활동 풀이

가자! 역사 속으로

📙 교과서 116쪽

귀 무덤은 임진왜란 당시 도요토미 히데요시가 부하 장수들을 독려하기 위해 조선 군인과 백성들의 코와 귀를 베어 모은 곳입니다. 이 귀 무덤을 통해 우리 민족이 임진왜란으로 입은 피해를 짐작할 수 있습니다.

✔ 조선은 임진왜란을 어떻게 극복하였을까요?

예시 답안 수군과 의병의 활약, 관군의 재정비와 명군의 참전 등으로 초반의 불리한 전세를 극복하고 일본군을 몰아낼 수 있었다.

💡 활동 도우미

이순신이 이끄는 수군과 각지에서 게릴라 전술을 펼친 의병의 활약이 임진왜란 초기 일본군의 전략을 좌절시키는 데 어떤 영향을 미쳤는지 생각해 보아요. 이후 관군을 재정비하고 명이 지원군을 파견하면서 나타난 변화 모습도 파악해 봅시다.

교과서 지도·사진 자료 임진왜란의 전개

📙 교과서 117쪽

범례
- 의병 대장
- 관군
- → 일본군의 주요 침입로
- → 조·명 연합군의 진격로
- ★ 격전지

백두산 / 정문부 / 길주 / 휴정(서산대사) / 의주 / 조선 / 평양 탈환 / 조·명 연합군 / 평양 / 유정(사명대사) / 행주 대첩 / 권율 / 개성 / 행주 / 한성 / 충주 전투 / 신립 / 황해 / 충주 / 상주 / 조헌·영규 / 금산 / 옥천 / 고경명 / 담양 / 의령 / 경주 / 삼주 전투 / 이일 / 김천일 / 나주 / 진주 / 독도 / 동해 / 진주 대첩 / 김시민 / 진도 / 한산도 / 곽재우 / 제주도 / 일본

판옥선

수군 범례
- → 조선 수군의 진격 • 3포
- → 일본 수군의 침입 ★ 격전지

명량 해전 / 노량 해전 / 부산포 해전 / 염포 / 제포 / 부산포 / 제포 / 제물도 / 옥포 해전 / 한산도 대첩 / 당포 해전

💡 자료 해설

조선이 불리한 전세를 바꾸어 놓은 것은 전국 각지에서 일어난 의병과 이순신이 이끄는 수군의 활약이었어요. 조선의 의병과 수군이 활약하는 가운데 명의 지원군이 도착하였고, 육지의 관군도 전열을 정비하여 성과를 거두기 시작하였어요.

💡 활동 도우미

임진왜란이 전개되는 과정에서 조선이 초반의 열세를 극복할 수 있었던 요인을 지도에서 찾아보아요. 또한 조선의 수군이 일본군과의 전투에서 연전연승할 수 있었던 이유를 지도와 교과서 본문, 그림, 사진 자료 등을 종합적으로 살펴보며 알아보아요.

임진왜란 초기 조선은 서양식 조총으로 무장한 왜군의 진격에 밀려 한성까지 함락당하였다. 그러나 이순신이 이끄는 수군은 옥포를 시작으로 사천, 당포, 한산도 등에서 일본군을 크게 무찔렀다. 또한 전국 각지에서 일어난 의병들의 활약에 힘입어 일본의 침략을 막아 낼 수 있는 시간을 마련하였다. 조선과 명의 연합군은 일본군에 반격을 가하여 평양성을 되찾았고, 김시민은 진주성에서, 권율은 행주산성에서 큰 승리를 거두었다.

남쪽 해안 지대로 밀려난 일본군은 휴전을 제의하며 명과 강화 교섭을 벌였다. 3년간 지속된 휴전 회담이 일본의 무리한 요구로 결렬되자, 일본은 다시 조선을 침략하였다. 그러나 조선은 그동안 군사력을 보강하였기 때문에 일본의 침략을 막아 낼 수 있었다. 명량 등에서 조선군에 패한 일본군은 도요토미 히데요시 사후 모두 일본으로 철수하였다.

이 주제의 핵심

이 주제에서는 임진왜란의 발발 배경과 전개 과정에 대해 알아보았어요. 임진왜란 발발 전 일본과 조선의 상황을 파악하고, 임진왜란 초반에 조선군이 왜 크게 밀렸는지 알아 두세요. 그리고 수군과 의병이 활약함으로써 초반의 불리한 전세를 극복하고 일본군의 침략을 막아 낼 수 있는 발판이 마련되었다는 것을 파악하는 것이 중요합니다.

학습 목표
정유재란의 전개 과정과 이후 동아시아에 끼친 영향을 알 수 있다.

주제 7 ## 7년간 조선을 뒤흔든 임진왜란(2)

1 일본의 재침략(정유재란)

(1) 강화 교섭 진행: 일본의 휴전 제의 → 명과 강화 교섭 → 일본의 무리한 요구로 휴전 회담 결렬 **왜?** 일본은 조선의 4도(경상, 전라, 충청, 경기)를 일본에 주고, 조선의 왕자와 대신을 일본에 볼모로 보내라는 등의 무리한 강화 조건을 내세웠어. 결국 휴전 회담은 결렬되고 말았지.

(2) 정유재란

① 조선의 군사력 보강: **❶훈련도감** 설치, 성곽 강화, 화포와 조총 제작

② 전개: 휴전 협상 실패 → 일본의 재침략(1597) → 이순신의 명량 해전 승리 → 도요토미 히데요시 사망 → 이순신의 노량 해전 승리 → 전쟁 종결(1598) **어떻게?** 삼도수군통제사로 복직된 이순신은 남아 있던 12척의 군함으로 300척이 넘는 일본군을 명량 해협으로 유인해 격파하였어. 이순신은 도요토미 히데요시 사망 이후 철수하던 일본군을 노량에서 크게 격파했지만 결국 본인은 적의 유탄에 맞아 죽고 말았지.

2 임진왜란의 영향

(1) 조선

① 국토 황폐화(농토 감소), 인구 감소(사망, 포로) → 국가 재정 악화

② 문화재 파괴·약탈: 경복궁·불국사·❷사고 등이 불에 타고, 활자·도자기·서적 등이 약탈당함.

③ 신분제 동요: 노비 문서가 불에 타고, 전쟁에서 공을 세운 사람들의 신분 상승

(2) 일본

① 도요토미 히데요시 정권 붕괴 → 도쿠가와 이에야스가 **❸에도 막부** 수립

② 조선에서 약탈해 간 문화재, 포로로 데려간 기술자를 통해 문화가 크게 발전 **누구?** 포로로 끌려간 사람 중 이삼평은 일본에서 처음으로 아리타 자기를 만들어 명성을 떨쳤어.

(3) 중국

① 명: 임진왜란 참전으로 막대한 비용 소모 → 명의 국력 쇠퇴

② 여진족: 명이 쇠퇴한 틈을 타 만주에서 세력 확장 → 후금 건국(1616)

❶ **훈련도감**
조총을 다루는 포수, 창과 칼 등을 다루는 살수, 활을 쏘는 사수를 합하여 삼수병으로 편성되었다.

❷ **사고**
국가의 중요한 역사 기록과 『조선왕조실록』을 보관하던 곳이다. 임진왜란 때 전주 사고를 제외하고 모두 불타버리자 이후 『조선왕조실록』을 여러 부 인쇄하여 태백산, 오대산 등 여러 곳에 나누어 보관하였다.

❸ **에도 막부**
임진왜란이 끝난 뒤 도쿠가와 이에야스가 도요토미 히데요시의 세력을 물리치고 정권을 장악하였다. 1603년 쇼군의 자리에 오른 도쿠가와 이에야스는 현재의 도쿄인 에도에 새롭게 막부를 세웠다.

핵심 자료 **임진왜란 이후 동아시아 정세의 변화**

✓ 핵심
임진왜란 이후 동아시아의 정세는 어떻게 변하였을까?

임진왜란 이후 조선은 인구가 감소하고 국토가 황폐해져 국가 재정이 매우 어려워졌다. 명 또한 파병으로 인한 막대한 비용이 소모되어 점차 국력이 쇠퇴하였다. 이를 틈타 만주에서는 여진족이 빠르게 성장하여 세력을 확대해 나갔다. 일본은 도요토미 히데요시 정권이 무너진 후 도쿠가와 이에야스가 정권을 장악하고 에도 막부를 수립하였다. 또한 전쟁 과정에서 약탈해 간 문화재와 전쟁 포로로 데려간 기술자들을 통해 유학, 도자기 등 문화가 크게 발전하였다.

확인해 봐요 📎 정답과 해설 29쪽

1 이순신이 이끄는 수군이 퇴각하는 일본군을 명량에서 무찌르면서 왜란은 끝이 났다.
(○, ×)

2 왜란 이후 일본에서는 도요토미 히데요시 정권이 무너지고 도쿠가와 이에야스의 에도 막부가 성립하였다. (○, ×)

3 명의 국력이 쇠약해진 틈을 타 만주에서 여진족이 세력을 확장하였다. (○, ×)

📋 **교과서 자료** 　**일본이 제시한 강화 조건** 　🔖 교과서 117쪽

명은 일본과 적당한 선에서 타협하고 전쟁을 끝내려 하였다. 하지만 명과 일본의 요구가 너무 차이가 났기 때문에 강화 협상은 실패하였다. 명은 일본이 군대를 철수할 경우 도요토미 히데요시를 일본 국왕으로 책봉해 준다는 조건을 내세웠으나 일본은 명 황제의 딸을 천황에게 시집보낼 것, 조선의 4개 도를 떼어 줄 것, 조선 왕자와 대신을 인질로 보낼 것 등을 요구하였다.

💡 **활동 도우미**

명군이 참전한 근본적인 목적이 무엇인지 생각해 보아요. 그리고 명과 일본의 강화 협상 시 양측이 제시한 요구 사항을 살펴보고, 타협이 가능했을지 생각해 봅시다.

📋 **교과서 사진 자료** 　**판옥선과 현자총통** 　🔖 교과서 117쪽

판옥선은 조선의 주력 군함이다. 일본군이 배에 오르지 못하도록 갑판을 2층으로 만들었다. 또한 밑면이 편평하여 안정감과 회전력이 뛰어났고, 화포를 쏠 때의 충격에 잘 견딜 정도로 튼튼하였다.

총통은 화약의 폭발력을 이용해 대형 화살이나 탄환을 발사하는 무기로 사정거리가 길어 조선 수군 최고의 무기였다. 임진왜란 당시 조선은 천자총통, 지자총통, 현자총통, 황자총통 등 여러 종류의 총통을 사용하였다.

현자총통(육인시박물관) 조선 중기에 사용된 세 번째로 큰 화포이다.

판옥선 판옥선은 밑면이 평평하여 느리지만 안정감과 회전력이 뛰어났다. 한쪽에서 화포를 발사할 때 다른 쪽에서는 장전할 수 있다.

💡 **활동 도우미**

판옥선 그림을 보고, 판옥선이 조선의 주력 군함으로써 어떤 장점이 있었을지 생각해 봅시다. 판옥선과 현자총통이 조선 수군의 승리에 어떻게 기여하였을지 알아봅시다.

 임진왜란 이후 조선 사회의 변화 　🔖 교과서 118쪽

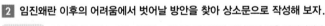

솔잎으로 가루를 만들어 솔잎 가루 열 홉에 쌀가루 한 홉을 섞어 물에 타서 마시도록 하였는데, 사람은 많고 곡식은 적어서 살아난 사람이 얼마 되지 않았다. 하루는 밤에 큰비가 왔다. 주린 백성들이 좌우에 있으면서 슬피 부르는 소리가 처량하여 차마 들을 수가 없었는데, 아침에 일어나 보니 여기저기 쓰러져 죽은 자가 꽤 많았다.
　　　　　　　　　　　　　　　　　　　　　　　　　　- 신령, 『대동야승』 -

인구의 감소
14,095,000명
10,665,000명
임진왜란 전 (1591)　임진왜란 후 (1639)

농지의 감소
1,706,000결
542,000결
임진왜란 전 (1594)　임진왜란 후 (1611)
※ 이 수치는 조선 정부가 세금을 거둔 결수임.
- 「신편 한국사 30」 -

1 위의 자료를 바탕으로 임진왜란 이후 조선 사회의 변화 모습을 써 보자.

예시 답안　전쟁을 겪으며 수많은 사람이 죽거나 다쳤으며, 일본에 포로로 끌려가 인구가 크게 줄었다. 또한 전국의 농경지가 황폐해져 농민의 생활과 국가 재정이 어려워졌다.

2 임진왜란 이후의 어려움에서 벗어날 방안을 찾아 상소문으로 작성해 보자.

예시 답안　먼저 황폐진 농토를 개간하고 세금을 감면하여 백성들의 삶을 안정시켜야 합니다. 또한 굶주리고 병에 걸린 백성들이 많으니 이들을 치료할 수 있는 방안을 찾아야 할 것입니다. 허준으로 하여금 동의보감을 하루빨리 완성하도록 격려해야 할 것입니다.

💡 **활동 도우미**

국토의 황폐화, 인구 감소, 굶주림이나 질병 등으로 인한 피해, 문화유산의 파괴와 약탈, 신분 질서의 동요 등 임진왜란으로 인한 국내의 변화 상황을 전체적으로 파악해 보고, 제시된 자료와 비교해 봅시다. 그리고 이러한 상황을 해결하기 위한 방안을 찾아보고, 이를 상소문의 형식으로 작성해 봅시다.

 스스로 확인**해요**

❶ 임진왜란 초기에 불리하던 전세는 수군의 승리와 전국에서 일어난 의병의 활약으로 점차 바뀌었다. (○)

❷ 임진왜란이 끝난 뒤 일본에서는 에 도 막부가 세워졌다.

 이 주제의 핵심

이 주제에서는 관군의 활약, 일본의 재침략(정유재란), 임진왜란이 동아시아에 끼친 영향에 대해 알아보았어요. 평양성 탈환, 행주 대첩, 명량 해전 등에서 활약한 관군의 모습을 파악하고, 임진왜란이 명, 여진, 조선, 일본 등 동아시아 정세에 어떤 영향을 끼쳤는지를 기억해 두세요. 또한 문화재 파괴·약탈, 국토의 황폐화, 신분 질서의 동요, 국가 재정난 심화 등 임진왜란으로 인한 국내의 변화 내용을 파악하는 것도 중요합니다.

주제 8 # 호란과 북벌론

1 광해군의 전후 복구 정책과 중립 외교 정책

(1) 전후 복구 정책: 토지 개간, 토지 대장과 호적 정비, 국방력 강화(성곽과 무기 수리) 『동의보감』의 편찬·보급 등

(2) 중립 외교 정책
① 배경: 누르하치가 여진족을 통합하여 후금 건국(1616) → 후금의 명 압박, 조선에 원군 요청 → 강홍립 파견(상황에 따라 대처하도록 지시)
② 내용: 명과 후금 사이에서 실리적 중립 외교 추구 → 후금과의 전쟁을 피함.

(3) 인조반정: 광해군의 중립 외교, 영창 대군 살해, 인목 대비 유폐에 대한 서인의 반발 → 서인이 광해군을 몰아내고 인조를 왕으로 추대

> **어떻게?** 명에 대한 의리와 명분을 중시했던 서인은 광해군의 중립 외교에 끝까지 반대하였어.

2 호란과 북벌론

(1) 정묘호란(1627): 조선의 친명배금 정책 → 후금의 조선 침략(정묘호란) → 후금이 조선과 형제 관계를 맺고 철수

(2) 병자호란(1636): 청이 조선에 군신 관계 요구 → 조선의 거절 → 청의 조선 침략 → 인조의 남한산성 피난, 주전론과 주화론 대립 → 청에 항복(②삼전도의 굴욕)

(3) ③**북벌론:** 효종과 서인 세력 주도, 청에게 당한 수치를 씻고자 청 정벌 주장 → 효종의 죽음, 백성의 부담, 청의 강성 → 실행하지 못함.

3 왜란·호란 이후 동아시아의 문화 교류

> **무엇?** 충과 의의 상징으로 숭배받는 관우 신앙이 들어와 동묘가 건축되었어.

(1) 중국과 조선: 홍이포 전래, 명의 관제 신앙 유입

(2) 일본과 조선: 일본에 도자기 기술 전파, 조선에 고추·조총 전래

---

①『동의보감』
허준이 선조의 명을 받아 우리나라와 중국의 의약 서적들을 집대성하여 편찬한 의학 백과 사전이다. 실제 체험을 통한 다양한 치료 방법을 담아 누구나 활용할 수 있게 하였다. 2009년 유네스코 세계 기록 유산으로 등재되었다.

② 삼전도의 굴욕
병자호란 때 인조는 삼전도(현재 서울 송파구)에서 굴욕적인 항복을 하고, 청의 강요에 의해 삼전도비가 세워졌다. 삼전도비는 몽골어, 만주어 및 한자로 쓰여졌다.

③ 북벌론
청을 정벌하여 조선의 치욕을 씻고 명의 원수를 대신 갚자는 주장이다. 효종은 북벌을 적극적으로 추진하였지만 국력이 더욱 강성해진 청을 공격하는 것은 현실적으로 불가능하였다. 결국 효종이 죽은 후 북벌의 움직임은 사실상 중단되었다.

핵심 자료 **정묘호란과 병자호란**

범례:
→ 정묘호란(1627)
→ 병자호란(1636)
↗ 병자호란 때 조선군 반격로
■ 조선군의 활약

✓ **핵심**
두 차례에 걸쳐 호란이 일어난 배경은 무엇일까?

후금(청)은 1627년과 1636년 두 차례에 걸쳐 조선을 침략하였다. 이는 광해군의 중립 외교 정책과는 달리 인조반정을 통해 집권한 서인 세력이 명에 대한 의리와 명분을 중시하는 친명배금 정책을 시행하였기 때문이다. 후금(청) 또한 명을 공격하기 전에 배후의 위협을 먼저 제거하려 했으며, 명과 전쟁하면서 곡물 등 생필품 교역이 불가능해지자 조선으로부터 생필품을 확보하고자 했던 측면도 있다. 정묘호란의 결과 조선은 후금과 형제 관계를 맺었으며, 병자호란의 결과 군신 관계를 맺었다. 이후 조선은 청과 사대 외교를 하였지만, 효종 때 군대를 확충하고 성곽을 수리하는 등 북벌을 추진하기도 하였다.

📎 정답과 해설 29쪽

확인해 봐요

1 광해군은 점차 약해져가는 명과 강성해지는 후금 사이에서 (　　　) 정책을 추진하였다.

2 서인은 광해군의 외교 정책, 영창 대군 살해, 인목 대비 폐위 등을 빌미로 광해군을 몰아내는 (　　　)을/를 추진하였다.

3 조선이 군신 관계를 맺고 함께 명과 싸우자는 청의 요구를 거절하자 (　　　)이/가 일어났다.

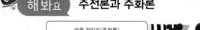 **교과서 활동 풀이**

 **가자! 역사 속으로**

남한산성은 1636년에 인조가 청의 공격을 피해 45일 동안
버텼던 병자호란의 역사적 장소입니다.

남한산성의 수어장대(경기 광주)
📖 교과서 119쪽

☑ **병자호란이 발생하게 된 배경은 무엇일까요?**

예시 답안 청이 조선에 군신 관계를 맺자고 요구하였으나 조선이
이를 거부하였다.

> ⭐ **활동 도우미**
>
> 인조반정 이후 조선의 외교 정책이 어떻게 바
> 뀌었는지 파악해 보아요. 당시 명과 후금 사
> 이에 전쟁이 계속되고 있는 상황에서 후금이
> 어떻게 대응하였을지 생각해 봅시다.

Q **광해군의 중립 외교 정책에 대해 당시 사람들은 어떻게 생각하였을까?** 📖 교과서 119쪽

예시 답안 광해군의 중립 외교 정책으로 후금과의 전쟁을 막을 수 있었기 때문에 좋아하였을 것이다.

> ⭐ **활동 도우미**
>
> 중립 외교의 목적과 영향을 생각해 봅시다.

탐구 해 봐요 **주전론과 주화론** 📖 교과서 120쪽

> **싸울 것인가(주전론)**
> 전하, 명은 우리나라에 있어서
> 부모의 나라입니다.
> ① 형제의 의를 맺어 부모의 은혜를
> 저버려서야 되겠습니까.

> **항복할 것인가(주화론)**
> 전하, ② 정묘년 때 맹약을 지켜서 몇 년이라도
> 전쟁을 늦춰야 합니다. 그 사이 민심을
> 수습하고 성을 쌓고 군량을 저축해야 합니다.
> 또 방어를 더욱 튼튼하게 해야 합니다.

1 ①의 의미와 ②의 정묘년 때 발생한 일을 각각 써 보자.

예시 답안 ①의 의미는 임진왜란 때 조선을 도와준 명의 부모와 같은 은혜를 잊어서는 안 된다는 뜻이다. ②는
정묘호란 때 후금과 형제 관계를 맺은 일을 말한다.

2 내가 당시 왕이었다면, 주전론과 주화론 중 어떤 선택을 하였을지 친구들과 이야기해 보자.

예시 답안 명에 대한 의리와 명분도 중요하지만 현실적으로 조정과 백성들을 지키기 위해서는 당장의 치욕을
참고 청의 요구를 받아들여야 한다고 생각한다.

> ⭐ **활동 도우미**
>
> 청군이 남한산성을 포위하고 있는 상황에서
> '현실적으로 적의 요구를 받아들여 화친할 것
> 인가(주화), 아니면 명분을 지키면서 죽음을
> 각오하고 끝까지 항전할 것인가(주전)'하는 논
> 쟁점을 정확히 파악하고 자신의 생각이나 의
> 견을 정리해 보아요. 다른 친구들의 의견을
> 들어보고 함께 이야기를 나눠 봅시다.

역량 키우기 역사 탐구 **왜란·호란 이후 동아시아의 문화 교류** 📖 교과서 121쪽

생각하고 토론하기

1 왜란·호란 이후에 나타난 동아시아의 문화 교류를 정리해 보자.

예시 답안 조선에는 중국으로부터 홍이포, 관제 신앙 등이 전래되었다. 조선에서 일본으로 도자기
기술이 전파되었으며, 일본에서 조선으로 조총 제조법과 고추 등이 전래되었다.

2 왜란·호란 이후 문화 교류를 통해 조선, 명, 일본에 나타난 변화를 이야기해 보자.

예시 답안 조선의 도자기 기술이 일본에 전해지면서 아리타 자기가 만들어졌고, 아리타 자기는
훗날 유럽에 수출할 정도로 크게 발전하였다.

> ⭐ **활동 도우미**
>
> 교과서에 제시된 홍이포, 관제 신앙, 조총,
> 고추 이외에 동아시아 3국 사이에 이루어진
> 문화 교류에 대해 추가로 조사해 봅시다.

스스로 확인해요
❶ 광해군은 명과 후금 사이에서 전쟁을 막고자 중립 외교를 펼쳤다. (○)
❷ 전쟁에서 청에 패배한 후, 청에 대한 적개심으로 효종 때 북 벌 론 이/가 나타났다.

이 주제의 핵심

이 주제에서는 호란과 북벌론에 대해 알아보았어요. 인조반정 이후 두 차례에 걸쳐 호란이 일어난 이유를 생각해 보고, 효
종 시기에 전개된 북벌론의 내용과 한계를 파악해 보아요. 또한 왜란과 호란 이후 조선, 중국, 일본 사이에 전개된 문화 교
류의 내용을 파악하는 것도 중요합니다.

시험을 대비하는 실전 문제

01 서로 관련 있는 내용끼리 연결하시오.

ⓐ 권율 •   • ⓐ 진주 대첩

ⓑ 김시민 •   • ⓑ 행주 대첩

ⓒ 이순신 •   • ⓒ 한산도 대첩

02 설명이 맞으면 ○, 틀리면 ×로 표시하시오.

(1) 임진왜란 초반 조선에 불리하던 전세는 수군과 의병의 활약으로 점차 바뀌었다. ( )

(2) 광해군은 명에 대한 의리를 내세워 후금을 배척하는 외교 정책을 추진하였다. ( )

(3) 청 태종은 조선에 군신 관계를 요구하였으나 조선이 이를 거절하자 직접 군사를 이끌고 쳐들어왔다. ( )

03 |보기|의 임진왜란 전개 과정을 순서대로 나열하시오.

|보기|

ㄱ. 조선과 명의 연합군이 평양성을 탈환하였다.

ㄴ. 선조가 피난을 떠나고, 한성이 함락당하였다.

ㄷ. 이순신의 수군이 한산도 부근에서 일본군에 크게 승리하였다.

ㄹ. 동래성이 함락되고 신립이 지키던 충주 방어선이 무너졌다.

04 빈칸에 알맞은 말을 쓰시오.

(1) 조선과 명의 연합군이 ( )을/를 탈환하고, 권율이 ( )에서 승리하면서 일본군은 경상도 해안으로 밀려났다.

(2) 임진왜란 이후 명의 국력이 쇠약해진 틈을 타 만주에서 ( )이/가 세력을 확장하였다.

(3) 병자호란 이후 조선은 청에 사대 외교를 하였지만, 청에 굴복한 사실을 치욕스럽게 생각한 사람들 사이에서 ( )이/가 나타났다.

01 (가)에 대한 설명으로 옳은 것은?

이 그림은 (가) 발발 초기 동래부 전투 상황을 위에서 내려다보는 방식으로 그린 것입니다.

① 칭기즈 칸이 몽골족을 통합하면서 시작되었다.

② 조선에서 북벌론이 등장하는 데 영향을 미쳤다.

③ 조선, 일본, 명 등 동아시아에 큰 변화를 가져왔다.

④ 조선이 청의 군신 관계 요구를 거절한 데서 비롯되었다.

⑤ 신진 사대부라는 새로운 정치 세력이 성장하는 계기가 되었다.

02 (가)에 들어갈 내용으로 옳은 것은?

선조가 피난을 가서 명에 원군을 요청했잖아. 이후 임진왜란은 어떻게 전개되었니?

명이 일본을 막기 위해 지원군을 파병했어. 이후 조·명 연합군은 (가) .

① 평양성을 탈환하였어.

② 홍경래의 난을 진압하였어.

③ 귀주에서 적군을 거의 전멸시켰어.

④ 진주성에서 일본군과 맞서 싸웠어.

⑤ 적군을 몰아내고 동북 9성을 쌓았어.

03 (가)에 들어갈 탐구 주제로 가장 적절한 것은?

탐구 주제: _____(가)_____

현자총통은 화약의 폭발력을 이용해 대형 화살이나 탄환을 발사한 화약 무기였다.

판옥선은 갑판을 2층으로 만들었으며, 밑면이 편평하여 안정감과 회전력이 뛰어났다.

① 임진왜란과 수군의 활약
② 왜구의 침략과 진포 대첩
③ 삼별초의 창설과 대몽 항쟁
④ 왜구의 근거지, 쓰시마섬 정벌
⑤ 병자호란의 발발과 조선의 대응

중요
04 (가), (나)에 들어갈 내용으로 옳지 <u>않은</u> 것은?

중국에서는 (가).

왜란 이후 동아시아의 정세는 어떻게 변하였을까?

일본에서는 (나).

① (가) – 명의 국력이 쇠약해졌어.
② (가) – 만주의 여진족이 세력을 확장하였어.
③ (나) – 도요토미 히데요시 정권이 무너졌어.
④ (나) – 도쿠가와 이에야스가 에도 막부를 세웠어.
⑤ (가), (나) – 국토가 황폐해지고, 문화재들을 약탈당했어.

중요
05 (가), (나) 시기 사이에 있었던 일로 옳은 것은?

(가) 명을 정벌하러 가는 길을 빌려달라는 구실로 조선을 침략한 일본군은 20여일 만에 한성을 함락하였다.

(나) 권율이 행주 산성에서 승리하면서 경상도 해안까지 밀려난 일본은 휴전을 제의하며 강화 협상을 전개하였다.

① 인조가 남한산성에 들어가 항전하였다.
② 신립이 지키던 충주 방어선이 무너졌다.
③ 강홍립이 이끄는 부대가 후금에 투항하였다.
④ 이순신이 한산도에서 일본을 크게 물리쳤다.
⑤ 김윤후가 처인성에서 적장 살리타를 사살하였다.

06 밑줄 친 '반정'의 원인으로 옳은 것을 |보기|에서 고른 것은?

적신 이이첨과 정인홍 등이 악행을 부추겨 임해군을 해치고 영창대군을 죽이며 …… 또 대비를 서궁에 유폐하는가 하면 의리로는 군신이며 은혜로는 부자와 같은 명에 대해 배은망덕하여 …… 이에 윤리와 기강이 무너지고 종묘와 사직이 망해가는 것을 볼 수가 없어 반정을 일으켰다.

– 『인조실록』 –

| 보기 |
ㄱ. 북벌을 추진하였다.
ㄴ. 인목대비를 폐위시켰다.
ㄷ. 중립 외교를 전개하였다.
ㄹ. 갑자사화 등 폭정을 일삼았다.

① ㄱ, ㄴ   ② ㄱ, ㄷ   ③ ㄴ, ㄷ
④ ㄴ, ㄹ   ⑤ ㄷ, ㄹ

07 (가)에 들어갈 국왕에 대한 설명으로 옳은 것은?

선조의 뒤를 이어 왕위에 올랐으며 전후 복구에 힘쓴 왕은?

① 강화도로 천도하였다.
② 후금과 형제의 관계를 맺었다.
③ 몽골식 복장과 변발을 금지하였다.
④ 명과 후금 사이에서 중립 외교를 펼쳤다.
⑤ 청에 대한 복수를 주장하며 군사력을 강화하였다.

08 다음 대화가 이루어진 시기로 옳은 것은?

전하, 명은 부모의 나라입니다. 부모의 은혜를 저버려서야 되겠습니까.

전하, 정묘년 때의 맹약을 지켜 전쟁을 늦춰야 합니다. 그 사이 민심을 수습하고 성을 쌓아야 합니다.

(가)	(나)	(다)	(라)	(마)
임진왜란 발발	한산도 대첩	노량 해전	광해군 즉위	인조 반정	효종 즉위

① (가)   ② (나)   ③ (다)   ④ (라)   ⑤ (마)

09 밑줄 친 내용에 해당하는 것으로 옳은 것은?

병자호란 이후 조선은 청에 사대 외교를 하였지만, 청에 굴복한 사실을 치욕스럽게 생각한 사람들 사이에서 북벌론이 제기되었다. 청에 인질로 끌려갔다 돌아와 왕위에 오른 효종은 서인 세력과 함께 <u>북벌을 준비</u>하였다.

① 『동의보감』의 편찬을 명령하였다.
② 군대를 확충하고 남한산성 등을 수리하였다.
③ 국경에 천리장성을 쌓아 방어를 강화하였다.
④ 도방을 더욱 강화하여 군사력을 확대하였다.
⑤ 교정도감을 설치하여 국가의 중요한 일을 처리하였다.

신유형
10 (가)에 들어갈 검색 주제로 가장 적절한 것은?

① 원 간섭기 몽골풍의 유행
② 통신사를 통한 문화 교류의 확대
③ 청의 조선 침략과 삼전도의 굴욕
④ 왜란·호란 시기 동아시아의 문화 교류
⑤ 향약의 시행과 성리학적 사회 질서의 확산

만점에 도전하는 심화 문제

01 (가)에 해당하는 내용으로 옳은 것은?

> 조선은 임진왜란 초반의 열세를 어떻게 극복하였을까?

> (가) 수군과 의병들이 활약하면서 전쟁의 양상이 바뀌었어.

① 김준용이 광교산 전투에서 청군에 승리하였다.
② 윤관이 별무반을 조직하여 여진족을 격퇴하였다.
③ 임경업이 백마산성에서 적의 진격을 방해하였다.
④ 곽재우가 의병을 모아 의령 등지에서 활약하였다.
⑤ 서희가 소손녕과 외교 담판에 나서 강동 6주를 획득하였다.

02 밑줄 친 '이 전쟁'이 전개되던 시기의 역사적 사실로 옳은 것은?

> 동아시아 3국은 이 전쟁을 다르게 부른다. 한국에서는 '임진년에 왜구가 쳐들어와 일으킨 난'이라는 뜻으로 …… 이라고 한다. 일본에서는 1592년부터 1614년까지 일왕이 사용하던 연호인 '분로쿠·게이초'와 전쟁을 뜻하는 '역'을 합쳐 '분로쿠·게이초의 역'이라고 한다. 중국에서는 '일본에 맞서 조선을 도운 전쟁'이라는 뜻으로 '항왜원조'라고 하여 중국의 역할을 강조하고 있다.

① 허준이 『동의보감』의 편찬을 완성하였다.
② 권율이 행주산성에서 일본군에 승리하였다.
③ 강홍립이 병사들을 이끌고 후금에 항복하였다.
④ 이종무가 왜구의 근거지인 쓰시마섬을 정벌하였다.
⑤ 최윤덕이 압록강 지역을 개척하고 4군을 설치하였다.

03 (가)에 들어갈 내용으로 옳지 <u>않은</u> 것은?

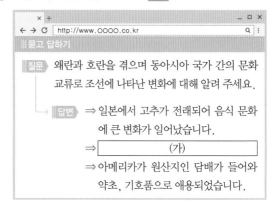

http://www.OOOO.co.kr

문고 답하기

질문 왜란과 호란을 겪으며 동아시아 국가 간의 문화 교류로 조선에 나타난 변화에 대해 알려 주세요.

답변 ⇒ 일본에서 고추가 전래되어 음식 문화에 큰 변화가 일어났습니다.
⇒ (가)
⇒ 아메리카가 원산지인 담배가 들어와 약초, 기호품으로 애용되었습니다.

① 명으로부터 홍이포가 전래되었습니다.
② 일본으로부터 조총 제조법이 전래되었습니다.
③ 관우를 숭배하는 관제 신앙이 들어와 동묘가 건축되었습니다.
④ 청의 문물과 서학이 전래되어 서양 문물을 접할 수 있게 되었습니다.
⑤ 성리학이 수용되어 새로운 정치 세력인 신진 사대부가 성장하였습니다.

04 (가)에 들어갈 탐구 주제로 가장 적절한 것은?

> **탐구 활동 계획서**
> • 주제: (가)
> • 탐구 활동
>   - 1모둠: 어영청, 금위영 등 중앙군 강화
>   - 2모둠: 조총, 화포 등 화약 무기의 개량
>   - 3모둠: 남한산성 등 주요 성곽의 수리·정비

① 북벌론의 대두
② 임진왜란의 배경
③ 홍건적과 왜구의 침략
④ 신흥 무인 세력의 성장
⑤ 최씨 무신 정권의 성립

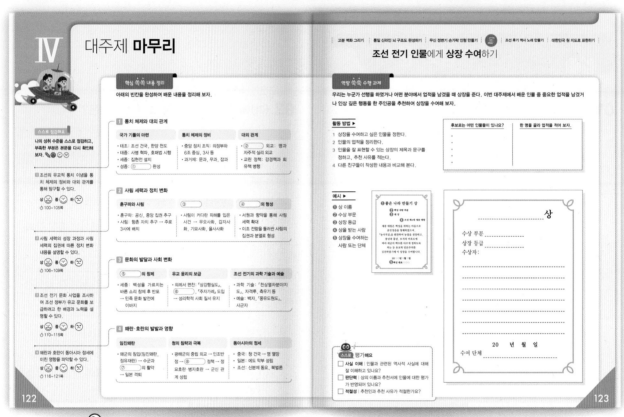

해결 열쇠 🔑 ⸻ 대주제에서 학습한 내용들을 복습하면서 빈칸에 알맞은 답을 채워 보아요.

핵심 쏙쏙 내용 정리

정답 ① 경국대전 ② 사대 ③ 사화 ④ 붕당 ⑤ 훈민정음
⑥ 『소학』 ⑦ 의병 ⑧ 친명배금

역량 쏙쏙 수행 과제

활동 방법 ▶

1단계 인물 선정하기 조선 전기에 상장을 수여할 만한 역사적 인물들을 브레인스토밍하여 봅시다. 이후 중요한 업적이나 인상 깊은 행동을 한 역사의 주인공을 선정하여 봅시다.

2단계 선정 인물 업적 정리하기 선정 인물의 업적을 다양한 방법(교과서, 인터넷 등)으로 조사하여 정리합시다.

3단계 상장의 제목과 문구 작성하기 선정 인물의 업적에 맞는 상장의 제목과 문구 등을 작성하여 봅시다.

4단계 추천 사유 작성하기 선정 인물의 업적이나 행동의 역사적 의미가 잘 드러날 수 있도록 추천 사유를 작성하여 봅시다.

5단계 다른 친구들의 상장과 비교해 보기 제작한 상장을 다른 친구들과 비교하여 봅시다.

예시 답안

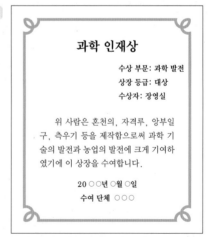

과학 인재상

수상 부문: 과학 발전
상장 등급: 대상
수상자: 장영실

위 사람은 혼천의, 자격루, 앙부일구, 측우기 등을 제작함으로써 과학 기술의 발전과 농업의 발전에 크게 기여하였기에 이 상장을 수여합니다.

20○○년 ○월 ○일
수여 단체 ○○○

IV 창의·융합 프로젝트 풀이

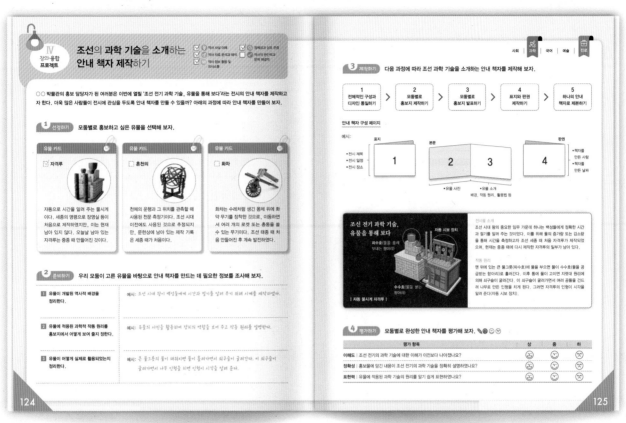

활동 예시 답안

1단계: 홍보 유물 선정하기
- **우리 모둠이 선정한 유물:** 화차

2단계: 자료 조사하기
- **화차 개발 배경:** 단시간에 강력한 화력을 집중하여 신기전 등을 발사함으로써 밀집된 목표 지역에 효과적으로 공격하기 위함이다.
- **과학적 작동 원리:** 수레의 차체가 바퀴 위에 올려져 있어 발사각이 최대 40도에 이르러 사정거리가 길어진다. 바퀴축을 수레의 차체보다 좁게 만들어 좁은 지형에서도 편리하게 사용할 수 있었다. 또한 방패나 방호벽을 설치하여 병사의 안전도 지킬 수 있었다.
- **실제 활용 사례:** 대량 살상 무기로 전국의 군영, 성곽 등에 널리 배치되었으며, 임진왜란·병자호란과 같은 전쟁시 활용되었다.

3단계: 안내 책자 제작하기

- **전시물 소개**
총통, 화기 등을 수레에 장착하여 기동력과 안전성을 겸비한 우리나라 최초의 다연장 발사 장치입니다.

- **작동 원리**
화차 위에 신기전기를 올려 놓고 신기전을 장전합니다. 수레를 움직여 발사각을 조절함으로써 사정거리를 맞춥니다. 심지에 불을 붙여 신기전을 차례로 또는 한꺼번에 발사시킵니다.

활동 소개

박물관의 큐레이터가 되어 '조선 전기 과학 기술, 유물을 통해 보다'라는 전시의 안내 책자를 제작하여 봅시다.

진로 탐방 '큐레이터', 그 직업이 알고 싶다!

Q: 큐레이터는 어떤 일을 하나요?
큐레이터는 박물관이나 미술관에서 관람객을 위해 전시회를 기획하고 작품을 수집하며 관리하는 일을 합니다. 소장품에 대한 학술적인 연구를 수행하며, 전시 작품에 대한 이해를 돕기 위한 교육 프로그램을 개발하고 실행합니다.

Q: 큐레이터가 되려면 어떤 능력이 필요한가요?
문화 전반에 대한 흥미와 예술적인 안목이 필요하며, 전시회의 기획에 필요한 창의적인 사고력과 관찰력, 탐구 자세를 갖춰야 합니다.

Q: 큐레이터가 되려면 어떻게 준비해야 하나요?
대학교 또는 대학원에서 고고학, 미술사학, 예술학, 민속학, 과학사, 역사학, 보존과학 등 박물관 또는 미술관 관련 분야를 전공하는 것이 유리합니다. 관련 자격증으로는 정학예사 1, 2, 3급과 준학예사 자격증이 있습니다.

01 밑줄 친 '서적'에 대한 설명으로 옳은 것을 〈보기〉에서 고른 것은?

> 이 서적은 성종 때 완성되었습니다. 유교 국가로서 조선의 기본 통치 방향과 기틀이 마련되었다는 것을 알려 줍니다.

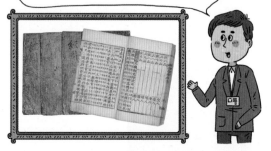

| 보기 |
ㄱ. 가정에서 지켜야 할 각종 의례가 정리되어 있다.
ㄴ. 정치·경제·사회·문화의 기본 제도를 담고 있다.
ㄷ. 충신, 효자, 열녀 이야기를 글과 그림으로 구성하였다.
ㄹ. 이전, 호전, 예전, 병전, 형전, 공전의 6전 체제로 구성되었다.

① ㄱ, ㄴ
② ㄱ, ㄹ
③ ㄴ, ㄷ
④ ㄴ, ㄹ
⑤ ㄷ, ㄹ

02 (가), (나)에 들어갈 내용으로 옳은 것은?

사림의 성장과 사화

■ 4대 사화와 발생 원인
• 무오사화 – 김종직의 「조의제문」
• 갑자사화 – (가)
• 기묘사화 – (나)
• 을사사화 – 윤원형과 윤임 간의 대립

① (가)-붕당의 형성에 대한 갈등
② (가)-훈민정음 창제에 대한 반대
③ (나)-계유정난과 단종의 폐위 문제
④ (나)-조광조의 개혁 정책에 대한 반발
⑤ (가), (나)-이조 전랑의 임명 문제를 둘러싼 대립

03 밑줄 친 내용의 사례로 옳은 것은?

> 성리학에서는 사람마다 지위에 맞는 역할이 정해져 있다는 명분론을 중시하여 지배층과 피지배층, 남자와 여자 등에 대한 구분을 강조하였다. 성리학이 조선의 통치 이념으로 등장하면서 일상생활에서도 유교 윤리를 보급하기 위해 윤리와 의례에 관한 책들이 간행되었다.

① 「동명왕편」
② 『삼국유사』
③ 『삼강행실도』
④ 『동국여지승람』
⑤ 『상정고금예문』

04 (가) 시기의 역사적 사실로 옳지 <u>않은</u> 것은?

기획 전시

(가) 과학 기술의 발달
• 기간: 2020○년 ○월 ○일~○월 ○일
• 장소: △△미술관
• 주요 작품

「천상열차분야지도」

혼천의

① 세계 지도인 「혼일강리역대국도지도」가 제작되었다.
② 안견이 「몽유도원도」에서 꿈속의 낙원을 표현하였다.
③ 한양을 기준으로 하는 역법책인 『칠정산』이 편찬되었다.
④ 청자에 흰 흙을 분처럼 칠한 분청사기가 널리 사용되었다.
⑤ 몽골 침략의 위기에서 벗어나고자 『팔만대장경』이 제작되었다.

05 밑줄 친 '이 전쟁'의 결과로 옳은 것을 〈보기〉에서 고른 것은?

다음은 이 전쟁 당시 도요토미 히데요시가 부하 장수들을 독려하기 위해 조선 군인과 백성들의 코와 귀를 베어 모은 곳입니다.

| 보기 |
ㄱ. 도쿠가와 이에야스가 에도 막부를 세웠다.
ㄴ. 효종이 서인 세력과 함께 북벌을 준비하였다.
ㄷ. 청 태종이 직접 군대를 이끌고 조선에 쳐들어왔다.
ㄹ. 명의 세력이 약해진 틈을 타 여진족이 세력을 확장하였다.

① ㄱ, ㄴ   ② ㄱ, ㄹ   ③ ㄴ, ㄷ
④ ㄴ, ㄹ   ⑤ ㄷ, ㄹ

06 (가), (나) 시기의 역사적 사실로 옳은 것은?

1587	(가)	1623	(나)	1636

도요토미 히데요시 일본 통일 ─ 인조반정 ─ 병자호란 발발

① (가): 조선과 명의 연합군이 평양성을 탈환하였다.
② (가): 소현 세자를 비롯한 신하들이 청에 끌려갔다.
③ (나): 휴전 회담이 결렬되자 일본이 정유재란을 일으켰다.
④ (나): 만주에서는 누르하치가 여진족을 통합하여 후금을 건국하였다.
⑤ (가), (나): 바다에서 이순신이 이끄는 수군이 크게 활약하였다.

서술형 문제

07 다음 글을 읽고 물음에 답하시오.

폭정을 일삼던 연산군이 쫓겨나고 　(가)　이/가 왕위에 오르자 반정을 주도한 훈구파가 다시 권력을 차지하였다. 　(가)　은/는 이들을 견제하고자 　(나)　을/를 비롯한 사림을 등용하였고, 이들은 왕도 정치를 실현하고자 개혁 정책을 추진하였다.

(1) (가), (나)에 들어갈 인물을 쓰시오.
　(가) _____, (나) _____

(2) 밑줄 친 '개혁 정책'의 사례를 두 가지 서술하시오.
_____
_____

08 다음 표를 보고 물음에 답하시오.

사림

동인 (㉠) 등의 제자 ─ 서인 (㉡)의 제자

〈붕당의 형성과 분화〉

(1) ㉠, ㉡에 들어갈 대표적인 인물을 한 명씩 쓰시오.
　㉠ _____, ㉡ _____

(2) 사림이 동인과 서인으로 나뉜 이유를 두 가지 서술하시오.
_____
_____

조선 사회의 변동

이 대주제를 >> 배우면

- 조선 후기 정치 운영의 변화와 제도 개혁을 이해할 수 있어요.
- 붕당 정치의 등장이 정치 운영상의 발전적인 성과였음을 이해할 수 있어요.
- 세도 정치 시기 삼정의 문란을 농민 봉기와 연결하여 이해할 수 있어요.
- 유학이 확산되고 영향력이 강화되면서 상속과 제사 등에서 나타난 사회적 변화를 이해할 수 있어요.

나의 학습 계획표

이 대주제의 학습 주제

1 조선 후기의 정치 변동
교과서 128~133쪽

주제 1	붕당 정치의 전개와 변질
주제 2	탕평책으로 개혁을 추구한 영조와 정조
주제 3	정권을 장악한 세도 가문
시험을 대비하는 실전 문제

2 사회 변화와 농민의 봉기
교과서 134~137쪽

| 주제 4 | 경제 변화와 신분제의 동요 |
| 주제 5 | 삼정의 폐단에 맞서 일어난 농민 봉기 |
| 시험을 대비하는 실전 문제 |

3 학문과 예술의 새로운 경향
교과서 138~145쪽

주제 6	연행사 · 통신사를 통한 학문과 예술의 교류
주제 7	다양한 학문의 발전
주제 8	예술의 새로운 경향
시험을 대비하는 실전 문제

4 생활과 문화의 새로운 양상
교과서 146~149쪽

| 주제 9 | 유학 확산에 따른 일상생활의 변화 |
| 주제 10 | 서민 문화의 발달 |
| 시험을 대비하는 실전 문제 |

| 대주제를 정리하는 종합 문제 |

수원 화성을 쌓을 때
정약용이 고안한 거중기가
이용되었구나!

대주제 표지 사진 해설 ▶ 오른쪽 사진은 정조가 건설한 수원 화성이에
요. 정조가 수원에 화성을 건설한 까닭을 생각해 보며, 조선 후기의 정
치 변동과 사회 변화를 살펴보아요. 그리고 학문과 예술, 생활과 문화
에 나타난 새로운 경향도 알아봅시다.

학습 계획일		학습일		나의 목표 달성도
월	일	월	일	☆☆☆☆☆
월	일	월	일	☆☆☆☆☆
월	일	월	일	☆☆☆☆☆
월	일	월	일	☆☆☆☆☆
월	일	월	일	☆☆☆☆☆
월	일	월	일	☆☆☆☆☆
월	일	월	일	☆☆☆☆☆
월	일	월	일	☆☆☆☆☆
월	일	월	일	☆☆☆☆☆
월	일	월	일	☆☆☆☆☆
월	일	월	일	☆☆☆☆☆
월	일	월	일	☆☆☆☆☆
월	일	월	일	☆☆☆☆☆
월	일	월	일	☆☆☆☆☆
월	일	월	일	☆☆☆☆☆

조선 후기의 정치 변동

학습 목표
양난 이후의 제도 개혁과 붕당 정치의 전개 과정을 이해한다.

주제 1
붕당 정치의 전개와 변질

1 붕당 정치의 전개

(1) 붕당 정치의 전개
① 내 용: 인조반정 이후 서인이 주도권을 잡고 남인이 참여하는 형태로 전개
② 특징: 상호 견제와 비판 속에서 정치 운영 어떻게? 상대 붕당의 존재를 인정하며 공론 정치를 펴 나갔어.

(2) 여러 제도의 개혁 추진 어떻게? 서인과 남인 등 집권 세력이 비변사의 고위 관직을 차지하며 정치를 이끌어 나갔어.

정치 제도	• 비변사의 기능 강화: 국방 문제를 처리하기 위한 임시 기구 → 국정을 총괄하는 최고 권력 기구 역할
군사 제도	• 5군영 체제(중앙군): ❶훈련도감(삼수병), 총융청, 수어청, 어영청, 금위영
조세 제도	• 영정법: 토지세(전세)를 풍흉과 관계 없이 토지 1결당 쌀 4두로 납부 • 대동법: 집집마다 토산물을 거두는 공납 대신 토지 1결당 쌀 12두 또는 옷감이나 동전으로 납부 → ❷공인을 통해 필요한 물품 구입

2 붕당 정치의 변질

(1) ❸예송: 현종 때 두 차례 발생
① 내용: 효종과 효종비 사후 대비의 상복 입는 기간에 대한 논쟁
② 특징: 왕권에 대한 견해 차이와 정국 운영의 주도권 다툼 → 서인과 남인의 대립 심화 왜? 둘째 아들로서 왕위에 오른 효종의 정통성 문제와 연관되어 있었어.

(2) ❹환국: 숙종 때 여러 차례 실시
① 내용: 서인과 남인이 번갈아 집권, 상대 붕당에 대한 보복과 탄압
② 특징: 서인의 권력 장악 이후 노론과 소론으로 분열, 남인 몰락 → 붕당 간 세력 균형 붕괴

❶ 훈련도감
임진왜란 이후 조총을 다루는 포수, 활을 쏘는 사수, 창을 쏘는 살수의 삼수병으로 구성된 기구이다. 이들은 급료를 받는 직업 군인의 성격을 지녔으며, 상비군 체제로 운영되었다.

❷ 공인
대동세로 거둔 돈으로 왕실이나 관청에서 필요한 물품을 사서 공급하는 역할을 담당한 상인을 의미한다.

❸ 예송
'의례에 관한 논쟁'이라는 의미이다. 현종 때 효종의 왕위 계승에 대한 정통성 문제를 놓고 두 차례의 예송이 일어났다.

❹ 환국
왕이 특정 붕당의 손을 들어 주어 갑자기 집권 세력이 교체되는 정치 상황을 의미한다.

핵심 자료   붕당 정치의 전개

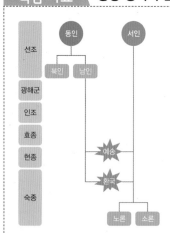

✓ 핵심
붕당은 어떤 과정을 거쳐 전개되었을까?

붕당은 사림이 학연·지연 등을 바탕으로 나뉜 정파로, 선조 때 동인과 서인이 나뉜 것에서 시작되었다. 광해군 때에는 동인에서 갈라진 북인이 권력을 잡았으나, 서인이 광해군을 몰아내고 인조를 왕으로 세우면서 북인은 몰락하였다. 인조반정 이후에는 서인과 남인이 공존하면서 상호 비판하는 정치를 전개하였다.
그러나 17세기 이후, 예송과 환국을 거치면서 붕당 정치의 기본인 상호 공존의 원리가 무너졌고, 붕당 간의 대립과 싸움이 치열해졌다. 그 결과 남인은 몰락하였고, 남인 제거를 둘러싸고 서인은 노론과 소론으로 갈라서게 되었다. 숙종은 노론과 소론의 대립을 조정하기 위해 탕평책을 실시하기도 하였으나, 큰 호응을 얻지 못하였다.

🖉 정답과 해설 32쪽

확인해 봐요 ⊕

1 ( )은/는 양난 이후 국정을 총괄하는 최고 기구로 자리 잡았다.

2 조선 정부는 방납의 폐단을 시정하기 위해, 토산물 대신 토지 1결당 12두 등을 내게 한 ( )을/를 실시하였다.

3 ( )은/는 효종과 효종의 비 사후, 자의대비가 상복을 입는 기간을 둘러싸고 벌인 논쟁이다.

📖✏ 교과서 활동 풀이

가자! 역사 속으로

⏺ 교과서 128쪽

조선 정부는 16세기 초 국경의 군사 문제를 처리하기 위해 임시로 비변사를 설치하였습니다. 비변사는 양 난을 겪으면서 정치적 역할이 강화되어 최고 통치 기구가 되었습니다.

✅ 양 난 이후, 조선의 정치는 어떻게 변화하였을까요?

예시 답안 양 난을 거치면서 비변사의 기능이 강화되었고, 정부는 군사 제도 및 조세 제도 개편을 통해 사회 안정과 질서 유지를 도모하였다.

⭐ 자료 해설

비변사는 임시 기구에서 상설 기구로, 국방 문제에서 재정·인사 문제까지 다루는 기구로 변화하면서 권한이 크게 강화되었어요. 그 결과 의정부와 6조의 기능이 약화되고 왕권마저 위축되었어요.

📋 교과서 삽화 자료 대동법의 시행

⏺ 교과서 128쪽

전
가호마다 부과
토산물

후
토지마다 부과
쌀, 옷감, 동전
정부

Q 정부가 대동법을 시행한 이유는 무엇일까?

예시 답안 하급 관리나 상인들이 공납을 대신 납부하고 과도한 대가를 챙기는 방납의 폐단으로 농민들의 고통이 심해졌기 때문이다.

⭐ 자료 해설

공납은 집집마다 토산물을 바치는 것이었는데, 지방 하급 관리나 상인들이 농민 대신 공물을 납부하고 그 대가로 많은 액수의 돈을 거두는 방납의 폐단이 컸어요. 정부는 이를 바로잡기 위해 토산물 대신 토지 1결당 쌀 12두 또는 옷감이나 동전으로 납부하는 대동법을 전국적으로 확대 시행하였어요.

🤖 탐구 해 보요 긴급 토론, 자의 대비는 상복을 몇 년 입어야 하는가?

⏺ 교과서 129쪽

효종은 둘째 아들이지만 정상적으로 왕위에 올랐으므로 대비께서는 예법대로 3년 동안 상복을 입어야 합니다.

남인

자의 대비가 상복을 입는 기간 3년 혹은 1년, 여러분은 어떻게 생각하십니까?

효종이 비록 왕위에 올랐지만 장남이 아니기 때문에 대비께서는 1년 동안만 상복을 입어야 합니다.

서인

1 서인과 남인의 주장을 비교하여 논란의 쟁점을 말해 보자.

예시 답안 서인은 효종이 장남이 아니므로, 자의 대비가 상복을 1년만 입어야 한다고 주장하고 있으며, 남인은 정상적으로 왕위에 올랐으므로 3년 동안 상복을 입어야 한다고 주장하고 있다. 즉, 자의 대비의 상복을 입는 기간이 논란의 쟁점이었다.

2 당시 이러한 논쟁이 중요했던 이유를 생각해 보자.

예시 답안 둘째 아들이었던 효종의 왕위 계승에 정통성이 있는지에 대해 서인과 남인의 견해가 달랐으며, 논쟁 결과에 따라 이후의 정국 운영의 주도권 장악에 영향을 미쳤기 때문이다.

⭐ 자료 해설

예송은 효종과 효종의 비가 세상을 떠났을 때 효종의 어머니 자의 대비의 상복 입는 기간을 두고 두 차례 서인과 남인이 벌인 논쟁이에요. 당시의 예법에 따르면 큰아들과 둘째 아들 이하가 세상을 떠났을 때 그 부모가 상복을 입는 기간이 서로 달랐어요. 서인은 국왕도 사대부의 예절을 따라야 한다고 주장하였고, 남인은 국왕에게는 특별한 예를 적용해야 한다고 생각하였지요.

예송은 단순히 예법에 대한 논쟁이라기보다는, 효종의 왕위 정통성 문제와 관련하여 서인과 남인이 정치적·학문적으로 대립한 사건이라 할 수 있어요.

스스로 확인해요

❶ 대동법은 토지를 기준으로 쌀이나 옷감 등을 거두던 세금 제도이다. (◯)

❷ 숙종 때 왕권을 강화하기 위해 의도적으로 집권 붕당을 급격히 교체하는 환국 이/가 나타났다.

이 주제의 핵심

이 주제에서는 붕당 정치가 어떻게 전개되고 변질되어 갔는지를 알아보았어요. 붕당 정치가 전개되면서 정치·군사 및 조세 제도를 어떻게 개혁하였으며 어떤 결과를 가져왔는지 확인해 보아요. 그리고 붕당 정치가 예송과 환국을 거치면서 어떻게 변질되어 갔는지 기억해 두세요.

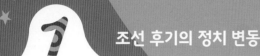

주제 2

탕평책으로 개혁을 추구한 영조와 정조

1 영조의 탕평책과 개혁 추진

(1) 배경: 붕당 간의 극심한 대립으로 정치 혼란 및 왕권 약화

(2) 영조의 ❶탕평 정치 _{어떻게?} 노론과 소론 등 붕당 이름을 사용하지 못하게 하고, 붕당을 내세워 상대방을 공격하면 관직을 박탈했어.

정치 개혁 (탕평책)	• 자신의 정책을 지지하는 탕평파 중심으로 정국 운영 → 탕평비 건립 • 서원 정리: 붕당의 근거지인 서원 정리 → 붕당 기반 약화, 왕권 강화
민생 안정책	• 균역법 실시: 농민의 군역 부담을 줄임(2포→1포), 국가 재정 확보 • ❷노비종모법 시행: 노비 출신 어머니에게서 태어난 자식만 노비가 되게 함. • 가혹한 형벌 금지, 청계천 준설 공사 시행(홍수 예방, 백성들에게 일자리 제공) 등

└ _{무엇?} 강바닥을 파서 홍수를 예방하는 것을 말해.

2 정조의 탕평책 계승과 개혁 정치

(1) 정치: 영조의 탕평책 계승, 외척 세력 제거, 붕당에 관계 없이 인재 등용

① ❸규장각 기능 강화: 정조의 정책을 뒷받침할 수 있는 강력한 정치 기구 → 젊은 학자들을 뽑아 특별 교육을 시키고 개혁 세력으로 육성

② 수원 화성 건설: 정치적 이상을 실현할 신도시로 건설

(2) 군사: 친위 부대인 장용영 설치 → 왕권을 뒷받침하는 군사적 기반으로 삼음.

(3) 사회·경제: ❹서얼 차별 완화(능력 있는 서얼을 규장각 검서관으로 등용), 자유로운 상업 활동 보장(시전 상인이 갖고 있던 특권 폐지)

(4) 탕평책의 결과: 일시적 정국 안정, 문화 예술 부흥

_{왜?} 이 시기에는 강력한 왕권 아래 붕당 간 대립이 억제되었을 뿐, 붕당의 폐단이 근본적으로 해결된 것은 아니었어.

핵심 자료 · 영조와 정조의 정치

청계천 준설 공사 모습	규장각도

영조는 한양 도성 내 백성들의 홍수 피해를 예방하기 위해 청계천 준설 작업을 전개하였다. 이때 동원된 백성들에게 품삯을 주어 안정된 생활을 할 수 있게 하였다.	규장각은 정조의 개혁 정치를 뒷받침하는 기구로, 젊고 재능 있는 관리들을 뽑아 연구에만 전념할 수 있도록 하여 개혁의 핵심 세력으로 육성하였다.

✓ **핵심**

영조와 정조가 개혁 정치를 통해 추구한 바는 무엇일까?

양 난 이후 발생한 사회 문제를 해결하여 백성들의 생활 안정을 도모하고, 왕권을 강화하고자 하였다.

---

❶ 탕평

『서경』에 나오는 '왕도탕탕 왕도평평'에서 유래한 말로, 임금의 정치가 어느 한쪽에 치우치지 않고 공정한 상태를 말한다.

❷ 노비종모법

이전에는 부모 중 한 명이 노비이면 무조건 노비가 되었으나, 노비종모법 시행 이후 어머니가 노비일 경우에만 자식의 신분을 노비로 인정하였다.

❸ 규장각

역대 왕의 글과 서적을 보관하는 왕실 도서관이다. 점차 그 기능이 강화되어 학문을 연구하고 주요 정책을 개발하였다. 정약용, 박제가, 유득공 등 많은 신하가 이곳을 거쳐 갔다.

❹ 서얼

양반의 자손 가운데 첩의 자손을 이르는 말로, '서'는 양인 첩의 자손, '얼'은 천인 첩의 자손을 말한다.

⊘ 정답과 해설 32쪽

확인해 봐요

1 영조와 정조는 ( )을/를 실시하여 왕권을 강화하고 붕당 간 세력 균형을 꾀하고자 하였다.

2 영조는 ( )을/를 실시하여 농민의 군역 부담을 줄여 주고자 하였다.

3 정조는 ( )을/를 설치하여 젊은 학자들을 개혁 세력으로 키우고자 하였다.

📖 교과서 활동 풀이

가자! 역사 속으로

영조는 왕이 주도적으로 붕당 간의 균형을 추구하는 탕평 정치
의 취지를 널리 알리고자 성균관 앞에 탕평비를 세웠습니다.

✅ 영조가 탕평책을 실시하고자 한 까닭은 무엇일까요?

예시 답안   붕당 정치의 변질로 인한 정치 혼란을 막고, 왕권의 강화를
도모하기 위해서이다.

📎 교과서 130쪽

"두루 사귀고 무리 짓지 않
음이 바로 군자의 공정한
마음이고, 무리 지으며 두
루 사귀지 않음이 바로 소
인의 사사로운 마음이다."

📎 교과서 130쪽

⭐ 자료 해설

붕당 정치의 변질로 정치가 혼란하고 왕권이
불안해지자 영조는 붕당에 관계 없이 인재를
고루 등용하는 탕평책을 추진하였고, 성균관
입구에 탕평비를 세워 선비들이 교훈으로 삼
도록 하였어요.

📋 교과서 자료   영조의 탕평책

"
붕당의 폐해가 요즈음보다 심한 적이 없었다. …… 우리나라 땅이 본래 협소하고 인재를 등용하는
문도 넓지 못하였다. 그런데 근래에 와서 인재 임용이 같은 당에 속해 있는 사람만으로 이루어지니
…… 관리의 인사를 담당하는 부서에서는 탕평의 정신을 잘 받들도록 하라.
— 「영조실록」 —
"

❓ 위의 글에서 영조가 생각하는 붕당 정치의 폐해는 무엇일까?

예시 답안   같은 당에 속해 있는 사람들 사이에서만 관리 등용이 이루어지고 있었다.

📎 교과서 130쪽

⭐ 자료 해설

영조가 신하들에게 내린 교서예요. 영조는 붕
당 정치의 폐단을 문제 삼아 강력한 왕권을 바
탕으로 공정하게 관리를 등용하는 탕평책을
시행하겠다고 하였어요.

📋 교과서 사진 자료   화성 전도로 보는 수원 화성과 화성 행궁

📎 교과서 131쪽

정조는 화성을 정치·경제·군사적 기능을 갖춘 신도시로 만
들고자 하였다. 또한 『화성성역의궤』를 통해 화성의 건설
과정을 기록으로 남겼다. 이러한 우수성을 인정받아 수원
화성은 1997년 세계 유산에, 『화성성역의궤』는 2007년
세계 기록 유산에 지정되었다.

화성장대(서장대) 성의 안팎을 살
피며 군사를 지휘하던 곳이다.

장안문 화성의 4대문 중 북쪽 문
이자 정문이다.

화성 행궁의 봉수당 정조가 어
머니인 혜경궁의 회갑연을 열었
던 곳이다.

화성 전도 화성 전체를 그린 그림

⭐ 자료 해설

정조는 즉위 후 탕평책을 시행하였으나 노론
세력을 견제하기 힘들다고 판단한 후, 새로운
정치 분위기와 경제적인 면을 살리는 새로운
도시를 건설하고자 하였어요.
성 주변에 상점과 농장을 설치하여 경제 생활
이 가능하도록 하였으며, 전쟁시 방어와 공격
이 유리하도록 하였어요. 화성이 완공된 후
정조는 화성을 여러 차례 방문하였으며, 행차
도중에 백성들을 직접 만나 그들의 의견을 정
치에 반영하기도 하였지요.

스스로
확인해요

❶ 정조는 자신의 정치적 이상을 실현하고자 수원에 왕실 도서관이었던 규장각을 건설하였다. (×)

❷ 영조와 정조는 붕당 간의 균형을 도모하고 왕권을 강화하기 위해 [탕][평][책]을/를 실시하였다.

이 주제의 핵심

이 주제에서는 탕평책의 실시 배경과 영조와 정조가 추진한 개혁 정치 내용을 알아보았어요. 영조와 정조가 실시한 탕평책의
내용과 목적을 이해하고, 영조와 정조가 추진한 개혁 정치의 배경과 내용을 기억해 보아요.

학습 목표
세도 정치의 운영 방식과 폐단을 말할 수 있다.

주제 3 **정권을 장악한 세도 가문**

1 세도 가문의 정권 장악

(1) 세도 정치의 전개

① 성립: 국왕의 역량에 의존하는 탕평 정치의 한계 → 정조 사후 어린 순조 즉위
→ 왕권에 공백 발생, 왕실과 혼인 관계를 맺은 일부 가문이 정권 장악(세도 정치)

② 전개: 순조, 헌종, 철종의 3대 60여 년 동안 몇몇 외척 가문이 권력 독점

왕	순조	헌종	철종
외척 가문	안동 김씨	풍양 조씨	안동 김씨

(2) 정치 운영 형태: 세도 가문이 권력 핵심 장악, 비변사와 주요 관직 독점

2 세도 정치의 폐단

(1) 권력 독점 현상: 붕당 간 균형 붕괴, 왕권 약화

① 정치 기강 문란: ^❶매관매직 성행, 과거제 문란 → 부정부패 만연

② 수령 천거법 : 세도가들이 지방 관리 임명에도 영향력 행사

(2) ^❷삼정의 문란: 백성에 대한 관리들의 수탈 심화 → 농민의 생활 파탄, ^❸암행어사를 파견하였으나 성과를 거두지 못함.

왜? 부패 관리들은 세도 가문에 바칠 뇌물을 마련하고 재산을 불리기 위해 백성을 더욱 수탈했어.

❶ 매관매직
돈이나 재물로 대가를 치르고 관직을 사고파는 행위를 말한다.

❷ 삼정
조선 후기 국가 재정의 근간이었던 전정, 군정, 환곡(환정)을 일컫는 말이다. 세도 정치기에 문란하게 운영되어 백성들이 고통을 받았다.

❸ 암행어사
왕의 특명을 받고 지방에 비밀리에 파견된 관리이다. 정부는 암행어사를 파견하여 수령의 통치 실태를 점검하고 백성의 삶을 살펴보고자 하였다. 암행어사에게는 대개 두 마리의 말이 새겨진 마패를 지급하였다.

핵심 자료 **세도 정치기의 부정부패**

근래에 오면서 관리를 임명하는 관청의 관리가 공정하게 일하고, 인물을 고려하여 벼슬을 준다고 할 수 없었습니다만 오늘날처럼 법도가 무너진 적은 없었습니다. 사람됨을 가리지 않고 오직 뜻이 같은 자들을 찾으며, 저희 친족들만을 끌어들입니다.
– 『순조실록』 –

빌려주고 빌리는 건 양쪽 다 원해야지 억지로 강제하면 불편해져서/온 땅을 통틀어도 고개만 저을 뿐 빌리겠단 사람은 하나도 없네./봄철에 좀먹은 쌀 한 말 받고서 가을에 온전한 쌀 두 말을 바치고/게다가 좀먹은 쌀값 돈으로 내라 하니 온전한 쌀 판 돈을 바칠 수밖에/이익으로 남는 것은 간사하고 교활한 자살을 찌워 한 번 벼슬길에 천경 논이 생긴다네./큰 가마, 작은 솥 모두 다 가져가고 자식은 팔려가고 송아지마저 끌려가네.
– 정약용, 『다산시선』 –

순조 때 고위 관리였던 우의정 김재찬과 교리 이진연 등은 외척이 높은 관직을 독점하는 것을 비판하였으나 바로 잡히지 않았다. 정약용은 관리의 부정부패로 어려워진 농민의 모습을 보고, 세도 정치가들을 비판하였다.

핵심
세도 정치 시기의 부정부패 현상은 어떤 방식으로 나타났을까?

세도 정치기에는 붕당 간의 균형이 붕괴되고, 소수 가문에 권력이 집중되었다. 관리가 되기 위해 세도 가문에 뇌물을 바치고 관직을 사는 매관매직이 성행하였다. 관리들 또한 백성을 수탈하는 강도가 심해져서 백성들의 삶이 어려워졌다.

📄 정답과 해설 32쪽

확인해 봐요

1 세도 정치 시기에는 붕당 간 상호 견제와 균형이 유지되었다. ( )

2 정조 사후 나이 어린 순조가 즉위하자 안동 김씨 가문이 권력을 장악하였다. ( )

3 세도 정치 시기에는 매관매직과 과거제 문란 등 부정부패가 만연하였다. ( )

📖 교과서 활동 풀이

가자! 역사 속으로

🔗 교과서 132쪽

세도 정치기에 몇몇 유력 가문들은 왕실과 혼인 관계를 맺음으로써 외척의 지위를 얻어 권력을 장악하였습니다. 이로 인해 조선 사회에는 많은 문제가 발생하였습니다.

✅ 세도 가문은 어떻게 정권을 장악하였을까요?

`예시 답안` 세도 가문은 왕실과의 혼인 관계를 통해 외척의 지위를 얻어 권력을 장악하였습니다.

★ 활동 도우미

제시된 자료에서 세도 가문이 권력을 장악하는 과정에 해당하는 내용에 밑줄을 그어 보고, 의미하는 바를 적어 보아요.

📋 교과서 자료 — 현종 사후의 왕위 계승

🔗 교과서 132쪽

"
현종 사후, 후계자의 지목 권한은 대왕대비(순원 왕후)에게 있었다. 당시 유력한 후보는 선조의 아버지 덕흥 대원군의 종손인 이하전이었다. 당시 이하전(8세)은 매우 똑똑한 인물로 평가받고 있었다. 하지만 순원 왕후는 역모에 연루되어 제대로 교육도 받지 못한 채 강화도에 살고 있던 이원범(사도 세자의 증손자)을 선택하였고, 그를 모시기 위해 많은 관원을 파견하였다.
"

Q 대왕대비는 현종이 승하한 후, 왜 강화도에 있던 이원범을 왕위 계승자로 지목했을까? `예시 답안` 세도 가문 입장에서는 이원범이 남아 있는 왕족 중에서 가장 쉽게 조종할 수 있는 사람이었기 때문이다.

★ 활동 도우미

세도 가문이 권력을 마음대로 휘두르려면 어떤 왕을 세워야 유리할지 생각해 보아요.

탐구 해 봐요 — 세도 가문의 권력 장악

🔗 교과서 133쪽

`자료 1` **세도 가문의 비변사 고위직 점유율**
세도 정치기에는 세력이 큰 여섯 개의 세도 가문이 비변사 고위직의 40%를 차지하였다.

안동 김씨 37명 / 대구 서씨 19명 / 기타 성씨 171명 / 총 285명 / 풍양 조씨 17명 / 연안 이씨 17명 / 풍산 홍씨 12명 / 반남 박씨 12명

— 한국 역사 연구회, 『조선 정치사』

`자료 2` **세도 정치의 폐단**
떵떵거리는 수십 집안이 대를 이어 가며 국록을 먹는다. 서로들 돌아가며 싸우고 죽이면서 약한 이를 힘센 놈이 먹어 치우네. 세력을 휘두르는 <u>대여섯 집안</u>이 재상 자리, 대감 자리, 모두 다 차지하고 관찰사, 절제사도 완전히 차지하네. 도승지, 부승지는 모두가 이들이며 사헌부, 사간원도 전부가 이들이라. 이들이 모두 다 벼슬아치 노릇 하며 이들이 오로지 소송 판결하네.

— 정약용, 『여유당전서』 —

★ 활동 도우미

자료 1을 통해 세도 정치 시기에는 세력이 큰 6개의 세도 가문이 비변사 고위직의 40%를 차지하였음을 알 수 있어요. 이를 통해 자료 2의 사료에 나타난 대여섯 집안과 일치하는지 확인하고, 세도 가문이 어떤 방식으로 정치를 운영했는지 앞에서 배운 내용과 자료를 종합하여 답을 적어 보아요.

1 `자료 1`에서 `자료 2`의 밑줄 친 대여섯 집안을 찾아보자.
`예시 답안` 안동 김씨, 대구 서씨, 풍양 조씨, 연안 이씨, 풍산 홍씨, 반남 박씨

2 위 자료를 바탕으로 세도 정치기 정치 운영의 특징에 대해 말해 보자.
`예시 답안` 몇몇 세도 가문이 권력을 독점하였고, 매관매직을 일삼으면서, 정치 기강이 문란해졌다.

스스로 확인해요
❶ 정조 사후 몇몇 유력 가문이 외척의 지위를 이용해 정권을 독점하는 붕당 정치가 행해졌다. (×)
❷ 세도 가문의 권력 독점으로 관직을 사고파는 매관매직이/가 성행하였다.

이 주제의 핵심
이 주제에서는 세도 정치가 등장하게 된 배경, 세도 정치의 전개와 폐단에 대해 알아보았어요. 세도 정치 시기에 나타난 여러 가지 문제점을 파악하고 이로 인해 백성들의 삶이 피폐해졌음을 이해하도록 합니다.

시험을 대비하는 실전 문제

기초를 튼튼하게 확인 문제

01 서로 관련 있는 내용끼리 연결하시오.

ㄱ 영정법 •　　　• ⓐ 군포 부담을 1필로 감축

ㄴ 대동법 •　　　• ⓑ 전세를 1결당 4두로 고정

ㄷ 균역법 •　　　• ⓒ 공납을 쌀·옷감 등으로 납부

02 설명이 맞으면 ○, 틀리면 ×로 표시하시오.

(1) 예송은 왕실 의례인 상복을 입는 기간을 둘러싸고 벌어진 논쟁이다. （　　）

(2) 영조는 세도 정치가 심해지자, 이를 막기 위해 탕평책을 실시하였다. （　　）

(3) 정조는 왕권을 뒷받침하기 위한 군사적 기반으로 장용영을 설치하였다. （　　）

(4) 암행어사의 파견으로 삼정의 문란이 시정되어, 백성들의 삶이 안정되었다. （　　）

03 |보기|의 사실을 발생한 순서대로 나열하시오.

| 보기 |

ㄱ. 환국　　　　　ㄴ. 예송

ㄷ. 세도 정치　　　ㄹ. 탕평 정치

04 빈칸에 알맞은 말을 고르시오.

(1) 조선 후기 비변사의 기능 강화로 왕권은 (강화 / 약화)되었다.

(2) (영조 / 정조)는 계획 도시인 화성을 건설하여, 왕권을 강화하고자 하였다.

(3) 정조 사후 나이 어린 순조가 즉위하자, (안동 김씨 / 전주 이씨) 세력이 권력을 장악하였다.

내신을 탄탄하게 내신 문제

01 조선 후기 통치 체제의 변화에 대한 설명으로 옳은 것을 |보기|에서 고른 것은?

| 보기 |

ㄱ. 비변사가 국정을 총괄하는 최고 권력 기구가 되었다.

ㄴ. 대동법 시행 이후 정부는 공인을 통해 물품을 구입하였다.

ㄷ. 훈련도감은 국경 지대를 방어하기 위해 상비군 체제로 운영되었다.

ㄹ. 영정법을 시행하여 집집마다 토산물을 거두는 대신 토지 면적을 기준으로 쌀을 내도록 하였다.

① ㄱ, ㄴ　　② ㄱ, ㄷ　　③ ㄱ, ㄹ

④ ㄴ, ㄷ　　⑤ ㄴ, ㄹ

02 (가) 기구의 기능이 강화되면서 나타난 변화로 옳은 것은?

> 조선 정부는 16세기 초 여진과 왜구의 침입에 대비하기 위한 임시 기구로 ＿＿(가)＿＿ 을/를 설치하였다. 그러나 ＿＿(가)＿＿ 은/는 양 난을 겪으면서 정치적 역할이 강화되어 국정을 총괄하는 최고 통치 기구가 되었다.

① 왕권이 강화되었다.

② 6조의 권한이 강화되었다.

③ 의정부의 기능이 약화되었다.

④ 군사 문제를 더 이상 처리하지 않게 되었다.

⑤ 붕당의 상호 비판과 견제의 기능이 강화되었다.

중요

03 (가), (나)에 대한 설명으로 옳지 <u>않은</u> 것은?

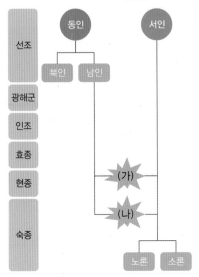

① (가)로 서인과 남인 간의 대립이 치열해졌다.
② (가)는 왕권을 바라보는 견해 차이가 반영되었다.
③ (가)는 대비가 상복을 입는 기간을 둘러싼 논쟁이다.
④ (나)로 붕당 간 상호 공존의 기반이 더 단단해졌다.
⑤ (나)로 집권한 붕당은 상대 당을 몰아내고 보복을 가하였다.

04 다음 정책들을 실시한 목적으로 가장 적절한 것은?

> • 전세는 1년에 토지 1결당 쌀 4두를 납부한다.
> • 공납은 토지 소유자만 1결당 쌀 12두 또는 옷감, 동전으로 납부한다.
> • 군역은 1년에 군포 1필을 납부한다.

① 일본과의 전쟁 대비
② 붕당 간의 갈등 조정
③ 농민에 대한 수탈 강화
④ 국가 재정의 안정적 확보
⑤ 자유로운 상공업 활동 보장

05 다음 비석과 관련된 설명으로 옳지 <u>않은</u> 것은?

"두루 사귀고 무리 짓지 않음이 바로 군자의 공정한 마음이요, 무리 지으며 두루 사귀지 않음이 바로 소인의 사사로운 마음이다."

① 성균관 입구에 세워졌다.
② 왕권 강화와 관련이 있다.
③ 이후 세도 정치가 전개되었다.
④ 영조의 개혁 정치 중 하나였다.
⑤ 탕평파를 육성하여 정국을 운영하였다.

06 다음 건축물을 건설한 왕의 정책을 |보기|에서 고른 것은?

> **|보기|**
> ㄱ. 균역법 실시
> ㄴ. 장용영 설치
> ㄷ. 청계천 정비
> ㄹ. 자유로운 상업 활동 보장

① ㄱ, ㄴ   ② ㄱ, ㄷ   ③ ㄱ, ㄹ
④ ㄴ, ㄷ   ⑤ ㄴ, ㄹ

07 밑줄 친 부분에 들어갈 내용으로 가장 적절한 것은?

> • 교사: "탕평책은 어떤 한계를 가지고 있었는지 말해
>   볼까요?"
> • 학생: _____

① 자유로운 상공업 활동에만 치중하였어요.
② 외척에 많이 의존하여 세도 정치를 초래하였어요.
③ 학문적인 논쟁에만 치우쳐 민생 문제를 해결하지 못
   했어요.
④ 국왕이 지나치게 특정 붕당의 편을 들어 환국을 초
   래하였어요.
⑤ 강력한 왕권으로 붕당 간 갈등을 일시적으로 억누른
   것에 불과했어요.

08 다음 자료를 통해 알 수 있는 사실로 옳은 것은?

〈비변사 당상(고위직) 역임자 수〉

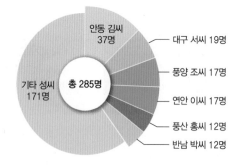

안동 김씨 37명
대구 서씨 19명
풍양 조씨 17명
연안 이씨 17명
풍산 홍씨 12명
반남 박씨 12명
기타 성씨 171명
총 285명

① 왕권이 강하였다.
② 의정부와 6조가 강화되었다.
③ 집권 붕당이 급격하게 교체되었다.
④ 소수의 몇몇 가문이 권력을 장악하였다.
⑤ 세도 가문이 물러나고 다양한 인재가 등용되었다.

09 다음 글을 통해 알 수 있는 조선 후기의 사회 모습으로
가장 적절한 것은?

> 봄철에 좀먹은 쌀 한 말 받고서 가을에 온전한 쌀 두 말
> 을 바치고
> 게다가 좀먹은 쌀값 돈으로 내라 하니 온전한 쌀 판 돈
> 을 바칠 수밖에
> 이익으로 남는 것은 간사하고 교활한 자 살을 찌워 한
> 번 벼슬길에 천경 논이 생긴다네.
> 큰 가마, 작은 솥 모두 다 가져가고 자식은 팔려가고 송
> 아지마저 끌려가네
>
> – 정약용, 「다산시선」 –

① 삼정의 문란을 시정하였다.
② 군역이 문란하게 운영되었다.
③ 세도 정치기 지배층의 수탈이 심해졌다.
④ 세금을 토지의 소유 정도에 따라 부과하였다.
⑤ 춘대추납의 빈민 구제 기구의 기능이 강화되었다.

10 세도 가문의 형성 과정을 나타낸 다음 표의 (가)에 들어
갈 내용으로 옳은 것은?

> 순조가 어린 나이로 즉위
> ↓
> (가)
> ↓
> 붕당 간 균형 관계 붕괴 및 왕권 약화

① 탕평책 실시
② 영조의 개혁 실시
③ 비변사의 권한 강화
④ 의정부의 권한 약화
⑤ 외척 가문의 권력 장악

만점에 도전하는 **심화 문제**

01 다음은 붕당 정치에 대한 판서 내용이다. 빈칸에 들어갈 내용을 바르게 연결한 것은?

> 1. 붕당 정치의 전개
> (1) ㉠ : 효종의 정통성 문제와 관련하여 발생한 학문적·정치적 논쟁
> (2) ㉡ : 정권을 잡은 붕당의 급격한 교체로 나타난 정치 변화
> (3) ㉢ : 어느 붕당에도 치우치지 않고, 고른 인재 등용을 위해 실시한 정책

	㉠	㉡	㉢
①	예송	탕평	환국
②	예송	환국	탕평
③	환국	예송	탕평
④	환국	탕평	예송
⑤	탕평	환국	예송

02 다음 대화와 관계 깊은 왕 시기에 있었던 사실로 옳지 **않은** 것은?

> • 백성 1: 수원에 화성을 건설했다는 소식을 들었는가?
> • 백성 2: 왕이 여러 차례 행차를 하셨다고 하네. 노론 세력을 견제하고 새로운 세력을 키우려는 왕의 의지가 보인다네.

① 균역법을 실시하였다.
② 서얼의 차별을 완화하였다.
③ 규장각에서 젊은 인재들을 육성하였다.
④ 장용영을 설치하여 왕의 친위 기구로 삼았다.
⑤ 시전 상인의 특권을 폐지하여 자유로운 상업 활동이 보장되었다.

03 다음과 같은 상황에서 나타난 폐단으로 옳은 것은?

① 관직을 돈으로 사고파는 일이 성행하였다.
② 다양한 인재를 등용하여 문화와 예술이 발전하였다.
③ 집권 붕당이 급격하게 교체되는 환국이 발생하였다.
④ 소론의 일부 가문이 권력을 장악하고 권력을 휘둘렀다.
⑤ 왕이 외척 세력의 힘을 받아 막강한 권력을 행사하였다.

중요
04 다음 질문에 대한 답변으로 옳은 것은?

> • 교사: "세도 정치기에 농민들은 어떤 어려움을 겪었을까요?"
> • 학생: _____

① 균역법의 시행으로 군포 부담이 줄어들었어요.
② 영정법의 시행으로 농민들의 조세 부담이 감소되었어요.
③ 관리들의 수탈로 다양한 명목의 세금을 부담해야 했어요.
④ 암행어사의 도움으로 관리들의 부당한 수탈을 피할 수 있었어요.
⑤ 대동법의 시행으로 토지가 없는 백성은 공납을 부담하지 않아도 되었어요.

사회 변화와 농민의 봉기

학습 목표
조선 후기 경제에 나타난 변화와 신분제의 동요에 대해 말할 수 있다.

주제 4 경제 변화와 신분제의 동요

1 상품 화폐 경제의 발달

(1) 농촌 사회의 변화

> 이렇게? 모내기법은 봄철 가뭄 문제로 조선 초에는 금지했어. 조선 후기에는 수리 시설이 개선되면서 모내기법이 전국에 보급될 수 있었지.

① 농업 생산력 증대: 양 난으로 황폐해진 농지 복구, 수리 시설 확충, **❶모내기법** 보급 → 노동력 절감, 벼와 보리의 ❷이모작 가능 → 생산량 증대

② ❸상품 작물 재배: 시장에 내다 팔기 위해 목화, 채소, 인삼, 담배 등 재배

③ 농민층의 분화

부농층 성장	• 농업 발전으로 1인당 경작 가능 면적 증가, 상품 작물 판매 등
대다수 농민의 몰락	• 많은 농민이 땅을 잃고 소작농으로 전락 → 소작지도 얻기 어려워짐. • 노동력을 팔아 생계 유지, 도시의 빈민이 됨.

(2) 상공업의 발달: 농업 생산력 향상, 도시 인구 증가, 대동법 시행 → 상업의 발달

공인의 등장	• 대동법 시행으로 등장 → 상공업 발달에 기여
사상의 성장	• 정조 이후 자유로운 상업 활동 가능 → 대상인 등장
장시의 발달	• 전국 각지에 장시 발달 → ❹보부상의 활동 활발 → 전국적인 유통망 형성
화폐의 사용	• 화폐 수요 증가 → ❺상평통보가 전국적으로 유통

2 신분제의 동요

양반	• 붕당 정치의 변질 → 소수 양반만 권력 장악, 대다수 양반의 몰락 • 향반(벼슬을 하지 않은 양반), 잔반(몰락 양반) → 지방에서 겨우 신분을 유지, 농민과 같은 처지로 전락
중간 계층	• 신분 상승 추구 → 서얼 차별 폐지 상소, 기술직 중인의 신분 상승 운동 등
상민	• 부를 축적한 상민: 공명첩 구입, 호적이나 족보 위조 → 양반으로 신분 상승
노비	• 노비 수 감소: 도망가는 노비 증가, 정부의 공노비 해방 등

> 왜? 군역 대상자를 확보하고 국가 재정을 보충하려고 하였어.

---

❶ 모내기법
볍씨를 바로 논에 뿌리지 않고, 모판에서 싹을 키운 후 논에 옮겨 심는 방법이다.

❷ 이모작
봄에 볍씨를 뿌려 가을에 추수하고, 같은 땅에 보리를 심어 이듬해 봄에 추수하는 농업 방법을 말한다.

❸ 상품 작물
시장에 내다 팔기 위해 재배하는 인삼, 목화, 담배, 채소, 약재 등의 작물을 말한다.

❹ 보부상
봇짐장수인 보상과 등짐장수인 부상을 함께 부르는 말이다. 지방마다 날짜가 다른 장시를 돌아다니며 물건을 팔아 조선 후기 장시 발달에 기여하였다.

❺ 상평통보
17세기부터 주조한 동전으로, 한양과 일부 지역에서 유통하였다. 18세기 후반에는 전국적으로 유통되었고, 세금 납부와 소작료 지급 등에도 화폐를 사용하였다.

🖉 정답과 해설 34쪽

확인해 봐요 +

1 조선 후기에 (　　　)이/가 보급되면서 벼와 보리의 이모작이 가능해졌다.

2 상업이 발달하면서 18세기 중엽에는 (　　　)이/가 전국에 천여 개에 달하였다.

3 조선 후기에는 상업의 발달로 동전인 (　　　)이/가 전국적으로 유통되었다.

핵심 자료　모내기법

모내기를 하는 데에는 세 가지 이유가 있다. 김매기의 노력이 줄어드는 것이 첫째요, 두 곳 땅의 힘으로 하나의 모를 기르는 것이 둘째이며, 좋지 않은 것은 솎아 내고 싱싱하고 튼튼한 것을 고르는 것이 셋째이다.
－ 서유구, 『임원경제지』 －

> ✓ 핵심
> **모내기법은 어떤 사회 변화를 가져왔을까?**
>
> 모내기법이 일반화되면서 잡초를 뽑는 일손을 줄일 수 있고, 한 사람이 넓은 땅을 경작할 수 있었으며, 모내기를 하기 전까지 다른 작물을 키울 수 있어 이모작이 가능하였다. 그 결과 농업 생산력이 증대하였고, 부농층이 성장하였다.

가자! 역사 속으로

📎 교과서 134쪽

김홍도의 「자리짜기」를 보면 사방관을 쓰고 자리를 짜는 인물이 있습니다. 더러는 그를 몰락한 양반으로 보기도 하고, 경제력을 키워 신분 상승을 꾀한 상민으로 추정하기도 합니다.

✔ **자리를 짜는 인물은 왜 두 신분으로 추정될까요?**

[예시 답안] 자리를 짜고 있는 인물이 양반이었다가 경제적으로 몰락한 잔반으로 몰락하였거나 경제력을 키워 신분 상승을 꾀한 상민으로 볼 수도 있기 때문이다.

💡 **활동 도우미**

양반 신분임을 알 수 있는 사방관과, 생계 유지를 위해 자리짜기를 하는 모습이 어울리지 않습니다. 조선 후기에는 양반 신분으로 보이는 사람이 왜 자리짜기를 하고 있을지 생각해 보아요.

탐구 해 봐요   조선 후기 신분제의 변화

📎 교과서 135쪽

[자료1] **□□ 계층의 분화**

붕당 정치가 변질되면서 상당수의 양반이 중앙 정치에서 밀려나 *향반이나 *잔반으로 전락하였다. 잔반 중에는 수공업, 상업 등을 통해 생계를 유지하거나 소작농이 되는 경우도 있었다. 또한 몰락한 양반 중 일부는 상민에게 족보를 팔기도 하였다.

*향반 벼슬을 하지 않은 채 향촌에 살면서 지방 세력이 된 양반
*잔반 몰락한 양반

[자료3] **□□ 계층의 신분 상승 노력**

농업 생산력이 늘어나고 상업이 발달하면서 부를 축적한 상민은 납속책이나 공명첩을 이용하여 신분을 상승하고자 하였다. 이는 사회적 위신을 세우고, 군역 면제 등 조세 부담을 덜고 싶었기 때문이다.

공명첩(국사편찬위원회) 국가가 재정을 확보하기 위해 돈이나 곡식을 받고 명예직을 주던 임명장이다. 이름을 쓰는 칸이 비어 있다.

[이름 쓰는 칸]

[자료2] **서얼과 □□의 신분 상승 운동**

서얼은 문과에 응시할 자격과 주요 관직 진출의 허용을 요구하였는데, 철종 때 그 성과를 거두었다. 반면 기술직 중인이 전개한 대대적인 집단 상소 운동은 세력이 미미해 그 뜻을 이루지 못하였다.

중인 여러분! 우리처럼 차별받던 서얼은 신분 상승 운동으로 성과를 이뤘습니다. 이제 중인도 나서야 할 때입니다.

[자료4] **공□□의 해방**

공□□의 해방을 선언하노라!

노(奴)라고 하고 비(婢)라고 하여 구분하는 것이 어찌 똑같이 사랑하는 동포로 여기는 뜻이겠는가! 왕실의 노비와 중앙의 관청 노비 모두 양민으로 삼도록 하라! 　　　　　－ 「순조실록」 －

노비는 신분의 굴레를 벗기 위해 끊임없이 도망을 선택하였다. 도망간 노비를 잡는 일이 쉽지 않았던 정부는 국가 재정을 보충하기 위해 노비의 수를 줄이고 상민의 수를 늘리기로 결정하였다. 영조 때 이미 노비종모법을 시행한 데 이어, 순조 때 공노비를 해방하였다.

⭐ **자료 해설**

서얼과 중인으로 구성된 중간 계층에서는 신분 상승 운동이 활발하게 일어났어요. 정조 때는 서얼에 대한 차별이 완화되어 서얼 출신들이 중앙의 주요 관직에 임명되었어요. 이에 자극을 받은 중인들도 신분 상승을 요구하였으나, 이들의 요구는 받아들여지지 않았지요.

💡 **활동 도우미**

자료를 읽어보면서 중요한 내용에 밑줄을 그어 봅시다. 그리고 본문의 내용을 참고 하여, 빈칸에 들어갈 계층을 써 보고, 각 계층별로 어떤 변화가 있었는지 정리해 봅시다.

1 [자료1]~[자료4]의 빈 칸에 들어갈 계층을 써 보자.

[예시 답안] 자료 1: 양반, 자료 2: 중간 계층(중인), 자료 3: 상민, 자료 4: 노비

2 조선 후기 신분제에 나타난 변화를 각 계층별로 정리해 보자. [예시 답안]

양반	서얼	농민	노비
붕당 정치의 변질로 상당수 양반이 몰락하여 향반이나 잔반으로 전락하였다.	서얼들의 집단 상소 운동으로 주요 관직 진출이 허용되었다.	부를 축적한 농민들은 납속책이나 공명첩을 이용하여 신분을 상승하였다.	영조 때 노비종모법을 시행한 데 이어, 순조 때는 공노비가 해방되었다.

스스로 확인해요

❶ 모내기법이 전국으로 보급되면서 농업 생산력이 증대되고 이모작이 가능해졌다. (○)

❷ 조선 후기에는 상민 계층의 신분 상승 노력으로 [양][반] 인구가 증가하였다.

이 주제의 핵심

이 주제에서는 조선 후기 경제에 나타난 변화와 신분제의 동요에 대해 알아보았어요. 조선 후기 농업과 상업 등에 나타난 변화를 확인해 보세요. 그리고 신분제가 흔들리게 된 배경과 결과를 기억해 두세요.

학습 목표
조선 후기 농민 봉기의 원인을 설명할 수 있다.

주제 5 삼정의 폐단에 맞서 일어난 농민 봉기

1 삼정의 문란

(1) 원인: 세도 정치 시기 관리들의 부정부패 심화
(2) 내용: 전정·군정·환곡의 삼정 문란 → 농민들의 고통 심화

전정	· 토지에 부과된 세금 → 정해진 세금 외에 다양한 명목으로 수탈 · 원래 세금보다 몇 배 많은 세금 납부
군정	· 군포를 정해진 1필 이상 징수 · 어린아이, 죽은 사람 몫까지 강요, 이웃이나 친척에게 세금 부과
환곡	· 봄에 곡식을 빌려 주고 가을에 약간의 이자와 함께 되돌려 받는 빈민 구호 제도 · 고리대처럼 운영하여 높은 이자 징수 → 삼정 중 폐해가 가장 심함.

2 예언 사상과 동학의 유행

(1) 배경: 사회 불안 심화 → 백성들에게 위안과 희망을 주는 예언 사상과 종교 유행
(2) 예언 사상의 확산: 세상의 종말, 왕조 교체, 전쟁 등을 예언 → ❶정감록(이씨 왕조가 망하고 정씨 왕조가 새로운 세상을 연다는 예언서), ❷미륵 신앙
(3) 새로운 종교의 유행

천주교	17세기 중국을 왕래하는 사신들에 의해 서양 학문으로 전래 → 18세기 후반 남인 계열 학자들이 신앙으로 수용 → 평등 사상과 내세 신앙을 바탕으로 세력 확대
동학	몰락 양반 최제우가 천주교에 대응하여 창시 → ❸인내천 사상을 바탕으로 기존의 신분 질서 부정, 사회 개혁 추구 → 농민층의 지지를 얻어 세력 확대

무엇을? 천주교를 서학이라고 불렀는데, 서학에 대항한다는 의미로 '동학'이라고 했어.

3 홍경래의 난(1811)

(1) 원인: 세도 정치 시기 지배층의 부패와 수탈, 평안도 지역에 대한 차별
(2) 전개 : 평안도 가산에서 몰락한 양반 홍경래의 봉기 → 청천강 이북 지역 장악 → 관군의 공격 → 정주성 싸움에서 관군에 진압됨.
 누가? 신흥 상공업 세력, 가난한 농민, 광산 노동자 등 다양한 계층이 참여했어.
(3) 의의: 19세기 농민 봉기의 선구 → 이후에 일어난 농민 봉기에 큰 영향

4 임술 농민 봉기(1862)

(1) 계기: 탐관오리(백낙신)의 수탈 → 몰락 양반 유계춘을 중심으로 봉기(진주 농민 봉기) → 진주성 점령 → 삼남 지방(충청·전라·경상도)을 중심으로 확대 → 전국적인 농민 봉기(임술 농민 봉기)
(2) 의의: 정부의 노력 유도(❹삼정이정청 설치), 농민의 사회의식 성장
(3) 한계: 근본적인 제도 개혁으로 이어지지 못함.

---

❶ 정감록
조선 후기 민간에 널리 퍼진 대표적인 예언서로, 이씨 왕조가 망하고 정씨 성을 가진 사람이 왕이 되며, 명당에 대한 내용이 담겨 있다.

❷ 미륵 신앙
석가모니에 의해 중생을 구제할 미래의 부처인 미륵이 지상에 나타나 세상을 구원한다는 신앙이다.

❸ 인내천
'사람이 곧 하늘'이라는 뜻으로 평등 사상을 강조한 것이다.

❹ 삼정이정청
1862년 농민 봉기가 전국적으로 확산되자 삼정의 문란을 막기 위해 설치한 기관이다. 조세 제도나 정치 제도의 개선으로 이어지지 못해 근본적인 해결책이 되지 못하였다.

정답과 해설 34쪽

확인해 봐요

1 봄에 곡식을 빌려주고 약간의 이자를 붙여 가을에 되돌려 받던 (   )은/는 고리대처럼 운영되었다.

2 (   )은/는 천주교에 대항하고자 창시되었으며, 인내천 사상을 바탕으로 하였다.

3 (   )은/는 탐관오리의 수탈과 평안도 지역에 대한 차별에 항거하여 봉기하였다.

📖 교과서 활동 풀이

가자! 역사 속으로

📎 교과서 134쪽

1811년 홍경래는 몰락 양반과 신흥 상인 세력, 광산 노동자, 가난한 농민 등 1,000여 명과 함께 난을 일으켰습니다.

✔ 홍경래와 민중들은 왜 봉기하였을까요?

[예시 답안] 당시 평안도 지역은 중국과의 무역 발달로 상공업이 크게 성장하고 있었는데, 정부의 가혹한 수탈과 차별 정책으로 불만이 많았다. 이에 홍경래와 민중들이 봉기하였다.

⭐ 자료 해설

당시 평안도 지역은 중국 무역의 통로라는 지리적 이점 때문에 중국과의 무역이 발달하였고 상공업이 크게 성장하고 있었어요. 그러나 탐관오리의 착취가 심하였고, 평안도민에 대한 차별이 심해 몰락한 양반이 홍경래를 중심으로 봉기하였어요.

📋 교과서 지도 자료
📎 교과서 137쪽

홍경래의 난과 농민 봉기
- ● 홍경래군의 점령지(1811~1812)
- ● 1862년의 임술 농민 봉기
- ● 1863~1893년간의 농민 봉기

홍경래의 난 (1811)

진주 농민 봉기 (1862)

🔍 탐구 해봐요   세도 정치 시기에 일어난 농민 봉기
📎 교과서 137쪽

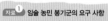

[자료 ❶] **임술 농민 봉기군의 요구 사항**
- 조세로 바치던 쌀은 항상 7량 5전으로 정하여 거둘 것.
- 각종 군포를 소민에게만 편중시키지 말고 집집마다 균등하게 부담시킬 것.
- 환곡의 폐단을 없앨 것.
  - 「용호한록」, 금백계본 -

우리의 요구를 들어주시오

[자료 ❷] **삼정이정청의 개혁안**
- 전정은 각종 부가세를 없애고 세금을 법대로 징수한다.
- 군정은 연령 규정을 엄격히 준수한다.
- 환곡을 없애고 토지 1결당 2냥씩 부과한다.
  - 「이정청등록」 -

1 자료를 참고하여 임술 농민 봉기가 일어난 원인을 말해 보자.

[예시 답안] 전정, 군정, 환곡의 삼정이 문란하게 운영되어 각종 폐단이 나타났기 때문이다.

2 당시 삼정의 문제점과 그 개선 방안을 써 보자.

[예시 답안]

삼정	문제점	개선 방안
전정	정해진 세금보다 많이 징수	각종 부가세 폐지, 법대로 세금 징수
군정	한 사람이 여러 사람의 군포 부담	집집마다 균등하게 부과
환곡	부당하게 높은 이자 징수	환곡의 폐지

세도 정치 시기 세도 가문, 지방관, 향리로 이어지는 폭압과 수탈은 백성에게 큰 고통이었다. 백성들은 다양한 형태로 저항하다가 1811년 홍경래의 난, 1862년 진주 농민 봉기를 비롯하여 전국 70여 개의 군현에서 농민 봉기가 이어졌다. 이 시기의 농민 봉기는 제도 개혁과 같은 근본적인 문제 해결을 이루지 못했지만, 농민의 사회의식이 성장하는 계기가 되었다.

🤖 스스로 확인해요

❶ 삼정 중 하나인 군정은 빈민 구제책이었으나 고리대처럼 운영되어 폐단이 가장 심하게 나타났다. (×)

❷ 19세기 경상도 진주에서 시작되어 전국으로 확산된 봉기를 [임][술] 농민 봉기라고 한다.

이 주제의 핵심

이 주제에서는 세도 정치 시기 삼정의 문란, 예언 사상과 새로운 종교의 유행, 홍경래의 난과 임술 농민 봉기에 대해 알아보았어요. 삼정 문란의 원인과 내용, 홍경래의 난과 임술 농민 봉기가 일어난 배경과 그 의의를 잘 파악해 둡시다.

기초를 튼튼하게 **확인 문제**

01 서로 관련 있는 내용끼리 연결하시오.

ㄱ 전정 •   • ⓐ 고리대금화

ㄴ 군정 •   • ⓑ 각종 부가세 징수

ㄷ 환곡 •   • ⓒ 친척, 이웃 몫까지 부담

02 설명이 맞으면 ○, 틀리면 ×로 표시하시오.

(1) 모내기법의 보급으로 농업 생산량이 크게 증가하였다. ( )

(2) 조선 후기 농업 생산량 감소로 대다수의 농민이 몰락하였다. ( )

(3) 세도 정치 시기에 상당수 양반은 향촌에서 겨우 위세를 유지하는 향반이나 경제적으로 몰락한 잔반이 되는 경우도 있었다. ( )

(4) 천주교는 선교사에 의해 전래되어 초창기부터 종교의 한 형태로 수용되었다. ( )

03 |보기|의 사실들을 일어난 순서대로 나열하시오.

| 보기 |
ㄱ. 백낙신의 수탈   ㄴ. 홍경래의 난
ㄷ. 임술 농민 봉기   ㄹ. 삼정이정청 설치

04 빈칸에 알맞은 말을 쓰시오.

(1) 조선 후기 ( )은/는 관직 진출에 대한 차별을 철폐하기 위해 상소 운동을 벌여 성과를 거두었다.

(2) 조선 후기 사회가 혼란하고 민심이 불안해지면서 정씨가 새로운 국가를 건설한다는 내용의 ( )이/가 유행하였다.

(3) 몰락 양반이었던 최제우는 천주교에 대항하기 위하여 인내천 사상을 바탕으로 ( )을/를 창시하였다.

내신을 탄탄하게 **내신 문제**

중요

01 그림의 농사법이 농촌 사회에 끼친 영향으로 옳은 것을 |보기|에서 고른 것은?

| 보기 |
ㄱ. 농업 생산량이 증가하였다.
ㄴ. 벼와 보리의 이모작이 가능해졌다.
ㄷ. 김매기의 노동력이 크게 증가하였다.
ㄹ. 대다수의 농민들이 부농층으로 성장하였다.

① ㄱ, ㄴ   ② ㄱ, ㄷ   ③ ㄱ, ㄹ
④ ㄴ, ㄷ   ⑤ ㄴ, ㄹ

02 조선 후기에 볼 수 있는 인물로 적절하지 <u>않은</u> 것은?

① 돗자리를 짜고 있는 양반

② 규장각에서 근무하고 있는 서얼

③ 등짐을 지고 장시를 돌아다니는 보부상

④ 시장에 내다 팔기 위해 상품 작물을 재배하는 상인

⑤ 원래 노비였지만 아버지가 양인이라 갑자기 신분 해방이 된 노비

03 그림과 같은 상인이 활발하게 활동하였을 당시의 사회 모습으로 옳지 **않은** 것은?

① 도시의 인구가 증가하였다.
② 상평통보가 전국적으로 유통되었다.
③ 공인과 사상들이 상업의 발달을 주도하였다.
④ 보부상들이 전국적인 유통망 형성에 기여하였다.
⑤ 시전 상인이 상업 활동을 독점하여 상업 발달이 침체되었다.

04 다음 자료에 해당하는 것은?

국가가 재정을 확보하기 위해 돈이나 곡식을 받고 명예직을 주던 임명장이다. 이름을 쓰는 칸이 비어 있다.

① 상소 ② 환곡
③ 탕평책 ④ 납속책
⑤ 공명첩

05 다음 내용에 해당하는 조선 후기의 신분제의 변화와 관련이 **없는** 것은?

- 양반 계층의 분화
- 중간 계층의 신분 상승 운동
- 상민 계층의 신분 상승 노력
- 노비의 해방

① 공노비와 사노비가 모두 해방되었다.
② 잔반 중에는 소작농이 되는 경우도 있었다.
③ 몰락한 양반 중 일부는 상민에게 족보를 팔기도 하였다.
④ 서얼은 주요 관직 진출 허용을 요구하여 성과를 거두었다.
⑤ 부를 축적한 농민은 납속책이나 공명첩을 이용하여 신분을 상승하였다.

_{중요}
06 다음 삽화를 통해 알 수 있는 삼정의 문란 내용이 **아닌** 것은?

① 환곡이 고리대처럼 운영되었다.
② 땅이 없는 농민도 토지세를 내야 하였다.
③ 2필을 내던 군포를 1필만 낼 수 있게 되었다.
④ 토지세인 전세는 각종 부가세를 합쳐서 내야 하였다.
⑤ 농민들은 도망간 이웃이나 친척의 군포까지 부담해야 하였다.

07 조선 후기 다음과 같은 예언 사상이나 종교가 유행한 배경으로 적절하지 <u>않은</u> 것은?

> • 최제우가 인내천 사상을 바탕으로 한 동학을 창시하였다.
> • 미륵이 출현하여 어지러운 세상을 구원할 것이라는 미륵 신앙이 유행하였다.
> • 조선 왕조가 망하고 새로운 왕조가 들어설 것이라는 예언을 담은 『정감록』이 유행하였다.

① 자연재해
② 삼정의 문란
③ 전염병의 유행
④ 세도가들의 부정부패
⑤ 영·정조의 탕평 정치

08 다음 글에 나타난 종교와 관련이 <u>없는</u> 것은?

> 사람이 곧 하늘이라. 그러므로 사람은 평등하며 차별이 없나니 사람이 마음대로 귀하고 천함을 나누는 것은 하늘의 뜻을 거스르는 것이다.
> – 최시형의 최초 설법 –

① 최제우가 창시하였다.
② 천주교에 대항하고자 하였다.
③ 인내천 사상을 나타내고 있다.
④ 기존의 신분 질서를 부정하며 사회 개혁을 추구하고자 하였다.
⑤ 청을 통해 서양 학문으로 수용하여 점차 신앙으로 발전되었다.

09 지도에 표시된 지역에서 일어난 봉기와 관련이 <u>없는</u> 것은?

① 홍경래가 중심이 되어 봉기하였다.
② 한때 청천강 이북 지역을 점령하였다.
③ 백낙신의 수탈이 원인이 되어 일어났다.
④ 평안도 지방에 대한 차별에 반발하였다.
⑤ 정주성 싸움에서 관군에 패하여 진압되었다.

중요
10 다음과 같은 봉기가 일어난 이유로 옳은 것은?

> **우리의 요구**
> • 조세로 바치던 쌀은 항상 7량 5전으로 정하여 거둘 것.
> • 각종 군포를 소민들에게만 편중시키지 말고 집마다 균등하게 부담시킬 것.
> • 환곡의 폐단을 없앨 것.

① 암행어사가 파견되었다.
② 탐관오리의 수탈이 심하였다.
③ 평안도 지역의 차별이 심하였다.
④ 삼정이정청의 개혁이 실패하였다.
⑤ 세도가들의 왕위 쟁탈전이 심하였다.

만점에 도전하는 **심화 문제**

01 다음과 같은 농촌의 변화가 가져온 결과로 적절한 것은?

- 모내기법의 전국적인 보급
- 상품 작물 재배 농가 증가
- 농민 한 사람 당 경작 면적 증가

① 소작농이 증가하였다.
② 도시 인구가 감소하였다.
③ 수공업 활동이 활발해졌다.
④ 일부 농민이 부농으로 성장하였다.
⑤ 자유로운 상업 활동이 가능하게 되었다.

02 교사의 과제에 대한 학생의 조사 내용으로 적절하지 않은 것은?

- 과제: 조선 후기 신분제의 동요와 관련하여 조사해 오기
- 조사 내용: _____

① 공노비가 해방된 배경
② 서얼들의 신분 상소 운동
③ 몰락한 양반들의 생활 모습
④ 양반 문화가 더욱 발달한 배경
⑤ 공명첩을 구입하여 관직을 받은 농민

03 다음 대화가 이루어진 시기의 상황으로 옳지 않은 것은?

농민 1 : "난 가진 땅도 없는데 세금을 내야 한다는군."
농민 2 : "돌아가신 아버지와 어린 아들의 군포까지 내야 한다니……"
농민 3 : "난 봄에 곡식을 조금 빌렸을 뿐인데, 갚아야 할 이자가 더 많다네."

① 죽은 사람에게도 군포를 징수하였다.
② 농민들의 봉기가 전국적으로 일어났다.
③ 세도 정치로 관리들의 부정부패가 극심하였다.
④ 환곡은 고리대처럼 운영되어 가장 피해가 컸다.
⑤ 삼정이정청의 설치로 농민의 생활이 안정되었다.

04 (가)와 (나) 지역의 봉기에 대한 설명으로 옳지 않은 것은?

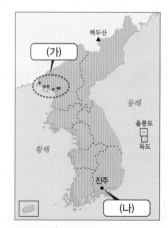

① (가) – 홍경래의 난이다.
② (가) – 평안도 지역에 대한 차별에 반발하였다.
③ (나) – 백낙신의 수탈이 원인이 되어 일어났다.
④ (나) – 정주성 싸움에서 관군에 패하였다.
⑤ (나) – 봉기가 전국으로 확산되는 계기가 되었다.

3 학문과 예술의 새로운 경향

학습 목표
양 난 이후 연행사·통신사를 통한 학문과 예술의 교류 모습을 설명할 수 있다.

주제 6 연행사·통신사를 통한 학문과 예술의 교류

1 청에 파견한 연행사

(1) 청과의 관계 변화
① 호란 이후 북벌을 추진하면서도 현실적으로는 청의 존재 인정
② 연경(베이징)에 매년 ❶연행사 파견

(2) 연행사의 역할
① 공식 외교 업무 수행 : 중국 중심의 조공·책봉 체제 유지
② 문화 교류: 중국의 학자·서양 선교사들과 교류 → 서양 문물 수용
③ 무역 활동: 사신들이 벌인 공무역 외에도 사신을 따라간 역관들이 행하는 사무역 활발

> **무엇을?** 세계 지도, 자명종, 천리경 등 서양 문물의 전래는 조선의 발달에 큰 영향을 끼쳤고, 중국 중심, 성리학적 세계관을 변화시켰다.

2 일본에 파견한 통신사

(1) 일본과의 관계 변화
① 임진 왜란 직후: 일본과 교류 중단
② 관계 회복: ❷에도 막부의 국교 재개 요청 → ❸기유약조 체결, 제한적 무역 허용, 대규모 외교 사절단인 통신사 파견

> **어떻게?** 일본은 막부의 쇼군이 바뀔 때마다 그 권위를 인정받고자 조선에 사절 파견을 요청하였어. 200여 년간 12회의 통신사가 파견되었어.

(2) 통신사의 역할
① 외교 사절: 외교 문서 전달 → 양국의 평화 유지
② 경제·문화적 교류: 조선의 성리학·한문학·그림·글씨 등 조선의 선진 문물 전달, 일본의 서적과 외래 작물(고구마) 전래

---

❶ 연행사
조선 후기 사대 관계에 따라 청의 수도 연경에 파견한 사신을 말한다. 대체로 청 황제의 생일, 동지, 정월 초하루에 맞춰 파견하였다. 이 과정에서 조선과 청 사이에 많은 물자가 오가며 무역이 활발하였다.

❷ 에도 막부
1603년 도쿠가와 이에야스가 에도(도쿄)에 수립한 무사 정권을 말한다. 1868년 메이지 유신으로 붕괴하였다.

❸ 기유약조
1609년(광해군 1년) 일본의 끈질긴 요청을 받아들여 일본에 통교를 허용한 조약이다. 이에 따라 조선과 일본의 국교 정상화가 이루어지고, 정기적으로 사절단을 파견하였다.

핵심 자료   소현 세자의 서양 선교사와의 교류

"어제 귀하로부터 받은 천주상, 천구의, 천문서 및 기타 양학서는 전혀 생각지도 못했던 것으로 기쁘기 짝이 없어 깊이 감사드립니다. …… 이러한 것들은 본국에서는 완전히 암흑이라 해야 할 정도로 모르고 있는데, 지식의 빛이 될 것입니다. …… 제가 고국에 돌아가면 궁궐에서 사용할 뿐만 아니라 이것들을 출판하여 학자들에게 보급할 계획입니다. 그리하면 사막과 같이 메마른 우리나라가 학문의 전당으로 변하게 될 것입니다. 은총을 입은 우리 백성은 서양에서 배운 과학을 감사하게 생각할 것입니다."

– 『아담 샬의 회고록』 중 소현 세자의 편지 –

> **✓ 핵심**
>
> **소현 세자가 서양 문물에 관심을 갖게 된 이유는 무엇일까?**
> **이후 조선에서 청을 통한 문물 교류 양상은 어떻게 변화하였을까?**

청은 국력이 크게 신장되고 서양 문물까지 받아들여 문화가 크게 융성하였다. 소현 세자는 부국강병을 위해 외국의 우수한 문화를 받아들여야 한다고 생각하였다. 서양 문물에 눈뜬 소현 세자는 당시 조선에서는 환영받지 못한 채 세상을 떠났으나, 이러한 생각은 18세기에 이르러 실학자를 중심으로 청을 무조건 배척할 것이 아니라 적극 수용해 국가 사회의 발전을 이루어야 한다는 북학론이 제기되었다.

정답과 해설 36쪽

확인해 봐요

1 조선 정부는 병자호란 이후 북벌을 추진하여 청과 교류하지 않았다. (　　　)

2 양 난 이후 조선은 청에 연행사를, 일본에 통신사를 파견하였다. (　　　)

3 임진왜란 이후 일본과의 국교를 중단하는 기유약조를 체결하였다. (　　　)

📖 교과서 활동 풀이

가자! 역사 속으로

박지원은 연행사의 일원으로 청의 수도 연경(베이징)에 다녀온 뒤, 청에 대한 생각이 변화하였습니다.

✔ 청에 대한 박지원의 생각이 바뀌게 된 이유는 무엇일까요?

[예시 답안] 당시 청은 국력이 크게 신장하고 서양의 문물까지 받아들여 문화가 크게 융성하였다. 이를 목격한 박지원은 앞선 문물을 적극 수용하여 국가 사회의 발전을 이루어야 한다고 생각하였다.

진실로 백성에게 이롭고 나라에 도움이 될 일이라면, 그 법이 비록 오랑캐에게서 나온 것일지라도 마땅히 이를 본받아야 한다.

📌 교과서 138쪽

💡 활동 도우미

조선으로 돌아온 박지원은 연행길에서 얻은 경험과 깨달음을 바탕으로 『열하일기』를 저술하였어요. 박지원이 왜 청의 문물을 받아들여야 한다고 하였을지 상상해 봅시다.

📋 교과서 자료 자료로 보는 연행사와 통신사

📌 교과서 139쪽

◆ 자료로 보는 연행사와 통신사

조선의 연행사 파견 횟수

*( ) 안의 숫자는 연평균 파견 횟수임.
─ 김일환, 「조선 후기 중국 사행의 규모와 구성」 ─

청이 중국을 지배한 후 사신 파견을 줄이자 조선도 18세기 이후 연평균 두 차례만 연행사를 파견하였다.

말 위에서 글을 써 주는 시종 통신사 일행이에도를 현지하던 중 갑자기 일본인이 뛰쳐나와 시중을 들던 시종에게 작품을 청하는 장면을 화가 하나부사 잇초가 포착하여 그림으로 남겼다.

청
중국 유리창 거리
(베이징) 연행사들이 책이 문방구를 사기 위해 연경에 가면 꼭 들렀던 곳이다.

「18세기 말 연경성의 동문인 조양문으로 들어가는 연행사 일행」(김홍도, 숭실대학교한국기독교박물관) 조선은 공식적인 외교 통로였던 연행을 통해 청과의 관계를 유지하고, 경제 교역으로 이익을 얻거나 선진 문물을 수용하였다.

「국서누선도」(국립중앙박물관) 통신사 행렬 중 국서를 지닌 통신사 일행이 탄 배를 그린 그림이다.

💡 자료 해설

조선 후기 정부는 청에 정기적·비정기적으로 사신을 파견하였어요. 연행사 일행은 공식적인 외교 활동 이외에도 중국의 학자들과 교류하였고, 서점과 천주당 등을 방문하면서 서양의 문물과 청의 과학 기술 등을 접하였지요.
한편 조선 후기 일본에 파견된 통신사는 학자, 서기, 악대, 역관, 의원, 화원 등 다양한 분야의 최고 인재들로 구성되었어요. 통신사가 방문하면 많은 일본인이 통신사와 교류하고자 하였으며, 통신사 일행에게서 글씨나 그림 등을 얻어 갔어요.

💡 활동 도우미

지도의 연행사와 통신사의 행로를 따라가며 어떤 일들이 있었을지 상상해 보아요. 그리고 연행사 파견 횟수가 점차 줄어든 이유도 생각해 봅시다.

Q 연행사와 통신사는 조선의 학문과 예술 분야에 어떤 영향을 끼쳤을까?

[예시 답안] 조선은 연행사를 통해 청의 선진 문물과 서양 문물을 수용하였다. 또한 일본에는 통신사를 파견하였는데, 외교 사절로서뿐만 아니라, 학문과 예술의 교류가 이루어지기도 하였다.

스스로 확인해요

❶ 조선은 병자호란 이후 청과 국교가 단절되어 문화 교류를 진행하지 않았다. (×)
❷ 조선은 대외 상황의 변화에 대처하고 일본과의 관계를 유지하기 위해 통신사을/를 파견하였다.

이 주제의 핵심

이 주제에서는 청과 일본에 파견한 연행사와 통신사에 대해 알아보았어요. 이를 통해 연행사의 활동과 그 의의를 파악하고, 통신사의 파견이 조선과 일본에 미친 영향을 파악해 보아요.

3 학문과 예술의 새로운 경향

주제 7 다양한 학문의 발전

1 서학의 전래와 영향

서학의 전래	• 수용 과정: 17세기 연행사로 파견된 사신들에 의해 서양 학문으로 전래 • 목적: 성리학의 한계를 극복하기 위한 방안으로 수용 • 서학의 의미: 천주교, 과학, 서양 물건 등을 포괄하는 개념
서학의 영향	• 천문학: 김석문(❶지전설), 홍대용(우주 무한론), 김육(❷시헌력 도입) • 세계 지도: ❸곤여만국전도 → 조선 지식인의 세계관 확대 • 과학 기술: 『기기도설』 – 정약용의 거중기 제작에 도움이 됨. • 종교로 수용: 『천주실의』 – 천주교 교리서, 18세기 이후 서학을 신앙으로 수용(제사 거부, 천주 우선시 등의 이유로 정부의 탄압을 받음.)

2 사회 개혁론, 실학의 등장

(1) 실학의 등장: 양 난 이후 정부에서 사회·경제적 변화 등 현실 문제에 대처하지 못함. ❹양명학과 서학 등의 영향 → 현실 사회 문제를 해결할 수 있는 학문의 필요성 대두

(2) 실학자들의 개혁안

농업 중심 개혁안	• 배경: 토지 소유의 불균형으로 농민 생활의 어려움 • 주장: 토지 제도 개혁을 통해 자영농 육성 → 농민 생활의 안정 • 학자: 유형원, 이익, 정약용 등 누가? 대부분 정권에서 밀려나 농촌에서 생활하던 남인들이었어.
상공업 중심 개혁안	• 배경: 18세기 후반 상공업의 발달 • 주장: 상공업 진흥, 기술 혁신, 청의 선진 문물 수용(북학파라고 불림.) • 학자: 박지원, 박제가, 유수원, 홍대용 등 왜? 박제가의 저서 "북학의"에서 유래된 명칭으로, 북학은 북쪽 나라인 청을 배우자는 뜻이야.

(3) 실학의 한계와 의의: 실학자 대부분이 정권에서 밀려나 정부 정책에 반영되지 못함. → 이후 개화 사상에 영향

3 우리 문화에 대한 연구 확대

(1) 배경: 실학 발달, 중국 중심의 세계관 비판 → 민족 전통과 현실에 대한 관심 고조
(2) 국학의 발달 무엇? 우리의 역사, 지리, 국어 등을 연구하는 국학이 발달하였어.

역사	• 안정복: 『동사강목』 – 고조선부터 고려까지의 역사를 체계적으로 정리 • 유득공: 『발해고』 – 발해를 우리의 역사로 인식, 남북국 용어 사용
지리	• 이중환: 『택리지』 – 각 지방의 자연환경과 인물, 풍속 소개 • 김정호: ❺대동여지도 – 산맥, 하천, 도로망 등을 정밀하게 표시
국어	• 신경준: 『훈민정음운해』 – 한글의 음운과 발음 기관 연구 • 유희: 『언문지』 – 우리말 중심의 음운 연구

정답과 해설 36쪽

확인해 봐요

1 세계 지도인 (　　　)이/가 들어와 조선인의 세계관에 변화가 생겼다.
2 유형원·이익·정약용 등은 (　　　) 중심의 개혁안을, 박지원·박제가·유수원 등은 (　　　) 중심의 개혁안을 제시하였다.
3 유득공은 (　　　)(이)라는 책을 저술하여 발해를 우리의 역사로 인식하였다.

교과서 활동 풀이

🔖 **가자!** 역사 속으로

📎 교과서 140쪽

조선 후기에 전래된 「곤여만국전도」는 조선 지식인들의
세계관에 큰 충격을 주었습니다.

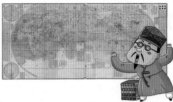

✅ **서양의 새로운 문물을 접한 조선 지식인들은
어떤 반응을 보였을까요?**

예시 답안 서양 문물을 접한 조선인들은 중국을 세계의 중
심으로 여기던 생각에서 벗어나는 계기가 되었다.

⭐ **자료 해설**

「곤여만국전도」는 유럽과 아프리카 등 5개 대
륙이 그려져 있고, 각지의 민족과 산물도 자
세히 기록되어 있어요. 이 지도는 우리나라에
전해져 지리학에 영향을 주었고, 당시 조선인
의 세계관 확대에 영향을 주었어요.

이하응(흥선 대원군) 초상

Q **왼쪽 그림 중 서양에서 전래된 물건은 무엇일까?** 📎 교과서 140쪽

예시 답안 색을 넣은 안경(수정 안경), 태엽식 자명종

💡 **활동 도우미**

조선에서 사용 가능성이 낮은 물건이 무엇인
지 생각해 보자.

🤖 **탐구 해봐요** **조선 후기 실학자의 사회 개혁 방안** 📎 교과서 141쪽

⭐ **자료 해설**

가 관리, 선비, 농민 등 신분에 따라 토지를 분배하자. 유형원

나 수레와 선박을 적극적으로 활용하여 물자의 유통을 활성화하고 화폐의 사용을 늘려야 한다. 박지원

다 생산을 늘리기 위해 적절한 소비가 필요하다. 박제가

라 마을마다 공동 농장을 마련하여 경작은 공동으로 하고, 수확은 노동량에 따라 분배하자. 정약용

• 유형원: 균전론을 주장하였고, 신분에 따라
차등을 두어 토지를 지급하되, 농민에게 일
정한 면적의 토지를 지급하자고 하였어요.
• 박지원: 수레, 선박, 화폐 사용을 강조하였
어요.
• 박제가: 청과의 교역을 확대하고, 소비를 장
려하여 생산을 촉진할 것을 주장하였어요.
• 정약용: 여전론을 주장하였으며, 마을에서
공동으로 토지를 소유하고 공동으로 경작하
여 노동량만큼 수확물을 분배해야 한다고
하였어요.

1 위 문장 카드에 나타난 실학 개혁안을 토지 중심 개혁안과 상공업 중심 개혁안으로 구분하여
써 보자.

예시 답안 토지 제도 개혁안: (가), (라) / 상공업 중심 개혁안 : (나), (다)

2 내가 조선 후기 실학자였다면 (가)~(라) 중 누구의 사회 개혁 방안을 지지할지 선택해 보고, 그
이유를 적어 보자.

예시 답안 당시 땅을 가지지 못한 농민들의 삶이 어려웠던 것이 큰 문제였다고 생각한다. 그러나 모든 사람에
게 똑같이 땅을 나누어 주거나, 공동 경작을 하는 것은 당시 현실에서는 실효성이 떨어졌을 것이다. 따라서 유형
원의 주장처럼 신분에 따라 토지를 차등 분배해 주어야 한다고 생각한다.

🤖 **스스로 확인해요**

❶ 현실 문제에 대한 관심을 가지고 이에 대한 개혁을 주장한 학문은 실학이다. (○)

❷ 유득공은 발해고 을/를 지어 발해를 최초로 우리의 역사로 인식하였다.

이 주제의 핵심

이 주제에서는 서학의 전래, 사회 개혁론인 실학의 대두, 국학의 발달에 관해 알아보았어요. 그중 서학이 조선 사회에 미친 영
향, 실학과 국학이 등장한 배경과 그 특징을 파악해 보아요. 특히 실학자들의 개혁안을 비교해 보고 실학의 의의와 한계도 기
억해 두세요.

③ 학문과 예술의 새로운 경향

학습 목표

조선 후기 예술 분야에서 나타난 새로운 변화의 구체적 사례를 제시할 수 있다.

주제 **8**

예술의 새로운 경향

1 진경산수화와 추사체

(1) 배경: 현실에 대한 관심과 우리 문화에 대한 자부심 증대 → 조선의 고유성 표현

(2) 내용: 회화, 서예

진경산수화	• 과거: 중국의 화첩을 보고 그대로 모방 • 진경산수화: 우리의 산천을 직접 눈으로 보고 표현 • 정선: 「정선필 인왕제색도」, 「금강전도」
독자적 서체	• 이광사: 동국진체 – 조선 고유의 서체 • 김정희: 추사체 개발 – 자신만의 독자적 서체

2 풍속화와 민화의 유행

무엇을? 김홍도는 먹의 농담을 주로 활용하였고, 풍속화의 소재는 대부분 서민들의 생활 모습이었어.

풍속화	• 의미: 당시 사람들의 삶의 모습을 생생하게 묘사 • 김홍도: 빨래터, 서당, 주막 등의 그림을 통해 서민의 일상을 표현 • 신윤복: 양반과 부녀자들의 생활 모습, 남녀 사이의 애정, 도시 문화의 모습 등을 표현 무엇을? 신윤복은 화려한 색을 잘 활용하였고, 주로 양반의 풍류와 남녀 사이의 애정을 소재로 삼았어.
민화	• 서민들이 문화 생활을 즐기면서 생활 공간을 장식하는 데 이용 • 해, 달, 동물, 식물, 물고기 등을 소재로 건강과 장수 등의 소망을 표현

❶ 진경산수화

진경(진짜 경치)의 산수를 그린 그림을 뜻한다. 도화서 화원 출신 정선은 중국의 화풍을 모방하던 기존의 산수화에서 벗어나 우리나라의 산천을 직접 관찰한 후 느낀 감각을 생생하고 사실적으로 표현하였다.

❷ 풍속화

어느 시대의 풍습이나 일상생활을 주제로 하여 그린 그림을 말한다. 조선 후기에 그려진 풍속화는 주로 서민들의 생활을 재미있고 현실감 있게 표현하였다.

❸ 민화

이름이 알려지지 않은 화가들의 그림이다. 해·달·나무·꽃·동물·문자 등 정통 회화를 모방한 것으로 서민들의 소박한 소망을 담고 있다.

핵심 자료 **우리 산천의 아름다움을 표현한 진경산수화**

「정선필 인왕제색도」(정선)

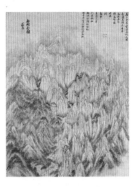

◀ 「금강전도」(정선) ▶

✓ 핵심

조선의 고유성이 표현된 회화는 무엇이며, 이를 발전시킨 인물은 누구인가?

조선 후기에는 우리나라의 산천을 독자적인 화풍으로 그리는 진경산수화가 등장하였다. 진경산수화를 대표하는 화가 정선은 한강 주변과 금강산 등의 실제 모습을 독자적으로 재해석하고 「정선필 인왕제색도」, 「금강전도」 등을 그렸다.

정답과 해설 36쪽

확인해 봐요

1 조선 후기에는 중국의 그림을 보고 따라 그리는 진경산수화가 유행하였다. (　　)

2 김홍도와 신윤복은 대표적인 풍속 화가이다. (　　)

3 경제적인 부를 축적한 서민들이 문화 생활을 즐기면서 민화가 유행하였다. (　　)

가자! **역사 속으로**

📄 교과서 143쪽

청화 백자는 흰 바탕에 푸른색으로 나무와 풀, 꽃, 새 등을 그려 넣은 도자기로 특히 조선 후기에 꽃병, 연적, 술병 등에 활용되어 실생활에 널리 쓰였습니다.

청화 백자
(국립중앙박물관)

✓ **조선 후기 예술에 나타난 변화에는 어떤 것들이 있을까요?**

예시 답안 현실에 대한 관심이 예술에도 반영되었으며, 우리 문화의 독자적인 가치를 깨닫게 되었다. 회화에서는 진경산수화와 풍속화, 민화가 유행하였으며, 추사체 등의 독자적인 서체가 등장하였다.

⭐ **활동 도우미**

청화 백자 사진을 통해 조선 전기의 백자와 달라진 점이 무엇인지 생각해 보아요. 그리고 조선 후기에 어떤 변화가 일어났을지 상상해 봅시다.

탐구 **해 보요** **민화에 담긴 서민들의 소망**

📄 교과서 144쪽

'까치호랑이'(호작도)
(오죽헌시립박물관)

'모란도'
(국립민속박물관)

나만의 민화

그림에 담은 나의 소망

⭐ **자료 해설**

- 풍속화: 조선 후기 사람들의 삶을 생생하게 보여 줍니다.
- 진경산수화: 조선의 풍경 모습을 사실적으로 표현하였습니다.
- 민화: 서민들의 소망을 담아 생활 공간의 장식용으로 쓰였습니다.

⭐ **활동 도우미**

민화는 당시 사람들의 현실적인 소망을 담고 있어요. 민화에서 가장 많이 등장하는 호랑이는 주로 복되고 좋은 소식을 전해 준다는 까치와 함께 그려졌어요.

자신이 현재 원하는 것이 무엇인지 생각해 보아요. 주변의 사물을 재치 있게 그려 보거나 문자를 타이포그래피의 형태로 그려서 표현해 볼 수도 있어요.

1 위 민화들의 제목을 검색하여 그 안에 담긴 서민들의 소망을 써 보자.

예시 답안 까치호랑이에는 나쁜 기운을 내쫓고 기쁜 소식을 전해 주기를 바라는 마음이 담겨 있다. 모란도에는 부귀영화를 꿈꾸는 마음이 담겨 있다.

2 오른쪽 공간에 나만의 민화를 그리고, 그림에 담은 나의 소망을 설명해 보자.

예시 답안 꿈을 이루고 싶다는 마음을 담아 '꿈'이라는 글자로 문자도를 제작해 본다.

 스스로 **확인해요**

❶ 조선 후기 회화에서는 우리의 산천을 그림으로 표현하는 진경산수화가 등장하였다. (○)

❷ 조선 후기에는 당시 사람들의 삶의 모습을 그린 풍속화이/가 유행하였다.

역량 키우기 ⚙ **역사 탐방** **그림으로 살펴보는 조선 후기 예술의 새로운 경향** 📄 교과서 145쪽

 생각하고 써 보기

나는 '조선 후기 회화전'을 통해 예술 분야에 나타난 새로운 경향을 알게 되었어. 조선 후기 회화 분야에 나타난 새로운 경향은 예시 답안 실학의 발달로 현실에 대한 관심이 높아지고 우리 문화에 대한 자부심이 높아지면서 우리 고유의 정서와 자연을 표현하려는 움직임이 나타난 것이다.

 이 주제의 핵심

이 주제에서는 진경산수화와 추사체가 등장한 배경, 풍속화와 민화의 특징에 대해 알아보았어요. 조선 후기 예술의 새로운 경향이 나타난 이유와 구체적인 사례들을 실제 그림을 통해 파악해 두도록 해요.

기초를 튼튼하게 확인 문제

01 실학자의 주장과 관련 있는 것끼리 연결하시오.

ㄱ 유형원 •   • ⓐ 공동 경작, 공동 분배

ㄴ 박지원 •   • ⓑ 신분에 따른 토지 분배

ㄷ 정약용 •   • ⓒ 수레와 선박 이용, 화폐 사용

02 설명이 맞으면 ○, 틀리면 ×로 표시하시오.

(1) 조선은 병자호란 이후 청과의 외교 관계를 단절하였다. (   )

(2) 조선은 일본의 요청에 따라 일본과의 관계를 안정시키기 위해 연행사를 파견하였다. (   )

(3) 서학은 연행사로 파견된 사신들에 의해 서양 학문으로 받아들여졌다. (   )

(4) 조선 후기에 나타난 여러 가지 사회 문제를 해결하기 위해 새로운 학풍인 실학이 등장하였다. (   )

03 괄호 안의 내용 중 알맞은 것에 동그라미 표시하시오.

(1) 유형원, 이익, 정약용 등의 실학자들은 농민의 생활을 안정시키는 방법으로 (토지 제도 개혁 / 농업 기술 발달)을 주장하였다.

(2) 조선 후기에는 서민들의 일상적인 삶의 모습을 그린 (풍속화 / 진경산수화)가 많이 그려졌다.

(3) 김정호는 기존 지도를 보완하여 (『택리지』/『대동여지도』)를 제작하였다.

04 빈칸에 알맞은 말을 쓰시오.

(1) (   )와/과 같은 세계 지도가 조선에 들어와 당시 조선 지식인의 세계관을 크게 확대하였다.

(2) 상공업 중심의 개혁론자들은 청의 문물을 적극 수용하자고 주장하여 (   )(이)라고 불린다.

(3) (   )은/는 『발해고』를 저술하여 발해를 우리의 역사로 인식하였다.

내신을 탄탄하게 내신 문제

01 다음과 같은 주장이 나오게 된 배경으로 가장 적절한 것은?

> 진실로 백성에게 이롭고 나라에 도움이 될 일이라면, 그 법이 비록 오랑캐에게서 나온 것일지라도 마땅히 이를 본받아야만 한다.

① 기유약조를 통해 일본과의 국교를 회복하였다.

② 명에 대한 의리를 갚기 위해 북벌을 추진하였다.

③ 성리학의 한계를 극복하기 위하여 양명학을 받아들였다.

④ 연행사를 통한 청과의 교류로 청에 대한 인식이 바뀌었다.

⑤ 통신사를 파견하여 조선의 선진 문물을 일본에 전달하였다.

02 다음 설명에 해당하는 것은?

> • 일본의 문화 발전에 공헌하였다.
> • 왜란 후 일본의 요청으로 국교를 재개한 후 파견되어 19세기 초까지 파견되었다.

① 견당사   ② 수신사

③ 연행사   ④ 통신사

⑤ 조사시찰단

03 실학이 등장하게 된 배경으로 옳은 것을 |보기|에서 고른 것은?

> |보기|
> ㄱ. 개화 사상이 등장하여 영향을 주었다.
> ㄴ. 성리학이 사회 변화에 적절히 대응하지 못하였다.
> ㄷ. 청에서 양명학, 서학 등 새로운 사상이 전래되었다.
> ㄹ. 조선 왕실에서 실용적인 학문의 도입을 적극적으로 추진하였다.

① ㄱ, ㄴ   ② ㄱ, ㄷ   ③ ㄱ, ㄹ
④ ㄴ, ㄷ   ⑤ ㄴ, ㄹ

중요
04 빈칸 ㉠~㉢에 들어갈 인물을 바르게 연결한 것은?

> (㉠)은 신분에 따라 차등을 두어 토지를 지급하자고 주장하였다. (㉡)은 한 가정의 생계에 필요한 최소한의 토지를 영업전으로 하여 매매를 금지하자고 주장하였다. (㉢)은 마을마다 공동 소유의 농장을 마련하여 공동으로 경작하고, 수확량은 노동량에 따라 분배하자고 주장하였다.

	㉠	㉡	㉢
①	이익	유형원	정약용
②	이익	정약용	유형원
③	유형원	이익	정약용
④	유형원	정약용	이익
⑤	정약용	이익	유형원

05 다음 학자들이 공통적으로 주장하는 것은?

재물은 샘과 같은 것이지요. 따라서 소비를 권장해야 생산이 활발해집니다.

맞습니다. 또한 수레와 선박, 화폐를 이용하여 상공업을 진흥시켜야 합니다.

① 지전설을 주장하였다.
② 직업의 평등을 강조하였다.
③ 상공업의 진흥을 강조하였다.
④ 농민 생활의 안정을 주장하였다.
⑤ 토지 제도의 개혁을 주장하였다.

06 다음 지도가 조선에 전래되어 끼친 영향으로 가장 적절한 것은?

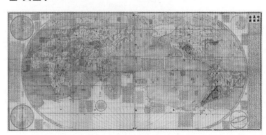

① 서민 문화가 더욱 발달하게 되었다.
② 조선인의 세계관을 크게 확대시켰다.
③ 천문학과 역법이 크게 발달하게 되었다.
④ 조선인의 전통적인 우주관을 잘 보여 준다.
⑤ 중국이 세계의 중심이라는 사고가 강화되었다.

중요
07 **(가)에 들어갈 제목으로 가장 적절한 것은?**

```
                    (가)
(1) 역사
  • 유득공의 「발해고」
  • 안정복의 「동사강목」
(2) 지리
  • 이중환의 「택리지」
  • 김정호의 「대동여지도」
(3) 언어
  • 유희의 「언문지」
  • 신경준의 「훈민정음운해」
```

① 실학의 등장　　　② 국학의 발달
③ 서민 문화의 등장　④ 서양 문화의 수용
⑤ 새로운 종교의 등장

08 **다음 그림에 대한 설명으로 옳은 것은?**

① 무명의 화가들이 그렸다.
② 김홍도가 즐겨 그린 그림이다.
③ 전통적인 중국의 화법으로 그렸다.
④ 민중의 소원을 그림에 반영하였다.
⑤ 양반이나 부녀자들의 생활 모습을 섬세하고 감각적으로 표현하였다.

09 **조선 후기 예술의 새 경향으로 볼 수 <u>없는</u> 것은?**

① 조형미가 뛰어나고 독창적인 김정희 추사체
② 인왕산의 진경을 표현한 정선의 「인왕제색도」
③ 서민의 생활을 익살스럽게 표현한 김홍도의 「씨름」
④ 안평대군의 꿈을 소재로 그린 안견의 「몽유도원도」
⑤ 양반과 부녀자의 모습 등을 감각적으로 표현한 신윤복의 「월하정인」

10 **다음 설명에 해당하는 작품으로 적절한 것은?**

• 장식용 그림으로 유행하였다.
• 나무, 꽃, 물고기, 문자 등을 소재로 하였다.
• 서민들의 구체적이고 현실적인 소망을 담고 있다.

① 　②
③ 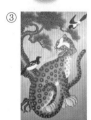　④
⑤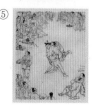

만점에 도전하는 심화 문제

01 밑줄 친 (가), (나)에 대한 설명으로 옳지 않은 것은?

> 조선 후기 청에 파견한 사신을 (가) 연행사, 일본에 파견한 사신을 (나) 통신사라고 부른다.

① (가) – 서양 선교사들과 교류하면서 서양 문물을 접하였다.
② (가) – 청이 중국을 지배한 후 조선에서 파견하는 횟수가 점차 늘어났다.
③ (가) – 조선은 연행사를 파견하여 중국 중심의 조공·책봉 체제를 유지하였다.
④ (나) – 에도 막부가 쇼군의 권위를 높이기 위해 사신의 파견을 요청하였다.
⑤ (나) – 외교 사절의 역할뿐만 아니라 조선과 일본의 문물 교류에 기여하였다.

02 (가)~(다)에 해당하는 서적을 옳게 연결한 것은?

> (가) 정통은 단군·기자·마한·신라 문무왕·고려 태조이다. 신라는 고구려에 대해 합병한 예에 따랐으므로 통일한 이듬해에 정통을 이은 것이다.
>
> (나) 부여씨가 망하고 고씨가 망한 다음, 김씨가 남방을 차지하고 대씨가 북방을 차지하고는 발해라 했으니, 이것을 남북국이라 한다.
>
> (다) 살 곳을 택할 때에는 처음에는 지리를 살펴보고 다음에 생리·인심·산수를 돌아본다. 이 네 가지 요소 가운데서 한 가지만 벗어나도 살기 좋은 곳은 못된다.

	(가)	(나)	(다)
①	발해고	택리지	동사강목
②	택리지	발해고	동사강목
③	발해고	동사강목	택리지
④	동사강목	발해고	택리지
⑤	동사강목	택리지	발해고

03 다음 인물과 자료에 대한 설명으로 옳지 않은 것은?

> 재물을 비유하자면 대체로 샘(우물)과 같다. 샘물은 퍼내면 차고, 버려두면 말라 버린다.
> – 『북학의』 –

① 상공업 진흥을 주장하였다.
② 소비가 중요함을 역설하였다.
③ 『열하일기』를 쓴 인물과 동일하다.
④ 청의 문물을 수용할 것을 주장하였다.
⑤ 농업 생산량의 증대를 위해 농업 기술의 개발을 주장하였다.

신유형
04 다음 학습 목표를 달성하기 위한 탐구 활동으로 적절하지 않은 것은?

> 학습 목표: 조선 후기에 발달한 예술의 새로운 경향을 설명할 수 있다.

① 추사체의 독자적인 특징 조사
② 진경산수화에 담긴 특징 조사
③ 민화가 유행했던 사회·경제적 배경 탐구
④ 풍속화에 나타난 당시 사람들의 삶의 모습 탐구
⑤ 엄격한 성리학의 교리가 예술로 표현된 과정 조사

생활과 문화의 새로운 양상

학습 목표

조선 후기 혼인, 제사, 상속 등 일상생활에서 나타난 변화를 설명할 수 있다.

주제 9 유학 확산에 따른 일상생활의 변화

1 혼인 제도의 변화

(1) **배경:** 성리학적 질서 강화 → 부계를 중심으로 한 생활 규범 정착

(2) **혼인 제도의 변화**

고려 시대	처가살이가 일반적
조선 전기	부계 중심의 ❶친영제 도입 시도 → 실패
17세기 중엽 이후	반친영 제도의 확산 → 부계 중심 가족 제도의 강화

(3) **결과:** 시집살이의 확산 → 혼인 이후 여성은 딸보다 며느리로서의 정체성 강화

2 제사와 상속 제도의 변화

(1) **배경:** 성리학적 생활 규범 정착 → ❷가부장적 가족 질서 강화

(2) **내용** 어떻게? 성리학적 윤리가 강조되면서 여성의 지위가 점차 낮아졌어.

제사	17세기 중엽까지 아들과 딸이 돌아가며 지내거나 특정 제사를 분담 → 18세기 중엽 이후 장남이 책임을 맡고, 아들이 없는 경우 ❸양자를 들여 제사를 지내게 함.
상속	아들과 딸에게 균등하게 재산 상속 → 장남 우대 상속 제도로 확대

❶ **친영제**

신부를 데려와 신랑 집에서 혼인을 치른 후에 곧바로 여자가 신랑 집에서 사는 혼인 제도를 말한다.

❷ **가부장제**

가장이 가족 구성원에 대하여 강력한 권한을 가지고 가족을 지배, 통솔하는 가족 형태를 말한다.

❸ **양자**

아들이 없는 집에서 자신의 대를 잇기 위한 목적으로 동성동본 구성원 중에 항렬이 맞는 남자를 자식으로 맞아들이는 제도이다.

핵심 자료 | 혼인 제도, 제사와 상속 제도의 변화

신행길(김홍도)	상례를 치르는 모습(김준근)

☑ **핵심**

> **그림을 통해 알 수 있는 조선 후기의 혼인과 제사의 특징은 무엇일까?**

신랑이 혼례를 올리기 위해 신부의 집으로 가는 신행길 모습을 통해 신부 집에서 혼례를 올리고 잠시 머물다가 신랑 집에 가서 사는 반친영 제도의 모습을 알 수 있다. 상례를 치르는 모습에서 제사 지내는 사람이 남자들로만 구성된 것을 통해 가부장적 질서가 강조된 조선 후기의 제사 모습을 발견할 수 있다.

⊘ 정답과 해설 38쪽

확인해 봐요

1 조선 후기에는 신랑이 신부 집에서 혼례를 치르고 처가에 머무는 처가살이가 일반적이었다.

(○ , ×)

2 조선 후기에는 성리학의 영향으로 가부장적 질서를 강조하는 혼인 및 제사 제도가 정착하였다.

(○ , ×)

3 조선 후기에는 재산 상속에서 아들과 딸을 차별하지 않고 고르게 분배하였다.

(○ , ×)

가자! 역사 속으로

1669년 부안 김씨 가문의 김명열은 딸에게 제사를 맡기지 않고 재산도 아들의 3분의 1만 주겠다는 유언을 남겼습니다.

📖 교과서 146쪽

💭 **유학이 확산되면서 일상생활에 어떤 변화들이 나타났을까요?**

예시 답안 유학이 확산되면서 여성은 출가외인으로 여겨졌으며, 제사의 책임을 장남이 맡으면서 재산 상속에서도 장남이 우대를 받는 경향이 강해졌다.

⭐ **활동 도우미**

자료의 내용을 보면 17세기 조선에서는 제사는 아들에게만 맡기고, 딸보다는 아들에게 재산을 더 많이 준다는 것을 나타내고 있어요. 조선 초기와는 어떤 점이 다른지를 생각해 봅시다.

 교과서 자료　　**친영제 실시에 대한 논의**

📖 교과서 146쪽

> 왕이 김종서에게 물었다. 태종 때에 친영을 실시하자는 논의가 있었으나, 어린 처녀들이 친영을 행하기가 어렵다고 생각하였다. 어렵다고 하는 것은 무엇인가? 김종서가 이렇게 대답하였다. 우리나라의 풍속은 남자가 여자 집으로 가는 것으로 그 유래가 오래되었습니다. 만일 여자가 남자 집으로 들어가게 되면, 거기에 필요한 노비·의복·그릇을 여자 집에서 모두 마련해야 하므로, 이를 어렵게 생각하여 꺼리는 것입니다.
> – 「세종실록」 –

💡 **자료 해설**

조선 시대 왕실이나 사대부들은 「주자가례」에 따라 친영제를 실천하고자 노력하였으나, 일반 백성들에게까지 퍼지는 데는 어려움이 많았음을 보여 주는 자료예요.

탐구 해봐요 　　**제사와 상속 제도의 변화**

📖 교과서 147쪽

자료1 조선 전기의 제사와 상속

> **1545년(인종 1)** 정월 초사일 어머니 기일 때문에 (휴가를 받아) 집에서 몸과 마음을 깨끗이 하였다.
> **1545년(인종 1)** 이번 제사의 차례는 큰누님 댁이다. 큰형의 아들과 함께 청파동에 갔더니 작은형의 아들도 막 도착해 있었다. 바로 제사를 거행하였다.
> – 「이문건의 일기」 –

상산 김씨 가문 삼남매가 토지와 노비 등 재산을 분배한 문서이다. 이 문서에는 상속받은 노비의 전체 숫자뿐만 아니라 연령대별 노비의 수도 거의 비슷하게 분배한 모습이 담겨있다. 이를 통해 당시 재산의 균분 상속 사례를 잘 알 수 있다.

◀ **「김광려 삼남매 화회문기」**(국립진주박물관)

자료2 조선 후기의 제사와 상속

> 우리 집안에서는 단연코 사위나 외손의 집에서는 제사를 지내지 못하도록 하기로 결정하였다. …… 딸은 부모가 살아 있을 때 봉양하는 도리가 없고 죽은 뒤에도 제사를 지내는 예가 없으니, 어찌 재산을 아들과 동등하게 나누어 주겠는가. 딸에게는 3분의 1만 주어도 정과 도리에 비추어 볼 때 조금도 잘못된 일이 아니다.
> – 「부안 김씨 분재 문서」 –

⭐ **활동 도우미**

자료 1과 자료 2의 내용을 자세히 읽어 보고, 차이점에 해당하는 부분에 밑줄을 그어 보세요. 혼인과 제사, 상속에 있어서 어떤 차이가 있는지 파악해 보고, 이러한 변화가 일어난 이유가 무엇인지를 교과서 본문에서 찾아보아요.

1 위의 자료를 통해 조선 전기와 후기에 나타난 제사와 상속 제도의 차이점을 비교해 보자.

예시 답안 조선 전기에는 삼남매가 제사를 돌아가며 지냈으며, 재산을 균등하게 분배하였음을 자료 1을 통해 알 수 있다. 조선 후기에는 딸에게 제사를 맡기지 않고, 재산을 3분의 1만 주겠다고 하는 것으로 보아 재산을 차등분배하고 있음을 알 수 있다.

2 제사와 상속의 모습이 자료 2와 같이 변하게 된 이유를 파악해 보자.

예시 답안 양 난 이후 조선 사회에 유학(성리학)이 자리 잡으면서 가부장적 질서가 강조되기 시작하였다. 이로써 혼인 제도에서는 여성의 시집살이가 확산되고, 제사와 상속에 있어서도 아들과 딸을 차별하였다.

스스로 확인해요

❶ 17세기 중엽 이후에는 신붓집에서 혼례를 올리고 신랑 집에 가서 사는 반친영 제도가 확산되었다. (○)

❷ 조선 사회에 성리학이/가 자리 잡으면서 장남이 제사의 책임을 맡게 되었다.

이 주제의 핵심

이 주제에서는 조선 후기의 혼인, 상속, 제사 등에서 나타난 변화에 대해 알아보았어요. 성리학의 확산으로 혼인, 제사, 상속 제도 등에서 조선 전기와 후기에 어떤 변화가 있었는지 사료와 자료를 통해 파악해 보아요.

주제 10 # 서민 문화의 발달

1 상품 화폐 경제의 발달에 따른 서민 문화의 발달

(1) 배경: 농업 생산력 증대, 상공업 발달, 서당 교육 확산 → 서민의 의식 수준 향상
(2) 서민 문화의 발달: 양반 중심의 문화 활동이 ❶중인과 상민층으로 확대
어떻게? 한글 소설, 사설시조, 탈춤, 판소리 등의 서민 문화가 대두하였어.

2 한글 소설과 사설시조의 유행

(1) 한글 소설
 ① 『홍길동전』: 서얼 차별, 탐관오리에 대한 응징, 이상 국가 건설 등 표현
 ② 『심청전』: 맹인의 삶, 효의 이념 등 무엇? 이외에 남녀 간의 사랑을 다룬 『춘향전』도 널리 읽혔어.
(2) ❷사설시조: 형식에 얽매이지 않고 서민들의 솔직한 감정을 자유롭게 표현

3 판소리와 탈춤

(1) 공연 예술의 유행: 사람들이 많이 모인 장터나 양반집 잔치를 중심으로 공연 성행
(2) 내용 왜? 서민층의 경제력과 사회 의식이 향상되었기 때문이야.

❸판소리	• 의미: 창(노래), 사설(이야기), 발림(몸짓)이 융합된 공연 예술 • 대표 작품: 춘향가, 심청가, 흥부가, 적벽가, 수궁가 등 다섯 마당
탈춤	• 양반의 위선이나 횡포 같은 사회 모순을 해학과 풍자로 비판 • 대표 작품 : 봉산 탈춤, 하회 별신굿 탈춤

❶ 중인
조선 시대 양반과 상민의 중간에 있던 계층으로, 양반을 도와 관청에서 일하는 사람, 의학·법률 등 전문직에 종사하는 사람, 외국과 교류할 때 외국 사람과의 통역을 맡은 역관 등이 있었다.

❷ 사설시조
초장, 중장, 종장 등 시조의 엄격한 형식에서 벗어나 글자 수에 구애받지 않고 길게 풀어쓴 시조 형태를 말한다.

❸ 판소리
한 명의 소리꾼인 광대가 북을 치는 고수의 북장단에 맞추어 노래와 말로 이야기를 풀어가는 공연 예술이다. 주로 장시나 포구와 같이 사람들이 많이 모이는 곳에서 이루어졌다. 판소리는 모두 열두 마당으로 구성되었는데, 현재 다섯 마당만 전해지고 있다.

핵심 자료 | 한글 소설과 사설시조

한글 소설	사설시조
소인이 평생 서러운 바는 대감 정기로 당당한 남자가 되어서 부모가 낳아 주고 길러 주신 은혜가 깊거늘 그 부친을 부친이라 하지 못하옵고 그 형을 형이라 부르지 못하오니 어찌 사람이라 하오리까? – 허균, 『홍길동전』 –	두꺼비가 파리를 입에 물고 두엄 위에 올라 앉아/ 건너편 산을 바라보니 송골매가 떠 있기에 가슴이 섬뜩해서/펄쩍 뛰어 도망가다가 두엄 아래로 떨어졌구나/내 몸이 날래기 망정이지 다쳐서 멍들 뻔하였네 – 『청구영언』에 실린 작자 미상의 작품 –

✔ 핵심
위의 한글 소설과 사설시조에 나타난 내용을 설명해 보자.

최초의 한글 소설로 알려진 『홍길동전』은 서얼이었던 홍길동을 통해 신분 사회의 문제점을 비판하였고, 탐관오리를 응징하는 내용으로 서민들에게 인기가 많았다. 한편 형식에 얽매이지 않고 산문 형식으로 쓰여진 사설시조는 작가가 알려지지 않은 경우가 많으며, 주로 풍자적이고 해학적인 내용으로 서민들 사이에서 인기가 많았다. 자료의 사설시조에서 '두꺼비'는 하급 관리, '파리'는 힘없는 백성, '송골매'는 중앙의 높은 관리를 상징한다.

🔎 정답과 해설 38쪽
확인해 봐요

1 농업 생산력 향상, 서민들의 교육 기회 확대 등으로 ( ) 문화가 발달하였다.

2 ( ) 은/는 서얼 차별, 탐관오리에 대한 응징의 내용을 담은 한글 소설이다.

3 ( ) 은/는 창, 사설, 발림이 융합된 공연 예술로, 대표 작으로는 춘향가, 심청가 등이 있다.

교과서 활동 풀이

가자! 역사 속으로

조선 후기에 소설을 찾는 수요가 늘면서 당시 부녀자들은 비녀, 팔찌를 팔거나 혹은 빚을 내면서 서로 경쟁하듯 책을 빌려 보고는 하였습니다.

✔️ **조선 후기에 나타난 서민 문화로는 또 어떤 것들이 있을까요?**

「책 읽는 여인」 (윤덕희, 서울대학교박물관)

예시 답안 경제적 부를 축적하고 교육 기회가 확대되면서 서민들의 의식이 성장하자 한글 소설, 사설시조, 탈춤, 판소리 등이 발달하였다.

🌟 자료 해설

그림은 18세기에 그려진 「책 읽는 여인」이에요. 이 그림을 통해 조선 후기 서민들이 한글 소설에 빠져 있던 상황을 알 수 있어요.

📋 교과서 사진 자료   김홍도의 「서당」

김홍도의 「단원풍속도첩」에 실려 있는 그림으로, 18세기 서당의 모습을 재미있게 표현하였다. 훈장을 중심으로 등장하는 아이들의 모습은 간결하지만 세밀한 감정까지 표현하였다.

🌟 자료 해설

김홍도의 「서당」에는 서당에서 공부하는 어린 학생들을 그렸어요. 조선 후기에는 사설 초등 교육 기관인 서당이 늘어나면서 글을 읽고 쓸 줄 아는 서민들이 늘어났고, 서민 문화 발달의 중요한 배경이 되었지요.

탐구 해 보요   양반의 위선을 풍자하는 공연 예술, 하회 별신굿 탈춤

장면 1 ▶
양반: 나는 사대부(士大夫)의 자손일세.
선비: 아니 뭐라고, 사대부? 나는 팔대부(八大夫)의 자손일세.
양반: 아니, 팔대부? 그래, 팔대부는 무엇이오?
선비: 팔대부는 사대부의 갑절이지.

장면 2 ▶
양반: 나는 사서삼경을 다 읽었다네.
선비: 뭐 그까짓 사서삼경 가지고. 어흠, 나는 팔서육경을 다 읽었네.
양반: 아니, 뭐? 팔서육경? 그래 대관절 육경은 또 뭔가?
초랭이: 헤헤헤, 나도 아는 육경 그것도 모르니껴. 팔만대장경, 중의 바라경, 봉사의 안경, 약국의 길경, 처녀의 월경, 머슴의 새경 말이시더.

― 하회 별신굿 탈놀이 중 제7 마당(일부) ―

장면 3 ▶
양반:

선비:

당시 사회의 모순

💡 활동 도우미

장면 1과 장면 2는 탈춤을 통해 당시 양반의 위선을 풍자하고 있다. 상상력을 동원하여 장면 3을 자유롭게 만들어 보자. 당시 양반의 상황과 위선, 체면치레 등이 나타나도록 대사를 만들어 보자.

1 위의 탈춤 장면1,2를 통해 알 수 있는 당시 사회 모습을 설명해 보자.

예시 답안 체면만을 중시하는 양반의 위선과 허구성이 나타나 있으며, 이를 해학적으로 풍자하고 비판하고 있다.

2 장면 3에 조선 시대 양반을 풍자하는 대사를 만들어 보고, 어떤 사회 모습을 비판했는지 써 보자.

예시 답안 양반: "배가 고프구나. 오늘 밥은 김에 먹도록 하자" 선비: "김 하면 양반 김이죠, 양반이 직접 만들어야 먹을 수 있답니다." 당시 사회의 모순: 잔반으로 몰락한 배고픈 양반이 체면을 차리는 모습을 풍자하였다.

 스스로 확인해요

❶ 서민들의 경제력이 상승하면서 양반 중심의 문화 활동이 서민층에게까지 확대되었다. (○)

❷ 사설시조 은/는 형식에 구애받지 않고 산문 형식으로 서민들의 감정을 솔직히 표현하여 널리 유행하였다.

 이 주제의 핵심

이 주제에서는 서민 문화의 발달과 서민 문화의 여러 가지 모습을 알아보았어요. 서민 문화가 발달한 배경과 서민들이 즐겼던 한글 소설, 사설시조, 판소리, 탈춤 등에 나타난 사회 풍자, 감정 표현의 내용에 대해 알아보아요.

기초를 튼튼하게 **확인 문제**

01 서로 관련 있는 내용끼리 연결하시오.

ⓐ『심청전』•　　　　　　• ⓐ 효의 이념
ⓑ『춘향전』•　　　　　　• ⓑ 서얼 차별
ⓒ『홍길동전』•　　　　　• ⓒ 남녀 간의 사랑

02 조선 후기의 모습에 대한 설명이 맞으면 ○, 틀리면 ×로 표시하시오.

(1) 성리학의 발달로 남성들의 처가살이가 확산되어
　　나갔다.　　　　　　　　　　　　　　(　　)
(2) 가부장적 질서가 강조되면서 제사나 상속에 있어
　　서 장남이 우대를 받게 되었다.　　　(　　)
(3) 경제적으로 여유가 생긴 서민층이 늘어나면서 서
　　민 문화가 발달하였다.　　　　　　　(　　)
(4) 다양한 한글 소설이 출판되면서 책을 읽어 주는
　　사람이 등장하였다.　　　　　　　　(　　)

03 조선 시대의 혼인 제도의 변화를 순서대로 나열하시오.

> **| 보기 |**
> ㄱ. 처가살이　　　　ㄴ. 반친영 제도
> ㄷ. 시집살이

- -

04 빈칸에 알맞은 말을 쓰시오.

(1) (　　　)은/는 당시 양반의 위선이나 횡포와 같
　　은 사회 모순을 풍자하였다.
(2) 형식에 얽매이지 않고 산문 형식으로 서민들의
　　솔직한 감정을 표현한 시조를 (　　　)(이)라고
　　한다.
(3) 창, 사설, 발림으로 이루어져 사람들이 많이 모
　　이는 장소에서 이루어진 공연 예술을 (　　)
　　(이)라고 한다.

내신을 탄탄하게 **내신 문제**

01 다음 내용을 통해 알 수 있는 사실로 옳지 <u>않은</u> 것은?

> 1669년 부안 김씨 가문의 김명열은 딸에게 제사를 맡기지 않고 재산도 아들의 3분의 1만 주겠다는 유언을 남겼습니다.

① 장남이 제사의 책임을 맡았다.
② 가부장적 질서가 강조되고 있었다.
③ 성리학의 확산으로 일상생활이 변화하였다.
④ 재산 상속에 있어서 아들과 딸을 차별하였다.
⑤ 국가에서 자녀에게 상속하는 원칙을 규정하였다.

02 다음 자료를 통해 알 수 있는 글에 대한 내용으로 옳지 <u>않은</u> 것은?

> 왕이 김종서에게 물었다. 태종 때에 친영을 실시하자는 논의가 있었으나, 어린 처녀들이 친영을 행하기가 어렵다고 생각하였다. 어렵다고 하는 것은 무엇인가? 김종서가 이렇게 대답하였다. 우리나라의 풍속은 남자가 여자 집으로 가는 것으로 그 유래가 오래되었습니다. 만일 여자가 남자 집으로 들어가게 되면, 거기에 필요한 노비·의복·그릇을 여자 집에서 모두 마련해야 하므로, 이를 어렵게 생각하여 꺼리는 것입니다.
> － 『세종실록』 －

① 친영제를 도입하고자 하였다.
② 조선 초기에 친영제가 정착하였다.
③ 기존에는 처가살이가 일반적이었다.
④ 혼인 제도와 관습을 바꾸는 일이 어려웠다.
⑤ 『주자가례』에 근거하여 친영제를 주장하고 있다.

03 (가)에서 (나)로 제사의 원칙이 변하게 된 이유로 가장 적절한 것은?

> (가) 이번 제사의 차례는 큰누님 댁이다. 큰형의 아들과 함께 청파동에 갔더니 작은형의 아들도 막 도착해 있었다. 바로 제사를 거행하였다.
> (나) 우리 집안에서는 단연코 사위나 외손의 집에서는 제사를 지내지 못하도록 하기로 결정하였다.

① 처가살이가 강조되었다.
② 양자를 들여 가문을 잇게 하였다.
③ 교육 기회의 확대로 여성의 권리가 신장되었다.
④ 국가에서 대대적으로 제사의 원칙을 제시하였다.
⑤ 성리학적 생활 규범이 자리 잡으면서 가부장적 질서가 강조되었다.

중요
04 유학(성리학) 확산에 따른 조선 후기의 일상생활의 모습에 대한 설명으로 옳은 것을 |보기|에서 고른 것은?

> | 보기 |
> ㄱ. 혼인 이후 여성은 출가외인으로 여겨졌다.
> ㄴ. 재산 상속에서 아들과 딸을 차별하지 않았다.
> ㄷ. 혼인 풍속은 대개 신부의 집에서 혼인식을 치르고 처가에 머물렀다.
> ㄹ. 아들이 없는 경우에는 같은 집안에서 양자를 들여 가문을 잇게 하였다.

① ㄱ, ㄴ　　② ㄱ, ㄷ　　③ ㄱ, ㄹ
④ ㄴ, ㄷ　　⑤ ㄴ, ㄹ

05 조선 후기 서민 문화라는 수행 평가 주제로 적절하지 않은 것은?

① 1모둠: 양반의 위선을 풍자한 탈춤의 종류
② 2모둠: 형식에 얽매이지 않은 사설시조의 특징
③ 3모둠: 현재 전해지는 판소리 다섯 마당의 내용
④ 4모둠: 양반 문화에 대응하기 위한 서민 성리학의 발달
⑤ 5모둠: 『홍길동전』, 『심청전』, 『춘향전』 등의 한글 소설에 나타난 내용

06 사설시조의 특징으로 가장 적절한 것은?

① 민중의 소원을 담았다.
② 양반들의 위선을 풍자하였다.
③ 서민의 솔직한 감정을 표현하였다.
④ 사람들이 많이 모인 곳에서 행해졌다.
⑤ 나무, 꽃, 동물, 문자 등을 소재로 하였다.

07 다음과 같은 공연 예술이 유행하던 시기의 사회 모습이 아닌 것은?

① 서당 교육 보급
② 한글 소설의 유행
③ 양반층의 권위 강화
④ 상품 화폐 경제의 발달
⑤ 서민층의 경제적 지위 향상

08 다음에서 설명하는 문화의 사례로 옳지 <u>않은</u> 것은?

> 창(노래)과 사설(이야기), 발림(몸짓)으로 이루어진 공연 예술이다.

① 춘향가　　　　② 심청가
③ 적벽가　　　　④ 수궁가
⑤ 봉산 탈춤

09 다음 그림을 통해 알 수 있는 사실은?

① 양반 문화가 발달하였다.
② 처가살이가 일반화되었다.
③ 가부장적 질서가 강조되었다.
④ 판소리나 탈춤이 유행하였다.
⑤ 한글 소설의 발달로 책을 읽는 사람이 늘었다.

10 다음 작품과 그 내용을 <u>잘못</u> 연결한 것은?

① 『심청전』 – 아버지에 대한 효심
② 『홍길동전』 – 서얼 차별, 탐관오리 응징
③ 『춘향전』 – 신분을 넘어선 남녀 간의 사랑
④ 하회 별신굿 탈춤 – 지배층인 양반의 위선 풍자
⑤ 적벽가 – 토끼와 자라의 행동을 통한 인간 풍자

11 다음과 같은 탈춤이 유행하게 된 배경으로 옳은 것은?

> 양반: 나는 사대부의 자손인데.
> 선비: 아니, 나는 팔대부의 자손인데.
> 양반: 팔대부는 또 뭐야?
> 선비: 아니 양반이란 게 팔대부도 몰라? 팔대부는 사대부의 갑절이지.

① 과학 기술의 발달
② 서양 문물의 수용
③ 양반들의 신분 상승
④ 서민들의 경제적 성장
⑤ 성리학적 질서의 강화

^{중요}
12 조선 후기의 예술과 문화에 대한 설명으로 옳은 것을 |보기|에서 고른 것은?

> |보기|
> ㄱ. 풍속화와 민화가 유행하였다.
> ㄴ. 성리학적 질서를 반영한 내용의 사설시조가 유행하였다.
> ㄷ. 판소리는 열두 마당으로 구성되어 현재까지 모두 전해지고 있다.
> ㄹ. 탈춤에서는 양반의 위선이나 횡포와 같은 사회 모순을 언어 유희의 방법으로 풍자하였다.

① ㄱ, ㄴ　　　② ㄱ, ㄷ　　　③ ㄱ, ㄹ
④ ㄴ, ㄷ　　　⑤ ㄴ, ㄹ

만점에 도전하는 **심화 문제**

01 다음과 같은 그림이 그려진 시기에 있었던 사회 모습과 거리가 먼 것은?

① 경제적으로 여유가 생긴 서민층이 늘어났다.
② 아들과 딸이 부모의 재산을 똑같이 물려받았다.
③ 지방 장시나 포구 등에서 판소리나 탈춤 등이 공연되었다.
④ 아들이 없는 경우 친족 중에서 양자를 들여 가문을 이었다.
⑤ 흰 바탕에 푸른 색깔로 무늬를 넣은 청화 백자가 유행하였다.

02 조선 후기 서민 문화의 특징을 |보기|에서 모두 고른 것은?

|보기|
ㄱ. 양반의 위선을 폭로하였다.
ㄴ. 솔직하고 소박한 감정을 표현하였다.
ㄷ. 인간의 심성 문제를 깊이 연구하였다.
ㄹ. 현실 사회의 부정이나 부조리를 풍자하였다.

① ㄱ, ㄴ   ② ㄴ, ㄷ   ③ ㄴ, ㄹ
④ ㄱ, ㄴ, ㄹ   ⑤ ㄴ, ㄷ, ㄹ

신유형
03 다음 작품들의 공통적인 특징으로 옳은 것은?

• 소인이 평생 서러운 바는 대감 정기로 당당한 남자가 되어서 부모가 낳아 주고 길러 주신 은혜가 깊거늘 그 부친을 부친이라 하지 못하옵고 그 형을 형이라 부르지 못하오니 어찌 사람이라 하오리까?
– 허균, 「홍길동전」 –

• 두꺼비가 파리를 입에 물고 두엄 위에 올라 앉아/건너편 산을 바라보니 송골매가 떠 있기에 가슴이 섬뜩해서/펄쩍 뛰어 내닫다가 두엄 아래로 떨어졌구나/다행히도 날랜 나이기에 망정이지 다쳐서 멍들뻔 하였네.
– 작자 미상 –

① 서양 문물의 영향을 받았다.
② 성리학적 질서가 반영되었다.
③ 창, 사설, 발림으로 이루어져 있다.
④ 서민의 생활 수준이 향상된 시기에 나타났다.
⑤ 주로 사람이 많이 모이는 곳에서 공연되었다.

04 다음 공연이 성행하였던 시기의 문화에 대한 설명으로 적절하지 않은 것은?

양반: 나는 사대부의 자손인데.
선비: 아니, 나는 팔대부의 자손인데.
양반: 팔대부는 또 뭐야?
선비: 아니 양반이란 게 팔대부도 몰라? 팔대부는 사대부의 갑절이지.

① 선비의 정신이 담긴 미술 작품이 주로 유행하였다.
② 춘향가, 심청가, 흥부가 등의 판소리가 유행하였다.
③ 한글 소설이 유행하여 책을 읽어 주는 사람이 등장하였다.
④ 서민의 솔직한 감정을 자유롭게 표현한 사설시조가 유행하였다.
⑤ 양반의 위선이나 횡포와 같은 사회 모순을 풍자하는 탈춤이 유행하였다.

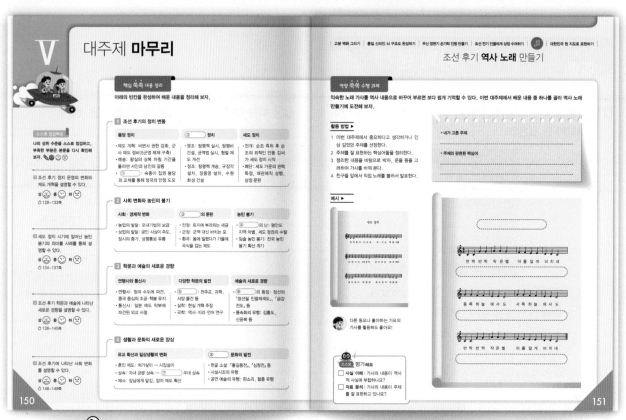

해결 열쇠 👉 대주제에서 학습한 내용들을 복습하면서 빈칸에 알맞은 답을 채워 보아요.

핵심 쏙쏙 내용 정리

정답 ① 환국 ② 탕평 ③ 삼정 ④ 홍경래 ⑤ 서학
⑥ 진경산수화 ⑦ 장남 ⑧ 서민

역량 쏙쏙 수행 과제

활동 소개 ▶
역사 노래 만들기를 통해 조선 후기 조선 사회의 변화상을 기억하기 쉽도록 하기 위한 활동이다.

활동 방법 ▶

1단계	중요하다고 생각하거나 인상 깊었던 주제를 골라 자료를 조사하고 핵심어를 간단하게 정리해 본다.
2단계	좋아하는 노래를 선정하고, 박자와 운율을 고려하여 정리한 내용을 노래 가사로 만들어 본다.
3단계	친구들 앞에서 노래를 발표해 본다.

조선 후기 역사 노래 만들기 활동 도우미

- 역사적 사실을 노래를 만들어 부르면 훨씬 기억하기 쉽다.
- 대주제 안에서 외워야 할 부분이 많거나, 특히 중요하다고 생각되는 주제를 선택하여 핵심어를 정리해 보자.
- 핵심적인 내용이 잘 드러나고 운율과 박자에 맞도록 가사를 만들어 보자.

예시 답안

> 「상어 가족」이나 「퐁당퐁당 돌을 던지자」 등의 동요에 다음 가사 내용을 참고해 넣어 봅니다. 제시한 내용을 바탕으로 악보에 맞게 노랫말 가사를 조절합니다.
> 경제 상황 좋아져서 / 서당에서 글도 배웠어
> 의식 수준도 높아졌지 / 우리도 문화 생활 누릴 거야
> 한글 소설도 읽고 / 사설시조도 읊을 거야
> 판소리도 구경할 거야 / 탈춤은 너무 통쾌해

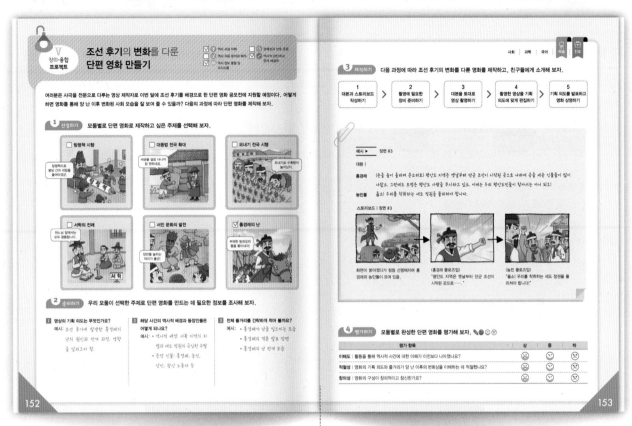

🍳 활동 예시 답안

탕평책의 시행

1단계: 단편 영화 주제 정하기

• **주제:** 탕평책의 시행

• **선정 이유:** 조선 후기의 정치 상황이 어떻게 전개되었는지를 살펴
보고 영조와 정조가 탕평책을 통해 당시 정치의 문제를 해결해 보
고자 했던 면을 부각하고자 한다.

2단계: 자료 조사하기

• **탕평책 시행 이유:** 예송과 환국을 거치면서 붕당 간의 대립 심화

• **영조와 정조의 탕평책 시행:** 붕당에 관계 없는 고른 인재 등용

3단계: 줄거리 및 스토리보드 만들기

• **장면 1:** 노론과 소론의 갈등(서로 모함·탄압하는 과정 간단히)

• **장면 2:** 영조의 탕평책(탕평책 발표: 붕당에 관계 없이 인재 등용)

• **장면3:** 영조가 노론에 굴복한 후 정조가 더욱 강력한 탕평책 실시

4단계: 대본 작성 및 촬영, 편집하기

• **장면 2:** 대전에서 회의를 하는 대신들. 영조 클로즈업 "군왕은 탕
탕평평한 마음으로, 신하들은 무편무당한 자세로 정치에 임하도록
하라는 교서를 발표하도록 하라. 그리고 성균관 입구에 탕평비를
세울 것이다."

. . .(중략). . .

📋 활동 소개

단편 영화 만들기를 통해 조선 후기의 사회 변화상을 구체적으로 보
여 주기 위한 활동이다. 모둠별로 주제를 정해 단편 영화를 제작하
고, 이를 상영하고 감상하여 조선 후기 주요 사건을 이해하고 분석할
수 있도록 해 보자.

진로 탐방 '판소리 명창', 그 직업이 알고 싶다!

Q: 간단한 자기 소개 부탁드립니다.

저는 판소리 명창이자 인간문화재로, 2013년 국가무형문화재 제5호
판소리 "춘향가" 예능 보유자로 지정되어 있습니다.

Q: 언제부터 판소리를 시작하셨나요?

판소리 스승인 아버지를 따라 11세부터 소리를 배웠습니다.

Q: 판소리 명창이 되려면 어떤 노력을 해야 하나요?

우선 득음을 하기 위해 피나는 연습이 필요합니다. 그러나 무엇보다
중요한 것은 판소리의 내용을 잘 파악하고 불러야 한다는 것이며, 내
용을 잘 표현하기 위해 기교가 필요하다고 할 수 있습니다. 그리고 삶
에 대한 희노애락을 잘 이해하고 표현할 수 있어야 합니다.

Q: 앞으로 어떤 계획을 가지고 계신가요?

판소리 다섯마당을 완창하고, 평생 판소리 공연을 할 수 있도록 건강
과 목 상태를 잘 관리하는 것입니다.

01 다음 그림과 관련된 역사적 사건에 대한 설명으로 옳은 것을 |보기|에서 고른 것은?

효종은 몰래 아들이지만 정상적으로 왕위에 올랐으므로 대비께서는 예법대로 3년 동안 상복을 입어야 합니다. — 남인

자의 대비가 상복을 입는 기간 3년 혹은 1년, 여러분은 어떻게 생각하십니까?

효종이 비록 왕위에 올랐지만 장남이 아니기 때문에 대비께서는 1년 동안만 상복을 입어야 합니다. — 서인

|보기|
ㄱ. 효종 때 두 차례 발생하였다.
ㄴ. 서인과 남인 간에 일어난 대립이다.
ㄷ. 정국 운영의 주도권 다툼을 두고 일어났다.
ㄹ. 서인이 노론과 소론으로 분열되는 결과를 가져왔다.

① ㄱ, ㄴ ② ㄱ, ㄷ ③ ㄱ, ㄹ
④ ㄴ, ㄷ ⑤ ㄴ, ㄹ

02 역사 수업의 판서 내용 중 잘못된 부분은?

〈탕평책의 추진〉
1. 영조의 정책
　㉠ 탕평책: 탕평파 중심 정국 운영, 서원 정리
　㉡ 민생 안정책: 균역법 실시, 노비종모법 시행
　㉢ 기타: 수원 화성 건설
2. 정조의 정책
　㉣ 탕평책: 규장각 설치, 장용영 설치
　㉤ 민생 안정책: 자유로운 상업 활동(금난전권 폐지), 서얼 차별 완화

① ㉠ ② ㉡ ③ ㉢
④ ㉣ ⑤ ㉤

03 다음 글과 같은 시기에 있었던 사실로 옳지 않은 것은?

헌종 사후, 후계자의 지목 권한은 대왕대비(순원 왕후)에게 있었다. 당시 유력한 후보는 선조의 아버지 덕흥 대원군 종손인 이하전이었다. 당시 이하전(8세)은 매우 똑똑한 인물로 평가받고 있었다. 하지만 순원 왕후는 역모에 연루되어 제대로 교육도 받지 못한 채 강화도에 살고 있던 이원범(사도 세자의 증손자)을 선택하였고, 그를 모셔 오기 위해 많은 관원을 파견하였다.

① 매관매직이 성행하였다.
② 삼정의 문란이 심하였다.
③ 비변사로 권력이 집중되었다.
④ 몇몇 주요 가문이 권력을 장악하였다.
⑤ 과거 시험에서는 개인의 실력이 가장 중요하였다.

04 조선 후기를 배경으로 한 영화를 만들고자 할 때, 등장 인물로 옳지 않은 것은?

① 공노비에서 해방된 양민
② 공명첩을 사서 양반이 된 농민
③ 신분 차별에 항의하는 집단 상소를 올리는 서얼
④ 경제적으로 몰락하여 농민에게 무시당하는 양반
⑤ 노비종모법 시행으로 아버지의 신분에 따라 노비가 된 아들

05 다음 역사 신문과 같은 시기에 실릴 수 있는 신문 기사의 제목으로 적절하지 <u>않은</u> 것은?

제○○호　〈역사 신문〉　○○○○년 ○○월 ○○일

삼정의 문란으로 농민의 고통 이루 말할 수 없어!

부가세 50두

소작인인 제가 세금을 내다니요!

최근들어 정부의 문란한 삼정 운영으로 인해, 농민들은 각종 부가세 부담, 도망간 사람의 군포 부담, 환곡의 고리 대화로 내야 할 세금이 몇 배로 늘어났다. 이로 인해 농민들이 심각한 고통을 받고 있다.

① 사회의 불안으로 각종 예언 사상 등장
② 경상도 진주를 시작으로 농민 봉기 확산
③ 정조, 영조를 이어 더욱 강력한 탕평책 추진
④ 서북 지역에 대한 차별로 홍경래가 난 일으켜
⑤ 천주교, 평등 사상과 내세 신앙을 바탕으로 세력 확장

06 조선 후기 사회의 변동에 대한 설명으로 옳은 것을 |보기|에서 고른 것은?

| 보기 |

ㄱ. 남성은 출가외인으로 여겨졌다.
ㄴ. 연행사를 통해 서양 문물이 전래되었다.
ㄷ. 진경산수화, 풍속화, 민화 등이 유행하였다.
ㄹ. 재산을 균등하게 상속하는 원칙을 고수하였다.

① ㄱ, ㄴ　　② ㄱ, ㄷ　　③ ㄱ, ㄹ
④ ㄴ, ㄷ　　⑤ ㄴ, ㄹ

서술형 문제

07 다음 자료를 읽고 물음에 답하시오.

마을마다 공동 농장을 마련하여 경작은 공동으로 하고, 수확은 노동량에 따라 분배하자.

정약용

(가)

수레와 선박을 적극적으로 활용하여 물자의 유통을 활성화하고 화폐의 사용을 늘려야 한다.

박지원

(나)

(1) (가)와 (나) 주장의 차이점을 서술하시오.

----

(2) (가), (나)의 주장이 국가 정책에 반영되지 못한 이유를 서술하시오.

----

08 조선 후기에 다음과 같은 문화가 유행한 배경을 두 가지 서술하시오.

VI

근·현대 사회의 전개

이 대주제를 >> 배우면

- 국민 국가 수립을 위한 다양한 활동이 대한민국 정부 수립으로 이어지는 과정을 말할 수 있어요.
- 세계 자본주의 체제로의 편입 이후 한국 경제의 시기별 특징과 사회 변화를 설명할 수 있어요.
- 독재 정권에 맞선 민주화 운동의 흐름과 역사적 의의를 설명할 수 있어요.

나의 학습 계획표

이 대주제의 학습 주제

1 국민 국가의 수립
교과서 156~165쪽

주제 1	국민 국가 수립 운동의 전개
주제 2	대한민국 임시 정부의 수립과 민족 운동의 전개
주제 3	대한민국 정부의 수립
시험을 대비하는 실전 문제	

2 자본주의와 사회 변화
교과서 166~171쪽

주제 4	개항과 식민지 경제
주제 5	한국 경제의 성장과 사회 변화
시험을 대비하는 실전 문제	

3 민주주의의 발전
교과서 172~179쪽

주제 6	헌법에 구현된 민주주의
주제 7	독재에 대항한 4·19 혁명과 5·18 민주화 운동
주제 8	민주 사회로의 발돋움, 6월 민주 항쟁
시험을 대비하는 실전 문제	

4 평화 통일을 위한 노력
교과서 180~183쪽

주제 9	분단과 6·25 전쟁
주제 10	남북 관계의 개선과 통일을 위한 노력
시험을 대비하는 실전 문제	
대주제를 정리하는 종합 문제	

초지진은 바다로 침입하는 적을 막기 위해 만든 방어 시설이야.

대주제 표지 사진 해설 ▶ 오른쪽 사진은 운요호 사건 때 파괴되어 1973년 일부 복원한 초지진의 모습이에요. 개항 이후 조선 사회에 나타난 변화가 무엇인지 생각해 보아요. 그리고 개항 전후 시기부터 현재까지 나타난 국민 국가 수립 운동, 자본주의로 인한 변화, 민주주의의 발전, 통일을 위한 노력까지 알아보아요.

학습 계획일		학습일		나의 목표 달성도
월	일	월	일	☆ ☆ ☆ ☆ ☆
월	일	월	일	☆ ☆ ☆ ☆ ☆
월	일	월	일	☆ ☆ ☆ ☆ ☆
월	일	월	일	☆ ☆ ☆ ☆ ☆
월	일	월	일	☆ ☆ ☆ ☆ ☆
월	일	월	일	☆ ☆ ☆ ☆ ☆
월	일	월	일	☆ ☆ ☆ ☆ ☆
월	일	월	일	☆ ☆ ☆ ☆ ☆
월	일	월	일	☆ ☆ ☆ ☆ ☆
월	일	월	일	☆ ☆ ☆ ☆ ☆
월	일	월	일	☆ ☆ ☆ ☆ ☆
월	일	월	일	☆ ☆ ☆ ☆ ☆
월	일	월	일	☆ ☆ ☆ ☆ ☆
월	일	월	일	☆ ☆ ☆ ☆ ☆
월	일	월	일	☆ ☆ ☆ ☆ ☆

주제 1 **국민 국가 수립 운동의 전개(1)**

1 조선의 개항과 갑신정변

(1) 조선의 개항

① 흥선 대원군 집권기: 문란한 정치 질서를 바로잡고 외세 침략 방어에 노력

② 강화도 조약

> 어떻게? 프랑스와 미국의 침입을 겪은 후 전국에 척화비를 세우고 서양과 통상 거부 의지를 널리 알렸어.

- 배경: 흥선 대원군이 하야하면서 조선의 대외 정책 변화
- 과정: 일본의 통상 수교 강요 → 일본과 **❶강화도 조약** 체결(1876) → 이후 미국을 비롯한 서양 여러 나라와 조약 체결
- 의의: 외국과 맺은 **최초의 근대적 조약**, 근대적 국제 질서에 편입
- 한계: 정치·경제적 주권을 침해하는 불평등 요소 포함

(2) 근대 국민 국가 수립을 위한 노력

① 개혁 주도 세력: 북학파의 영향을 받은 개화파가 청과 일본을 참고하여 개혁 추진 → 정책 방향 등을 놓고 **❷온건파와 급진파**로 분열

② 갑신정변(1884)

- 전개: 정부의 소극적인 개화 정책을 비판하던 급진파가 일본의 지원을 받아 주도, 개혁 정강 발표 → 청의 개입으로 3일 만에 실패
- 의의: 급진 개화파가 강조한 민권과 입헌 정치의 개념이 이후의 개혁에 영향

> 결과는? 일본은 정변 과정에서 일본 공사관이 불에 탄 것을 빌미로 배상금을 얻어 내고, 청과는 군대를 파견할 경우 상대국에 미리 알리기로 약속했어.

2 농민들의 개혁 요구, 동학 농민 운동

(1) 배경: 일본을 비롯한 서구 열강의 경제 침탈로 국가 재정 위기, 탐관오리의 수탈로 농민 생활 파탄 → 농민들의 불만 고조

(2) 전개: 농민 봉기 → 전주성 점령 → 정부와 **전주 화약** 체결→ **❸집강소** 설치 및 개혁 추진 → 일본군에 맞서 재봉기 → 농민군 패배 → **전봉준** 등 지도자 체포

(3) 동학 농민군의 주장: 탐관오리 처벌, 신분제 폐지, 조세 제도 개혁 등

> 왜? 정부는 청과 일본에 군대 철수를 요청했으나 일본군이 경복궁을 점령하고 청·일 전쟁을 일으켰어.

3 근대적 개혁을 추진한 갑오개혁

(1) 배경: 일본의 계속된 개혁 요구에 개화파 관료들을 중심으로 개혁 시도

(2) 개혁 내용

> 어떻게? 일본은 경복궁을 점령한 후 김홍집을 중심으로 새로운 정부를 구성하여 개혁을 강요했어.

정치적 변화	왕권 제한, 내각 구성, 사법권 독립 등
사회적 변화	신분제 폐지로 법적 평등 획득, 봉건적 악습 폐지

> 무엇? 조혼 금지, 과부 재가 허용 등이야.

(3) 의의와 한계

① 의의: 갑신정변과 동학 농민 운동에서 제기된 개혁 요구 반영 → 정치·경제·사회 모든 분야에서 이루어진 근대적 개혁

② 한계: 일본의 내정 간섭하에 추진, 지배층 중심의 위로부터의 개혁

❶ 강화도 조약
조선과 일본 사이에 체결한 조약으로 부산 외 2개 항구 개항, 해안 측량권과 영사 재판권 허용 등 조선의 주권을 침해하는 내용이 포함되어 있다.

❷ 온건파와 급진파
온건 개화파는 청의 양무운동을 본받아 점진적 개혁을 주장하고 청과의 우호 관계를 중시하였다. 반면 급진 개화파는 일본의 메이지 유신을 본받아 서양의 기술뿐만 아니라 정치·사회 제도까지 포함한 급진적 개혁을 추진하였다.

❸ 집강소
전주 화약 이후 전라도 각지에 설치된 농민군의 자치 기구이다. 그 지역의 행정과 치안을 담당하며 농민층의 요구를 반영한 폐정 개혁을 추진하였다.

⊘ 정답과 해설 41쪽

확인해 봐요

1 급진 개화파가 주도한 갑신정변은 일본의 개입으로 3일만에 실패로 끝났다. (○, ×)

2 동학 농민군은 정부와 전주 화약을 체결하고 집강소를 설치하여 개혁을 추진하였다. (○, ×)

3 갑오개혁은 갑신정변과 동학 농민 운동의 개혁 요구가 반영된 근대적 개혁이다. (○, ×)

📖 교과서 활동 풀이

가자! 역사 속으로

📎 교과서 156쪽

1883년 11월 21일, 고종은 사절단으로 미국을 다녀온 홍영식과 미국의 지도자인 대통령에 대해 대화를 나눴습니다.

> 그 나라(미국)의 지도자는 어떻게 정해지는가?

> 미국에는 대통령이 있습니다. 대통령은 선거에 의해 교체됩니다.

❤ 고종은 홍영식과 대화하며 어떤 생각이 들었을까요?

예시 답안 고종은 국정 운영을 하는 지도자가 선거에 의해 교체된다는 사실에 불안감을 느꼈을 것이다.

⭐ 활동 도우미

자료는 고종이 미국을 다녀온 홍영식에게 미국 대통령이 선거에 의해 선출된다는 말을 듣고 있는 장면이에요. 왕의 입장에서 지도자가 선거에 의해 교체된다는 사실이 매우 놀라왔을 거예요. 이후 조선에서 전개된 근대 국민 국가 수립 노력과 연결하여 당시 상황을 생각해 보아요.

📋 교과서 자료   근대적 개혁의 추진

📎 교과서 156~157쪽

갑신정변 때 발표된 개혁 정강

제2조 문벌을 폐지하여 인민 평등권을 세우고, 능력에 따라 관리를 임명한다.

제13조 대신과 참찬은 매일 궁궐 내의 의정부에서 회의하고 국왕에게 아뢰어 정령(정치적 명령)을 집행한다.
― 김옥균, 「갑신일록」 ―

폐정 개혁안

"
- 탐관오리를 엄벌에 처할 것.
- 불량한 양반들을 징계할 것.
- 노비 문서를 불태워 없앨 것.
- 과부가 된 여성의 재가를 허락할 것.
- 규정 이외의 세금을 거두지 않을 것.
- 문벌을 타파하고 인재를 등용할 것.
- 토지는 균등히 나누어 경작할 것.
― 오지영, 「동학사」 ―
"

갑오개혁의 주요 내용

정치적 변화	사회적 변화
• 왕실 사무와 국정 업무를 철저히 구분	• 노비제 폐지
• 재정 부문에서 왕실과 국가 재정을 분리	• 문벌과 계급 타파
• 경찰 제도 마련	• 과거제를 폐지하여 신분 구별 없이 인재 등용
• 사법 기구와 행정을 분리	• 조혼 금지
	• 과부 재가 허용

⭐ 활동 도우미

갑신정변, 동학 농민 운동, 갑오개혁의 각 개혁안의 주요 주장과 의의를 분석해 보아요. 특히 갑오개혁 내용에서 갑신정변과 동학 농민군 폐정 개혁안의 어떤 내용을 반영하였는지 찾아보아요.

탐구 해 보요   개혁 방향에 관한 전봉준과 김홍집의 가상 대화

📎 교과서 157쪽

> 나랏일을 한 사람에게 맡기는 것은 위험합니다. 몇 사람이 함께 회의하여 합의제로 정치를 해야 합니다.

동학 농민 운동을 이끈 전봉준

> 각 고을의 백성들 중 행정을 잘 아는 사람을 향회원으로 선발하여 고을 관청에서 회의를 하게 해야 합니다. 법을 만들 때도 고을 차원에서 결정할 수 있는 일이라면, 고을 관청에서 회의를 열어 법에 대해 논의한 후 시행해야 합니다.

갑오개혁을 추진한 김홍집

1 전봉준과 김홍집의 주장에서 공통적으로 등장하는 용어에 표시해 보자.

예시 답안 회의

2 공통적으로 등장하는 용어를 활용하여 두 사람의 가상 대화에서 알 수 있는 개혁 방향을 한 문장으로 적어 보자.

예시 답안 국가나 지역 사회의 중요한 일을 결정할 때 여러 사람이 회의·합의로 결정하는 것이 필요하다.

⭐ 활동 도우미

전봉준은 동학 농민 운동의 지도자로 전주 화약 이후 집강소를 설치하여 개혁을 추진하였으나 우금치 전투에서 패배한 후 체포되어 사형당하였어요. 김홍집은 온건 개화파의 대표적인 인물로 갑오개혁 시기 홍범 14조를 마련하였어요. 두 사람의 주장을 비교하여 이들이 추구한 개혁 방향의 공통점을 파악해 보아요.

이 주제의 핵심

이 주제에서는 개항 과정, 갑신정변, 동학 농민 운동, 갑오개혁의 전개 과정과 지향점을 알아보았어요. 특히 갑신정변, 동학 농민 운동, 갑오개혁의 지향점을 그 주도 세력과 연결하여 이해하도록 하고 그들이 발표한 개혁안의 주요 내용이 무엇인지 파악해 보아요.

학습 목표
국민 국가 수립을 위한 다양한 노력을 설명할 수 있다.

주제 1 국민 국가 수립 운동의 전개(2)

1 자유 민권과 자주 국권을 주장한 독립 협회

(1) 청·일 전쟁 이후 조선 정세
① 을미사변(1895): 일본이 러시아를 견제하고 조선에서의 영향력을 강화하기 위해 일으킴. └─ 어떻게? 조선에서의 영향력이 축소된 일본은 경복궁을 습격하여 명성 황후를 시해하였어.
② 아관 파천(1896): 을미사변 이후 신변의 위협을 느낀 고종이 러시아 공사관으로 거처를 옮김.

(2) 독립 협회의 창립
① 독립 협회 조직: 아관 파천 이후 열강의 이권 침탈이 심해지자 서재필과 정부 관료들이 독립 협회 결성
② 독립 협회의 활동: 자유 민권과 자주 국권을 확립하기 위해 국민 계몽과 민권 의식 고취, ❶만민 공동회 개최, 헌의 6조 결의
③ 의의: 민중의 민권 의식과 근대적 정치 의식 신장

2 독립 협회와 대한 제국의 갈등

(1) 대한 제국의 수립(1897): 고종의 경운궁 환궁 → 자주 독립 국가로서 위상을 높이고자 황제로 즉위, 대한 제국 수립 선포, 대한국 국제 반포(전제 군주국 천명)
(2) 대한 제국과 독립 협회 무엇? 일종의 헌법으로 황제를 중심으로 국정을 운영하겠다는 방침을 표방하였어.
① 초기: 독립 협회 활동에 우호적
② 독립 협회 해산: 독립 협회의 의회 설립 운동이 황제권을 약화시킨다고 여긴 고종이 독립 협회 강제 해산(1898)

3 일제의 국권 침탈과 국민 국가 수립 운동

(1) 일본의 국권 침탈: 러·일 전쟁 중 ❷독도를 일본 영토로 편입 → ❸을사늑약 체결 (1905) → 외교권을 빼앗고 통감부 설치
(2) 근대 국민 국가 수립 운동
① 애국 계몽 운동: 입헌 군주제로 개혁하여 국권을 수호하려는 다양한 움직임 등장
• 헌정 연구회: 의회 설립, 입헌 정치 주장
• 신민회: 국권 회복과 공화정 체제의 근대 국민 국가 수립 추구
② 국민 국가 수립 운동의 좌절: 일제의 국권 피탈로 결실을 맺지 못함.

4 새로운 국가 건설을 꿈꾼 독립운동

(1) 독립운동의 전개
① 국내: 비밀 결사 조직
② 국외: 독립운동 기지 건설
(2) 독립운동의 목표: 민주 공화국 수립(대표적 예: ❹대동단결 선언)

---

❶ **만민 공동회**
독립 협회가 주도한 민중 집회이다. 최초의 만민 공동회는 1898년 3월 10일 서울 종로에서 개최되었다. 약 1만 명이 참여한 만민 공동회는 당시 여러 문제에 대해 자유롭게 토론하였다.

❷ **독도**
독도는 지증왕 때 신라 영토로 편입된 이래 명백한 우리 고유 영토이다. 그러나 일본은 러·일 전쟁 중 독도를 자국의 영토로 편입하였고, 광복 후 우리 영토로 반환되었지만, 아직도 영유권을 주장하고 있다.

❸ **을사늑약**
늑약이란 강제로 체결된 조약이라는 의미이다. 고종과 대신을 위협하면서 강압적으로 체결되었기 때문이다. 이 조약에 따라 일본은 대한 제국의 외교권을 빼앗고 통감부를 설치하였다.

❹ **대동단결 선언**
1917년 신규식 등이 국민 주권론과 공화주의를 바탕으로 한 임시 정부가 수립되어야 한다고 주장하며 발표하였다. 이는 대한민국 임시 정부가 수립되는 기반이 되었다.

📖 정답과 해설 41쪽

확인해 봐요

1 독립 협회는 만민 공동회를 개최하여 열강의 이권 침탈을 비판하였다. (○, ×)
2 고종은 「대한국 국제」를 통해 의회 설립과 헌법 제정을 선포하였다. (○, ×)
3 국권 피탈 후 점차 민주 공화국 수립이 독립운동의 목표가 되었다. (○, ×)

교과서 활동 풀이

📖교과서 158쪽

탐구 해봐요 독립 협회와 대한 제국의 근대 국가 수립을 위한 노력

자료 1 독립 협회의 「헌의 6조」

제2조 외국과 맺는 이권에 관한 계약과 조약은 해당 부처의 대신과 중추원 의장이 함께 서명하여 시행할 것.
제3조 재정은 탁지부에서 전담하고, 예산과 결산을 국민에게 공포할 것.
제5조 칙임관(최고위 관료층)을 임명할 때는 의정부에 자문하여 과반수를 얻은 자를 임명할 것.

－「독립신문」, 1898. 11. 1. －

자료 2 대한 제국의 「대한국 국제」

제2조 대한국의 정치는 만세불변의 전제 정치이다.
제3조 대한국 대황제는 무한한 군주권을 누린다.
제8조 대한국 대황제는 문무 관리의 임명과 파면의 권리를 가진다.
제9조 대한국 대황제는 각 조약 당사국에 사신을 파견하고 선전, 강화 및 제반 조약을 체결한다.

－「관보」, 1899. 8. 22. －

1 자료 1에서 황제권을 제약한다고 생각할 수 있는 부분에 밑줄을 그어 보자.

예시 답안 해당 부처의 대신과 중추원 의장이 함께 서명, 재정은 탁지부가 전담, 의정부에 자문하여 과반수를 얻은 자를 임명 등

2 자료 1, 자료 2를 토대로 독립 협회와 대한 제국이 황제권에 대해 어떤 입장을 취하고 있는지 비교해 보자.

예시 답안 독립 협회: 황제의 권한을 제한하여 입헌 군주제와 같은 정치 형태 추구
대한 제국: 황제의 권한을 강력하고 무한하다고 보며 전제 군주제 강화

🔆 자료 해설

「헌의 6조」는 독립 협회가 관민 공동회를 열어 6개 조항의 개혁 원칙을 결의한 것이에요. 주요 내용은 자주 외교와 국정 개혁에 관한 것이었으나 독립 협회가 강제 해산되어 실현되지 못하였어요. 한편 「대한국 국제」는 고종이 1899년에 반포한 것으로 황제에게 권력을 집중하게 하였어요. 헌법의 형식을 띠고 있으나 근대적 입헌 정신과는 거리가 있어요.

🔆 활동 도우미

독립 협회의 「헌의 6조」와 대한 제국의 「대한국 국제」의 내용을 서로 비교하여 황제권 강화에 대한 입장이 어떻게 다른지 파악하도록 합니다. 국권 피탈 이후 독립운동의 목표와도 연결시켜 생각해 보아요.

교과서 자료 국민 주권을 주장한 대동단결 선언 📖교과서 159쪽

황제권이 소멸한 때가 곧 민권이 발생하는 때요, 구한국 최후의 하루는 곧 신한국 최초의 하루이다. …… 그러므로 경술년 융희 황제의 주권 포기는 곧 우리 국민 동지들에 대한 묵시적 선위이니 우리 동지들은 당연히 주권을 계승하여 통치할 특권이 있고 또 대통을 상속할 의무가 있도다.

• 여러 곳의 단체들이 모두 모여 유일무이한 최고 기관을 만들자.
• 헌법에 준하는 규칙을 만들어 인민의 의지에 부합하는 방식으로 활동하자.

－「대동단결 선언」－

🔆 활동 도우미

대동단결 선언은 1917년 중국 상하이 지역의 망명 독립운동가들이 국외 독립운동 단체의 단결을 주장한 글이에요. '황제권이 소멸한 때가 곧 민권이 발생하는 때요'라는 표현을 통해 국민이 나라의 주인이라는 생각을 가지고 있음을 알 수 있어요.

 스스로 확인해요

❶ 갑오개혁으로 신분제가 폐지되었다. (○)
❷ 독립 협회는 민중 집회인 만민 공 동 회을/를 열어 국민의 뜻이 반영될 수 있는 정치 개혁을 요구하였다.

 역량 키우기 역사 탐방 우리 고유의 땅, 독도 📖교과서 160쪽

생각하고 써 보기

독도는 역사적으로 명백한 대한민국 고유의 영토입니다. 왜냐하면 **예시 답안** 조선 숙종 때 안용복이 일본으로부터 울릉도와 독도가 조선의 땅임을 확인하였고, 1900년 10월 25일에 대한 제국 정부는 「칙령 제41호」를 반포하여 대한 제국의 영토로 관할하였습니다.

 이 주제의 핵심

이 주제에서는 독립 협회의 활동, 대한제국의 성립, 국민 국가 수립을 위한 다양한 노력 등을 알아보았어요. 독립 협회와 대한 제국 및 근대 국민 국가 건설에 끼친 영향과 의의를 알아두도록 해요. 그리고 일본이 언제 독도를 강탈하였는지도 기억해 두도록 합니다.

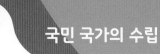

국민 국가의 수립

<학습 목표>
대한민국 임시 정부와 여러 민족 운동의 지향점을 알 수 있다.

주제 2 # 대한민국 임시 정부의 수립과 민족 운동의 전개

1 한국인의 독립 의지를 널리 알린 3·1 운동

(1) 배경: 조선 총독부 설치, 헌병 경찰제 실시 → 정치 활동 금지, 일상생활 통제

(2) 전개: 1919년 3월 1일 ❶독립 선언 및 만세 시위 → 중소 도시, 농촌, 국외로 확산

(3) 의의: 민족의 독립 의지를 전 세계에 천명, 농민·학생·노동자 등 다양한 계층이 참여 → 민족 운동의 주체가 확대되는 계기가 됨.

(4) 영향: 국내외에서 다양한 민족 운동 전개, 일제의 통치 방식 변화 → 한국인의 언론·출판·집회·결사의 자유 제한적 허용

> **어떻게?** 3·1 운동 이후 일제는 헌병 경찰 통치(무단 통치) 대신 이른바 '문화 통치'를 실시했어.

2 민주 공화제를 추구한 대한민국 임시 정부

(1) 대한민국 임시 정부 수립: 3·1 운동을 계기로 국내외에 임시 정부 수립 → 여러 임시 정부의 통합 움직임 → 상하이에 대한민국 임시 정부 수립

(2) 특징 및 의의: 역사상 최초의 민주 공화제 정부, 삼권 분립과 국민 주권주의 선언, 국민 국가 수립을 지향한 다양한 민족 운동 계열 통합

> **어떻게?** 임시 의정원(입법), 국무원(행정), 법원(사법)을 구성하였어.

3 다양한 민족 운동의 전개

(1) 국외: 만주와 연해주 등 국외 독립군에 가담하여 항일 무장 독립 투쟁 전개

(2) 국내: ❷실력 양성 운동 전개, ❸노동·농민운동 전개

(3) 민족 운동의 방향

민족주의 계열	민족의 독립을 최우선시 → 민족의 실력을 길러 독립을 이루고자 함. 예 물산 장려 운동	민주 공화제를 기반으로 하는 독립 국가 수립을 위해 노력
사회주의 계열	민족의 독립과 함께 노동자·농민이 중심이 된 사회 건설 추구 예 신간회 창립	

❶ **독립 선언(기미 독립 선언)의 일부**
'우리는 오늘 조선이 독립국이며 조선인이 이 나라의 주인임을 선언한다. 우리는 이를 세계 모든 나라에 알려 인류가 평등하다는 큰 뜻을 분명히 하고, 우리 후손이 스스로 살아갈 정당한 권리를 영원히 누리게 할 것이다.'

❷ **실력 양성 운동**
민족의 실력을 키워 나라의 주권을 되찾자는 운동이다. 물산 장려 운동, 민립 대학 설립 운동, 농촌 계몽 운동 등이 있다. 근대적 발전을 추구한 의의가 있지만, 독립보다 실력 양성만을 강조하는 한계를 보였다.

❸ **노동·농민 운동**
농민과 노동자들은 일제가 시행한 경제 정책의 영향으로 많은 어려움을 겪었다. 이에 농민들은 소작료 인하와 소작권 이동 반대를 요구하였고, 노동자들도 열악한 노동 조건 개선 및 임금 인상 등을 요구하는 투쟁을 전개하였다. 일제의 탄압이 심해지자 1930년대 이후 기존의 생존권 투쟁 성격에서 항일 투쟁으로 성격이 변하였다.

핵심 자료 대한민국 임시 정부의 수립

> ✓ **핵심**
> **대한민국 임시 정부의 위치를 상하이로 정한 이유는?**
>
> 3·1 운동 이후 독립운동을 조직적으로 전개하고자 각 지역에 임시 정부가 수립되었고, 임시 정부의 통합 움직임이 일어나 대한민국 임시 정부가 수립되었다. 정부의 위치는 일제의 영향력이 상대적으로 약하고, 세계 여러 나라와 외교 활동을 펼치기 쉬운 중국 상하이로 정하였다.

⊘ 정답과 해설 41쪽

확인해 봐요

1 1919년, (　　　)은/는 다양한 계층이 참여한 민족 운동으로 국외에서도 전개되었다.

2 3·1 운동을 계기로 상하이에 (　　　)이/가 수립되었다.

3 3·1 운동 이후 국내에서는 일제와 경쟁할 수 있을 때까지 민족의 힘을 기르자는 (　　　) 운동이 전개되었다.

교과서 활동 풀이

가자! 역사 속으로

📄 교과서 162쪽

1919년 3월 1일, 종로는 '대한 독립 만세!'를 외치며 거리로 나선 사람들로 가득하였습니다.

✔️ **사람들이 만세를 외친 까닭은 무엇일까요?**

예시 답안 일제의 강압적인 식민 통치에 대항하고, 우리 민족의 독립 의지를 널리 알리기 위해 거리로 나와 '대한 독립 만세'를 외치며 만세 시위를 전개하였다.

💡 **활동 도우미**

자료는 3·1 운동 당시 만세 시위에 많은 사람이 참여했다는 사실을 알 수 있어요. 일제의 강압적인 식민 통치에 저항하며 독립 의지를 널리 알리기 위해 이 만세 시위에 농민, 학생, 노동자 등 다양한 계층의 사람들이 참여하였지요.

📋 교과서 자료 ‖ 당시 신문에 나타난 민주주의

📄 교과서 163쪽

(중략) 다시 말하건대, 폭력과 무력을 거부하고 양심을 존중함으로써 삶의 다양한 관계를 규율코자 함이니, 옛 왕도의 정신이 바로 이를 의미하는 것이다. 이렇게 우리는 만천하 백성들의 경복과 광영을 위하여 민주주의를 지지하노라.

– 『동아일보』, 1920. 4. 1. –

💡 **자료 해설**

3·1 운동 이후 언론에 소개된 민주주의는 모든 사람의 보편적 자유와 권리를 의미해요. 국내외 항일 운동 단체들은 민주 공화국 수립을 지향하며 독립운동을 전개하였어요.

탐구 해봐요 ‖ 건국 강령에 나타난 새 국가 건설의 목표

📄 교과서 163쪽

「대한민국 임시 정부 건국 강령」(1941)	「조선 독립 동맹 강령」(1942)	「조선 건국 동맹 강령」(1944)
• 민주 공화국 수립 • 보통 선거 시행 • 토지와 주요 산업 국유화	• 보통 선거에 의한 민주 정부 수립 • 토지 분배 및 대기업 국유화 • 무상 의무 교육	• 일제 타도 • 민주주의 국가 건설 • 노동자와 농민 해방

1 세 강령에 공통적으로 나타난 내용이 무엇인지 말해 보자.

예시 답안 민주주의 국가를 수립한다.

2 당시 건국을 준비하던 독립운동가의 입장이 되어, 아래 빈칸에 알맞은 말을 써 보자.

내가 바라는 국가는 예시 답안 보통 선거를 통해 민주주의가 실현되는 국가이다. 토지와 주요 산업이 국유화되어 보다 경제적 평등이 실현되는 국가이다. 무상 의무 교육이 실현되어 누구나 평등하게 교육받을 수 있는 국가 **이다.**

💡 **활동 도우미**

자료는 국내외 독립운동 세력들이 제시한 건국 강령을 비교한 것이에요. 세 강령 모두 세부적인 내용에서는 차이가 있지만 민주주의 국가 수립을 추구하였다는 공통점이 있어요. 이 자료를 바탕으로 당시 독립운동가들이 건설하고 싶었던 독립 국가의 모습이 어떤 것일지 상상해 보아요.

스스로 확인해요

❶ 3·1 운동은 우리 민족의 독립 의지를 전 세계에 알리는 계기가 되었다. (○)

❷ 대한민국 임시 정부는 민 주 공 화 제 정부이다.

이 주제의 핵심

이 주제에서는 3·1 운동의 전개 과정, 대한민국 임시 정부 수립 과정과 역사적 의의를 알아보았어요. 3·1 운동을 계기로 수립된 대한민국 임시 정부는 민족 운동의 구심점 역할을 하였음을 기억해 두세요. 또한 국권 회복과 민권 확립을 위해 국내와 국외에서 다양한 민족 운동이 전개되었음을 파악해 두세요.

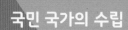

학습 목표
대한민국 정부의 수립 과정을 설명할 수 있다.

주제 3 대한민국 정부의 수립

1 광복 이후 정부 수립을 위한 노력

> **어떻게?** 연합국은 카이로 선언과 포츠담 선언에서 우리 민족의 독립을 약속했어.

(1) **광복(1945.8.15.):** 연합국의 승리, 끊임없이 전개한 독립운동의 결실

(2) **광복 이후 정부 수립 노력:** 여운형 등이 조선 건국 준비 위원회 결성과 건국 준비, 이승만과 김구 등 귀국
> **무엇?** 광복 전 결성된 조선 건국 동맹을 개편한 거야.

(3) **한계:** 미국과 소련의 분할 점령 → 자신들에게 협조하는 정권을 세우려 함.

2 통일 정부를 수립하려는 노력

(1) **모스크바 3국 외상 회의(1945):** 한반도 문제 협의(임시 민주 정부 수립, ❶미·소 공동 위원회 설치, 최고 5년간 ❷신탁 통치 시행) → 신탁 통치를 둘러싸고 좌우익 간의 갈등 심화

(2) **유엔의 한국 문제 결정:** 미국은 한국 문제를 국제 연합에 상정 → 남북한 총선거 결정 → 소련과 북한의 거부 → 선거 가능한 지역에서만 선거 실시 결정 → ❸남북 협상 진행(김구, 김규식 등) → 실패

3 대한민국 정부 수립

(1) **5·10 총선거(1948):** 남한만 총선거 시행, 역사상 최초로 국회의원을 선출하는 보통 선거 시행 → 제헌 국회 구성 → 국호 대한민국, 「제헌 헌법」 공포

(2) **대한민국 정부 수립(1948.8.15.):** 「제헌 헌법」에 따라 이승만이 대통령으로 선출 → 이승만은 대한민국 정부 수립 선포

❶ **미·소 공동 위원회**
미국과 소련은 한반도에 임시 민주 정부 수립을 위해 제1차 미·소 공동 위원회를 열었다. 그러나 양측이 임시 민주 정부 수립을 위한 협의 대상에 참여 단체의 범위를 놓고 대립하면서 결렬되었다. 이후 재개되었지만 성과를 거두지 못하자, 미국은 한반도 문제를 국제 연합에 상정하였다

❷ **신탁 통치**
국제 연합의 위임을 받은 나라가 독립 국가로서의 자치 능력이 부족하여 혼란이 예상되는 지역을 일정 기간 통치하는 방식을 말한다.

❸ **남북 협상**
분단의 가능성이 높아지자 1948년 4월 김구, 김규식 등이 평양으로 가 북측 지도자와 단독 정부 수립 반대, 미·소 양군 철수 요구 등의 결의문을 채택하였다. 하지만 회담에 참여한 정치 세력의 입장에 차이가 있어 성과를 거두지 못하였다.

핵심 자료 모스크바 3국 외상 회의 결정 사항(1945)

1. 조선을 독립국으로 재건설하고, 민주주의 원칙 위에서 발전하게 하며, 일본이 남긴 잔재들을 청산하기 위해 조선에 임시 민주주의 정부를 수립한다.
2. 조선 임시 정부를 수립하기 위해 …… 남조선 미군 사령부 대표들과 북조선 소련군 사령부 대표들로 (미·소) 공동 위원회를 조직한다.
3. 공동 위원회는 … 5년 이내를 기한으로 하는 조선에 대한 4개국 신탁 통치 협약을 작성하는 것이다. …… 미·소·영·중 정부의 공동 심의를 받아야 한다.

— 『한국현대사 자료총서』, 1994 —

> ✅ **핵심**
> **신탁 통치에 대해 우리 민족은 어떤 반응을 보였을까?**

모스크바 3국 외상 회의의 결과가 국내에 알려지자 우익 세력은 신탁 통치를 식민 지배의 연장으로 여겨 반탁 운동을 벌였다. 좌익 세력도 처음에는 신탁 통치에 반대하다가 임시 민주 정부 수립이 중요하다고 여겨 회의 결정 사항을 총체적으로 지지한다고 입장을 바꾸었다. 이에 따라 좌우익 간의 대립이 심화되었다.

⊘ 정답과 해설 41쪽

확인해 봐요

1 (   )은/는 조선 건국 준비 위원회를 결성하여 독립 국가 건설을 준비하였다.

2 모스크바 3국 외상 회의에서 결의된 (   )을/를 둘러싸고 좌익과 우익 세력의 대립이 심화되었다.

3 김구, 김규식 등은 통일 정부 수립을 논의하기 위해 북한과 (   )을/를 진행하였지만 성공하지 못하였다.

가자! 역사 속으로

🔗 교과서 164쪽

1945년 8월 15일, 한국은 광복을 맞이하였습니다. 이를 기억하기 위해 광복을 기념하는 노래를 매년 광복절 행사에서 제창하고 있습니다.

☑️ 「광복절 노래」에서 어떤 감정이 느껴지나요?

예시 답안 우리 민족이 조국의 독립을 얼마나 열망하였으며, 광복을 맞이하여 기뻐했는지 알 수 있다.

> 「광복절 노래」
> 흙 다시 만져 보자 바닷물도 춤을 춘다
> 기어이 보시려던 어른님 벗님 어찌하리
> 이날이 사십 년 뜨거운 피 엉긴 자취니
> 길이길이 지키세 길이길이 지키세

⭐ **활동 도우미**

광복이란 일제 강점에서 벗어나 빛을 되찾았다는 의미예요. 자료는 이때의 기쁨을 표현한 광복절 노래입니다. '흙 다시 만져 보자 바닷물도 춤을 춘다'라는 소절에서 당시 사람들이 얼마나 민족의 독립을 염원하고 기다렸는지를 느낄 수 있습니다.

📋 교과서 사진 자료 대한민국 정부 수립 선포

🔗 교과서 165쪽

대한민국 정부 수립 기념식(1948)

⭐ **자료 해설**

제헌 헌법은 대한민국이 국민 주권에 바탕을 둔 민주 공화국임을 명시하였어요. 정부 형태는 대통령 중심제였으며, 국회의 간접 선거로 이승만을 대통령으로 선출하였지요. 이승만은 내각을 조직하고, 1948년 8월 15일 대한민국 정부 수립을 선포하였어요. 그해 유엔은 대한민국이 선거가 가능하였던 한반도 내의 유일한 합법 정부임을 승인하였어요.

🤖 탐구 해 보요 통일 정부 수립에 관한 이승만과 김구의 대화

🔗 교과서 165쪽

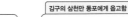
이승만의 정읍 발언
> 미·소 공동 위원회가 결렬된 이후 다시 열릴 기미가 보이지 않습니다. 통일 정부가 수립되길 원했으나 뜻대로 되지 않으니, 우리 남한만이라도 임시 정부를 조직하고, 38도선 이북에서 소련이 물러가도록 세계에 호소해야 합니다!

김구의 삼천만 동포에게 읍고함

> 우리는 자주독립적 통일 정부를 수립하고 미·소 양군을 물러나게 해야 합니다. 통일 정부를 세우려다가 38도선을 베고 쓰러질 수는 있습니다. 그러나 나의 구차한 안위 때문에 단독 정부를 세우는 일에 가담하지는 않을 것입니다!

⭐ **활동 도우미**

남한만의 단독 정부 수립을 주장한 사람은 이승만과 지주, 자본가 중심의 한국 민주당이었어요. 반면 김구, 김규식 등은 남북 협상을 통한 통일 정부 수립을 추진하였어요. 자료의 가상 대화는 정부 수립에 대한 상반된 의견을 가진 이승만과 김구의 주장이에요. 자료를 통해 통일 정부와 단독 정부 수립이라는 의견 차이를 확인하고 자신은 어떠한 의견에 동의하는지 의견을 정립해 보아요.

1 이승만과 김구가 정부 수립에 대해 어떤 생각을 가지고 있었는지 말해 보자.

예시 답안 • 이승만: 통일 정부 수립이 어려우므로 남한만이라도 단독 정부 수립을 하자고 주장하였다.
• 김구: 분단을 우려하여 자주적 통일 정부 수립을 주장하였다.

2 당시 상황에서 정부를 수립하는 최선의 방법이 무엇일지 자신의 생각을 말해 보자.

예시 답안 통일 정부 수립: 각각 다른 정부를 만든 후 다시 통일하는 것은 매우 어려운 일이다. 다소 어려움이 있다 하더라도 좌우 세력이 갈등을 멈추고 연합하여 통일된 정부를 수립하는 노력을 해야 한다.
단독 정부 수립: 혼란과 갈등이 커지고 있던 당시 상황에서는 정부 수립이 시급히 요구되었다. 남북한 통일 정부 수립은 당시 상황상 어려우므로 단독 정부라도 수립해야 한다.

🤖 스스로 확인해요

❶ 모스크바 3국 외상 회의에서 최고 5년 기한의 신탁 통치 시행이 결의되었다. (○)
❷ 유엔 한국 임시 위원단의 감시 아래에 시행된 5·10 총선거를 통해 제 헌 국 회 이/가 구성되었다.

🧑‍🏫 이 주제의 핵심

이 주제에서는 광복 이후 대한민국 정부가 수립되는 과정을 알아보았어요. 광복 이후 정부 수립을 위한 노력, 모스크바 3국 외상 회의가 국내에 가져온 정치적 갈등, 통일 정부 수립 노력이 어떻게 좌절되었는지를 기억해 두세요. 또한 대한민국 정부 수립 과정을 당시 세계 정세와 연결하여 파악해 보아요.

시험을 대비하는 실전 문제

기초를 튼튼하게 확인 문제

01 서로 관련 있는 내용끼리 연결하시오.

ㄱ 독립 협회 •　　　• ⓐ 집강소
ㄴ 대한 제국 •　　　• ⓑ 만민 공동회
ㄷ 동학 농민 운동 •　　• ⓒ 「대한국 국제」

02 설명이 맞으면 ○, 틀리면 ×로 표시하시오.
(1) 청·일 전쟁 중 일본은 독도를 자신들의 영토로 편입하였다. (　　　)
(2) 독립 협회는 만민 공동회를 열어 국민의 뜻이 반영되는 정치 개혁을 요구하였다. (　　　)
(3) 3·1 운동을 계기로 중국 상하이에 대한민국 임시 정부가 수립되었다. (　　　)
(4) 이승만은 분단을 우려하여 북한과 통일 정부 수립을 논의하는 남북 협상을 진행하였다. (　　　)

03 |보기의 동학 농민 운동의 전개 과정을 순서대로 나열하시오.

| 보기 |
ㄱ. 집강소 설치　　　ㄴ. 2차 봉기 패배
ㄷ. 전주 화약 체결　　ㄹ. 농민군 전주성 점령

04 빈칸에 알맞은 말을 쓰시오.
(1) 정부의 소극적 개화 정책을 비판하던 급진 개화파가 일본의 지원을 받아 (　　　)을/를 일으켰다.
(2) 러·일 전쟁 과정에서 일본은 (　　　)을/를 자신들의 영토에 일방적으로 편입하였다.
(3) 대한민국 임시 정부는 우리 역사상 처음으로 삼권 분립에 기초를 둔 (　　　) 정부이다.

내신을 탄탄하게 내신 문제

01 다음 선언에 대한 설명으로 옳은 것은?

황제권이 소멸한 때가 곧 민권이 발생하는 때요, 구한국 최후의 하루는 곧 신한국 최초의 하루이다.……그러므로 경술년 융희 황제의 주권 포기는 곧 우리 국민 동지들에 대한 무기적 선위이니 우리 동지들은 당연히 주권을 계승하여 통치할 특권이 있고 또 대통을 상속할 의무가 있도다.

－「대동단결 선언」－

① 관민 공동회에서 발표되었다.
② 황제의 무한한 권한을 천명하였다.
③ 공화주의를 보여 주는 대표적인 예이다.
④ 동학 농민군의 폐정 개혁안에 반영되었다.
⑤ 소극적인 개혁으로 급진파의 반발을 불러일으켰다.

02 다음과 같은 변화를 가져온 개혁에 대한 설명으로 옳지 않은 것은?

〈정치적 변화〉
• 왕실 사무와 국정 업무 철저히 구분
• 재정 부분에서 왕실과 국가 재정 분리
• 사법 기구와 행정 분리
〈사회적 변화〉
• 노비제 폐지
• 문벌과 계급 타파
• 과거제를 폐지하여 신분 구별 없이 인재 등용
• 조혼 금지, 과부 재가 허용

① 일본의 내정 간섭하에 추진되었다.
② 개화파 관료를 중심으로 진행되었다.
③ 갑신정변의 개혁 요구가 반영되었다.
④ 왕권이 제한되고 내각이 구성되었다.
⑤ 토지를 균등하게 나누어 경작하게 되었다.

03 (가)에 들어갈 내용으로 가장 적절한 것은?

농민군과 정부의 전주 화약 체결
↓
(가)
↓
전봉준을 비롯한 지도자 체포

① 고종이 대한제국 수립을 선포하였다.
② 일본은 대한제국의 외교권을 빼앗았다.
③ 일본이 독도를 자신의 영토에 편입시켰다.
④ 독립 협회가 의회 설립 운동을 전개하였다.
⑤ 집강소를 설치하여 폐정 개혁을 추진하였다.

04 일제의 국권 침탈에 맞서 국권을 지키기 위한 활동으로 옳은 것을 |보기|에서 고른 것은?

| 보기 |
ㄱ. 독립 협회는 국내에서 비밀 결사를 조직하여 활동하였다.
ㄴ. 신민회는 공화정 체제의 근대 국민 국가 수립을 추구하였다.
ㄷ. 동학 농민군은 집강소를 설치하여 입헌 군주제 개혁안을 실천해 나갔다.
ㄹ. 헌정 연구회는 의회를 설립하고 헌법에 따라 정치를 하자고 주장하였다.

① ㄱ, ㄴ   ② ㄱ, ㄷ   ③ ㄴ, ㄷ
④ ㄴ, ㄹ   ⑤ ㄷ, ㄹ

05 (가)에 대한 설명으로 옳은 것은?

3·1 운동을 계기로 국내와 국외에 여러 임시 정부가 조직되었고, 이를 통합하려는 움직임이 나타났다. 그 결과 중국 상하이에 ☐☐☐(가)☐☐☐이/가 수립되었다.

① 삼권 분립에 기초한 민주 공화제 정부이다.
② 실력 양성 운동과 노동·농민 운동을 주로 전개하였다.
③ 전제 군주제를 강화하는 「대한국 국제」를 발표하였다.
④ 국권 회복과 공화정 건설을 목표로 조직된 비밀 결사였다.
⑤ 만민 공동회를 러시아의 내정 간섭과 열강의 이권 침탈을 비판하였다.

중요
06 밑줄 친 '이 운동'에 대한 설명으로 옳지 <u>않은</u> 것은?

대한제국의 주권을 빼앗은 일제는 강압적인 통치를 하였다. 민족의 자주와 독립이 꼭 필요하였으며 마침내 한국인들이 독립을 외치며 거리로 나섰다. 두 달 넘게 진행된 <u>이 운동</u>에는 다양한 계층이 참여하였다.

① 연해주, 미주 등 국외에서도 전개되었다.
② 우리 민족의 독립 의지를 전 세계에 알렸다.
③ 일제의 통치 방식이 헌병 경찰 제도로 바뀌었다.
④ 윌슨 대통령이 제창한 민족 자결주의의 영향을 받았다.
⑤ 상하이에서 대한민국 임시 정부가 수립되는 계기가 되었다.

07 (가)에 대한 설명으로 옳은 것은?

> 흥선 대원군이 물러나면서 조선의 대외 정책에 변화가 나타났다. 조선은 [(가)] 체결을 시작으로 여러 나라와 조약을 맺으며 근대적 국제 질서에 편입되었다.

① 미국과 맺은 최초의 근대적 조약이다.
② 주권을 침해하는 불평등한 요소가 있다.
③ 러시아를 견제하기 위하여 맺은 것이다.
④ 서재필과 정부의 개혁 관료들이 참여하였다.
⑤ 보통 선거에 의한 민주 정부 수립을 지향하였다.

중요
08 밑줄 친 '이곳'이 우리나라 영토임을 입증하는 근거로 옳은 것을 |보기|에서 고른 것은?

> 일본은 러·일 전쟁 중 이곳을 주인 없는 섬이라며 자신들의 영토에 일방적으로 편입시켰다.

| 보기 |
ㄱ. 「대한제국 칙령 제41호」에서 이곳을 울릉군의 관할로 하였다.
ㄴ. 일본은 「태정관 지령」에서 이곳을 조선의 영토색으로 칠하였다.
ㄷ. 「삼국사기」에 신라 이사부가 우산국을 정벌한 내용이 기록되어 있다.
ㄹ. 이범윤은 「은주시청합기」라는 보고문을 써서 울릉도와 이곳을 일본 영토에서 제외하였다.

① ㄱ, ㄴ   ② ㄱ, ㄷ   ③ ㄴ, ㄷ
④ ㄴ, ㄹ   ⑤ ㄷ, ㄹ

09 |보기|의 대한민국 정부 수립 과정을 순서대로 나열한 것은?

| 보기 |
ㄱ. 「제헌 헌법」 공포
ㄴ. 5·10 총선거 시행
ㄷ. 미·소 공동 위원회 결렬
ㄹ. 조선 건국 준비 위원회 결성
ㅁ. 모스크바 3국 외상 회의 개최

① ㄱ-ㄴ-ㄷ-ㄹ-ㅁ
② ㄴ-ㅁ-ㄷ-ㄱ-ㄹ
③ ㄷ-ㅁ-ㄴ-ㄹ-ㄱ
④ ㄹ-ㅁ-ㄷ-ㄴ-ㄱ
⑤ ㅁ-ㄴ-ㄷ-ㄹ-ㄱ

10 다음 인물들의 주장으로 옳은 것을 |보기|에서 고른 것은?

| 보기 |
ㄱ. 김구 – 우리 남한만이라도 임시 정부를 수립하자!
ㄴ. 이승만 – 남한만의 단독 정부를 세우는 일에 가담하지 않겠다!
ㄷ. 김규식 – 통일 정부 수립을 위해 북한과 남북 협상을 진행합시다.
ㄹ. 여운형 – 조선 건국 준비 위원회가 독립 국가 건설을 준비할 것입니다!

① ㄱ, ㄴ   ② ㄱ, ㄷ   ③ ㄴ, ㄷ
④ ㄴ, ㄹ   ⑤ ㄷ, ㄹ

만점에 도전하는 **심화 문제**

중요

01 다음 개혁안과 관련 있는 설명으로 옳은 것을 |보기|에서 고른 것은?

> • 탐관오리를 엄벌에 처할 것.
> • 노비 문서를 불태워 없앨 것.
> • 과부가 된 여성의 재가를 허락할 것.
> • 토지는 균등히 나누어 경작할 것.

> |보기|
> ㄱ. 대한제국의 모든 권한이 황제에 있음을 밝혔다.
> ㄴ. 일본군과의 전투에서 패배하면서 실패로 끝났다.
> ㄷ. 폐정 개혁안 시행을 조건으로 정부와 전주 화약을 체결하였다.
> ㄹ. 민중 집회인 만민 공동회를 열어 열강의 이권 침탈을 비판하였다.

① ㄱ, ㄴ   ② ㄱ, ㄷ   ③ ㄴ, ㄷ
④ ㄴ, ㄹ   ⑤ ㄷ, ㄹ

02 다음과 관련 있는 사건에 대한 설명으로 옳은 것은?

> 제2조   문벌을 폐지하여 인민 평등권을 세우고, 능력에 따라 관리를 임명한다.
> 제13조 대신과 참찬은 매일 궁궐 내의 의정부에서 회의하고 국왕에게 아뢰어 정령(정치적 명령)을 집행한다.
> – 김옥균, 『갑신일록』 –

① 민주 공화국 수립이 목표였다.
② 흥선 대원군의 집권기에 발생하였다.
③ 급진파가 일본의 지원을 받아 일으켰다.
④ 동학 농민 운동의 개혁 요구가 반영되었다.
⑤ 신분제가 폐지되어 법적인 평등을 이루었다.

03 다음 세 단체의 공통점으로 옳은 것은?

① 을사늑약의 부당성을 주장하며 조직되었다.
② 민주 공화국 수립을 위한 강령을 발표하였다.
③ 정치 개혁을 요구하며 헌의 6조를 결의하였다.
④ 만주와 연해주 지역의 3·1 운동을 주도하였다.
⑤ 일제와 경쟁할 수 있도록 민족의 실력을 양성하자고 주장하였다.

04 (가)에 대한 설명으로 옳은 것을 |보기|에서 고른 것은?

> 1945년 12월, 모스크바 3국 외상 회의에서 한반도의 정부 수립 방안이 구체적으로 제시되었다. 한반도에 임시 민주 정부 수립, 이를 위한 미·소 공동 위원회 설치, 최고 5년 기한의 ___(가)___ 을/를 한다는 내용이 결의되었다.

> |보기|
> ㄱ. 이승만의 정읍 발언이 결정에 영향을 끼쳤다.
> ㄴ. 김구, 이승만 등 우익 진영은 반대 운동을 벌였다.
> ㄷ. 좌우익 간의 대립이 줄어드는 결과를 가져왔다.
> ㄹ. 국제 연합이 독립 능력이 부족한 나라를 일정 기간 통치하는 것이다.

① ㄱ, ㄴ   ② ㄱ, ㄷ   ③ ㄴ, ㄷ
④ ㄴ, ㄹ   ⑤ ㄷ, ㄹ

자본주의와 사회 변화

학습 목표
개항 이후 한국 경제가 세계 자본주의 질서에 영향받았음을 설명할 수 있다.

주제 4 **개항과 식민지 경제**

1 개항으로 세계 자본주의 질서에 편입

(1) 세계 자본주의 질서: 산업 혁명 이후 자본주의 질서 확립 → 식민지를 차지하기 위한 서구 열강의 대외 팽창 **왜?** 서구 열강은 값싼 원료 공급지와 제품 판매 시장을 필요로 하였어.

(2) 조선의 개항: 일본에 의한 강압적 개항(강화도 조약 체결), 세계 자본주의 질서에 편입 → 불평등 조약 체결
└ **어떻게?** 일본에 이어 미국, 영국, 독일, 러시아, 프랑스 등과 수교를 맺었어.

2 개항 이후 외국 상인의 조선 진출

(1) 외국 상인의 진출
① 배경: 개항 초기에는 개항장 10리 이내로 외국 상인의 활동 범위 제한 → 이후 점차 외국 상인의 내륙 진출 허용
② 결과: 국내 상업이 큰 타격을 입음. → 한성 상인들이 상권 수호 운동 전개

(2) 일본으로 쌀 유출
① 배경: 일본 상인이 조선 농촌에서 많은 쌀을 자국으로 수입
② 결과: 국내 쌀 가격 폭등, 농민 생활 곤란 → 쌀 수출을 금지하는 **❶방곡령** 실시

3 근대 산업을 육성하기 위한 노력

(1) 열강의 이권 침탈에 대한 대응: 민족 자본을 육성하려는 노력

정부 차원	**❷**식산흥업 정책으로 근대적 기업 설립, 인재 양성을 위한 교육 기관 설립
민간 차원	회사 설립 노력, 이권 침탈에 대한 저항 운동 전개

(2) 한계: 제국주의 열강의 내정 간섭, 관세 자주권을 침해하는 조약 등으로 어려움.

4 일제의 식민지 경제 정책

(1) 1910년대: 토지 조사 사업 실시
① 내용: 근대적 토지 소유권 확립을 명분으로 토지 소유자가 직접 신고한 토지만 소유지로 인정 → 주인이 불분명한 토지를 국유지로 편입
② 결과: 조선 총독부의 지세 수입 증가, 일본인 대지주 증가, 지주제 강화, 많은 농민은 경작권을 상실하고 소작농화 → 불안정한 지위와 높은 소작료로 고통

(2) 1920년대: 산미 증식 계획 추진
① 내용: 일본의 식량 부족을 해결하기 위해 쌀 생산을 늘리려는 정책
② 결과: 증산량보다 유출량이 많음. 증산 비용을 농민이 부담

(3) 1930년대: 병참 기지화 정책 추진
① 내용: 한국을 공업화하여 대륙 침략에 필요한 **❸병참 기지**로 삼음.
② 결과: 공업 구조의 지역 불균형 심화, 금속 공출, 청년들을 침략 전쟁에 강제 동원, 일본군 '위안부' 동원

---

❶ 방곡령
곡물값 폭등이 일어났을 때 지방관이 그 지방의 곡물이 다른 지역으로 빠져나가는 것을 막는 조치이다. 함경도 등의 지방관이 방곡령을 시행했으나, 일본의 반발로 조선 정부는 방곡령을 철회하고 배상금을 지불하였다.

❷ 식산흥업 정책
'식산흥업'은 '생산을 늘리고 산업을 일으킨다.'라는 의미이다. 대한 제국은 인재 양성에 필요한 교육 기관 설립, 공장과 은행 설립 등 근대 산업 육성을 위해 노력하였다. 그러나 자금 부족, 기술 및 운영 방식 미숙, 열강의 이권 침탈 심화로 인해 성과가 미미하였다.

❸ 병참 기지
병참 기지는 전쟁에 필요한 자원(인력과 물자)을 보급하는 기지를 말하며, 일제는 한국을 병참 기지로 활용하였다. 지하자원이 풍부한 한반도 북부 지역을 중심으로 공업화 정책을 실시하였고 군수 산업을 육성하였다.

정답과 해설 42쪽

확인해 봐요

1 일본의 쌀 유출이 심각해지자 일부 지방관은 (   )을/를 실시하였다.

2 1920년대 일제는 (   )을/를 시행하여 부족한 일본의 식량 문제를 해결하고자 하였다.

3 일제는 1930년대부터 한국을 공업화하여 대륙 침략에 필요한 (   )(으)로 만들려고 하였다.

교과서 활동 풀이

가자! 역사 속으로

📖 교과서 166쪽

오른쪽은 강화도 조약을 풍자한 그림(『재팬 펀치』, 1876. 3.)입니다. 조약문을 들고 있는 일본인은 즐거운 표정을, 개항을 강요당한 조선인은 마지못해 춤을 추고 있습니다.

✔️ **일본인과 조선인의 표정이 다른 이유는 무엇일까요?**

예시 답안 강화도 조약은 일본에 유리하고 조선에 불리한 내용으로 이루어져 있다. 이에 따라 일본인은 즐거운 모습, 고 조선인은 당황한 표정으로 묘사하였다.

★ 활동 도우미

강화도 조약을 풍자한 그림입니다. 일본은 강화도 조약과 그 부속 조약에 따라 일본 상품의 무관세, 양곡의 무제한 유출로 막대한 이익을 보게 되었어요. 조선인은 이로 인해 경제적 침탈에 직면하게 되었지요. 강화도 조약의 내용과 그로 인한 결과를 이해한다면 두 사람의 표정이 상반된 이유를 쉽게 알 수 있을 것입니다.

탐구 해 보요 조선이 일본과 맺은 불평등 조약

📖 교과서 167쪽

자료 ① **강화도 조약(조·일 수호 조규)**

제1조 조선은 자주국으로서 일본과 평등한 권리를 가진다.
제4조 조선국은 부산 외에 두 곳의 항구를 개항하고 일본인이 와서 통상을 하도록 허가한다.
제7조 조선은 연안 항해의 안전을 위해 일본 항해자로 하여금 해안 측량을 허용한다.
제10조 ㉠ 일본인과 조선인이 개항장에서 죄를 범하였을 경우, 각각 자국의 법률에 근거하여 심문하고 판결한다.

— 「고종실록」 —

자료 ② **조·일 무역 규칙**

제6칙 ㉡ 조선국 항구에 머무르는 일본인은 쌀과 잡곡을 수출·수입할 수 있다.
제7칙 ㉢ 일본 정부에 소속된 모든 선박은 항세(항구세)를 납부하지 않는다.

— 「고종실록」 —

1 아래의 인물들의 고민은 자료 ㉠~㉢ 중 어떤 내용과 관련 있는지 말해 보자.

개항은 했지만, 개항장에 들어오는 일본국 정부 소속의 선박에 세금을 매기지 못하니 고민이야.

남편이 어떤 일본인과 싸우다가 크게 다쳤는데 관아에 신고해도 소용이 없어. 우리 법으로는 일본인을 처벌 못한대.

일본으로 쌀과 잡곡이 많이 유출되서 곡물 가격이 너무 올랐어. 그래서 우리 같은 농민은 먹을 게 없어.

예시 답안 인물들의 순서대로 ㉢, ㉠, ㉡이다.

2 위 내용을 바탕으로 강화도 조약이 불평등 조약인 까닭을 적어 보자.

예시 답안 강화도 조약의 치외법권 조항으로 조선에서 벌어진 일본인의 불법 행위를 조선 정부가 처벌할 수 없었다.

★ 자료 해설

자료는 강화도 조약(조·일 수호 조규)과 부속으로 맺은 조·일 무역 규칙의 일부 조항이에요. 이 자료를 통해 강화도 조약과 부속 조약의 내용을 파악하고 조약의 불평등한 성격을 찾아볼 수 있어요.

강화도 조약으로 3개 항구를 개항하고 일본의 조선 해안 측량권과 치외법권 등이 허용되었어요. 또한 부속 조약을 통해 일본의 수출입 상품에 대한 무관세, 양곡의 무제한 유출이 가능하게 되었어요. 이로 인해 국내 산업 보호를 하기 힘들게 되었고, 국내 곡물 가격이 상승되는 결과를 가져왔어요.

스스로 확인해요

❶ 대한 제국은 근대화를 위해 생산을 늘리고 산업을 일으키는 식산흥업 정책을 시행하였다. (○)
❷ 일본은 자국의 식량 부족을 해결하기 위해 산 미 증 식 계 획을/를 시행하였다.

이 주제의 핵심

이 주제에서는 개항 이후 조선이 겪은 경제적 변화와 일제의 식민지 시기의 경제 정책을 알아보았어요. 개항 이후 한국 경제가 세계 자본주의 질서의 영향을 받게 되었음에 유의하고, 일본을 비롯한 서구 열강의 경제 침탈 내용과 그에 대한 대응 내용을 서로 연결하여 알아두세요.

학습 목표
한국 경제의 시기별 특징과 사회 변화를 설명할 수 있다.

주제 5 한국 경제의 성장과 사회 변화

1 국가 주도의 경제 성장

(1) 광복 이후의 경제: 산업 기반 취약, 6·25 전쟁으로 산업 시설 파괴, <u>미국 원조로 식량난 해결</u> **어떻게?** 미국이 무상으로 원조한 농산물과 설탕·면화·밀가루 등이 소비재 산업에 도움을 주었으나, 미국에 대한 의존도가 커졌어.

(2) 경제 개발 계획의 추진과 고도성장

1960년대	• 국가 주도 경제 성장(경제 개발 5개년 계획) 추진 **무엇?** 가발, 섬유, 식품 등이야. • 제1차 경제 개발 5개년 계획을 시작으로 경공업 중심의 수출 주도형 경제 기반 마련
1970년대	• 철강, 조선, 기계, 석유 화학 등 중화학 공업 중심 경제 개발 추진 → 고도성장 • 경제 위기 발생: 중화학 공업에 대한 과잉 투자, ❶석유 파동 등으로 위기 발생 • 경부 고속 국도 개통(1970)
1980년대	❷3저 호황으로 물가 안정, 수출 증가, 기술 집약적 산업 발전

무엇? 반도체, 전자, 자동차 등이야.

2 경제 성장 과정에서 발생한 다양한 사회 문제

(1) 노동 문제
  ① 배경: ❸저임금·저곡가 정책, 장시간 노동으로 농민과 노동자의 고통스러운 삶
  ② 전태일 사망 사건: 근로 기준법 준수, 노동자 처우 개선, 인권 보장 등 요구
  ③ 노동 운동 전개: 노동 환경 개선과 생존권 보장 주장, 전국 단위 노동 조합 조직
(2) 도시 문제: 산업화와 도시화로 도시에 인구 집중, 주택·교통·환경·교육 문제 발생
(3) 사회 양극화 현상: 소득 분배 불균형이 심화되면서 사회 문제로 대두

3 신자유주의 세계화의 전개

(1) ❹신자유주의 세계화 대두: 20세기 중후반부터 자유 시장과 규제 완화 강조
(2) 한국 정부의 대응: 세계화 전략을 내세우며 경제 협력 개발 기구(OECD) 가입
(3) 외환 위기 발생(1997)
  ① 원인: 기업들의 무리한 사업 확장, 무역 수지 적자 등
  ② 극복 노력: 국제 통화 기금(IMF)의 지원, 구조 조정 및 외국 자본 유치 노력, 금 모으기 운동 등 **어떻게?** 이 과정에서 실업자와 비정규직이 늘어나고 빈부 격차가 심해졌어.
  ③ 결과 및 현재 상황: 세계적 경쟁력 회복, 첨단 산업 분야 발달

4 대중문화의 확산

(1) 대중문화 발달 배경: 경제 발전과 민주화로 생활 수준 향상, 교육 기회 확대 → 대중문화 성장
(2) 대중 매체의 발달: 매체의 다양화, 인터넷 발달로 대중이 문화 직접 생산 및 소통
(3) 한류의 발달: 음식, 음악, 화장품, 정보 통신(IT) 기술 등 발전 → 한국에 대한 긍정적 인식, 한국 상품 수출 증가에 기여

---

❶ 석유 파동(1973~1979)
1970년대 두 차례에 걸친 국제 석유 가격 폭등으로 세계 경제가 흔들린 사건이다. 석유를 비롯해 원자재에 대한 해외 의존도가 높은 한국 경제는 큰 타격을 받았다. 특히 2차 석유 파동(1978) 때는 마이너스 경제 성장률을 기록하였다.

❷ 3저 호황(1986~1989)
저달러·저유가·저금리로 인해 한국 경제가 누린 경제 호황을 가리킨다. 저달러 현상으로 한국 상품을 더욱 싼 가격에 수출할 수 있었고, 저유가는 상품 제조에 드는 원가 절감을, 저금리는 민간의 투자 촉진을 가져왔다.

❸ 저임금·저곡가 정책
정부는 수출 가격 경쟁력을 내세워 노동자에게 낮은 임금을 강요하였고(저임금), 노동자의 생계비를 최소화하고자 곡물 가격을 낮게 유지하는(저곡가) 정책을 실시하였다.

❹ 신자유주의
정부의 역할을 줄이려는 새로운 움직임을 말한다. 복지 예산 감축, 국영 기업의 민영화, 자유 시장과 규제 완화를 추구하였다.

✍️ 정답과 해설 42쪽

확인해 봐요 ⊕

1 1970년대 정부는 경공업 중심의 수출 주도형 경제 개발을 추진하였다. (○ , ×)
2 전태일은 분신하면서 근로 기준법 준수, 노동자 처우 개선 등을 요구하였다. (○ , ×)
3 최근 한국의 대중문화는 '한류'라는 이름으로 전 세계적인 인기를 얻고 있다. (○ , ×)

📖 교과서 활동 풀이

가자! 역사 속으로

📖 교과서 169쪽

한국은 '한강의 기적'이라 불릴 정도로 빠른 성장을 거듭하였고, 1977년, 마침내 100억 달러 수출을 달성하였습니다.

☑ '한강의 기적'이 가능하였던 원동력은 무엇일까요?

예시 답안 국가 주도의 경제 개발 5개년 계획의 성공, 열악한 노동 환경과 낮은 임금 속에서도 근면·성실한 국민의 노력 등으로 우리는 빠르게 경제 성장을 이루어낼 수 있었다.

⭐ 자료 해설

자료는 1977년 수출 100억 달러를 목표보다 먼저 달성한 것을 기념하기 위해 세운 기념물이에요. '한강의 기적'의 의미와 우리 경제가 빠르게 성장할 수 있었던 배경에 대해 생각해 보아요.

Q 경제 성장 이후, 우리 사회에서 볼 수 있는 긍정적·부정적 변화는 각각 무엇일까?

📖 교과서 170쪽

예시 답안 ·긍정적 변화: 1인당 국민 소득이 꾸준히 증가하면서 국민의 생활 수준이 크게 향상되었으며, 한국의 경제 성장은 개발 도상국의 모범이 되고 있다는 점 등이다.

·부정적 변화: 상위 계층과 하위 계층 간 소득 격차가 급격히 벌어지면서 나타난 사회 양극화 현상, 고용 불안과 늘어나는 비정규직 노동자 증가 등을 들 수 있다.

⭐ 자료 해설

교과서의 자료는 한국 경제 성장 이후 우리 사회에 나타난 변화를 도표로 나타낸 것이에요. 1인당 국민 소득이 가파르게 증가하였지만, 상·하위 소득 격차가 날로 커지고 있다는 사실을 확인할 수 있어요.

📋 교과서 사진 자료 ▶ 대중 매체의 발달과 대중문화

📖 교과서 171쪽

• 대중 매체의 발달과 대중문화

1960 전국 텔레비전 방송 시작	1980 컬러텔레비전 시대의 개막	2000 인터넷의 발달과 스마트폰의 대중화

1960년대에는 라디오와 전축을 비롯하여 흑백텔레비전이 보급되기 시작하면서 대중문화의 폭이 넓어졌다. 이 외에도 대중들은 영화 관람 등의 여가 생활을 즐겼다.

1980년 시작된 컬러텔레비전 방송은 대중문화의 고급화와 다양화에 영향을 주었다. 이에 다양한 형태의 연예 산업이 발달하였으며, 정부의 지원 아래 프로 스포츠가 크게 발달하였다.

2000년대에 들어 인터넷이 발달하고 휴대 전화가 대중화되면서 정보 검색이 손안에서 이루어지고 있다. 오늘날에는 직접 제작한 동영상을 온라인에 올려 여론을 조성하는 개인 미디어도 등장하였다.

💡 활동 도우미

대중문화는 대중 매체의 보급에 따라 다양한 형태로 나타나지요. 텔레비전과 라디오, 스마트폰이 그 대표적인 매체라고 할 수 있으며, 이를 통해 많은 사람이 가요, 영화, 드라마, 스포츠 등과 같은 문화를 즐기게 되었어요. 1960년대에 텔레비전 방송이 시작되었고, 2000년대 들어 인터넷과 스마트폰이 대중화되면서 대중문화의 폭이 크게 넓어졌어요.

스스로 확인해요

❶ 1960년대 초, 제1차 경제 개발 5개년 계획으로 중화학 공업이 본격적으로 성장하였다. (×)

❷ 급속한 경제 성장으로 소득 분배의 불균형이 심해지면서 |사| |회| |양| |극| |화|이/가 사회 문제로 대두하였다.

이 주제의 핵심

이 주제에서는 한국 경제의 시기별 특징과 사회 변화를 알아보았어요. 한국의 경제 성장 과정을 시대별로 나누어서 그 특징과 연결하여 기억하고, 경제 성장에 따른 한계점이 무엇인지도 알아 두어요. 한편 대중문화, 대중 매체의 발달과 한류의 등장을 연결하여 파악해 보아요.

시험을 대비하는 실전 문제

01 서로 관련 있는 내용끼리 연결하시오.

- ㉠ 1910년대 •
- ㉡ 1920년대 •
- ㉢ 1930-40년대 •

- ⓐ 산미 증식 계획
- ⓑ 토지 조사 사업
- ⓒ 병참 기지화 정책

02 설명이 맞으면 ○, 틀리면 ×로 표시하시오.

(1) 1970년대에는 중화학 공업 중심의 경제 개발이 추진되었다. (　　)

(2) 전태일은 노동자의 처우 개선과 인권 보장을 요구하며 분신하였다. (　　)

(3) 1980년대 중반에는 석유 파동으로 경제 위기를 겪었다. (　　)

(4) 1990년대에는 기업의 무리한 사업 확장과 무역 적자로 외환 위기를 겪었다. (　　)

03 |보기|의 사실을 발생한 순서대로 나열하시오.

> | 보기 |
> ㄱ. 강화도 조약 체결
> ㄴ. 식산흥업 정책 시행
> ㄷ. 토지 조사 사업 시행
> ㄹ. 외국 상인 내륙 진출 허용

04 빈칸에 알맞은 말을 쓰시오.

(1) 강화도 조약은 조선의 경제 주권을 침해하는 (　　) 조약이었다.

(2) 1910년대에 일제는 근대적 토지 소유권 확립을 명분으로 (　　)을/를 실시하였다.

(3) 최근에 소득 불균형이 심해지면서 (　　)이/가 사회 문제로 대두하고 있다.

중요

01 다음 조약과 관련된 설명으로 옳은 것을 |보기|에서 고른 것은?

> 제1조 조선은 자주국으로서 일본과 평등한 권리를 가진다.
> 제4조 조선국은 부산 외의 두 곳의 항구를 개항하고 일본인이 와서 통상을 하도록 허가한다.

> | 보기 |
> ㄱ. 근대적 토지 소유권이 확립되었다.
> ㄴ. 외국 상인의 내륙 진출이 허용되었다.
> ㄷ. 조선이 일본에 의해 개항을 하게 되었다.
> ㄹ. 조선의 주권을 침해하는 불평등 조약이다.

① ㄱ, ㄴ　　② ㄱ, ㄷ　　③ ㄴ, ㄷ
④ ㄴ, ㄹ　　⑤ ㄷ, ㄹ

02 밑줄 친 내용이 초래한 결과로 가장 적절한 것은?

> 조·일 무역 규칙
> 제6칙 조선국 항구에 머무르는 일본인은 쌀과 잡곡을 수출·수입할 수 있다.
> 제7칙 일본 정부에 소속된 모든 선박은 항세를 납부하지 않는다.

① 국내 쌀 가격이 폭등하였다.
② 식산흥업 정책이 전개되었다.
③ 상권 수호 운동이 전개되었다.
④ 서양 열강과 국교를 체결하였다.
⑤ 교육 기관을 적극적으로 설치하였다.

03 밑줄 친 정책에 대한 내용으로 옳지 않은 것은?

일본을 비롯한 제국주의 열강의 영향력이 강해질수록 이권 침탈도 심해졌다. 이에 대응하기 위해 대한제국은 식산흥업 정책에 적극 나섰다.

① 은행 설립
② 방곡령 시행
③ 교육 기관 설치
④ 근대적 기업 설립
⑤ 교통·통신 시설 정비

04 다음 정책의 결과로 옳은 것을 |보기|에서 고른 것은?

제4조 토지의 소유자는 조선 총독이 정하는 기간 내에 주소, 씨명, 명칭 및 소유지의 소재, 지목, 자번호, 사표, 등급, 지적, 결수를 임시 토지 조사국 장에게 신고해야 한다.

| 보기 |
ㄱ. 일본인 대지주가 늘어 지주제가 강화되었다.
ㄴ. 외국 상인의 내륙 진출로 상업에 타격을 입었다.
ㄷ. 많은 농민은 경작권을 잃고 지위가 불안정해졌다.
ㄹ. 증산량보다 일본으로 수출된 쌀이 더 많았다.

① ㄱ, ㄴ   ② ㄱ, ㄷ   ③ ㄴ, ㄷ
④ ㄴ, ㄹ   ⑤ ㄷ, ㄹ

05 밑줄 친 내용과 관련 있는 것을 |보기|에서 고른 것은?

1930년대부터 일제는 중국 침략을 시작으로 전쟁을 확대해 나갔고, 한국을 공업화하여 대륙 침략에 필요한 병참 기지로 만들려고 하였다.

| 보기 |
ㄱ. 금속을 공출하였다.
ㄴ. 강화도 조약을 체결하였다.
ㄷ. 많은 중화학 공장을 세웠다.
ㄹ. 토지 조사 사업을 실시하였다.

① ㄱ, ㄴ   ② ㄱ, ㄷ   ③ ㄴ, ㄷ
④ ㄴ, ㄹ   ⑤ ㄷ, ㄹ

중요
06 |보기|의 한국의 경제 성장 과정을 순서대로 나열한 것은?

ㄱ. 석유 파동으로 경제 위기를 겪었다.
ㄴ. 국제 통화 기금(IMF)으로부터 경제 지원을 받았다.
ㄷ. 3저 호황으로 물가가 안정되고 수출이 증가하였다.
ㄹ. 경공업 중심의 수출 주도형 경제 기반을 마련하였다.

① ㄱ-ㄴ-ㄷ-ㄹ
② ㄴ-ㄷ-ㄹ-ㄷ
③ ㄴ-ㄹ-ㄱ-ㄷ
④ ㄷ-ㄹ-ㄱ-ㄴ
⑤ ㄹ-ㄱ-ㄷ-ㄴ

07 다음 내용과 관련 있는 시기로 옳은 것은?

> 세계적으로 유가 하락, 국제 금리 인하, 미국 달러의 가치가 낮게 유지되는 현상이 나타나자 한국 제품의 수출 경쟁력이 높아져 우리 경제가 경제 성장을 이어갔다. 산업도 중공업에서 반도체, 전자, 자동차 등 기술 집약적 산업으로 다양해졌다.

1950	1962	1970	1977	1979	1997
	(가)	(나)	(다)	(라)	(마)

| 6·25 전쟁 발발 | 제1차 경제 개발 계획 시작 | 경부 고속 국도 개통 | 100억 달러 수출 달성 | 제2차 석유 파동 | 외환 위기 발생 |

① (가)   ② (나)   ③ (다)
④ (라)   ⑤ (마)

08 다음과 같은 정책의 결과로 옳은 것을 |보기|에서 고른 것은?

> • 1960년대: 제1, 2차 경제 개발 5개년 계획
> • 1970년대: 제3, 4차 경제 개발 5개년 계획

|보기|
ㄱ. '한강의 기적'이라는 고도성장을 이룩하였다.
ㄴ. 미국의 원조로 부족한 식량난을 해결하였다.
ㄷ. 국제 통화 기금으로부터 경제 지원을 받게 되었다.
ㄹ. 노동자들은 열악한 노동 환경과 낮은 임금에 시달렸다.

① ㄱ, ㄴ   ② ㄱ, ㄷ   ③ ㄱ, ㄹ
④ ㄴ, ㄷ   ⑤ ㄷ, ㄹ

09 다음 상황을 극복하기 위한 노력으로 옳은 것을 |보기|에서 고른 것은?

> 기업들의 무리한 사업 확장, 무역 적자 등으로 외환 위기를 겪었고, 결국 국제 통화 기금(IMF)으로부터 경제 지원을 받았다.

|보기|
ㄱ. 정부는 경제 구조 조정을 펼쳤다.
ㄴ. 시민들은 금 모으기 운동에 동참하였다.
ㄷ. 전태일이 근로 기준법 준수를 요구하였다.
ㄹ. 경제 협력 개발 기구(OECD)에 가입하였다.

① ㄱ, ㄴ   ② ㄱ, ㄷ   ③ ㄴ, ㄷ
④ ㄴ, ㄹ   ⑤ ㄷ, ㄹ

10 밑줄 친 '대중문화'에 대한 설명으로 옳은 것을 |보기|에서 모두 고른 것은?

> 한국의 경제 성장과 민주화의 진전으로 생활 수준이 향상되고 교육의 기회가 확대되면서 대중이 문화의 중심으로 성장하였다. 이에 가요, 영화, 스포츠와 같이 많은 사람이 쉽게 접하고 즐길 수 있는 대중문화가 발전하였다.

|보기|
ㄱ. 국가 이미지에도 영향을 미친다.
ㄴ. 대중 매체의 보급에 따라 다양하게 나타났다.
ㄷ. SNS 등으로 문화를 직접 생산, 소통하고 있다.
ㄹ. 한류라는 이름으로 전 세계적인 인기를 얻고 있다.

① ㄱ, ㄴ   ② ㄴ, ㄷ   ③ ㄱ, ㄷ, ㄹ
④ ㄴ, ㄷ, ㄹ   ⑤ ㄱ, ㄴ, ㄷ, ㄹ

◉ 정답과 해설 42~43쪽

 만점에 도전하는 **심화 문제**

중요

01 강화도 조약의 내용이다. 각 조항에 대한 설명으로 옳은 것을 |보기에서 모두 고른 것은?

> (가) 조선은 자주의 나라이며 일본국과 평등한 권리를 가진다.
> (나) 조선은 부산 외에 두 곳의 항구를 개항하고 일본인이 와서 통상을 하도록 허가한다.
> (다) 조선은 연안 항해 안전을 위해 일본 항해자가 해안을 측량하도록 허가한다.
> (라) 일본인과 조선인이 조선 항구에서 죄를 지었을 경우 각각 자국의 법률에 근거하여 심판한다.

| 보기 |
ㄱ. (가) – 일본과 조선은 평등한 조약을 체결하였다.
ㄴ. (나) – 일본은 개항지를 침략의 거점으로 삼으려고 하였다.
ㄷ. (다) – 조선의 영토 주권을 침해하는 내용이 포함되어 있다.
ㄹ. (라) – 일본인의 불법 행위를 제대로 처벌할 수 없었다.

① ㄱ, ㄴ 　② ㄴ, ㄷ 　③ ㄱ, ㄷ, ㄹ
④ ㄴ, ㄷ, ㄹ 　⑤ ㄱ, ㄴ, ㄷ, ㄹ

02 밑줄 친 '정책'과 관련된 설명으로 옳은 것은?

> 이것은 수리 시설 확충, 비료 공급 확대, 종자 개량, 농지 개간 등을 통해 쌀의 생산량을 늘려서 일본으로 더 많이 가져가겠다는 <u>정책</u>이었다.

① 농민들이 증산 비용을 과도하게 부담하였다.
② 일본군 '위안부'로 여성들을 강제 동원하였다.
③ 한반도 북부 지역에 중화학 공업이 편중되었다.
④ 한국을 대륙 침략에 필요한 병참 기지로 삼았다.
⑤ 토지 조사 사업를 실시하여 지주제가 강화되었다.

03 다음과 같은 글이 작성된 시기의 상황으로 옳은 것은?

> 존경하는 대통령 각하!
> …저희는 근로 기준법의 혜택을 조금도 못받으며, 더구나 2만 여명이 넘는 종업원의 90% 이상이 평균 연령 18세의 여성입니다.……이들은 하루에 90원 내지 100원의 급료를 받으며 1일 15시간씩 작업을 합니다.……1일 작업 시간을 10시간~12시간으로 단축하십시오. 1개월 휴일 2일을 일요일마다 휴일로 쉬기를 희망합니다.

| 보기 |
ㄱ. 국제 통화 기금(IMF)의 경제 지원을 받았다.
ㄴ. 제조업을 기반으로 한국 경제가 고도성장하였다.
ㄷ. 저임금·장시간 노동으로 노동자의 삶이 어려웠다.
ㄹ. 자유 시장과 규제 완화를 강조하는 변화가 나타났다.

① ㄱ, ㄴ 　② ㄱ, ㄷ 　③ ㄴ, ㄷ
④ ㄴ, ㄹ 　⑤ ㄷ, ㄹ

신유형

04 다음 그래프를 이용하여 탐구할 수 있는 현대 한국 사회에 대한 주제로 적절하지 <u>않은</u> 것은?

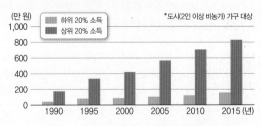

① 사회 양극화 문제의 해결 방안을 모색한다.
② 소득 분배 불균형 현상의 원인을 조사한다.
③ 빈부 격차 확대에 따른 사회 불안 요소를 찾아본다.
④ 첨단 산업 발달과 국제 경쟁력의 관련성을 조사한다.
⑤ 비정규직 노동자 수와 빈부 격차의 상관성을 탐구한다.

주제 6 ## 헌법에 구현된 민주주의

1 대한민국 임시 정부의 헌법

(1) 「대한민국 임시 헌장」(1919.4.)
  ① **❶민주 공화제** 명시: 국민 주권 시대 도래 상징
  ② **❷조소앙**: 임시 헌장 초안 작성, 국민의 균등한 정치 참여를 민주 공화제로 여김.
(2) 「대한민국 임시 헌법」(1919.9.): 대한민국 임시 헌장의 내용 보강 → 광복 직전까지 민주 공화국 정치 체제 유지

2 「제헌 헌법」으로 민주주의 구현

(1) 광복 후 국가 방향 논의: 대다수가 민주주의에 기반한 민주 공화국 수립을 목표로 함.
(2) 「제헌 헌법」(1948.7.)
  ① **「제헌 헌법」 제정**: ❸5·10 총선거로 구성된 제헌 국회에서 제정 → 대한민국 헌법 마련
   어떻게? 이때 198명의 국회 의원이 당선되어 제헌 국회가 구성되었어.
  ② **주요 내용**: 대한민국이 민주 공화국임을 천명, 국민의 권리와 국민을 위한 국가의 역할 규정, 주권 재민의 원칙 명시
  ③ **의의**: 국민 국가 수립 운동의 산물, 대한민국 임시 정부 헌법에서 지향한 민주 공화국 구현 **어떻게?** 제헌 헌법에 따라 국회 의원들의 간접 선거로 이승만이 초대 대통령으로 선출되었고, 대한민국 정부가 수립되었어.

❶ 민주 공화제
국가의 주권이 다수의 국민에게 있고 국민이 선출한 대표자가 국가를 통치하는 체제이다.

❷ 조소앙
정치·경제·교육의 균등을 통해 개인과 개인의 균등을 실현하고, 이를 토대로 민족과 민족, 국가와 국가의 균등을 추구하는 삼균주의에 입각한 건국 강령을 제시하여 임시 정부 국무 회의에서 채택되었다.

❸ 5·10 총선거
우리 역사상 최초의 민주 선거이다. 만 21세 이상의 모든 국민이 투표권을 갖고 국회 의원을 선출하였다.

핵심 자료 ▶ **각 헌법의 주요 내용과 의미**

「대한민국 임시 헌장」	「대한민국 임시 헌법」	「제헌 헌법」
1919년 4월에 공포된 헌법으로 조소앙이 제1조 민주 공화제 채택, 제2조 임시 정부(행정부)와 임시 의정원으로 통치, 제3조 특권 계급의 부인, 제4조 인민의 기본권, 제5조 선거와 피선거권, 제6조 교육·납세 및 병역의 의무 등을 규정하고 있다.	1919년 9월에 공포된 헌법으로 대한민국 임시 정부는 모든 인민이 평등하고 인민에게 주권이 있다는 민주 공화제를 명시하였다. 국무원(행정), 임시 의정원(의회), 법원(사법)을 두어 삼권 분립의 원칙을 밝혔다.	1948년 7월에 제정된 헌법으로 대통령제와 단원제 국회 등을 내용으로 한다. 전문에서 대한민국 임시 정부의 법통을 계승하였음을 밝혔고, 주권 재민과 공화정 추구를 명시하였다. 또한 국민의 기본권을 폭넓게 보장하였으며 삼권 분립을 명시하였다.

✓ 핵심

대한민국 임시 정부의 헌법과 「제헌 헌법」의 공통점은 무엇일까?

대한민국 임시 정부의 헌법은 대한민국의 주권이 국민에게 있다는 주권 재민의 원칙과 삼권 분립, 모든 국민이 평등하다는 민주 공화제를 원칙으로 하였다. 이는 이후 제헌 국회에서 제정한 「제헌 헌법」에 계승되었다.

⊕ 정답과 해설 44쪽

확인해 봐요

1 대한민국 임시 정부 헌법은 민주 공화제를 원칙으로 하였다.
(○, ×)

2 광복 이후 대다수 단체가 전제 군주국 수립을 목표로 삼았다.
(○, ×)

3 「제헌 헌법」은 대한민국 임시 정부의 헌법에서 지향한 모습을 구현하였다.
(○, ×)

가자! 역사 속으로

📎 교과서 172쪽

과거에는 황제가 한 명이었지만, 지금은 이천만 국민이 모두 황제입니다!

안창호는 대한민국 임시 정부 수립에 참여했던 인물로, 1920년 임시 정부 신년 연설에서 이천만 국민이 모두 황제라고 말하였습니다.

✅ **이천만 국민이 모두 황제인 나라는 어떤 모습일까요?**

예시 답안 대한 제국이 황제의 절대적 권리만을 규정한 전제 군주국이었다면, '이천만 국민이 모두 황제'라는 표현을 통해 새로운 국가는 주권이 국민에게 있는 민주 공화국이 되어야 함을 말하고자 하였다.

🔆 활동 도우미

안창호는 1920년 대한민국 임시 정부 신년 연설에서 "금일은 이천만 국민이 모두 황제요. 황제는 주권자를 이르는 것으로 과거에는 주권자가 오직 한 사람이었지만, 지금은 제군이 다 주권자외다"라고 말했습니다. 대한제국이 전제 군주국이었다면 '이천만 국민이 다 황제'라는 표현을 통해 주권이 국민에게 있는 민주 공화제를 말한다는 것을 알 수 있습니다.

탐구 해 봐요 대한민국 임시 정부의 헌법과 「제헌 헌법」

📎 교과서 173쪽

자료1 대한민국 임시 정부의 헌법

❶ 「대한민국 임시 헌장」(1919. 4.)
제1조 대한민국은 민주 공화제로 함.
제3조 대한민국 인민은 남녀, 빈부 및 계급 없이 일체 평등함.
제4조 대한민국의 인민은 종교·언론·저작·출판·결사·집회·주소 이전·신체 및 소유의 자유를 향유함.
제5조 대한민국의 인민으로 공민 자격이 있는 자는 선거와 피선거권이 있음.

❷ 「대한민국 임시 헌법」(1919. 9.)
제1조 대한민국은 대한 인민으로 조직한다.
제2조 대한민국의 주권은 대한 인민 전체에 있다.
제4조 대한민국의 인민은 일체 평등하다.
제5조 대한민국의 입법권은 의정원이, 행정권은 국무원이, 사법권은 법원이 행사한다.

자료2 「제헌 헌법」(1948. 7.)

[전문] 유구한 역사와 전통에 빛나는 우리들 대한 국민은 기미 3·1 운동으로 대한민국을 건립하여 세계에 선포한 위대한 독립 정신을 계승하여 이제 민주 독립 국가를 재건함에 있어서 …… 모든 사회적 폐습을 타파하고 민주주의 모든 제도를 수립하여 …….

제1조 대한민국은 민주 공화국이다.
제2조 대한민국의 주권은 국민에게 있고 모든 권력은 국민으로부터 나온다.
제8조 모든 국민은 법률 앞에 평등하며 …… 모든 영역에 있어서 차별을 받지 아니한다.
제25조 모든 국민은 법률이 정하는 바에 의해 공무원을 선거할 권리가 있다.
제31조 입법권은 국회가 행한다.
제51조 대통령은 행정권의 수반이며 …….
제77조 법관은 헌법과 법률에 의하여 독립하여 심판한다.

⭐ 자료 해설

「대한민국 임시 정부 헌법」은 대한민국 임시 헌장과 임시 의정원법을 보강한 것으로 국민 주권과 평등권, 삼권 분립, 임시 정부의 조직 등으로 구성하였어요.
「제헌 헌법」은 3·1 운동의 독립 정신을 계승하고, 「대한민국 임시 정부 헌법」에서 규정한 민주 공화정과 모든 영역에 있어서 개인의 기회 균등, 정치 참여의 자유 등의 내용을 담았어요. 정부 형태는 대통령 중심제를 바탕으로 의원 내각제 요소를 일부 포함하여 4년마다 국회에서 간접 선거로 대통령을 뽑도록 하였어요.

1 대한민국 임시 정부의 헌법과 「제헌 헌법」의 공통점을 찾아보자.
예시 답안 인민(국민) / 평등 / 민주 공화제(민주 공화국) / 입법권, 행정권, 법원

2 자료2 에서 대한민국이 임시 정부를 계승하였음을 보여 주는 내용을 찾아 밑줄을 그어 보자.
예시 답안 기미 3·1 운동으로 대한민국을 건립하여 세계에 선포한 위대한 독립정신을 계승하여

3 대한민국 임시 정부와 대한민국이 지향하는 국가의 모습이 무엇인지 짝과 토의해 보자.
예시 답안 대한민국 임시 정부와 대한민국은 주권이 국민에게 있고 삼권 분립을 특징으로 하는 민주 공화제를 지향하고 있다.

스스로 확인해요

❶ 대한민국 임시 정부는 대한민국의 「제헌 헌법」을 계승하고 있다. (×)
❷ 주 권 재 민 (이)란 국가의 주권이 국민에게 있음을 뜻하는 말이다.

이 주제의 핵심

이 주제에서는 「대한민국 임시 정부 헌법」과 「제헌 헌법」 등을 비교하며 헌법에 구현된 민주주의에 대해 알아보았어요. 이를 통해 민주 공화제에 입각한 국민 국가 건설을 지향하였던 큰 흐름들을 확인하도록 해요. 민주주의의 내용을 제대로 파악하고 「대한민국 임시 정부의 헌법」과 「제헌 헌법」의 역사적 측면을 민주주의와 연결하여 이해하도록 하는 것이 중요합니다.

주제 7 4·19 혁명과 5·18 민주화 운동

1 이승만 정부의 장기 집권과 헌법 개정

> **왜?** 제2대 국회 의원 선거 결과 간접 선거로는 대통령에 재선될 가능성이 낮았기 때문이야.

(1) 발췌 개헌(1952): 대통령 직선제로 개헌 → 이승만 재집권 성공

(2) ❶사사오입 개헌(1954): 초대 대통령에게 중임 제한 폐지 개헌 → 이승만의 장기 집권 토대 마련, 정부에 비판적 언론 탄압

> **무엇?** 횟수 제한 없이 대통령에 출마할 수 있도록 헌법을 개정한 거야.

2 민주화 운동의 토대가 된 4·19 혁명

(1) 배경: 6·25 전쟁 이후 어려워진 경제와 독재 정치로 국민 불만 고조, 3·15 부정 선거 자행

> **왜?** 이승만 정부는 자유당의 이기붕을 부통령에 당선시키기 위해 부정을 저질렀어.

(2) 4·19 혁명 전개: 학생과 시민들의 3·15 부정 선거 규탄 시위 → 경찰의 무력 진압으로 많은 사상자 발생 → 대학교수단의 시위 → 이승만 하야

(3) 의의: 학생과 시민이 독재 정권을 무너뜨린 민주화 운동 → 민주주의 발전의 토대

(4) 장면 내각
① 성립: 4·19 혁명 후 내각 책임제로 헌법 개정 → 장면 내각 수립
② 정책: 독재 청산, 경제 개발 5개년 계획안 마련
③ 한계: 국민의 다양한 요구에 적절히 대응하지 못함.

3 군사 정권에 대항한 유신 체제 반대 운동

(1) 박정희 정부
① 5·16 군사 정변(1961): 박정희를 중심으로 일부 군인이 정변을 일으켜 권력 장악 → 헌법 개정, 박정희 대통령 당선
② 3선 개헌(1969): 장기 집권을 위해 대통령의 3선 연임 허용
③ 「유신 헌법」(1972): 대통령을 ❷통일 주체 국민 회의에서 간선제로 선출, 대통령에 국회 해산권, ❸긴급 조치권 등 부여

(2) 유신 체제 반대 운동
① 민주화 요구: 유신 철폐와 민주주의 회복을 요구하는 민주화 운동 전개
② 부·마 민주 항쟁(1979): 부산, 마산에서 유신 철폐를 요구하는 대규모 시위 발생 → 비상 계엄을 선포하며 진압
③ 10·26 사태: 박정희 피살, 유신 체제 붕괴

4 신군부의 등장과 5·18 민주화 운동

(1) 배경: 10·26 사태 이후 신군부 세력의 권력 장악(12·12 사태) → 신군부 퇴진과 민주화 요구 시위 → 계엄령 선포, 민주화 운동 탄압

(2) 5·18 민주화 운동: 광주에서 대규모 시위 전개 → 계엄군의 폭력적 진압 → 광주 시민들이 시민군 조직, 저항 → 계엄군의 무력 진압으로 많은 사상자 발생

(3) 의의: 1980년대 민주화 운동의 토대, 필리핀 등 아시아 국가의 민주화 운동에 영향

(4) 전두환 정부: 7년 단임의 대통령 간선제로 개헌, 언론 통제, 민주화 운동 억압, 유화 정책 실시

> **어떻게?** 야간 통행금지 해제, 프로 야구 개막, 교복 자율화 등의 유화 정책으로 국민의 반발을 무마하려고 했어.

---

❶ 사사오입 개헌
이승만 대통령의 중임 제한을 폐지한다는 내용의 개헌이다. 이 개헌안이 통과되기 위해서는 재적 의원 203명 중 2/3 이상인 136명의 찬성표가 필요하였다. 그러나 실제 투표에서 135명이 찬성하자 자유당 정권은 사사오입(반올림) 적용을 주장하며 개헌안을 통과시켰다.

❷ 통일 주체 국민 회의
「유신 헌법」에 의해 조국의 평화 통일을 추진한다는 명분으로 설치된 기관이다. 대통령 선거, 헌법 개정안의 최종 확정 등의 권한이 있었다. 박정희의 장기 집권을 위한 역할을 수행하였다.

❸ 긴급 조치권
헌법에 보장된 국민의 기본권을 잠정적으로 중단할 수 있는 권한으로 유신 체제하에서 9차례 시행되었다. 법원의 판단없이 대통령의 단순한 행정 명령만으로 헌법적 효력을 갖는 점에서 독소 조항이라고 할 수 있다.

⊘정답과 해설 44쪽

확인해 봐요

1 이승만은 초대 대통령에게 중임 제한을 적용하지 않는 ( ) 개헌을 단행하였다.

2 ( )은/는 학생과 시민의 힘으로 이승만 독재 정권을 무너뜨린 민주화 운동이다.

3 ( ) 헌법은 대통령 간선제와 대통령에게 국회 해산권, 긴급 조치권 등을 부여하였다.

교과서 활동 풀이

📖 교과서 174쪽

가자! 역사 속으로

1956년 제3대 정·부통령 선거에서 민주당이 내건 포스터에는 "못 살겠다. 갈아 보자!"라는 구호가 적혀 있습니다. 이에 자유당은 "갈아 봤자. 더 못 산다."라는 문구로 대응하였습니다.

☑ **포스터와 문구에 "못 살겠다."와 "더 못 산다."라고 표현한 이유는 무엇일까요?**

예시 답안 야당이었던 민주당은 이승만의 독재와 탄압에 반대하는 의미를 "못 살겠다. 갈아보자!"라는 구호로 표현하였다. 이에 자유당은 "갈아봤자, 더 못 산다!"라는 구호로 대응하였다.

★ 자료 해설

이승만은 발췌 개헌, 사사오입 개헌 등 장기 집권을 시도하였고 정치적 반대 세력을 탄압하였어요. 뿐만 아니라 6·25 전쟁 이후 어려워진 경제 상황이 이승만 정부에 대한 불만으로 나타났고 이를 민주당에서 "못살겠다. 갈아보자"로 표현하였어요. 이에 자유당은 "갈아봤자 더 못산다"라는 구호로 대응하였습니다.

교과서 자료 · 긴급 조치 선포

📖 교과서 175쪽

긴급 조치 제1호(1974)

1 대한민국 헌법을 부정, 반대, 왜곡, 비방하는 등의 모든 행위를 금한다.
2 대한민국 헌법의 개정 또는 폐지를 주장, 발의, 제안, 또는 청원하는 등의 모든 행위를 금한다.
5 이 조치에 위반한 자와 이 조치를 비방한 자는 법관의 영장 없이 체포·구속·압수·수색하며 15년 이하의 징역에 처한다. ……

긴급 조치 제1, 2호 선포 소식을 전하는 신문
(『동아일보』, 1974. 1. 9.)

★ 자료 해설

긴급 조치는 「유신 헌법」에 따르면 천재 지변, 국가 안전 보장 위협 등 중대한 사안이 발생했을 경우 대응하기 위한 목적이 있다고 해요. 하지만 실제 발효된 긴급 조치를 보면 「유신 헌법」에 대한 저항 및 민주화 운동을 탄압하기 위한 수단이었어요. 당시 시민들은 억압적인 분위기에서 기본권을 제한당하였어요.

탐구 해봐요 · 5·18 민주화 운동을 겪은 사람들

📖 교과서 176쪽

어른이 된 '5월의 아이'

 다섯 살 때 아버지의 영정을 안고 슬픈 표정을 짓던 조○○는 이후 힘든 청소년기를 보냈다. 현재는 어려움을 잘 극복하여 5·18 민주화 운동의 진실을 알리는 데 헌신하고 있다.

계엄군의 양심선언

 광주에 공수부대로 투입되었던 최○○는 5·18 민주화 운동 당시 군의 만행을 고백하였다가 많은 어려움을 겪었다. 그는 5·18 민주화 운동의 잘못된 부분을 밝혀야 한다고 계속 주장하고 있다.

★ 활동 도우미

자료에 제시된 인물들은 5·18 민주화 운동으로 고통을 겪었어요. 조○○는 시위 과정에서 부모를 잃었으며, 최○○는 공수 부대로 광주에 투입되어 시민들의 시위를 진압하였어요. 이들이 그 상황에서 겪었을 아픔과 상처에 대해 생각해 보고, 우리가 5·18 민주화 운동의 의의를 어떻게 기억하고 계승해야 할지에 대해 생각해 보고 토론해 보아요.

1 위 인물들이 5·18 민주화 운동을 겪으며 어떤 감정을 느꼈을지 생각해 보자.

예시 답안 조○○는 부모님을 잃어 슬프고 왜 이런 일이 자신에게 일어났는지 진실을 알고 싶어할 것이다. 최○○는 자신이 광주에 투입되었을 당시 죄책감과 비참함을 느꼈을 것이며, 계엄군의 만행을 알려 5·18 민주화 운동의 진실을 밝히려는 사명감을 가지고 있을 것이다.

2 제시된 자료를 참고하여 우리는 5·18 민주화 운동을 어떻게 기억해야 할지 짝과 토의해 보자.

예시 답안 우리는 그 의미를 잊지 않고 기억해야 하며 이를 위해서는 역사 교과서에 그 내용이 수록되고 학생들이 배울 수 있어야 한다.

스스로 확인해요

❶ 3·15 부정 선거 이후, 이승만의 장기 집권을 비판하는 5·18 민주화 운동이 일어났다. (×)
❷ 박정희 정부는 대통령의 권한 강화 및 영구 집권을 위해 유신헌법을/를 선포하였다.

이 주제의 핵심

이 주제에서는 4·19 혁명에서 5·18 민주화 운동까지 대한민국의 민주주의 정착을 위한 민주화 운동의 과정을 알아보았어요. 이승만 정부와 군부 독재 정권에 의한 민주주의 유린의 내용을 기억하고 이에 저항하며 민주주의라는 가치를 지키기 위해 노력하고 희생된 시민들의 힘과 의미도 함께 기억해 보아요.

3 민주주의의 발전

주제 8 ## 민주 사회로의 발돋움, 6월 민주 항쟁

1 6월 민주 항쟁

(1) **배경:** 대통령 직선제 개헌 요구, ❶박종철 고문 사망 사건

(2) **전개:** 박종철 사건 진상 규명 및 대통령 직선제 개헌을 요구하는 대규모 시위 전개(6월 민주 항쟁)

(3) **결과:** 6·29 민주화 선언 발표 → 개헌안 통과(대통령 직선제, 임기 5년 단임제)

(4) **의의:** 학생과 시민이 평화적 시위를 통해 군사 독재를 끝낸 민주화 운동

(5) **노태우 정부:** 신군부 출신의 노태우 당선, 서울 올림픽 개최, 북방 외교(사회주의 국가와 수교), 남북한 국제 연합 동시 가입, 비자금 조성 등 부정부패

2 민주주의의 발전

(1) **민주주의의 확대:** 6월 민주 항쟁 이후 정치적 자유 확대, 평화적 정권 교체, 중앙과 지방의 균형 발전을 위한 지방 자치제 시행

(2) **사회적 변화**

① 평등 사회 실현을 위한 노력: 여성부, 국가 인권 위원회 등 설치

② ❷과거사 청산 노력: 국가 권력에 의해 은폐되었던 인권 침해 진상 규명 노력

③ ❸사회 보장 제도 시행: 사회적 약자에 대한 배려와 복지 확대

(3) **오늘날의 대한민국**

① 국민의 민주 역량 성숙, 촛불 집회 등 평화적인 방법으로 정치적 의사 표현

② 자유·평등·인권·복지 등 다양한 가치를 포괄하는 민주주의 발전

❶ 박종철 고문 사망 사건

1987년 1월, 당시 대학생이던 박종철이 서울 남영동 대공분실에서 고문을 받다 사망하였다. 당시 전두환 정부는 이를 조직적으로 은폐하려고 했으나 그 진상이 폭로되어 6월 민주 항쟁의 중요한 계기가 되었다.

❷ 과거사 청산

근대 사회로 나아가는 과정에서 발생한 대량 학살, 식민 지배, 국가 폭력으로 인한 상처를 치유하기 위한 노력이다. 한국에서는 일제 식민지 잔재 청산, 6·25 전쟁 전후 민간인 희생에 대한 과거사 정리, 권위주의 정권하의 인권 침해에 대한 과거사 정리 등을 위한 노력이 전개되었다.

❸ 사회 보장 제도

질병, 재해, 실직 등의 어려움에 처한 사회 구성원들의 생활을 국가가 공공 지원을 통하여 해결해 주는 제도를 말한다.

핵심 자료 ▶ **직선제 개헌 이후 정부의 주요 정책**

노태우 정부(1998~1993)
· 언론 자유화 선포
· 국회 청문회 시행(5·18 민주화 운동 진상 규명)
· 건강 보험 적용 대상 확대

김영삼 정부(1993~1998)
· 지방 자치제 전면 시행
· 역사 바로 세우기(전두환·노태우 구속)
· 금융 실명제 시행

김대중 정부(1998~2003)
· 최초의 평화적 여야 정권 교체
· 여성부, 국가 인권 위원회 설치
· 국민 기초 생활 보장법 시행
· 대북 화해 협력 정책 추진

노무현 정부(2003~2008)
· 과거사 진상 규명법 제정
· 퇴직 연금 제도 시행
· 대북 화해 협력 정책 계승

이명박 정부(2008~2013)
· 노인 장기 요양 보험 시행
· G20 정상 회담 개최
· 5세 아동 누리 과정 시행

박근혜 정부(2013~2017)
· 한·중 FTA 체결
· 기초 연금 제도 시행
· 임기 중 대통령직 파면

✓ 핵심

평화적 정권 교체가 가능해지고 민주주의가 확대된 계기가 된 것은?

6월 민주 항쟁 이후 정치적 자유가 확대되고, 평화적 정권 교체가 이루어졌으며, 자유·평등·인권·복지 등 다양한 가치를 포함하는 민주주의가 발전하였다.

⊘ 정답과 해설 44쪽

확인해 봐요

1 박종철 고문 사망 사건의 진상 규명과 대통령 직선제를 요구하며 6월 민주 항쟁이 일어났다. (○, ×)

2 노태우 정부는 소련 등 사회주의 국가들과의 국교 수립을 거부하였다. (○, ×)

3 6월 민주 항쟁 이후 선거에 의한 평화적 정권 교체가 여러 차례 이루어졌다. (○, ×)

📖 교과서 활동 풀이

가자! 역사 속으로

📄 교과서 177쪽

6·29 민주화 선언이 발표되던 날, 거리는 축제처럼 들떠 있었습니다. 어느 한 다방은 차를 무료로 제공하기도 하였습니다.

✔ 무료로 차를 제공할 정도로 사람들이 기뻐한 까닭은 무엇일까요?

예시 답안 국민들이 끊임없이 요구했던 직선제 개헌을 수용한 6·29 민주화 선언을 발표하여, 민주화에 대한 열망을 실현할 수 있었기 때문이다.

💡 활동 도우미

사진에는 6·29 민주화 선언 발표가 있던 날 기쁜 날이라며 차를 제공한다는 내용이 담겨 있어요. 학생과 시민들이 대통령 직선제 개헌을 요구하며 6월 민주 항쟁을 전개하였고, 이에 굴복하여 신군부 세력은 6·29 민주화 선언을 발표하였어요. 국민의 민주화 열망이 실현되는 순간이었기 때문에 기쁜 날이겠죠?

📋 교과서 사진 자료   6월 민주 항쟁

📄 교과서 177쪽

1987년 6월 10일부터 전국 각지에서 벌어진 시위는 명동 성당 농성으로 이어졌다. 6월 26일에는 1백만 명의 시민이 시위에 참여하였으며, 시위에는 넥타이 부대라고 불린 직장인들도 동참하였다.

직선제 개헌을 요구하는 시민들 | 민주화를 요구하며 달리는 시민 | 직선제 개헌 소식에 기뻐하는 시민들

💡 활동 도우미

6월 민주 항쟁은 대통령 직선제 개헌을 요구하는 학생과 시민들의 뜨거운 열망으로 일어났어요. 첫 번째 사진 현수막의 '직선제로 민주 정부'라는 말과 두 번째 사진에서 거리를 달리는 시민의 모습에서 그 열망을 알 수 있어요. 결국 신군부 세력은 굴복하여 직선제 개헌을 수용하였어요. 자료에서 '직선 개헌 하겠다'라는 신문 기사 제목에서 알 수 있어요.

🤖 스스로 확인해요

❶ 6월 민주 항쟁의 결과 대통령 직선제에서 대통령 간선제로 바뀌었다. (×)

❷ 6월 민주 항쟁 이후 국가 권력에 의해 은폐되었던 인권 침해 등을 밝히는 [과][거][사] [청][산] 이/가 활발히 진행되었다.

역량 키우기 ❓ 역사 토론   헌법 개정과 민주화 운동은 어떤 관계가 있을까?

📄 교과서 179쪽

💭 생각하고 토론하기

1 가~마의 헌법 개정 내용을 살펴보고, 당시 집권자들이 헌법을 개정한 공통적인 이유가 무엇인지 말해 보자.

예시 답안 대통령 중임 제한 폐지, 대통령 간선제 조항 등의 개헌을 통해 대통령의 장기 집권을 도모하였다.

2 민주화 운동의 성과로 이루어진 개헌 내용을 찾아 적어 보자.

예시 답안 직선제 개헌, 5년 단임제

💡 활동 도우미

교과서의 자료는 헌법 개정 과정과 주요 내용을 정리한 것이에요. 헌법 개정은 당시 시대 상황과 권력이 반영된 것이지요. 대통령 중임제한 폐지, 대통령 간선제 등을 통해 권력을 연장하였음을 알 수 있어요.

1987년에 일어난 6월 민주 항쟁은 이러한 독재 세력에 맞선 저항이었으며 결국 대통령 직선제와 5년 단임제로 개헌되어 현재까지 그 헌법이 유지되고 있어요. 헌법 개정과 민주화 운동의 역사적 의의를 염두에 두고 자료를 자세히 분석해 보아요.

이 주제의 핵심

이 주제에서는 6월 민주 항쟁의 전개 과정과 그 역사적 의의, 이후 민주주의의 발전 과정을 알아보았어요. 대통령 직선제 개헌, 박종철 사망 사건 진상 규명 등 6월 민주 항쟁의 배경, 6월 민주 항쟁의 결과로 이루어진 헌법 개정의 내용을 살펴보아요. 6월 민주 항쟁 이후 각 정부의 주요 정책과 성숙해지고 있는 민주주의적 요소도 확인해 보아요.

기초를 튼튼하게 확인 문제

01 서로 관련 있는 내용끼리 연결하시오.

ⓐ 이승만 정부 •   • ⓐ 북방 외교

ⓑ 박정희 정부 •   • ⓑ 「유신 헌법」

ⓒ 노태우 정부 •   • ⓒ 3·15 부정 선거

02 설명이 맞으면 ○, 틀리면 ×로 표시하시오.

(1) 「제헌 헌법」은 대한민국이 민주 공화국임을 천명하였다. (   )

(2) 3·15 부정 선거와 이승만 정부의 독재에 항의하며 5·18 민주화 운동이 일어났다. (   )

(3) 박정희 정부는 장기 집권을 위해 3선 개헌을 단행하였다. (   )

(4) 6월 민주 항쟁은 평화적 시위를 통해 군사 독재를 끝낸 민주화 운동이다. (   )

03 |보기|의 민주주의 발전 과정을 순서대로 나열하시오.

| 보기 |
ㄱ. 4·19 혁명   ㄴ. 부·마 민주 항쟁
ㄷ. 6월 민주 항쟁   ㄹ. 5·18 민주화 운동

04 빈칸에 알맞은 말을 쓰시오.

(1) 「제헌 헌법」은 주권이 국민에게 있다는 (   )의 원칙을 분명히 밝혔다.

(2) 「유신 헌법」은 대통령에게 국회 해산권, (   ) 등 강력한 권한을 부여하였다.

(3) 1987년 학생과 시민들은 대통령 (   )로의 개헌을 요구하며 대규모 시위를 전개하였다.

내신을 탄탄하게 내신 문제

01 다음 선언의 직접적인 배경으로 가장 적절한 것은?

> 첫째, 여야 합의하에 조속히 대통령 직선제 개헌을 하고 새 헌법에 의해 대통령 선거로 88년 2월 평화적 정부 이양을 실현토록 하겠습니다.……국민은 나라의 주인이며, 국민의 뜻은 모든 것에 우선하는 것입니다.

① 박정희 정부가 「유신 헌법」을 선포하였다.

② 박정희 대통령이 측근의 총격으로 사망하였다.

③ 학생과 시민들이 6월 민주 항쟁을 전개하였다.

④ 광주에 투입된 계엄군이 시민들에게 발포하였다.

⑤ 내각 책임제로 개헌되면서 장면 내각이 세워졌다.

중요

02 두 헌법에서 나타나는 공통점을 |보기|에서 고른 것은?

> 대한민국 임시 헌장(1919)
>
> 제1조 대한민국은 민주 공화제로 함.
> 제2조 대한민국의 인민은 남녀·빈부 및 계급 없이 일체 평등으로 함.

> 「제헌 헌법」(1948)
>
> 제1조 대한민국은 민주 공화국이다.
> 제8조 모든 국민은 법률 앞에 평등하며 ……모든 영역에 있어서 차별을 아니한다.

| 보기 |
ㄱ. 평등권을 제시하고 있다.
ㄴ. 민주 공화제를 천명하고 있다.
ㄷ. 황제권의 부활을 지향하고 있다.
ㄹ. 대통령 중심제를 규정하고 있다.

① ㄱ, ㄴ   ② ㄱ, ㄷ   ③ ㄴ, ㄷ

④ ㄴ, ㄹ   ⑤ ㄷ, ㄹ

03 (가), (나)에 들어갈 말을 옳게 연결한 것은?

> 대한민국 임시 헌장의 초안을 작성한 ___(가)___ 은/는 국민의 이익을 기초로 하여 정치적 권리를 균등화하고, 국민을 정치에 균등하게 참여시킬 수 있는 제도가 ___(나)___ (이)라고 여겼다. 이후 대한민국 임시 정부는 광복 직전까지 ___(나)___ (이)라는 정치 체제를 계속 유지하였다.

	(가)	(나)
①	김구	입헌 군주제
②	안창호	민주 공화제
③	조소앙	민주 공화제
④	조소앙	입헌 군주제
⑤	안창호	입헌 군주제

04 (가), (나) 시기 사이에 일어난 사실로 옳은 것은?

> (가) 제2대 국회 의원 선거에서 이승만의 지지 세력은 다수 의석을 차지하지 못하였다. 이에 이승만은 국회를 통한 간접 선거로 대통령에 당선될 수 없다고 판단하였다.
> (나) 이승만은 초대 대통령에 한하여 중임 제한을 적용하지 않는다는 개헌을 단행하였다. 제3대 대통령에 당선된 이승만은 정부에 비판적인 언론을 탄압하였다.

① 발췌 개헌을 하였다.
② 4·19 혁명이 일어났다.
③ 「제헌 헌법」이 제정되었다.
④ 내각 책임제로 개헌되었다.
⑤ 5·16 군사 정변이 일어났다.

05 다음과 같은 선거 결과 발생한 사실로 옳은 것은?

〈40% 사전 투표〉 〈3인조 공개 투표〉

① 4·19 혁명이 일어났다.
② 6·25 전쟁이 발발하였다.
③ 「유신 헌법」이 선포되었다.
④ 신군부 세력이 권력을 장악하였다.
⑤ 10·26 사태로 박정희가 사망하였다.

06 다음 헌법을 제정한 정부에 대한 설명으로 옳은 것은?

> 제53조 대통령은 ……국가의 안전 보장 또는 공공의 안녕 질서가 중대한 위협을 받거나 받을 우려가……있다고 판단할 때에는 국정 전반에 걸쳐 필요한 긴급 조치를 할 수 있다.
> 제59조 대통령은 국회를 해산할 수 있다.

① 3·15 부정 선거로 대규모 시위가 발생하였다.
② 통일 주체 국민 회의에서 대통령을 선출하였다.
③ 초대 대통령에 한해 중임 제한을 적용하지 않았다.
④ 계엄군이 광주 시민들의 민주화 시위를 진압하였다.
⑤ 진실·화해를 위한 과거사 정리 위원회를 구성하였다.

07 다음 사건이 있었던 시기는?

> 부산과 마산 일대에서 학생과 시민들이 합세한 부·마 민주 항쟁이 일어났다. 부산과 마산에 각각 계엄령과 위수령을 내리고 공수 부대까지 투입하여 무자비하게 진압하였지만 시위는 갈수록 확산되었다.

	(가)	(나)	(다)	(라)	(마)
	4·19 혁명	5·16 군사 정변	「유신 헌법」 선포	10·26 사태	5·18 민주화 운동 / 6월 민주 항쟁

① (가)   ② (나)   ③ (다)
④ (라)   ⑤ (마)

08 다음 사건의 영향으로 옳은 것은?

> 광주에 투입된 계엄군은 시민들에게 총을 발포하며 민주화 운동을 진압하였다. 광주 시민들은 자체적으로 시민군을 조직하여 저항하였지만, 계엄군에 의해 많은 사상자가 발생하였다.

① 부·마 민주 항쟁으로 연결되었다.
② 대통령 직선제 개헌이 이루어졌다.
③ 선거에 의한 평화적 정권 교체를 가져왔다.
④ 신군부 출신의 노태우가 대통령에 당선되었다.
⑤ 다른 아시아 국가의 민주화 운동에 영향을 주었다.

09 밑줄 친 '이 항쟁' 이후의 한국 사회에 대한 설명으로 옳지 않은 것은?

> 학생과 시민들에 의해 직선제로의 개헌을 요구하는 대규모 시위가 전개되었고, 결국 대통령 직선제를 골자로 하는 헌법이 통과되었다. 이 항쟁은 학생과 시민이 함께 평화적 시위를 통해 군사 독재를 끝낸 민주화 운동이었다.

① 지방 자치제가 시행되었다.
② 야간 통행금지가 해제되었다.
③ 사회 보장 제도가 시행되었다.
④ 과거사 청산 작업이 진행되었다.
⑤ 평화적 정권 교체가 이루어졌다.

10 6월 항쟁 이후 각 정부의 주요 정책의 연결이 옳은 것을 |보기|에서 고른 것은?

> | 보기 |
> ㄱ. 노태우 정부 – 사회주의 국가들과 수교하였다.
> ㄴ. 김영삼 정부 – 금융 실명제를 시행하였다.
> ㄷ. 김대중 정부 – 진실·화해를 위한 과거사 정리 위원회를 설치하였다.
> ㄹ. 노무현 정부 – 최초의 평화적 여야 정권 교체를 이루었다.

① ㄱ, ㄴ   ② ㄱ, ㄷ   ③ ㄴ, ㄷ
④ ㄴ, ㄹ   ⑤ ㄷ, ㄹ

만점에 도전하는 **심화 문제**

01 다음 헌법에 대한 설명으로 옳은 것은?

> [전문] 유구한 역사와 전통에 빛나는 우리들 대한 국민은 기미 3·1 운동으로 대한민국을 건립하여 세계에 선포한 위대한 독립 정신을 계승하여 이제 민주 독립 국가를 재건함에 있어서……모든 사회적 폐습을 타파하며 민주주의 모든 제도를 수립하여……
> 제1조 대한민국은 민주 공화국이다.
> 제2조 대한민국의 주권은 국민에게 있고 모든 권력은 국민으로부터 나온다.
> ─「제헌 헌법」(1948.7.)

① 6·29 민주화 선언 이후 개정되었다.
② 부산과 마산에서 헌법 철폐 시위가 일어났다.
③ 대통령은 통일 주체 국민 회의에서 선출하였다.
④ 대한민국 임시 정부가 지향한 모습을 구현하였다.
⑤ 최초로 헌법이 개헌된 것은 사사오입 개헌 때이다.

02 (가)에 대한 설명으로 옳은 것은?

> A: 제2대 국회 의원 선거에서 이승만의 지지 세력이 다수 의석을 차지하지 못하자 이승만은 개헌을 추진하였어.
> B: 아! 그 개헌을 [(가)](이)라고 하지!

① 내각 책임제가 핵심적인 내용이었다.
② 사사 오입의 논리를 이용하여 통과되었다.
③ 대통령을 직선제로 선출하도록 규정하였다.
④ 초대 대통령에 중임 제한이 적용되지 않았다.
⑤ 5·18 민주화 운동이 일어나는 배경이 되었다.

중요
03 다음과 같은 조치가 있었던 시기의 일로 옳은 것은?

> 1. 대한민국 헌법을 부정, 반대, 왜곡, 비방하는 등의 모든 행위를 금한다.
> 5. 이 조치에 위반한 자와 이 조치를 비방한 자는 법관의 영장 없이 체포·구속·압수·수색하며 15년 이하의 징역에 처한다.
> ─ 긴급 조치 1호 ─

① 3·15 부정 선거를 자행하였다.
② 5·18 민주화 운동을 무력 진압하였다.
③ 프로 스포츠 육성 등 유화 정책을 시행하였다.
④ 통일 주체 국민 회의에서 대통령을 선출하였다.
⑤ 대통령의 3회 연임을 허용하는 개헌을 단행하였다.

중요
04 (가), (나)에 대한 설명으로 옳은 것을 |보기|에서 고른 것은?

> 오늘 우리는 전 세계의 이목이 우리를 주시하는 가운데 40년 독재 정치를 청산하고 희망찬 민주 국가를 건설하기 위한 큰 걸음을 전 국민과 함께 내딛는다. 국가의 미래요 소망인 (가) 꽃다운 젊은이를 야만적인 고문으로 죽여 놓고 그것도 모자라서 뻔뻔스럽게 국민을 속이려 했던 (나) 현 정권에게 국민의 분노가 무엇인지를 분명히 보여 주고, 4·13 호헌 조치를 철회하기 위한 민주 장정을 시작한다. ─ 6·10 국민 대회 선언 ─

| 보기 |
ㄱ. (가) - 부·마 민주 항쟁 원인이 되었다.
ㄴ. (가) - 박종철 고문 사망 사건을 가리킨다.
ㄷ. (나) - 북한과 함께 국제 연합에 가입하였다.
ㄹ. (나) - 7년 단임의 대통령 간선제로 당선되었다.

① ㄱ, ㄴ　　② ㄱ, ㄷ　　③ ㄴ, ㄷ
④ ㄴ, ㄹ　　⑤ ㄷ, ㄹ

학습 목표
6·25 전쟁이 일어난 원인과 그 과정을 설명할 수 있다.

주제 **9** # 분단과 6·25 전쟁

1 남북의 분단

(1) 미·소 군정 어떻게? 광복 이후 미국과 소련은 한반도에 자국에 우호적인 정부를 세우려고 하였어.
① 남한: 다양한 정치 세력이 미군정과 협력 또는 갈등
② 북한: 좌우익 대립 속에 소련의 지원을 받은 공산주의자가 실권 장악
(2) 남북에 각각 다른 정부 수립: 남한에 대한민국 정부 수립(1948.8.), 북한에 조선 민주주의 인민 공화국 수립(1948.9.) → 남북 분단으로 적대적인 분위기 형성

2 6·25 전쟁

(1) 배경
① 미국의 **❶애치슨 선언** 발표: 미국이 한반도를 미국의 태평양 방위선에서 제외 → 남한은 국방 분야에서 불리한 상황
② 북한의 전쟁 준비: 소련과 중국의 지원 → 북한의 군사력 강화
(2) 전개: 북한의 기습 남침(1950.6.25.) → 북한군이 3일 만에 서울 점령, 국군 낙동강 유역까지 후퇴 → 유엔군 파병 결정 → 인천 상륙 작전 성공 → 중국군 참전 (**❷**1·4 후퇴) → 국군과 유엔의 재반격 → 정전 회담 시작

3 분단의 고착화

(1) 정전 협정 체결(1953.7.27.)
① 주요 쟁점: 군사 분계선 설정, 포로 송환 방법 등
② 이승만 정부는 정전 반대 → 유엔군, 북한군, 중국군 합의로 **❸**정전 협정 체결
(2) 전쟁의 결과 및 영향 왜? 이승만 정부는 북진 통일을 주장하며 정전에 반대하였어.
① 인적·물적 피해: 엄청난 인명 피해, 산업 시설 대부분 파괴
② 분단의 고착화: 국민들의 궁핍한 생활 계속, 민족 간 적대감과 불신이 높아지고, 문화적 이질감도 커짐.

❶ 애치슨 선언
1950년 1월 미국 국무장관 애치슨이 발표한 선언이다. 미국은 극동 방위선을 알류샨 열도, 일본, 오키나와, 필리핀을 연결하는 섬으로 설정하여 미국의 방위선에서 한국과 타이완이 제외되었다. 북한은 이러한 정세를 이용하여 소련과 중국의 지원 아래 전쟁을 준비하였다.

❷ 1·4 후퇴
압록강까지 진격한 국군과 유엔군이 중국군의 참전으로 후퇴를 거듭하였다. 결국 1951년 1월 4일에 서울을 다시 빼앗겼는데, 이를 1·4 후퇴라고 한다. 이후 반격에 성공해 현재의 휴전선 부근까지 다시 북진하였다.

❸ 정전 협정
1951년 소련의 제안으로 정전 회담이 시작되었고, 1953년 7월 27일에 군사 분계선 확정, 비무장 지대 설치, 군사 정전 위원회와 중립국 감시 위원단 설치 등을 합의한 정전 협정이 체결되었다. 정전은 전쟁 중 군사적 행동을 멈추는 것을 말하며 한국은 현재까지 정전 상태에 머물러 있다.

📄 정답과 해설 45쪽

핵심 자료   6·25 전쟁의 피해

산업 피해
🏭 공업 🌾 농업
(파괴율 단위: %)

남한: 42%, 27%
북한: 60%, 78%

인명 피해
👤 민간인 👨 군인
(단위: 만 명)

남한: 99, 62
북한: 150, 64

✓ **핵심**
6·25 전쟁은 어떤 피해를 남겼을까?

3년 이상 지속된 6·25 전쟁으로 수많은 사람이 죽거나 다쳤고, 전쟁고아와 이산가족이 생겨났다. 또한 남북한 대부분의 건물과 산업 시설이 파괴되면서 전 국토가 황폐화되었다. 그 뒤 남북한은 서로에 대한 적대 감정과 불신으로 오랫동안 대립하였다.

확인해 봐요

1 6·25 전쟁 때 국군과 유엔군은 인천 상륙 작전으로 서울을 되찾았다. (○ , ×)
2 소련군의 참전으로 국군과 유엔군은 서울을 빼앗기고 후퇴하였다. (○ , ×)
3 6·25 전쟁으로 민족 간 적대감과 불신이 커지면서 분단이 고착화되었다. (○ , ×)

가자! 역사 속으로

📎 교과서 180쪽

판문점에 있는 '공동 경비 구역(JSA)'은 한국군과 미군으로 구성된 유엔 사령부 경비 대대와 북한군이 마주 보며 경비 임무를 보는 장소입니다.

✅ **판문점은 왜 공동으로 관리되고 있을까요?**

예시 답안 판문점은 6·25 전쟁의 정전 협정을 체결한 곳으로, 유엔사 측과 북한, 중국이 군사 정전 위원회 회의를 원만히 운영하기 위해 1953년 10월 설치하였다. 이후 양측 군대의 공동 경비 구역으로 운영하게 되었다.

💡 **활동 도우미**

사진의 공동 경비 구역(JSA)을 통해 본 판문점이 보입니다. 공동 경비 구역은 정전 협정 체결 이후 유엔사와 북한군이 공동으로 경비하는 구역으로 설정된 곳입니다. 판문점은 정전 회담이 열렸던 곳으로, 현재 냉전의 산물인 군사 정전 위원회와 한반도 평화와 협력을 위한 남북 대화가 함께 존재하는 곳입니다.

📋 교과서 지도 자료   지도로 보는 6·25 전쟁

📎 교과서 181쪽

❶ 북한군의 남침	❷ 유엔군의 참전과 북진	❸ 중국군의 참전	❹ 전선의 교착과 정전

❶ 북한군의 남침: 황해, 평양, 서울, 38°, 동해, 독도, 북한군의 서울 점령(1950. 6.), 대전, 대구, 국군의 최후 방어선(1950. 9.), 부산

❷ 유엔군의 참전과 북진: 청진, 평양, 서울 수복(1950. 9.), 인천, 서울, 38°, 황해, 동해, 독도, 인천 상륙 작전(1950. 9.), 부산

❸ 중국군의 참전: 중국군 개입(1950. 10.), 흥남, 평양, 원산, 서울, 38°, 동해, 황해, 흥남 철수(1950. 12.), 부산

❹ 전선의 교착과 정전: 정전 협정 조인(1953. 7.), 평양, 휴전선, 38°, 판문점, 서울, 동해, 황해, 독도, 반공 포로 석방(1953. 6.), 부산, 거제도

💡 **활동 도우미**

자료는 6·25 전쟁의 전개 과정을 시기 순서대로 표현한 것입니다. 1950년 6월 25일 북한의 남침으로 시작된 이 전쟁이 유엔군과 중국군의 참전으로 양상이 어떻게 바뀌었는지 파악하는 것이 필요합니다. 결국 전선이 교착되고 정전 협정이 체결되는 과정까지 인과적으로 파악해야 합니다.

Q 6·25 전쟁은 우리 민족에게 어떤 상처를 남겼을까?

📎 교과서 181쪽

예시 답안 6·25 전쟁은 남북 양측에 엄청난 피해를 주었다. 군인과 민간인을 포함하여 수백만 명이 죽거나 다쳤다. 이산가족과 전쟁고아가 대거 발생하였다. 사회 기반 시설이 파괴되고, 식량과 생필품이 부족하여 다수의 사람들이 매우 궁핍한 생활을 하게 되었고, 민족 간 적대감과 불신으로 분단이 고착화되었다.

💡 **활동 도우미**

3년 여의 전쟁은 남북 양쪽에 커다란 인적·물적 피해를 입혔습니다. 이로 인해 수많은 사람들이 고통스런 생활을 이어갔고 남북한 사이에 적대감이 심화되었습니다. 더 나아가 분단이 고착화되는데 영향을 끼쳤습니다. 한반도의 평화가 정착될 수 있으려면 어떻게 하면 좋을지 생각해 보도록 합시다.

스스로 확인해요

❶ 국군과 유엔군은 인천 상륙 작전으로 불리하였던 전세를 역전하였다. (○)

❷ 압록강까지 진격하였던 국군과 유엔군은 중 국 군 의 참전으로 서울을 다시 빼앗겼다.

이 주제의 핵심

이 주제에서는 6·25 전쟁이 일어난 원인과 전개 과정, 그로 인한 결과를 알아보았어요. 6·25 전쟁의 전개 과정을 지도를 활용하여 알아 두어요. 특히 유엔군과 중국군의 참전으로 전세에 어떤 변화가 생겼는지 파악해 보아요. 또한 6·25 전쟁으로 남북한이 인적·물적 피해가 막대하였고, 현재까지도 분단의 고착화가 이어지고 있다는 것도 기억해 두세요.

평화 통일을 위한 노력

학습 목표
통일을 위한 노력을 파악하고, 평화 통일의 방안을 탐색할 수 있다.

주제 10 **남북 관계의 개선과 통일을 위한 노력**

1 평화 통일을 위한 남북의 노력

(1) **남북 대화의 진전 배경:** 냉전의 완화와 해체   어떻게? 1970년대에 들어와 냉전 체제가 완화되고 평화와 공존을 추구하는 국제적 분위기가 형성되었어.

(2) ❶**7·4 남북 공동 성명(1972):** 분단 이후 최초의 통일 관련 합의, 자주·평화·민족 대단결이라는 통일 원칙 발표

(3) **1990년대:** 남북한 ❷국제 연합(UN) 동시 가입, 남북 기본 합의서 채택(1991) → 상호 체제 존중, 교류와 협력 확대

(4) **2000년대**
  ① 6·15 남북 공동 선언(2000), 10·4 남북 공동 선언(2007) → 남북 협력과 교류 사업 진행   결과는? 이 선언에 따라 개성 공단 건설, 이산가족 상봉 등이 이루어졌어.
  ② 북한의 계속된 핵실험과 무력 도발 → 국제 사회의 북한 비핵화 압력 강화
  ③ 최근 국제 정세의 변화에 대처하면서 남북 화해 분위기 조성을 위해 노력

(5) **과제**
  ① 평화적 절차를 거쳐 군사적 긴장 완화와 통일 정책 추진 방안 모색
  ② 민주적 절차를 거친 남북 간의 교류와 협력 및 통일에 대한 다양한 입장 조율
  ③ 통일 교육 강화

❶ **7·4 남북 공동 성명**
6·25 전쟁 이후 최초의 남북한 당사자 간 합의라는 역사적 의의가 있다. 그러나 남북 상호 간의 입장 차이로 남북 간의 대화는 단명으로 끝나고 한국에서는 유신 체제가, 북한에서는 유일 체제가 등장하는 결과로 이어졌다.

❷ **국제 연합 동시 가입**
남한과 북한은 서로가 한반도의 유일한 합법 정부라며 단독 가입을 추구하였으며, 동시 가입 또한 분단을 고착화시키는 것이라며 반대하였다. 그러나 1990년대 이후 냉전 체제가 붕괴되면서 상황이 변화하였다. 결국 남북한이 국제 연합에 동시 가입하였다. 이를 통해 적대적 대립 관계를 조금씩 완화하는 계기가 되었다.

핵심 자료   **평화 통일을 위한 노력**

7·4 남북 공동 성명	첫째, 통일은 외세에 의존하거나 외세의 간섭을 받음이 없이 자주적으로 해결하여야 한다. 둘째, 통일은 서로 상대방을 반대하는 무력 행사에 의거하지 않고 평화적 방법으로 실현하여야 한다. 셋째, 사상과 이념·제도의 차이를 초월하여 우선 하나의 민족으로서 민족적 대단결을 도모하여야 한다. …	남북한 정부는 자주·평화·민족적 대단결이라는 평화 통일 3대 원칙에 합의하였으나, 이후 공동 성명에 대한 해석 차이로 남북 대화는 더 진전되지 못했다.
남북 기본 합의서	남과 북은 7·4 남북 공동 성명의 원칙을 재확인하고…… 제1조 남과 북은 서로 상대방의 체제를 인정하고 존중한다. 제9조 남과 북은 상대방에 대하여 무력을 사용하지 않으며 상대방을 무력으로 침략하지 아니한다. 제17조 남과 북은 민족 구성원들의 자유로운 왕래와 접촉을 실현한다.	남북 기본 합의서는 사회주의 국가들이 붕괴되어 냉전 체제가 붕괴되는 국제 정세와 관련이 있다. 노태우 정부는 북방 외교를 추진하였고, 그와 관련하여 이 합의서가 발표되었다.
6·15 남북 공동 선언	1. 남과 북은 나라의 통일 문제를 그 주인인 우리 민족끼리 서로 힘을 합쳐 자주적으로 해결한다. 2. 남과 북은 나라의 통일을 위한 남측 연합제 안과 북측의 낮은 단계의 연방제 안이 서로 공통성이 있다고 인정하고, 이를 바탕으로 통일을 지향하기로 한다.	김대중 정부 시기에 6·15 남북 공동 선언이 발표되었고, 이후 노무현 정부 때 제2차 남북 정상 회담이 개최되어 10·4 남북 공동 선언을 발표하였다.

✎ 정답과 해설 45쪽

확인해 봐요

1 냉전이 해체되는 상황 속에서 1991년에 남북은 동시에 ( )에 가입하였다.

2 남북한 정부는 분단 이후 최초로 통일 관련 합의를 한 ( )을/를 발표하였다.

3 국제 사회는 북한의 핵실험을 비판하며 ( )에 대한 압력을 강화하고 있다.

가자! 역사 속으로

📎 교과서 182쪽

2018년, 남북 이산가족 상봉 행사가 2년 10개월 만에 금강산에서 다시 열렸습니다. 이산가족들은 2박 3일 동안 헤어진 가족들과 함께 했습니다.

✔ 이산가족 상봉은 어떤 과정을 거쳐 이루어졌을까요?

예시 답안 이산가족의 교류는 주로 남북 정부 간 또는 적십자사 간의 접촉을 통한 공식 교류를 통해 이루어지고 있다. 2000년 남북 정상 회담에서 이산가족의 문제 해결에 합의하여 이산가족 상봉이 시작되었으며, 2018년 4월 판문점 회담에서 다시 이산가족 상봉에 합의하여 2018년 8월에 상봉이 이루어졌다.

💡 활동 도우미

전쟁과 분단으로 인한 고통 중에서도 이산가족들이 가족을 만나지 못하는 고통은 클 것입니다. 이산가족들이 가족을 만날 수 있었던 기회는 몇 번 있었습니다. 이산가족 상봉이 정부 차원으로 이루어진 것은 1985년이 처음이며 2000년 남북 정상 회담을 계기로 10여 년간 지속적으로 이루어졌습니다. 가장 최근은 2018년에 이뤄진 상봉입니다. 아직도 서로 만나지 못한 이산가족이 많아 이산가족 상봉 기회를 더 늘리도록 노력해야 합니다.

역량 키우기 ❓ 역사 탐구   남북 교류는 어떻게 이루어졌을까?

📎 교과서 183쪽

생각하고 토론하기

1 6·15 남북 공동 선언의 1, 2항을 통해 남과 북이 통일을 위해 어떻게 노력하기로 합의하였는지 생각해 보자.

예시 답안 통일 문제는 자주적으로 해결하며 서로의 통일 방안에 공통성이 있음을 인정하고 이 방향으로 통일을 지향하기로 하였다.

2 6·15 남북 공동 선언의 3, 4항을 참고하여 남북 간의 교류가 어떤 분야에서 활성화되었는지 설명해 보자.

예시 답안 이산가족의 상봉 기회를 지속적으로 가졌으며, 금강산 관광, 올림픽 공동 입장 및 단일팀 구성 등과 같은 문화 교류도 활성화하였다.

3 위 내용들을 참고하여 평화 통일을 위한 노력을 잘 드러내는 표어를 만들어 보자.

예시 답안 남북이 함께 만드는 통일의 기적, 백두산에서 한라산까지 평화의 한반도 등

💡 활동 도우미

자료는 김대중 대통령과 김정일 국방 위원장이 최초의 남북 정상 회담을 갖고 발표한 6·15 남북 공동 선언입니다. 이 공동 선언으로 통일 문제를 남북이 자주적으로 해결하고 남북 통일 방안의 공통점을 인정하여 이를 평화 통일의 방향으로 할 것을 합의하였습니다. 이후 남북 간 문화·경제 협력이 활발해졌습니다. 6·15 남북 공동 선언은 남북 관계의 변화를 가지고 왔으며 평화를 향한 방향을 제시하였다는 데 의의가 있습니다. 선언문의 내용을 살펴보고 평화 통일의 방향성을 재확인해 보는 것이 필요합니다.

스스로 확인해요

❶ 7·4 남북 공동 성명은 분단 이후 통일과 관련된 최초의 합의이다. (○)

❷ 6·15 남북 공동 선언에서 개 성 공 단 건설을 합의하였다.

이 주제의 핵심

이 주제에서는 통일을 위한 그동안의 노력을 파악하고 평화 통일의 방안을 알아보았어요. 평화 통일을 위한 남북한의 대화 노력 중에서 발표된 공동 성명 및 합의문 등의 내용을 파악해 보아요. 특히 7·4 남북 공동 성명, 남북 기본 합의서, 6·15 남북 공동 선언의 내용과 특징은 꼭 기억해 두어요.

기초를 튼튼하게 확인 문제

01 서로 관련 있는 내용끼리 연결하시오.

ㄱ 7·4 남북 공동 성명 •　　• ⓐ 상호 체제 존중

ㄴ 남북 기본 합의서 •　　• ⓑ 자주, 평화, 민족 대단결

ㄷ 6·15 남북 공동 선언 •　　• ⓒ 연합제와 낮은 단계 연방제의 공통성 인정

02 설명이 맞으면 ○, 틀리면 ×로 표시하시오.

(1) 국군과 유엔군은 인천 상륙 작전으로 전세를 역전하였다. 　　　　　(　)

(2) 6·25 전쟁으로 민족 간 적대감과 불신이 높아지면서 분단이 고착화되었다. 　(　)

(3) 남북 기본 합의서는 분단 이후 통일과 관련된 최초의 합의이다. 　　　　(　)

(4) 우리 사회는 통일 교육 등을 통해 한반도에 평화가 정착하도록 노력하고 있다. 　(　)

03 |보기|의 사실을 발생한 순서대로 나열하시오.

> | 보기 |
> ㄱ. 10·4 남북 공동 선언　ㄴ. 남북 기본 합의서
> ㄷ. 7·4 남북 공동 성명　ㄹ. 6·15 남북 공동 선언

04 빈칸에 알맞은 말을 쓰시오.

(1) 미국은 한반도를 미국의 태평양 방위선에서 제외하는 (　　　)을/를 발표하였다.

(2) 국군과 유엔군은 압록강까지 진출하였으나 (　　　)의 참전으로 서울을 다시 빼앗겼다.

(3) 남북한 정부는 자주, 평화, 민족 대단결의 통일 원칙을 밝힌 (　　　)을/를 발표하였다.

내신을 탄탄하게 내신 문제

01 광복 이후의 상황으로 옳은 것을 |보기|에서 모두 고른 것은?

> | 보기 |
> ㄱ. 북한에 조선 민주주의 인민 공화국이 수립되었다.
> ㄴ. 38도선을 경계로 미국과 소련에 의해 군정이 실시되었다.
> ㄷ. 38도선 부근에서는 남북한 간의 크고 작은 충돌이 계속 일어났다.
> ㄹ. 남한에는 소련의 지원을 받은 공산주의자가 점점 실권을 장악하였다.

① ㄱ, ㄴ　　　② ㄴ, ㄷ　　　③ ㄱ, ㄴ, ㄷ

④ ㄴ, ㄷ, ㄹ　　⑤ ㄱ, ㄴ, ㄷ, ㄹ

02 |보기|의 사실을 일어난 순서대로 나열한 것은?

> | 보기 |
> ㄱ. 이승만 정부는 반공 포로를 석방하였다.
> ㄴ. 인천 상륙 작전으로 전세가 역전되었다.
> ㄷ. 국제 연합은 유엔군을 한반도에 파병하였다.
> ㄹ. 중국군이 북한을 지원하며 전쟁에 개입하였다.

① ㄱ － ㄴ － ㄷ － ㄹ

② ㄴ － ㄷ － ㄱ － ㄹ

③ ㄴ － ㄹ － ㄱ － ㄷ

④ ㄷ － ㄴ － ㄹ － ㄱ

⑤ ㄷ － ㄹ － ㄴ － ㄱ

03 빈칸에 들어갈 내용으로 옳은 것은?

> 1950년 6월 25일, 북한군의 남침으로 전쟁이 발발하였다. 북한군은 3일 만에 서울을 점령하고 낙동강 유역까지 진출하였다. 국군과 유엔군은 ____(가)____ (으)로 전세를 역전하였고 압록강까지 진격하였다.

① 흥남 철수
② 1·4 후퇴
③ 애치슨 선언
④ 정전 협정 체결
⑤ 인천 상륙 작전

04 다음 지도의 상황 직후의 사건으로 가장 적절한 것은?

① 중국군이 참전하였다.
② 정전 협정이 체결되었다.
③ 대한민국 정부가 수립되었다.
④ 이승만이 반공 포로를 석방하였다.
⑤ 국군이 낙동강 유역까지 후퇴하였다.

05 밑줄 친 '정전 회담'에 대한 설명으로 옳은 것을 |보기|에서 고른 것은?

> 전쟁이 장기화되자 1951년부터 정전 회담이 시작되었다. 회담의 주요 쟁점에 대한 의견 대립으로 늦어졌던 정전 협정이 결국 1953년 7월 27일에 체결되었다.

|보기|
ㄱ. 포로 송환 방법이 쟁점이 되었다.
ㄴ. 이승만 정부는 정전에 찬성하였다.
ㄷ. 유엔군, 북한군, 중국군의 합의로 끝났다.
ㄹ. 한반도가 미국의 태평양 방위선에서 제외되었다.

① ㄱ, ㄴ   ② ㄱ, ㄷ   ③ ㄴ, ㄷ
④ ㄴ, ㄹ   ⑤ ㄷ, ㄹ

중요
06 (가)~(마)에 대한 설명으로 옳지 <u>않은</u> 것은?

> (가) 6·25 전쟁의 발발
> (나) 유엔군의 인천 상륙 작전
> (다) 중국군의 개입
> (라) 정전 회담 시작
> (마) 반공 포로 석방

① (가) - 북한의 전면적인 남침으로 시작되었다.
② (나) - 전세를 역전하는 계기가 되었다.
③ (다) - 서울을 빼앗기고 1·4 후퇴를 하게 되었다.
④ (라) - 군사 분계선 설정과 포로 송환 방법이 쟁점이 되었다.
⑤ (마) - 이승만 정부가 신속한 정전을 주장하며 실행하였다.

07 (가)에 들어갈 내용으로 옳은 것은?

> 1970년대에 들어와 냉전 체제가 완화되면서 남북한 사이에도 대화를 위한 노력이 시작되었다. 1971년 이산가족 문제를 협의하기 위해 남북 적십자 회담을 개최하였고, 1972년 ☐(가)☐ 을/를 발표하였다. ☐(가)☐ 에는 자주·평화·민족 대단결이라는 통일 원칙이 담겨 있다. 이는 분단 이후 남북한 정부가 최초로 이끌어낸 합의라는 데 의의가 있다.

① 남북 기본 합의서
② 4·27 판문점 선언
③ 7·4 남북 공동 성명
④ 6·15 남북 공동 선언
⑤ 10·4 남북 공동 선언

08 (가)에 들어갈 내용에 대한 설명으로 옳은 것은?

〈평화를 위한 남북 대화〉

• 1972년: 7·4 남북 공동 성명
↓
• 1991년: (가)
↓
• 2000년: 6·15 남북 공동 선언

① 금강산 관광 시작을 합의하였다.
② 최초의 남북 정상 회담 당시 발표되었다.
③ 분단 이후 최초로 통일에 대한 합의를 이루었다.
④ 자주·평화·민족 대단결을 통일 원칙으로 하였다.
⑤ 상대방의 체제 존중과 상호 교류에 대한 합의이다.

09 다음 선언 이후에 나타난 사실로 옳은 것은?

> 1. 남과 북은 나라의 통일 문제를 그 주인인 우리 민족끼리 서로 힘을 합쳐 자주적으로 해결한다.
> 2. 남과 북은 연합제안과 북측의 낮은 단계의 연방제안이 서로 공통성이 있다고 인정하고, 이를 바탕으로 통일을 지향하기로 한다.

① 개성 공단이 운영되었다.
② 6·25 전쟁이 발발하였다.
③ 남북 기본 합의서가 채택되었다
④ 남북한이 동시에 국제 연합에 가입하였다.
⑤ 통일과 관련된 최초의 합의가 만들어졌다.

신유형
10 6·15 남북 공동 선언 이후 다양한 분야에서 이루어진 남북 교류 중 (가)~(마)에 해당하는 내용으로 옳지 <u>않</u>은 것은?

• 경제: (가) _____
• 보건: (나) _____
• 체육: (다) _____
• 문화: (라) _____
• 환경: (마) _____

① (가)-경제 개발 5개년 계획 시행
② (나)-남북 전염병 공동 대응
③ (다)-국제 대회 남북 단일팀 구성
④ (라)-금강산 관광 실시
⑤ (마)-DMZ 남북 공동 생태 보전

만점에 도전하는 **심화 문제**

01 (가), (나) 시기 사이에 일어난 사실로 옳은 것을 |보기|
에서 고른 것은?

> (가) 1950년 6월 25일, 북한은 기습적인 남침을 시작
> 하였다. 국군은 북한군의 공격에 맞섰지만, 3일
> 만에 서울을 빼앗겼다.
> (나) 1953년 7월 27일, 판문점에서 유엔군과 북한군,
> 중국군 대표의 합의로 정전 협정이 체결되었다.

> | 보기 |
> ㄱ. 중국군의 공세로 1·4 후퇴를 하였다.
> ㄴ. 이승만 정부는 반공 포로를 석방하였다.
> ㄷ. 조선 민주주의 인민 공화국이 수립되었다.
> ㄹ. 미국의 태평양 방위선에서 한국이 제외되었다.

① ㄱ, ㄴ   ② ㄱ, ㄷ   ③ ㄴ, ㄷ
④ ㄴ, ㄹ   ⑤ ㄷ, ㄹ

02 ㉠~㉢에 대한 설명으로 옳지 <u>않은</u> 것은?

> **역사 연구 동아리 발표**
>
> 상처뿐인 기억, 6·25 전쟁
> 1. 학술 발표
>   – ㉠ 6·25 전쟁의 배경 ––––––––––– 김○○
>   – ㉡ 6·25 전쟁의 전개 ––––––––––– 최○○
>   – ㉢ 6·25 전쟁이 끼친 영향 ––––––– 장○○
> 2. 토론 및 질의 응답

① ㉠ – 소련과 중국이 북한에 군사적 지원을 하였다.
② ㉡ – 국제 연합이 한반도에 유엔군을 파병하였다.
③ ㉡ – 이승만 정부는 정전 회담을 적극 지지하였다.
④ ㉢ – 남북한 모두 인명과 물적 피해가 막대하였다.
⑤ ㉢ – 민족 간 적대감 심화로 분단이 고착화되었다.

03 (가)에 대한 설명으로 옳은 것은?

> **다큐멘터리 기획안**
>
> '한반도 평화로 향하는 길'
>   – 남북한 통일을 위한 노력을 찾아가다
> 〈역대 정부의 남북 대화 노력〉

(가) 7·4 남북 공동 성명 발표	남북 기본 합의서 채택	6·15 남북 공동 선언 발표	10·4 남북 공동 선언 발표
→	→	→	

① 개성 공업 지구 조성을 합의하였다.
② 남북한 정상이 판문점 선언을 발표하였다.
③ 북방 외교로 사회주의 국가와 교류가 시작되었다.
④ 자주·평화·민족 대단결이라는 통일 원칙을 발표하
였다.
⑤ 남북한 정상은 남북 관계 발전과 평화 번영을 위한
선언을 발표하였다.

04 다음 선언 이후 전개된 남북 관계에 대한 설명으로 옳은
것을 |보기|에서 고른 것은?

> 1. 남과 북은 나라의 통일 문제를 그 주인인 우리 민족
> 끼리 서로 힘을 합쳐 자주적으로 해결한다.
> 2. 남과 북은 남측의 연합제안과 북측의 낮은 단계의
> 연방제안이 서로 공통성이 있다고 인정한다.

> | 보기 |
> ㄱ. 개성 공단이 운영되었다.
> ㄴ. 7·4 남북 공동 성명을 발표하였다.
> ㄷ. 국제 연합에 남북한이 동시에 가입하였다.
> ㄹ. 남북 간 군사적 적대 관계 해소를 합의하였다.

① ㄱ, ㄴ   ② ㄱ, ㄹ   ③ ㄴ, ㄷ
④ ㄴ, ㄹ   ⑤ ㄷ, ㄹ

해결 열쇠

대주제에서 학습한 내용들을 복습하면서 빈칸에 알맞은 답을 채워 보아요.

핵심 쏙쏙 내용 정리

정답 ① 갑오개혁 ② 민주 공화제 ③ 강화도 조약 ④ 산미 증식 계획 ⑤ 한류 ⑥ 4·19 혁명 ⑦ 박정희 ⑧ 6월 민주 항쟁 ⑧ 6·25 전쟁

역량 쏙쏙 수행 과제

활동 소개 ▶

한국 근현대사의 주요 사건과 개념을 정리해 원 지도에 표현합니다.

활동 방법 ▶

1단계 오늘날 대한민국을 표현할 수 있는 키워드, 이미지를 생각해 보고 작은 원 안에 그려 보아요.

2단계 개항 이후부터 현재까지 있었던 한국 근·현대사의 주요 사건을 간추려 보아요.

3단계 선정한 사건들을 시기 순서대로 큰 원 안에 표현하고 그것의 주요한 개념을 적어 보아요. 이렇게 표현한 까닭을 정리하고 글쓰기를 해 보아요.

대한민국 원 지도로 표현하기

– 큰 원에 들어갈 주요 사건을 현재 대한민국의 이미지와 연결하여 선정하고 시간 순서대로 그 개념과 의미를 잘 나타내는 그림으로 표현하도록 합니다. 실제 사건에 대한 지식과 이해를 바탕으로 그림으로 표현될 수 있도록 하는 것이 중요하며 역사적 맥락이 일관성 있게 연결되어야 한다는 점을 염두에 두도록 합니다.

– 그림 실력을 보는 것이 아니라는 점에 유의하도록 합니다. 오늘날 대한민국의 이미지를 어떻게 생각하느냐, 이와 관련한 역사적 사건을 잘 선정하느냐, 표현이 얼마나 적절한가가 더 중요하다는 점을 기억합니다.

• 이렇게 표현한 까닭은?

예시 답안 6월 민주 항쟁의 결과 5년 단임의 직선제를 기초로 하는 헌법 개정이 이루어졌다. 이로써 민주주의적 기본 질서가 정착하였고, 다양한 분야에서 민주주의가 발전할 수 있었다.

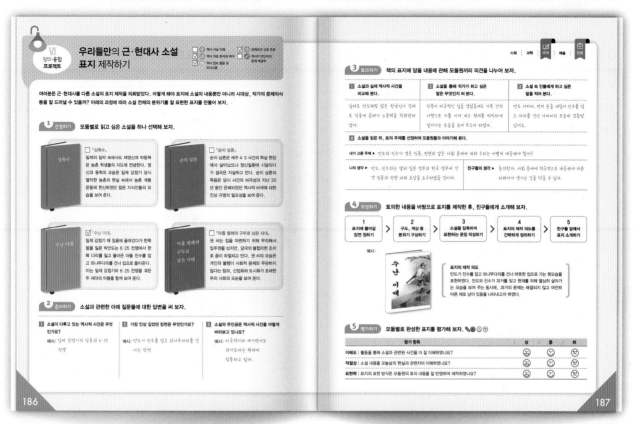

활동 예시 답안

1단계: 소설 정하기

- **우리 모둠이 고른 사건(주제):** 일제 강점기 징용과 강제 동원 및 6·25 전쟁
  → 한국과 일본 사이의 핵심 쟁점 사항과 한국 사회에 현재까지도 깊은 영향을 주는 문제라서

2단계: 자료 조사 및 실제 사건과 비교하기

문제: 소설 속 사건과 실제 사건은 어떤 점에서 관련이 있나요?

답안: 실제로 많은 한국인이 강제 동원되어 노동력을 착취당하고 고통을 겪었다.

3단계: 토의하기

문제: 강제 동원, 전쟁과 같은 사회 문제에 우리는 어떻게 대응해야 하나요?

답안: 한국 정부와 일본 정부는 강제 동원 및 전쟁의 피해자들의 아픔에 공감하고 피해 보상 방안을 협의해야 한다.

4단계: 표지 제작 및 발표하기

문제: 소설을 압축하여 표현할 수 있는 문장은?

답안: 과거의 문제가 해결되지 않고 현재도 상처로 남아 있다.

활동 소개

이 활동은 제시한 주제와 관련된 소설을 읽고 실제 사건과 비교한 후 조사하고 토의하는 활동을 함으로써 과거의 비극적 사건을 재조명하고 한국 사회에 대한 이해를 높여 건강한 민주 시민으로 성장할 수 있습니다.

진로 탐방 '북디자이너', 그 직업이 알고 싶다!

Q: 북디자이너는 어떤 일을 하나요?

책의 디자인의 방향을 설정하여 책의 표지, 내지를 디자인하고 글의 위치 등을 배열하는 일을 합니다.

Q: 북디자이너는 어떤 능력이 필요한가요?

철학적 사고에 기반한 언어 구사 능력, 소통 능력, 자기가 원하는 바를 조리있게 표현할 수 있는 능력이 필요합니다. 또 전문 편집 프로그램을 능숙하게 다룰 수 있어야 합니다.

Q: 북디자이너가 되려면 어떻게 해야 하나요?

대부분 대학에서 시각 계열 디자인을 전공한 경우가 많습니다. 광고나 책, 홍보용 매체, 멀티미디어, 디지털 콘텐츠 등을 다룹니다. 무엇보다 중요한 것은 흥미와 관심이므로 관련 책들을 많이 읽어 봅니다.

01 다음과 같은 개혁을 요구한 세력에 대한 설명으로 옳은 것은?

> • 탐관오리를 엄벌에 처할 것.
> • 불량한 양반들을 징계할 것.
> • 노비 문서를 불태워 없앨 것.
> • 과부가 된 여성의 재가를 허락할 것.
> • 규정 이외의 세금을 거두지 않을 것.
> • 토지는 균등히 나누어 경작할 것.

① 청의 개입으로 개혁이 실패로 끝났다.
② 집강소를 설치하여 개혁을 추진하였다.
③ 관민 공동회에서 헌의 6조를 결의하였다.
④ 일본의 내정 간섭하에 개혁을 추진하였다.
⑤ 공화정 체제의 근대 국민 국가 수립을 추구하였다.

02 다음 자료를 통해 알 수 있는 대한민국 임시 정부에 대한 설명으로 옳은 것은?

> [대한민국 임시 정부 헌법]
> 제1조　대한민국은 대한 인민으로 조직한다.
> 제2조　대한민국의 주권은 대한 인민 전체에 있다.
> 제4조　대한민국의 인민은 일체 평등하다.
> 제5조　대한민국의 입법권은 의정원이, 행정권은 국무원이, 사법권은 법원이 행사한다.

① 입헌 군주제로의 개혁을 추구하였다.
② 주권 재민의 민주 공화제를 지향하였다.
③ 대통령의 장기 집권의 토대를 마련하였다.
④ 5년 임기의 대통령 단임제를 골자로 하였다.
⑤ 국가의 모든 권한이 황제에 있음을 천명하였다.

03 (가)에 대한 설명으로 옳은 것은?

> 대한민국 헌법
> [전문] 유구한 역사와 전통에 빛나는 우리들 대한 국민은 ____(가)____ (으)로 대한민국을 건립하여 세계에 선포한 위대한 독립 정신을 계승하여 이제 민주독립국가를 재건함에 있어서……모든 사회적 폐습을 타파하고 민주주의 모든 제도를 수립하여…….

① 실력 양성 운동의 영향을 받았다.
② 일제로부터 민족의 독립을 쟁취하였다.
③ 정부의 소극적인 개화 정책을 비판하였다.
④ 중소 도시와 농촌 지역에서도 전개되었다.
⑤ 만민 공동회를 열어 열강의 침탈을 비판하였다.

04 다음 가상 대화에 나타난 시기의 정부의 경제 특징으로 옳은 것을 |보기|에서 고른 것은?

> • 시민 1: 신문을 보니 긴급 조치 1호가 선포되었더군. 긴급 조치가 뭐지?
> • 시민 2: 헌법에 보장된 국민의 자유와 권리를 잠정적으로 중단할 수 있는 권한이야. 대통령의 단순한 행정 명령만으로 국민의 기본권을 중단할 수 있다니 너무하는군.

|보기|
ㄱ. 경제 개발 협력 기구(OECD)에 가입하였다.
ㄴ. 중화학 공업 중심의 경제 개발을 추진하였다.
ㄷ. 3저 호황으로 물가가 안정되고 수출이 늘어났다.
ㄹ. 저임금·저곡가 정책으로 농민과 노동자의 삶이 어려웠다.

① ㄱ, ㄴ　　② ㄱ, ㄷ　　③ ㄴ, ㄷ
④ ㄴ, ㄹ　　⑤ ㄷ, ㄹ

05 (가)에 대한 설명으로 가장 적절한 것은?

사진으로 보는 (가)

이 사진은 1980년 (가) 의 실상을 전 세계에 알렸던 외신 기자의 모습이다. 당시 신군부는 언론을 통제하여 광주에서 어떤 일이 일어났는지 외부에서 알지 못하도록 하였다. 독일 방송의 힌츠페터는 광주에 잠입하여 취재하고 촬영 필름을 독일로 보내 독일 뉴스에 방송되도록 하였다.

① 3·15 부정 선거가 원인이었다.
② 부·마 민주 항쟁에 영향을 주었다.
③ 내각 책임제로 개헌이 이루어졌다.
④ 박종철 고문 사망 사건이 계기가 되었다.
⑤ 아시아 국가들의 민주화 운동에 영향을 끼쳤다.

06 다음 자료와 관련한 설명으로 옳은 것은?

첫째, 통일은 외세에 의존하거나 외세의 간섭을 받음이 없이 자주적으로 해결되어야 한다.
둘째, 통일은 서로 상대방을 적대하는 무력 행사에 의거하지 않고, 평화적 방법으로 실현되어야 한다.
셋째, 사상·이념·제도의 차이를 초월하여 우선 하나의 민족으로서 민족적 대단결을 도모한다.

① 개성 공단 건설을 합의하였다.
② 대북 화해 협력 정책의 결과물이다.
③ 최초의 남북 정상 회담의 결과로 발표되었다.
④ 남북한이 국제 연합에 동시 가입하게 되었다.
⑤ 남북한 정부 간에 최초로 합의한 통일 방안이다.

서술형 문제

07 다음 자료를 읽고 물음에 답하시오.

1945년 12월, 모스크바 3국 외상 회의에서 한반도의 정부 수립 방안이 구체적으로 제시되었다. 한반도에 임시 민주 정부 수립, 이를 위한 미·소 공동 위원회 설치, 최고 5년 기한의 (가) 을/를 한다는 내용이 결의되었다.

(1) (가)에 들어갈 말을 쓰시오.

----

(2) (가)에 대한 내용이 국내에 알려진 후 좌우익 간의 입장을 각각 서술하시오.

----

08 다음 자료를 읽고 물음에 답하시오.

<u>2차 개헌</u>(1954)
이승만은 초대 대통령에 한하여 횟수의 제한없이 대통령에 출마할 수 있도록 헌법을 개정하였다.
6차 개헌(1969)
두차례 대통령에 당선되었던 박정희는 대통령의 3회 연임을 허용하도록 헌법을 개정하였다.
8차 개헌(1980)
전두환은 대통령 선거인단의 간접 선거로 7년 임기의 대통령을 선출하는 개헌을 단행하였다.

(1) 밑줄 친 '2차 개헌'이 가리키는 용어를 쓰시오.

----

(2) 당시 집권자들이 헌법을 개정한 공통적인 이유를 서술하시오.

MEMO

이 책의 정답은 QR 코드로 확인할 수 있어요~!

그자랑

스스로 학습 강화 시리즈

놀자!

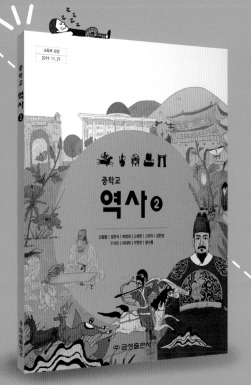

중학 역사② 자습서

정답과 해설

금성출판사

스스로 학습 강화 시리즈

금자랑 놀자!

중학 **역사②** 자습서

정답과 해설

금성출판사

정답과 해설

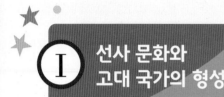
1 선사 문화와 고조선

확인해 봐요

주제1 **만주와 한반도 지역의 선사 문화** 8쪽

1 ○ **2** ✕ **3** ○

주제2 **청동기 문화를 바탕으로 성립한 고조선** 10쪽

1 고조선 **2** 청동기 **3** 한

시험을 대비하는 실전 문제

| 기초를 튼튼하게 확인 문제 | 12쪽

01 ㉠-ⓑ, ㉡-ⓒ, ㉢-ⓐ **02** (1) ○ (2) ✕ (3) ○ (4) ○

03 ㄱ-ㄹ-ㄷ-ㄴ **04** (1) 농경 (2) 계급 (3) 제사장

| 내신을 탄탄하게 내신 문제 | 12~14쪽

01 ④ **02** ④ **03** ③ **04** ② **05** ③ **06** ⑤ **07** ③ **08** ② **09** ①
10 ③

01 구석기 시대 사람들은 돌을 내리쳐서 만든 뗀석기를 사용하였고, 초기에는 주먹 도끼나 찍개를 만들었다. 이들은 식물의 열매와 뿌리를 채집하거나 동물을 사냥하여 식량을 마련하였다. 이들은 먹을 것을 찾아 무리 지어 이동 생활을 하였으며, 동굴이나 강가에서 막집을 짓고 생활하였다.

④ 신석기 시대 토기에 대한 설명이다. 구석기 시대에는 아직 토기가 사용되지 않았다.

02 자료의 유물은 갈돌과 갈판으로 곡물의 껍질을 벗겨 가루로 만드는 도구이다. 이는 신석기 시대부터 사용되었다. 신석기 시대에는 간석기를 도구로 사용하였고, 농사와 목축을 하며 식량을 생산하였다. 농경이 시작되면서 한곳에 정착하여 살게 되었고, 주로 강가나 바닷가에서 움집을 짓고 살았다. 또한 토기를 만들어 식량을 저장하고 음식을 조리해 먹었다.

오답 확인 ① 구석기 시대에 해당한다. ②, ③, ⑤ 청동기 시대에 해당한다.

03 신석기 시대에는 주로 바닷가나 해안가에 움집을 짓고 마을을 이루며 살았다. 또한 토기를 만들어 음식을 조리하거나 식량을 저장하였다. 신석기 시대의 토기로는 빗살무늬 토기와 덧무늬 토기가 발견되고 있다.

오답 확인 민무늬 토기는 청동기 시대의 대표적 토기이다.

04 신석기 시대 사람들은 농경과 목축을 시작하면서 한곳에 정착하여 생활을 하였고, 움집을 만들어 살았다. 이들은 생산물을 저장하고 음식을 조리하기 위해 토기를 만들어 사용하였다.

오답 확인 ㄴ-청동기 시대, ㄹ-구석기 시대와 관련된 설명이다.

05 구석기 시대는 약 70만 년 전에 시작되었고, 뗀석기를 사용하여 사냥이나 채집으로 먹을거리를 마련하였다. 무리를 지어 이동하였으며, 동굴이나 강가에서 막집을 짓고 살았다. 신석기 시대는 약 1만 년 전에 시작되었고, 간석기를 사용하여 사냥이나 고기잡이를 하고 농사를 지었으며, 움집을 짓고 마을을 이루어 한곳에 정착하여 살았다.

③ 신석기 시대와 청동기 시대에 대한 내용이다.

한눈에 쏙쏙 **구석기 시대와 신석기 시대**

구분	구석기 시대	신석기 시대
시작	약 70만 년 전	약 1만 년 전
도구	뗀석기(주먹 도끼, 찍개)	간석기(갈돌과 갈판, 돌도끼)
경제	동물 사냥, 식물 채집	농경과 목축 시작
사회	무리 이동 생활	정착 생활
주거	동굴이나 막집	땅을 파서 만든 움집
토기	–	빗살무늬 토기, 덧무늬 토기

06 청동기 시대에는 빈부 격차가 커지면서 계급이 발생하였고, 집단 간의 전쟁도 치열하였다. 이 과정에서 경제력과 통솔력을 갖춘 '군장'이라는 지배자가 등장하여 부족을 이끌었고, 점차 권력을 키워 나갔다. 지배층이 죽으면 고인돌이나 돌널무덤을 만들어 청동검, 청동 거울 등과 함께 묻었다.

⑤ (마) 독무덤은 주로 철기 시대와 관련하여 발견되는 무덤 양식이다.

07 제시된 유물은 청동기 시대에 사용된 수확용 농사 도구인 반달 돌칼이다. 청동기 시대에는 조·피·보리 등 농경이 본격적으로 이루어졌고, 한반도 남부 지역에서는 벼농사도 시작되었다.

오답 확인 ㄱ-신석기, ㄹ-구석기 시대와 관련된 설명이다.

08 제시된 유적은 고인돌이다. 청동기 시대에는 농경이 본격화되었고, 민무늬 토기를 만들어 곡식을 저장하거나 조리하였다. 또한 군장의 권위를 상징하는 거대한 고인돌이나 돌널무덤을 만들었고, 농사와 전쟁에 유리한 나지막한 언덕에 마을을 이루었다.

② 청동은 원료를 구하기 힘들고 단단하지 못하여 농기구로 제작되지는 않았다.

09 『삼국유사』에 실린 단군 건국 이야기에서는 풍백·우사·운사(각 각 바람·비·구름) 등 기후와 관련된 요소가 나타나는데, 이는 농 업을 중시한 당시의 사회상을 반영한다. 또한 곰과 단군의 결합은 부족 간 결합을 의미하는 것으로 파악된다.

오답 확인 ㄷ – 고조선은 청동기 문화를 배경으로 성립하였다. ㄹ – 단군왕검은 제사장을 뜻하는 '단군'과 정치적 지배자를 뜻하 는 '왕검'을 합친 호칭이다.

10 준왕의 신임을 받았던 위만이 고조선의 왕위를 찬탈한 이후에도 고 조선의 역사는 이어졌다. 고조선은 중국과 한반도 남부 및 일본 간 에 무역을 중계하여 이익을 취하였다. 이후 한의 침입으로 멸망한 뒤, 고조선의 일부 지역에 한의 행정 구역인 군현이 설치되었다.

오답 확인 ㄱ – 청동기 문화를 바탕으로 성립하였다. ㄹ – 고조선 은 한의 공격으로 멸망하였다.

| 만점에 도전하는 **심화 문제** | 15쪽

01 ④ **02** ③ **03** ③ **04** ①

---

01 신석기 시대 사람들은 강가나 바닷가에 움집을 짓고 살았다. 이들 은 농경과 목축 생활을 시작하였으며, 음식을 보관하고 조리하기 위해 빗살무늬 토기를 사용하였다. 빈부의 차이가 없는 평등한 생 활을 하였다. 청동기 시대 사람들은 야산이나 구릉에 마을을 이루 며 살았고, 다양한 잡곡 재배와 함께 벼농사도 시작되었다. 농경 의 발달로 빈부 차이와 계급이 발생하였고, 민무늬 토기를 만들어 사용하였다.

오답 확인 ④ 신석기 시대와 청동기 시대 도구가 바뀌었다.

02 고조선은 만주의 랴오닝 지역과 대동강 유역을 중심으로 발전하였 다. 비파형 동검과 탁자식 고인돌, 미송리식 토기의 분포 지역을 통해 고조선의 문화 범위를 짐작할 수 있다.

오답 확인 ㄱ – 구석기 시대, ㄹ – 신석기 시대의 유물이다.

03 자료는 고조선의 역사에 대해 간략하게 정리한 것이다. 고조선은 청동기 문화를 바탕으로 성립하여 철기 문화를 수용하며 발전하였 다. 중국에서 망명해 온 위만이 중간에 왕위를 차지하였으나, 이 후에도 고조선이라는 나라는 계속 계승되었다.

③ (다) 고조선의 왕위를 찬탈했던 인물은 준왕의 신임을 받았던 위만이다.

04 고조선의 8조법 중 현재까지 전해지는 3개 조항을 통해 고조선 사회의 모습을 알 수 있다. 이 조항들을 통해 고조선은 사유 재산 을 인정하고 노비가 존재하는 신분제 사회였음을 확인할 수 있다.

오답 확인 ㄷ – 용서받고자 하는 사람은 돈을 내야 하는 것에서 화폐 를 사용하였음을 알 수 있다. ㄹ – 사람을 죽이거나 상해를 입히면 엄벌을 처하고 있는 점에서 생명을 중시하고 있었음을 알 수 있다.

---

2 여러 나라의 성장

확인해 봐요

주제 3 **만주와 한반도 북부에서 일어난 부여와 고구려** 16쪽

1 ✕ **2** ✕ **3** ○

주제 4 **한반도에서 일어난 옥저와 동예, 삼한** 18쪽

1 ✕ **2** ○ **3** ○

시험을 대비하는 실전 문제

| **기초를 튼튼하게 확인 문제** | 20쪽

01 ㉠-ⓒ, ㉡-ⓐ, ㉢-ⓑ **02** (1) ○, (2) ○, (3) ✕, (4) ○
03 ㄱ, ㄷ **04** (1) 삼로, (2) 소도, (3) 철

| **내신을 탄탄하게 내신 문제** | 20~22쪽

01 ② **02** ② **03** ⑤ **04** ① **05** ① **06** ④ **07** ③ **08** ⑤ **09** ⑤
10 ① **11** ③

---

01 철제 농기구의 사용으로 농업 생산량이 증가하였고, 철제 무기의 사용으로 정복 전쟁이 빈번해지고 이전보다 강력한 권력을 가진 지배자가 나타났다. 세력을 키운 부족은 주변 부족을 정복하거나 연합하여 국가로 발전하였다.

오답 확인 ① 토기는 신석기 시대부터 만들었다. ③, ④, ⑤ 청동 기 시대에 해당한다.

02 부여에는 고조선의 8조법처럼 엄격한 법이 존재하였고, 형이 죽 으면 동생이 형수를 아내로 맞이하는 풍습이 있었다. 또한 지배층 이 죽으면 많은 사람을 함께 죽여서 묻는 순장을 행하였고, 12월 에는 영고라는 제천 행사를 열었다.

오답 확인 ② 동맹은 고구려의 제천 행사이다.

03 고구려에는 혼인한 뒤 신랑이 신부의 집에서 일정 기간 거주하는 서옥제라는 결혼 풍습이 있었고, 10월에는 동맹이라는 제천 행사 가 열렸다.

오답 확인 옥저의 혼인 풍습에는 민며느리제가 있다. 동예의 제천 행사는 무천이라 부르고, 족외혼이라는 혼인 풍습이 있었다. 삼 한의 제천 행사는 계절제라 하여 5월과 10월에 열렸다.

04 제시된 자료는 (가) 부여와 관련된다.

오답 확인 (나) 고구려, (다) 동예, (라) 옥저, (마) 삼한이다.

05 고구려는 부여와 마찬가지로 연맹 왕국을 이루었는데, 지배층의 다수는 부여 출신이었다. 자연환경의 제약으로 농사를 짓기 어려웠기 때문에 고구려인들은 무예를 닦아 주변 지역을 정복하며 세력을 키웠다. 사회 질서를 유지하기 위한 법이 존재했고, 서옥제라는 결혼 풍습과 동맹이라는 제천 행사가 있었다.

> **오답 확인** ㄷ-동예의 책화에 대한 설명이다. ㄹ-영고는 부여의 제천 행사이다.

06 동예에는 다른 부족의 영역을 함부로 침범하면 노비나 소, 말 등으로 갚게 하는 책화라는 풍습이 있었다.

> **오답 확인** ① 동예의 족외혼, ② 고구려의 서옥제, ③ 옥저의 민며느리제, ⑤ 부여의 순장을 설명한 것이다.

07 여(呂)자형 집터는 동예의 것으로 추정된다. 동예에는 왕이 없었고, 읍군 또는 삼로라는 군장이 각자의 영역을 다스렸다.

> **오답 확인** 신지, 읍차는 삼한의 소국을 다스리는 군장의 명칭이다.

08 자료는 옥저의 민며느리제에 대한 설명이다. 고대 사회는 노동력을 중시하였기 때문에 이와 같은 혼인 풍습이 나타날 수 있었다. 신랑집에서 신부의 집에 금전을 지급하는 경우는 노동력 보전과도 관련이 있다고 한다.

> **오답 확인** ① 책화는 동예의 풍습으로 함부로 다른 부족의 영역에 침범하지 못하게 하였다. ② 소도는 삼한의 천군이 다스리는 신성 지역을 의미한다. ③ 영고는 부여의 제천 행사이다. ④ 서옥제는 고구려의 혼인 풍습으로 신부의 집에 서옥이라는 작은 집을 짓고 남녀가 함께 살다가 자식이 장성하면 신랑의 집으로 돌아가 사는 혼인 풍습이다.

09 제시한 자료는 옥저의 풍습을 설명하고 있다. 옥저에는 왕이 없었고, 읍군 또는 삼로라고 불리는 군장이 각 지역을 다스렸다.

> **오답 확인** ① 삼한 중 변한에 관한 설명이다. ② 고구려, ③ 부여, ④ 동예에 관한 설명이다.

10 한반도 남부 지역에 있던 삼한의 소국들은 신지, 읍차라는 군장과 천군이라는 제사장이 이끌었다. 천군은 소도를 다스렸는데, 이곳은 죄인이 도망쳐 와도 잡지 못하는 신성한 지역이었다.

> **오답 확인** 삼로는 옥저, 동예를 다스리는 군장의 명칭 중 하나이다. 책화는 동예의 풍습으로 다른 부족의 영역에 함부로 침범하지 못하도록 하는 풍습이다.

11 제시한 내용은 삼한과 관련된 것이다. 삼한은 농사에 적합한 토양이 있는 곳에 위치하여 벼농사가 발달하였다. 5월과 10월에는 제천 행사를 열었다. 변한에서는 철이 많이 생산되어 이를 화폐처럼 사용하고 낙랑과 왜에 수출하기도 하였다.

> **오답 확인** ㄱ-동예의 족외혼에 대한 설명이다. ㄹ-고구려와 관련한 내용이다.

> **만점에 도전하는 심화 문제** | 23쪽
>
> **01** ② **02** ② **03** ② **04** ⑤

01 철이 보급되자 사람들은 철제 농기구를 이용하여 땅을 깊게 갈고 농작물을 보다 쉽게 재배할 수 있어서 농업 생산량이 늘어났다. 또한 철제 무기를 이용하여 전투력을 키운 부족은 다른 부족을 정복하며 세력을 확대하였고, 그 과정에서 한반도와 만주 지역에는 여러 나라들이 등장하였다.

> **오답 확인** ㄴ - 고조선은 청동기 문화를 바탕으로 성립하였다. ㄹ - 신석기 시대에 해당한다.

02 연맹 왕국에서 출발한 고구려와 부여 모두 지배자의 정당성 확보와 농사의 풍요를 기원하기 위해 제천 행사를 열었다(동맹, 영고). 한편 부여에서 형이 죽으면 동생이 형수를 아내로 삼는 형사취수제 풍습은 가족의 삶을 함께 돌본다는 의미가 강하였다.

> **오답 확인** ② 부여와 고구려는 초기에 연맹 왕국으로 출발하였기 때문에 왕의 권력이 절대적일 수 없었다.

03 동예의 책화는 다른 부족의 영역을 함부로 침범한 자를 처벌하는 풍습이었다.

> **오답 확인** ① 무천은 동예의 제천 행사이다. ③ 소도는 삼한의 제사장이 다스리는 신성 구역을 의미한다. ④ 동맹은 고구려의 제천 행사이다. ⑤ 8조법은 고조선에서 남긴 법이다.

한눈에 쏙쏙 초기 여러 나라의 성장

구분	부여	고구려	옥저	동예	삼한
위치	쑹화강 주변	압록강 중류	북부 동해안 일대		한반도 남부 지방
정치	부족 연합 → 연맹 왕국(왕권 미약)		왕이 없고, 군장(읍군·삼로)이 각 읍락 통치		군장(신지·읍차)이 소국 통치
경제	밭농사, 목축	정복 활동	농경 발달, 해산물 풍부	해산물 풍부, 단궁·과하마·반어피	벼농사 중심, 변한에서 철 생산
사회(풍습)	엄격한 법률, 순장, 형사취수제	무예 숭상, 서옥제	민며느리제, 가족 공동 무덤	책화, 족외혼	제정 분리 사회, 천군이 소도를 다스림.
제천 행사	영고(12월)	동맹(10월)	–	무천(10월)	계절제(5월과 10월)

04 한반도 남부 지역에 있던 삼한의 소국들은 신지, 읍차라는 군장과 천군이라는 제사장이 다스렸다. 천군은 소도를 다스렸는데, 이곳은 죄인이 도망쳐 와도 잡지 못하는 신성한 지역이었다.

오답 확인 (가) 부여, (나) 고구려, (다) 동예, (라) 옥저이다.

---

3 삼국의 성립과 발전

확인해 봐요

주제 5 **정복과 연맹을 통해 형성된 삼국과 가야** 24쪽

1 주몽 **2** 신라 **3** 낙랑

주제 6 **중앙 집권 체제를 정비한 삼국** 26쪽

1 ○ **2** X **3** ○

주제 7 **백제와 고구려의 세력 확대** 28쪽

1 근초고왕 **2** 장수왕 **3** 나제 동맹

주제 8 **새로운 강자로 떠오른 신라** 30쪽

1 ○ **2** X **3** ○

시험을 대비하는 실전 문제

| 기초를 튼튼하게 **확인 문제** | 32쪽

01 ㉠-ⓒ, ㉡-ⓐ, ㉢-ⓑ **02** (1) X, (2) ○, (3) ○, (4) ○
03 ㄴ-ㄱ-ㄷ-ㄹ **04** (1) 지증왕, (2) 대가야, (3) 관산성 전투

| 내신을 탄탄하게 **내신 문제** | 32~34쪽

01 ① **02** ⑤ **03** ④ **04** ② **05** ② **06** ① **07** ① **08** ③ **09** ③
10 ⑤

01 고구려에서는 2세기 태조왕 이후, 백제에서는 3세기 고이왕 이후 왕위가 세습되기 시작하였으며, 신라에서는 4세기 내물왕부터 김씨 집안에서만 왕을 배출하였다. 이에 각 부 또는 소국의 독자성이 약화되었고, 그 지배층은 차츰 중앙의 귀족으로 흡수되었다.

오답 확인 근초고왕은 4세기 백제의 전성기를 이끌었던 왕으로, 고구려의 평양성을 공격하여 고국원왕을 전사시켰다.

02 백제의 근초고왕은 강성해진 국력을 바탕으로 활발한 대외 활동을 벌였다. 근초고왕은 남쪽으로는 마한의 남은 세력을 복속하였고, 가야에 영향력을 행사하였다. 북쪽으로는 고구려를 공격하여 고국원왕을 전사시키고 황해도 일부 지역까지 영토를 넓혔다. 근초고왕은 확대된 영토와 해상 교역도를 바탕으로 왜와 우호 관계를 맺었으며, 중국의 동진과도 외교 관계를 개설하였다.

오답 확인 ① 온조는 백제의 건국자로 알려져 있다. ② 무령왕은 백제를 재건하고자 노력하였다. 지방 중요 지역에 왕족을 파견하는 등 지방 통제를 강화하였다. ③ 백제는 침류왕 때 불교를 수용하였다. ④ 고이왕 때 백제는 왕위 세습이 이루어지기 시작하였다.

03 경주 호우총에서 발견된 호우명 그릇은 광개토 대왕을 기념하는 의례 행위에 사용하기 위해 고구려에서 만든 것으로 추정되며, 어떻게 신라까지 전해졌는지는 분명하지 않다. 그러나 고구려의 의례용 그릇이 신라의 무덤에서 발견되었다는 것만으로도 당시 고구려와 신라 간의 관계를 추측해 볼 수 있다.

04 광개토 대왕의 뒤를 이은 장수왕은 중국의 남북조와 외교 관계를 맺어 국가를 안정시키고자 하였다. 또한 수도를 평양으로 옮긴 이후, 적극적으로 남진 정책을 펼쳐 백제의 수도인 한성은 함락하고 한강 유역 전체를 차지하였다.

오답 확인 나-광개토 대왕릉비는 광개토 대왕의 업적을 기리기 위해 아들 장수왕이 세운 비석이다. 비문에는 고구려의 건국 과정, 광개토 대왕의 업적 등이 기록되어 있다. 광개토 대왕의 업적이 적혀 있다. 라-400년에 신라를 도와주었던 고구려 왕은 장수왕이 아니라 광개토 대왕이다.

05 6세기 무렵 무령왕은 지방의 중요한 지역에 왕족을 파견하여 지방 통제를 강화하였다. 또한 고구려의 공격에 적극적으로 대응하여 전투에서 승리하기도 하였다.

오답 확인 ① 성왕은 수도를 사비(충남 부여)로 옮기고 국호를 남부여로 고쳤으며, 중앙과 지방의 행정 체제를 정비하였다. 또한 대외적으로는 중국 남조와의 교류를 확대하였다. ③ 근초고왕은 4세기 백제의 전성기를 이끌었던 왕으로 고구려의 평양성 전투를 승리로 이끌고, 마한의 소국들을 통합하였다. ④, ⑤는 고구려의 왕이다.

06 성왕은 수도를 사비(충남 부여)로 옮기고 국호를 '남부여'로 고쳤으며, 중앙과 지방의 행정 체제를 정비하였다. 체제를 정비한 성왕은 신라 진흥왕과 연합하여 한강 유역을 되찾았으나 이후 진흥왕에게 한강 유역을 다시 빼앗겼다. 이에 성왕은 신라를 공격하였으나, 관산성 전투에서 전사하였다.

오답 확인 ② 무령왕은 지방 중요 지역에 왕족을 파견하여 지방 통제를 강화하였고, 고구려를 공격하여 옛 땅의 일부를 되찾았다. ③, ④ 법흥왕과 진흥왕은 신라의 왕이다. ⑤ 근초고왕은 4세기 백제의 전성기를 이끌었던 왕으로, 고구려의 평양성 전투를 승리로 이끌고, 마한의 소국들을 통합하였다.

07 백제는 고구려 장수왕의 공격으로 수도 한성이 함락당하면서 금강 유역의 웅진으로 천도하였다. 이후 성왕 때 수도를 다시 사비로 옮기며 중흥을 꿈꾸었다.

오답 확인 졸본은 고구려의 초기 도읍지이고, 국내성은 고구려의 장수왕이 평양성으로 천도하기 이전까지의 도읍지이다.

08 자료는 이사부가 우산국(울릉도)을 정복한 이야기이다. 6세기 무렵 지증왕은 나라 이름을 '신라'로 정하고 왕이라는 칭호를 사용하였으며, 밖으로는 우산국(울릉도)을 정복하여 신라에 복속시켰다.

오답 확인 ㄱ – 신라에서 불교를 공인한 것은 법흥왕 때의 일이다. ㄹ – '남부여'로 국호를 바꾼 것은 백제 성왕 때이다.

09 제시된 내용은 신라 진흥왕과 관련한 것이다. 진흥왕은 화랑도를 국가적 조직으로 정비하여 인재를 양성하고, 황룡사를 건립하여 왕실의 안녕을 기원하였다.

오답 확인 ㄴ – 우산국 정벌은 지증왕 때이다. ㄹ – 금관가야는 법흥왕 때, 대가야는 진흥왕 때 병합되었다.

10 금관가야는 낙랑군이 멸망하자 철 수출이 어려워지면서 흔들리기 시작하였다. 또한 5세기 초 고구려군이 왜로부터 신라를 구원한 후 낙동강을 넘어 김해 지역까지 공격한 것은 금관가야에 결정적인 타격을 주었다. 이후 금관가야는 가야 소국의 하나로 전락하였다.

오답 확인 ① 금관가야의 쇠퇴 계기는 광개토 대왕 때로 장수왕의 남진 정책 이전의 일이다. ② 신라가 금관가야를 병합한 것은 6세기 법흥왕 때 일이다. ③ 근초고왕의 평양성 공격은 백제와 고구려 간의 사건으로 가야와는 관련이 없었다. ④ 백제, 신라 간 관산성 전투는 신라의 배신으로 나제 동맹이 깨진 후 발생하였다.

한눈에 쏙쏙 신라의 발전과 영토 확장

지증왕	'신라' 국호 사용, '왕' 칭호 사용, 우경 시작, 우산국(울릉도) 정벌
법흥왕	율령 반포, 불교 공인(이차돈의 순교 계기), 김해의 금관가야 병합
진흥왕	불교 장려(황룡사 건립), 화랑도 개편, 고령의 대가야 병합, 한강 유역 전체 차지

만점에 도전하는 심화 문제 | 35쪽

01 ② **02** ② **03** ① **04** ②

---

01 골품제는 신라가 고대 국가로 발전하는 과정에서 지역의 지배층을 서열화한 신분 제도이다. 골품에 따라 관직 진출과 일상생활에 이르기까지 차등을 두었다

오답 확인 ㄴ – 관등에 따라 신라의 관리들은 입는 옷의 색깔이 달랐다. 이를테면 1~5등급은 자색(보라색) 옷을 입었다. ㄹ – 표를 해석하면 4두품으로 태어난 사람은 대사까지 올라갈 수 있음을 알 수 있다.

02 밑줄 친 '백제 왕'은 성왕이다. 성왕은 수도를 사비(충남 부여)로 옮기고 국호를 남부여로 고쳤으며, 중앙과 지방의 행정 체제를 정비하였다. 또한 중국 남조와의 교류를 확대하고, 선진 문물을 받아들이는 등 백제의 중흥을 위해 노력하였다. 그러나 나제 동맹이 와해된 후 신라를 공격하다가 관산성 전투에서 전사하였다.

오답 확인 ① 마한의 소국을 모두 통합한 인물은 근초고왕이다. ③ 백제 무령왕은 중요한 지역에 왕족을 파견하여 지방 통제를 강화하였다. ④ 백제 근초고왕이 4세기에 고구려 평양성을 공격하여 승리하였다. ⑤ 우산국을 정벌하고 왕 칭호를 사용하기 시작한 것은 신라 지증왕이다.

03 금관가야를 병합한 신라의 왕은 법흥왕이다. 법흥왕은 율령을 반포하고 불교를 공인하며 중앙 집권 체제를 정비하였다.

오답 확인 ② 사비 천도는 백제 성왕 시기에 있었던 일이다. ③, ④ 신라의 지증왕은 나라 이름을 '신라'로 정하고, 중국식 칭호인 '왕'을 사용하였다. ⑤ 진흥왕이 황룡사를 지어 국력을 과시하였다.

04 (가) 지역에서 성장한 나라는 가야이다. 특히 전기 가야 연맹의 맹주였던 금관가야는 생산된 철을 수출하며 성장하였다. 하지만 5세기 초 고구려의 공격은 금관가야에 결정적인 타격을 주었다. 이후 금관가야는 가야 소국의 하나로 전락하였다. 5세기 후반부터는 고령의 대가야가 가야 연맹의 맹주가 되었다. 대가야는 중국·왜와 교역을 시도하였으며, 삼국이 경쟁하는 사이에 세력을 확장해 나갔다. 그러나 백제와 신라의 압박이 계속되면서 가야 연맹은 점차 위축되었다.

오답 확인 ㄴ – 전기 가야 연맹을 주도했던 세력은 김해의 금관가야이다. ㄹ – 고구려의 도움으로 왜의 침략을 격퇴시켰던 나라는 가야가 아닌 신라이다. 이때 고구려가 신라에 침입한 왜를 물리치는 과정에서 큰 타격을 입어 맹주로서 지위를 상실하였다.

한눈에 쏙쏙 가야의 변천과 멸망

성립	변한 땅에서 여러 소국 성립
↓	
금관가야(김해)	전기 가야 연맹 주도 → 5세기 고구려 광개토 대왕의 공격으로 쇠퇴
↓	
대가야(고령)	후기 가야 연맹 주도 → 6세기 이후 신라와 백제의 압력을 받아 세력 약화
↓	
멸망	연맹 왕국 단계에서 멸망 → 금관가야(법흥왕 때), 대가야(진흥왕 때)

4 삼국의 문화와 대외 교류

확인해 보요

주제 9 **삼국의 고분 문화와 의식주** 36쪽

1 껴묻거리 **2** 돌무지덧널무덤 **3** 귀족

주제 10 **삼국의 종교와 학문** 38쪽

1 불교 **2** 도교 **3** 태학

주제 11 **여러 나라와 교류한 삼국과 가야** 40쪽

1 ○ **2** ○ **3** ○

시험을 대비하는 실전 문제

| **기초를 튼튼하게 확인 문제** | 42쪽

01 ㉠-ⓒ, ㉡-ⓑ, ㉢-ⓐ **02** (1) X, (2) ○, (3) ○, (4) ○

03 ㄴ, ㄹ **04** (1) 불교, (2) 도교, (3) 유학

| **내신을 탄탄하게 내신 문제** | 42~44쪽

01 ④ **02** ⑤ **03** ④ **04** ③ **05** ④ **06** ② **07** ② **08** ⑤ **09** ⑤

10 ①

---

01 굴식 돌방무덤은 돌을 쌓아 시신을 안치할 널방을 만들고 그 위에 흙을 덮어 봉분을 만든 고분 양식이다. 널방의 벽면과 천장에는 벽화가 많이 그려져 있는데, 이를 통해 당시 사람들의 생활 모습을 파악할 수 있다.

오답 확인 ① 널무덤은 지하에 구덩이를 파고 넓적한 나무널로 사각형 벽을 만들어 시신을 안치하는 무덤 양식이다. ② 벽돌무덤은 웅진 시기의 백제에서 만들어진 양식으로 벽돌을 쌓아 널방과 통로를 만든 형태이다. ③ 돌무지무덤은 고구려와 백제의 초기 단계에서 나타난 양식이다. ⑤ 돌무지덧널무덤은 시신과 껴묻거리를 각각 나무 덧널에 넣고 그 위에 잔돌과 흙을 두껍게 덮은 무덤이다. 널방과 통로, 출입구, 벽화를 그릴 공간 등은 없었다.

02 굴식 돌방무덤은 돌을 쌓아 시신을 안치할 널방을 만들고 그 위에 흙을 덮은 고분 양식이다. 벽면과 천장에는 당시 생활상과 관념 등을 보여 주는 벽화를 그렸다. 벽돌무덤은 웅진 시기의 백제에서 만들어진 고분 양식이다.

오답 확인 널무덤은 지하에 구덩이를 파고 넓적한 나무널로 사각형 벽을 만들어 시신을 안치하는 무덤 양식이다. 돌무지무덤은 구덩이 없이 흙과 돌을 쌓아 만든 무덤 양식이다.

03 제시된 무용총 벽화는 무덤 주인공인 고구려 귀족이 생전에 손님을 접대하는 모습을 표현한 것으로 보인다. 주인과 손님의 상차림을 구분하였고, 그릇에 음식이 쌓여있다. 여기서 귀족은 크게, 시중드는 하인은 작게 그려졌는데, 이는 신분상의 차이를 반영한 것으로 해석할 수 있다. 당시 사람들은 죽은 뒤에도 내세가 이어진다고 믿었기 때문에 고분을 만들고 벽에 이러한 관념을 담은 그림을 그려 넣었다.

오답 확인 ㄱ-신분에 따라 인물의 크기를 다르게 그렸다. ㄷ-삼국 시대 사람들은 사람이 죽더라도 그 영혼이 다른 세상에서 살아간다고 생각하였다.

한눈에 쏙쏙 삼국의 고분 양식

돌무지무덤	• 시신을 매장한 돌방에 흙을 덮지 않고 돌을 쌓아 올림. • 장군총(고구려), 석촌동 무덤(백제)
굴식 돌방무덤	• 돌로 널방을 만들고 통로로 연결하여 흙을 덮음, 널방의 벽면과 천장에 벽화(사신도, 생활 모습, 천문 등의 주제)를 그림. • 무용총(고구려), 능산리 고분(백제)
돌무지 덧널무덤	• 나무 덧널 위에 돌을 쌓고 흙을 덮음, 벽화 제작 불가능, 도굴이 어려워 껴묻거리 출토 • 천마총(신라)
벽돌무덤	• 널방을 벽돌로 쌓음, 중국 남조에서 유행 • 무령왕릉(백제)

04 삼국은 중앙 집권 체제를 확립하면서 불교를 수용하였다. '왕은 곧 부처'라는 사상은 왕권을 뒷받침해 주었기 때문에 왕실에서는 적극적으로 불교를 받아들였다. 이들 국가는 수도와 지방의 중심지 등에 거대한 미륵사·황룡사와 같은 사찰을 지어 불교를 장려하였으며, 법회를 열어 국가의 평화와 번영을 기원하기도 하였다.

오답 확인 ㄱ-태학은 고구려에서 설립한 유학 교육 기관이었다. ㄹ-불로장생을 추구하였던 신선 사상은 도교이다.

05 조리하는 여인들(안악 3호분 벽화 복원도, 황해 안악) 그림을 보면 여인들이 부엌에서 요리하며 식기를 정리하고 있다. 그 옆에는 고기가 갈고리에 걸려 있다. 이를 통해 당시 사람들의 식문화를 가늠해 볼 수 있다. 귀족 부인 그림을 보면 귀족 부인이 화려한 머리 장식을 하고, 비단옷을 입고 있다. 이를 통해 당시 귀족 계층의 의복 문화를 알 수 있다.

오답 확인 ㄱ-그림을 보면 여성들이 부엌에서 일을 하고 있다. ㄷ-귀족 부인 그림을 보면 귀족은 삼베옷이 아닌 비단옷을 입고 있는 것으로 보인다.

06 불교, 도교와 더불어 중국으로부터 유학이 들어왔다. 고구려에서는 중앙에 태학을 설립하여 지배층의 자제에게 유학을 교육하였으며, 백제에서는 오경박사를 임명하여 유교 경전의 교육을 맡겼다. 또한 임신서기석의 기록을 통해 신라인들도 유교 경전을 공부하였음을 알 수 있다.

07 임신서기석은 신라의 유물이다. 비석의 내용을 보면 신라 사람들이 예기, 춘추 등 유교 경전을 공부하였다는 사실과, 유교 공부를 상당히 중요하게 생각하였다는 점을 알 수 있다.

오답 확인 ①, ③ 임신서기석은 신라인의 유교 경전 교육과 관계있는 것이다. ④ 도교와 관련된 설명이다. ⑤ 불교와 관련된 설명이다.

한눈에 쏙쏙 삼국의 학문 발달

고구려	태학(수도 - 유교 경전과 역사 교육), 경당(지방) 설립
백제	오경박사(유학), 의박사(의료), 역박사(천문·역법) 등 유교 경전과 기술학 교육
신라	임신서기석을 통해 젊은이들이 유교 경전을 공부하였음을 짐작

08 첨성대는 신라에서 천문 관측을 위해 만든 독특한 모양의 석조 건축물이다. 삼국은 왕의 권위를 하늘에 연결하고, 농업을 발전시키기 위해 천문학을 중시하였다. 이에 신라에서는 천체의 움직임을 관찰하기 위해 첨성대를 만들었다. 『삼국유사』에 선덕 여왕이 첨성대를 쌓았다는 기록이 남아 있어 아시아에서 현존하는 가장 오래된 천문대이다.

오답 확인 ① 경주 부부총 금귀걸이와 경주 노서동 금목걸이, ② 고구려 강서 고분 현무도이다. ③ 백제의 산수무늬 벽돌이고, ④ 백제 금동 대향로이다.

09 고구려와 서역의 교류는 아프라시아브 궁전 벽화에서 발견할 수 있다. 이 벽화의 오른쪽 끝에는 고구려의 사신으로 추측되는 인물이 등장하는데, 인물이 착용한 모자를 보면 고구려에서 즐겨 쓰던 모자인 조우관임을 알 수 있다. 아프라시아브 궁전은 우즈베키스탄 사마르칸트에 있다.

오답 확인 ① 왕회도에 나오는 고구려, 백제, 신라의 사신이다. 이 그림은 행사에 참가한 삼국의 사신들을 그린 것이다. ② 일본 스에키 토기에 영향을 준 가야 토기이다. ③ 로마, 서아시아 등에서 유행하던 형태의 신라 경주 계림로 보검이다. ④ 가야 고분에서 발견된 북방 유목 민족의 청동 솥이다.

10 자료에서 설명하는 (가)는 일본 호류사에서 보관하고 있는 백제 관음상이다. 아름다운 자태를 뽐내기로 유명하며, 백제 위덕왕이 일본에 보낸 것으로 추정된다. 백제 관음상은 일본 아스카 문화 형성에 미친 백제의 영향을 잘 보여 주는 대표적 유물이다.

오답 확인 ② 백제 금동 대향로는 불교, 도교의 요소가 반영된 대표적인 유물이다. ③ 다카마쓰 고분 벽화는 고구려의 수산리 고분 벽화와 모습이 비슷한데, 일본이 고구려와도 교류하였음을 알 수 있는 유물이다. ④, ⑤ 목조 미륵보살 반가 사유상과 금동 미륵보살 반가 사유상은 삼국 시대와 고대 일본을 대표하는 유물로 그 모습이 매우 닮았다는 점을 들어 한반도와 일본 열도가 활발히 교류하였음을 보여 주고 있다.

만점에 도전하는 심화 문제 | 45쪽

01 ③ **02** ③ **03** ⑤ **04** ①

01 (가)는 굴식 돌방무덤에 대한 설명이고, (나)는 돌무지덧널무덤에 대한 설명이다. 신라는 초기에 땅속에 관을 넣은 후 흙으로 덮은 널무덤을 만들다가 점차 잔돌과 흙으로 거대한 봉분을 쌓는 돌무지덧널무덤을 만들었다.

오답 확인 ㄱ - 백제는 웅진으로 천도한 후에는 주로 굴식 돌방무덤과 중국 남조의 영향을 받은 벽돌무덤을 만들었다. ㄹ - 돌무지덧널무덤은 시신 위에 잔돌과 흙을 두껍게 쌓고 다시 흙으로 덮어 봉분을 만들었기 때문에 도굴하기 어려웠다.

02 (가)에 들어갈 용어는 도교이다. 도교는 불로장생을 추구하는 신선 사상과 도가 사상이 결합된 신앙으로, 특히 고구려와 백제에서 유행하였다. 백제의 도교와 관련된 유물은 산수무늬 벽돌이다. 산수무늬 벽돌은 백제 건물터 바닥에서 발견된 벽돌로, 자연과 더불어 살고자 하는 도교의 이상 세계가 반영되어 있다.

오답 확인 ① 첨성대는 신라에서 하늘을 관찰하기 위해 만든 건축물이다. ② 스에키 토기는 가야 토기의 영향을 받아 일본에서 만들어진 토기이다. ④, ⑤ 불교와 관련된 유물이다.

03 (가)에 들어갈 말은 아스카이다. 아스카 문화는 7세기 전반 아스카 지역에서 발달한 일본의 문화를 의미한다. 삼국 및 가야로부터 일본에 전해진 선진 문물은 아스카 문화 발달에 기여하였다.

오답 확인 ① 조몬 문화는 일본의 신석기 문화를 가리킨다. ② 나라는 8세기에 일본의 도읍으로 지정되었다. ③ 야요이 문화는 일본의 신석기 문화를 가리킨다. ④ 헤이안은 일본이 나라에서 도읍을 옮긴 지역 이름이다.

04 그림은 아프라시아브 궁전 벽화 중 일부이다. 이 그림의 오른쪽에는 고구려 사신으로 추정되는 인물이 그려져 있다. 이를 통해 서역과 고구려 간에 교류가 존재하였음을 알 수 있다.

대주제를 정리하는 종합 문제 48~49쪽

01 ⑤ **02** ⑤ **03** ① **04** ① **05** ③ **06** ② **07~08** 해설 참조

01 그림은 반달 돌칼이다. 반달 돌칼은 곡식을 추수하기 위해 사용하는 도구로 청동기 시대의 대표적인 유물이다. 청동기 시대에는 농업이 발달하고 생산물이 풍부해지면서 인구가 늘어났다. 또한 사유 재산이 발생하고 빈부 격차가 커지면서 계급 사회가 성립하였다. 집단 간의 정복 전쟁도 치열해졌다.

오답 확인 ㄱ, ㄴ - 구석기 시대와 관련된 설명이다.

02 8조법은 고조선의 사회상을 엿볼 수 있는 귀중한 자료이다. 이 법의 첫 번째 조항을 통해 고조선에 국가 권력이 확립되었음을 추론할 수 있으며, 사람의 생명을 중시하였음을 알 수 있다. 두 번째 조항을 통해 농경 중심 사회였음을 알 수 있다. 세 번째 조항을 통해 사유 재산이 인정되었음을 알 수 있고, 신분제 사회였다는 점과 화폐가 사용되었다는 점도 확인할 수 있다.
⑤ 남에게 물건을 훔친 자는 노비로 삼는다는 점을 고려할 때, 고조선 사회는 계급 사회였음을 알 수 있다.

03 (다) 국가는 옥저이다. 옥저에서는 신부가 될 여자아이를 신랑 집에서 미리 데려다가 기르는 민며느리제가 유행하였으며, 시신의 뼈를 추려서 가족 공동의 나무 곽에 넣는 풍습이 있었다. 옥저에서는 읍군, 삼로라 불리는 군장이 각 지역을 다스렸다.

오답 확인 ㄷ - 동예의 족외혼 풍습이다. ㄹ - 부여의 제천 행사에 대한 설명이다.

04 (가)에 들어갈 인물은 성왕이다. 무령왕의 뒤를 이은 성왕은 수도를 사비(충남 부여)로 옮겼다. 사비는 넓은 평야가 있고, 강을 끼고 있어 교통에 유리하였다. 또한 부여 계승 의식을 내세우며 국호를 남부여로 고쳤으며, 중앙과 지방의 행정 체제를 정비하였다. 대외적으로는 중국 남조와의 교류를 확대하고, 선진 문물을 받아들이는 등 백제의 중흥을 위해 노력하였다.

오답 확인 ② 백제에서 3세기 고이왕 이후 왕위가 세습되기 시작하였다. ③ 주요 지역에 왕족을 파견하여 지방 통제를 강화한 왕은 무령왕이다. ④ 백제에서 불교를 수용한 침류왕이었다. ⑤ 화랑도는 신라에서 시행한 것으로 진흥왕 때 준군사 조직으로 개편하였다.

05 (가)에 들어갈 단어는 불교이다. 고구려는 소수림왕 때(372) 중국 전진으로부터, 백제는 침류왕 때(384) 동진으로부터 불교를 수용하였다. 신라에서는 고구려를 통해 불교가 전래된 지 약 1세기 만에 법흥왕이 귀족들의 반대를 극복하며 불교를 공인하였다(527). 신라는 불교식 왕명을 짓고, 왕실을 석가의 집안에 견주어 왕권을 강화하고자 하였다.

오답 확인 ㄱ - 고구려에서 불교를 수용한 것은 소수림왕 때이다. ㄹ - 임신서기석은 신라인들이 유학을 얼마나 중요하게 생각하였는지 알 수 있게 해 주는 비석이다.

06 제시한 유물은 백제의 금동 대향로이다. 부여 능산리 절터에서 발견된 것으로, 백제의 뛰어난 공예 기술을 보여 주는 걸작이다. 금동 대향로는 크게 뚜껑과 몸체로 구분된다. 뚜껑에는 도교의 신선 세계가 형상화되어 있다. 몸체에는 연꽃이 배치되어 불교 세계도 표현되어 있다.

오답 확인 ㄴ - 신라에서 천문 관측을 위해 만든 건축물이 있는데, 이는 첨성대이다. ㄹ - 백제 금동 대향로에는 유학과 관련된 요소는 발견되지 않는다.

한눈에 쏙쏙 백제 금동 대향로

— 상서로운 상상의 동물인 봉황을 표현

— 향로의 뚜껑 부분으로, 도교에서 신선이 산다는 이상향을 표현

— 향을 담는 몸통 부분으로, 불교에서 중시하는 연꽃을 표현

— 향로의 받침대로, 용이 입으로 향로의 몸통 부분을 받치고 있음.

07 고구려의 전성기
4세기 말 광개토 대왕이 영토를 확장하고, 이를 이은 장수왕이 남진 정책을 실시하자 백제와 신라는 위기 의식을 느끼고 동맹을 체결하였다. 하지만 백제는 장수왕의 남진 정책을 막아 내지 못하고 수도 한성을 함락당하였다.
(1) 정답 광개토 대왕
(2) 백제와 신라는 장수왕의 남진 정책에 대응하기 위해 나제 동맹을 체결하여 맞섰다.

채점 기준

상	장수왕의 남진 정책과 관련하여 백제와 신라가 동맹을 맺었다는 사실을 서술한 경우
중	단순히 백제와 신라가 동맹을 맺었다는 사실만 서술한 경우
하	백제와 신라가 동맹을 맺었다는 사실을 서술하지 못한 경우

08 가야의 성립과 변천
왜가 백제, 가야와 함께 신라에 침입하자 고구려는 신라를 지원하면서 가야까지 함께 공격하였다. 이때 가야 연맹은 타격을 받아 맹주였던 금관가야가 쇠퇴하고 대가야가 맹주로 성장하였다. 그 배경에는 대가야가 고구려의 직접적인 공격을 받지 않았다는 점과 철 생산 및 농사에 유리한 지역이었다는 점을 들 수 있다.
(1) 정답 대가야
(2) 고구려의 직접적인 공격을 받지 않았으며, 농사에 유리한 조건과 철 생산지를 갖추고 있었기 때문이다.

채점 기준

상	고구려의 공격과 관련된 정치적 요인과 농사 및 철 생산과 관련된 경제적 요인을 모두 서술한 경우
중	고구려의 공격과 관련된 정치적 요인과 농사 및 철 생산과 관련된 경제적 요인 중 한 가지만 서술한 경우
하	고구려의 공격과 관련된 정치적 요인과 농사 및 철 생산과 관련된 경제적 요인을 모두 서술하지 못한 경우

정답과 해설

II 남북국 시대의 전개

1 신라의 삼국 통일과 발해의 건국

확인해 봐요

주제1 수·당의 침략을 막아 낸 고구려 52쪽

1 X 2 ○ 3 X

주제2 남북국의 성립 54쪽

1 김춘추 2 황산벌 3 남북국

시험을 대비하는 실전 문제

기초를 튼튼하게 확인 문제 | 56쪽

01 ㄱ-ⓑ, ㄴ-ⓒ, ㄷ-ⓐ 02 (1) X, (2) ○, (3) ○, (4) ○
03 ㄷ-ㄱ-ㄴ-ㄹ 04 (1) 살수 (2) 기벌포 (3) 남북국

내신을 탄탄하게 내신 문제 | 56~58쪽

01 ③ 02 ⑤ 03 ② 04 ④ 05 ③ 06 ④ 07 ③ 08 ① 09 ③
10 ② 11 ② 12 ② 13 ③

01 지도는 신라가 한강 유역을 차지한 후 6세기 중엽부터 7세기 중엽의 상황을 나타낸 것이다. 이 무렵 중국은 수·당으로 이어지는 통일 국가를 이루며 고구려에 복종을 강요하였다. 수의 등장에 위협을 느낀 고구려는 북방의 돌궐과 연합하였고, 남쪽의 백제, 왜와 연결을 꾀하였다. 한편 신라는 한강 유역을 차지한 후 고구려와 백제의 잦은 공격에 맞서기 위해 수·당과 연결을 강화하였다. ③ 백제는 신라를 견제하기 위해 고구려와 연합한 것이다.

한눈에 쏙쏙 6세기 말~7세기경 동아시아의 정세

- 중국: 수가 중국 대륙 통일(589)
- 삼국: 신라의 한강 유역 차지 → 고구려와 백제의 신라 협공 → 신라가 수에 도움 요청

⬇

남북 세력		동서 세력
돌궐, 고구려, 백제, 왜	⬌	신라, 수·당

02 수는 위·진·남북조 시대의 혼란을 수습하고 중국을 통일한 후 동아시아의 패권을 장악하고자 고구려에 복종을 강요하였지만 거절당하였다. 이에 불만을 품고 수 문제, 수 양제로 이어지는 시기에 고구려를 여러 차례 공격하였다. 특히 수 양제가 파견한 별동대가 살수에서 고구려 장군 을지문덕의 유인책에 넘어가 크게 패한 뒤 국력이 극도로 소모되어 결국 멸망하였다.
⑤ 수 문제를 견제하기 위해 고구려가 돌궐과 친선 관계를 맺었다.

03 당은 초기에는 고구려에 우호적인 태도를 보였으나, 태종이 즉위한 이후 고구려를 압박하였다. 고구려는 요동 지역에 천리장성을 쌓으며 당의 침략에 대비하였다.

오답 확인 ① 고구려는 신라의 군사 파견 요청을 거절하였다. ③ 수가 고구려를 공격하기 위해 별동대를 조직하였다. ④ 고구려가 수의 요서 지역을 공격하였다. ⑤ 백제의 공격으로 위기를 느낀 신라가 고구려에 군사적 도움을 요청하였다.

04 고구려 말 연개소문은 천리장성 축조의 책임자로 활약하였으며, 정변을 일으켜 권력을 장악하였다. 이후 당의 공격을 막아 내고, 신라 김춘추의 군사 동맹 제안을 거절하였으며, 나당 연합군의 공격에서 고구려를 지켜냈다. 그러나 그의 사후 아들 간의 권력 다툼이 일어나 국력이 기울면서 고구려는 멸망하였다.

오답 확인 ①, ②, ③ 안승·검모잠·고연무는 고구려 부흥 운동을 이끈 인물들이다. ⑤ 을지문덕은 수의 침략을 살수에서 막아 냈다.

05 고구려는 적이 쳐들어오면 농작물을 불태우고 우물을 메운 후 산성에 들어가 버티다가 지쳐서 돌아가는 적의 후방을 공격하는 '청야수성 전술'을 썼다. 당의 침략을 받았을 때 여러 성이 함락당했지만, 안시성에서 몇 달에 걸친 공격을 막아 내는 데 성공하였다.

오답 확인 ① 살수 대첩은 을지문덕이 수의 군사를 살수(청천강)로 유인하여 큰 승리를 거둔 것이다. ② 백강 전투는 백제가 멸망하자 왜가 백제 부흥군을 돕기 위해 백강(금강 하구)에서 나당 연합군과 벌인 전투이다. ④, ⑤ 매소성 전투와 기벌포 해전은 신라가 당군을 크게 격파한 전투이다.

06 백제 의자왕은 신라에 빼앗긴 한강 유역을 되찾기 위해 계속 공격하였다. 김춘추는 군사적 요충지이며, 사위가 성주였던 대야성이 함락되자 고구려의 연개소문을 찾았다. 그러나 한강 유역을 되돌려 준다면 도움을 줄 수 있다는 연개소문의 제안에 고구려와의 동맹은 무산되고 말았다. 이에 고구려와의 전투에서 패한 당을 찾아가 군사 지원을 요청하게 되었다.

오답 확인 ㄱ - 왜가 가야와 손을 잡고 신라를 공격한 것은 5세기 초반의 일이다. ㄹ - 진골 귀족들 간에 왕위 다툼이 벌어진 것은 신라 말의 상황이다.

07 신라는 당 태종의 군사적 지원을 받는 대가로 나당 연합군이 고구려를 물리치고, 대동강(평양 부근) 이북의 고구려 영토를 당에 양보하기로 하였다.

08 소정방이 이끄는 당군은 금강 하구에 상륙하였고, 김유신이 지휘하는 신라군은 황산벌에서 계백의 결사대를 물리치고 당군과 연합하였다. 결국 나당 연합군은 사비성을 침략하여 함락하였다.
① 백제는 의자왕 때 지배층의 분열로 정치적 혼란에 빠져 있었다.

09 백제와 고구려는 멸망 이후 부흥 운동이 일어났으나, 모두 지배층 내부에서 분열이 일어나면서 실패하고 말았다.

오답 확인 ㄴ – 계백은 백제의 장군으로 결사대를 이끌고 황산벌에서 싸웠으나 패배하였다. ㄹ – 조선 후기의 역사학자로 『발해고』를 저술하였다.

한눈에 쏙쏙 백제·고구려의 부흥 운동

구분	백제 부흥 운동	고구려 부흥 운동
주도 세력	• 복신과 도침(주류성, 부여 풍을 왕으로 추대) • 흑치상지(임존성)	• 검모잠(한성, 안승을 왕으로 추대) • 고연무(오골성, 당군과 싸움)
경과	지도층의 분열과 백강 전투 패배로 실패	신라의 도움을 받아 평양 탈환 → 지도층의 내분으로 실패

10 당이 신라에 군사적 도움을 주어 백제, 고구려를 멸망시킨 뒤 약속대로 대동강 이북으로 물러나지 않고, 한반도 전체를 지배하려는 욕심을 드러냈다. 이에 신라가 고구려 부흥 운동 세력과 함께 나당 전쟁을 시작하여 당을 물리치고 삼국 통일을 완성하였다.

오답 확인 당이 옛 백제, 고구려는 물론 신라 영역에도 당의 군사 통치 기구를 설치하면서 한반도 전체를 당의 영역에 편입하려는 욕심을 드러내자 나당 전쟁이 일어났다.

11 신라의 삼국 통일은 우리 민족 최초의 통일로, 삼국의 문화가 융합하여 새로운 민족 문화가 발전하는 토대가 마련되었다. 하지만 삼국 통일 과정에서 당의 세력을 끌어들임으로써 신라는 대동강 이북의 땅을 대부분 잃어버렸다.

오답 확인 ㄴ – 고구려와 백제의 귀족에게 관직을 주며 유민 포섭에 힘썼다. ㄹ – 고구려와 백제 문화를 수용하면서 민족 문화를 발전시키는 기반을 마련하였다.

12 삼국 통일에 대한 다양한 평가가 있다. 제시한 자료는 신채호가 외세인 당을 끌어들여 같은 민족인 고구려와 백제를 멸망시킨 신라를 비판한 것이다.

오답 확인 ①, ③, ④, ⑤ 신라의 삼국 통일을 긍정적으로 평가한 것이다.

13 고구려 장수였던 대조영은 거란이 당에 반란을 일으킨 틈을 타 고구려 유민과 말갈인을 이끌고 만주 동모산에 수도를 정하고 발해를 건국하였다. 이로써 남쪽의 신라와 북쪽의 발해가 공존하였던 시기를 '남북국 시대'라고 한다.
③ 신라와 발해는 견제하는 관계였지만 공격하지는 않았으며, 신라도의 존재를 통해 교류가 이루어졌음을 짐작할 수 있다.

만점에 도전하는 심화 문제 | 59쪽
01 ② **02** ⑤ **03** ⑤ **04** ① **05** ④

01 수 양제는 중국의 화북 지방과 강남 지역을 연결하는 대운하를 건설하였다. 수 양제는 대규모의 군대를 이끌고 고구려를 공격하였으나, 살수에서 패하였다. 결국 잦은 전쟁과 토목 공사로 민심을 잃은 수는 각지에서 반란이 일어나 멸망하였다.

오답 확인 ① 백강은 왜의 지원군이 백제 부흥군을 돕기 위해 나당 연합군과 전투를 벌인 곳이다. ③, ④ 기벌포와 매소성은 신라와 고구려 부흥군이 당군과 나당 전쟁을 벌여 승리한 곳이다. ⑤ 안시성은 고구려가 당의 침입을 물리친 곳이다.

02 남학생이 읽은 시는 고구려 장군 을지문덕이 수의 장군 우중문에게 보낸 시이다. 시의 초반에 우중문의 전술이 뛰어남을 칭찬하는 듯하지만 끝부분에 이미 전술을 다 알겠으니 돌아가라는 조롱의 뜻이 담겨 있다.

오답 확인 ① 계백은 백제의 장군이다. ② 김춘추는 당 태종과 동맹을 체결하여 백제 멸망을 이끌었으며, 진골 출신 가운데 처음으로 왕위에 올라 무열왕이 되었다. ③ 대조영은 고구려 장수 출신으로 발해를 건국하였다. ④ 걸걸중상은 대조영의 아버지이다.

03 고구려 멸망 이후 고구려 유민들도 곳곳에서 나라를 다시 찾기 위한 부흥 운동을 일으켰다. 고연무는 오골성을 중심으로, 검모잠은 안승을 왕으로 추대하여 한성을 중심으로 부흥 운동을 전개하였다. 신라가 고구려 부흥 운동을 지원하기도 하였으나, 지도층의 분열이 일어나면서 고구려 부흥 운동은 실패하였다.
⑤ 백제의 부흥 운동과 관련된 내용이다.

04 백제, 고구려를 멸망시킨 뒤 당은 신라와 약속한 대로 대동강 이북의 고구려 땅으로 물러나지 않고, 한반도 전체를 지배하려는 욕심을 드러냈다. 이에 신라는 고구려 부흥 운동을 지원하고, 백제 유민과 힘을 합쳐 당에 맞서는 전쟁을 하였다. 신라는 매소성에서 당의 육군을 크게 물리쳤고, 기벌포에서도 수군을 격파하면서 큰 승리를 거두었다.

오답 확인 ③ 백제 부흥 운동은 임존성, 주류성 등에서 발생하였다. ④ 고구려 부흥 운동은 오골성, 한성 등에서 발생하였다. ⑤ 백제를 돕기 위해 파견된 왜의 군대는 백강에서 패배하였다.

05 유득공은 조선 시대의 역사가로 고려가 발해사를 정리해 놓지 않은 것을 비판하며 『발해고』를 저술하였다. 이 책에서 발해는 고구려를 계승한 국가이므로 신라와 더불어 남북국 시대를 이루었다고 서술하였다.

오답 확인 ④ 발해는 당으로 끌려갔던 고구려의 후손들이 같은 지역에 있던 거란의 반란으로 혼란해진 틈을 타서 탈출하여 건국하였다. 후에 발해는 거란의 공격을 받아 멸망하였다.

2 남북국의 발전과 변화

확인해 봐요

주제 3 **통일 신라와 발해의 발전** 60쪽

1 녹읍 **2** 9서당 **3** 해동성국

주제 4 **남북국의 쇠퇴와 후삼국의 성립** 62쪽

1 진골 **2** 호족 **3** 거란

시험을 대비하는 실전 문제

| 기초를 튼튼하게 **확인 문제** | 64쪽

01 ㉠-ⓒ, ㉡-ⓐ, ㉢-ⓑ **02** (1) X, (2) X, (3) ○, (4) ○
03 ㄱ-ㄷ-ㄴ-ㄹ **04** (1) 9주, (2) 6두품, (3) 말갈

| 내신을 탄탄하게 **내신 문제** | 64~66쪽

01 ③ **02** ② **03** ① **04** ③ **05** ⑤ **06** ② **07** ④ **08** ① **09** ③
10 ②

---

01 무열왕은 왕권의 기반을 다졌고, 그 뒤를 이은 문무왕은 삼국 통일을 달성하고 왕권을 크게 강화하였다. 신문왕은 김흠돌의 반란을 진압하고 여러 제도를 개혁하였다. 귀족들의 경제 기반인 녹읍을 폐지하고, 관리들에게 관료전을 지급하여 귀족들의 특권을 제한하였다. 또한 교육 기관인 국학을 설치하여 왕권을 더욱 강화하였다.

오답 확인 ① 무열왕 김춘추는 백제를 멸망시킨 뒤 사망하였으나, 이후 무열왕의 직계 자손들이 왕위를 이으며 왕권의 기반을 다졌다. ② 문무왕은 삼국 통일을 완성하고 왕권 강화에 힘썼다. ④ 혜공왕 이후 150년 간 왕위 다툼이 벌어지면서 신라 사회가 혼란해졌다. ⑤ 경순왕을 끝으로 신라가 멸망하였다.

02 통일 후 신라의 중앙 정치는 왕명을 수행하는 집사부를 중심으로 운영되었다. 지방 행정은 전국을 9주로 나누고, 그 아래에 군·현을 두어 지방관을 보내 다스렸다. 주요 지방에는 5소경을 설치하여 수도가 동남쪽에 치우친 점을 보완하였다. 군사 조직은 중앙에 9서당, 지방에 10정을 두었다. 9서당에는 신라인뿐만 아니라 고구려·백제 유민, 말갈인을 포함해 민족 융합을 꾀하였다.

오답 확인 ① 9서당은 중앙군으로 고구려와 백제의 유민, 말갈인까지 포함하여 조직함으로써 민족 통합의 의지를 보였다. ③, ⑤ 지방군으로는 9주에 각 1정씩 배치하였는데, 한주에만 1정을 더 두어 10정을 조직하였다. ④ 수도 금성의 지리적 단점을 보완하기 위하여 5소경을 두었다. 북원경은 5소경 중 하나이다.

03 신라는 통일 이전부터 조세 수입뿐만 아니라 노동력도 징발할 수 있는 녹읍을 귀족들에게 지급하였다. 녹읍은 귀족들의 경제적 기반이었는데, 이를 폐지함으로써 귀족들의 특권을 제한할 수 있게 되었고, 결과적으로 왕권을 강화하는 데 도움이 되었다.

오답 확인 ㄷ – 토지 부족으로 폐지한 것이 아니라 귀족들이 노동력을 징발할 수 있는 권한을 없앤 것이다. ㄹ – 귀족들의 특권을 강화한 토지이다.

04 지도는 9세기 초 발해의 최대 영역을 표시한 것이다. 이 무렵 발해는 당에서는 '해동성국'이라 부를 정도로 전성기를 누리고 있었다. 발해는 고구려를 계승하면서도 말갈의 전통을 존중하면서 당의 3성 6부제를 본떠 중앙 정치 조직을 마련하였다. 또한 넓은 영토를 효과적으로 통치하기 위하여 지방 행정 구역을 정비함으로써 독자성이 돋보이는 통치 제도를 마련하였다.

③ 발해는 선왕 때 서쪽으로 요동, 동쪽으로 연해주에 이르는 최대 영역을 확보하였다.

한눈에 쏙쏙 발해의 성립과 발전

건국	대조영이 지린성 동모산 근처에 도읍하여 건국
주민	고구려 유민과 말갈인으로 구성
발전	• 무왕: 북만주 일대 장악, 당의 산둥 지방 공격 • 문왕: 상경 용천부로 천도, 당과 친선 관계 수립 • 선왕: 발해의 전성기 → 해동성국(바다 동쪽의 융성한 나라)이라 불림.
멸망	거란에게 멸망(926) → 부흥 운동 전개(실패)

05 표는 발해의 중앙 정치 조직인 3성 6부 체제를 나타낸 것이다. 발해는 당의 3성 6부제를 받아들여 중앙 정치 기구를 조직하였다. 당에서는 정책을 세우고 심의하는 중서성과 문하성이 정치의 중심이었으나, 발해에서는 정책을 집행하는 정당성이 정치의 중심이었으며, 6부의 명칭이나 운영 방식은 발해 실정에 맞게 바꿈으로써 독자성을 유지하였다.

오답 확인 ① 지방 행정 구역은 5경 15부 체제였다. ② 중앙의 군사 조직은 10위, 지방군은 지방 관리가 지휘하도록 하였다. ③ 정당성이 국가의 중요한 일을 결정하던 귀족 합의 기구이다. ④ 문왕 시기에 중앙의 통치 조직을 갖춘 것은 맞지만, 당의 제도를 수용한 것이다.

06 최초의 진골 출신인 무열왕이 왕위에 오른 후 그 직계 후손만이 왕위를 계승하였다. 이에 불만을 품은 진골들은 반란을 일으켰다. 신문왕은 진골 귀족들의 반란을 진압하고 왕권을 강화시켰다. 그러나 신라 말 혜공왕이 어린 나이에 왕위에 오르자 진골 사이에서 분열이 일어나 왕위 쟁탈전이 벌어지고, 이후 150년 간 신라 사회는 혼란에 빠지게 되었다.

오답 확인 ① 진덕 여왕 이후 성골 출신의 정치적 영향력은 사라졌다. ③ 화백 회의는 귀족들이 국가의 중요한 일을 결정하던 회의 기구였지만, 왕을 선출하지는 않았다. ④, ⑤는 왕위 다툼으로 신라 사회가 혼란해지고 난 뒤 나타난 현상들이다.

07 신라 말 혜공왕에서 진성 여왕에 이르는 시기는 중앙의 진골 귀족들의 왕위 다툼이 치열했던 시기이다. 일부 진골 귀족들은 사치와 향락에 빠져서 농민들을 수탈하였다. 이로 인해 농민들은 중앙 정부로부터 조세 납부를 독촉받았으며, 자연재해까지 겹쳐 생활이 몹시 어려워졌다. 한편 왕권이 약해지면서 통일 직후 폐지하였던 녹읍이 부활되었다.

> **오답 확인** ㄱ – 관리들에게 지급하던 관료전이 폐지되고 녹읍이 부활하였다. ㄷ – 신라 말 잦은 왕위 계승으로 왕권은 약화되고 진골 귀족 간의 분열은 계속되었다.

08 신라 말 왕위 다툼으로 왕권이 약해되던 시기 견훤은 백제의 계승을, 궁예는 고구려의 계승을 주장하며 지방에서 성장한 호족이었다.

> **오답 확인** ② 견훤은 신라의 서남해안 방위에 공을 세웠던 군인 출신이고, 궁예는 신라 왕족 출신으로 추정된다. 견훤과 궁예 등의 호족들은 ③ 불교의 선종, ⑤ 풍수지리설 등을 사상적 기반으로 하고, ④ 골품제의 모순을 비판하는 6두품 세력과 손잡고 새로운 사회 건설을 도모하였다.

09 지도는 후삼국 시대의 형성을 나타낸 것이다. 신라 정부의 통제력이 약화되면서 지방에서 성장한 호족 가운데 견훤과 궁예가 국가를 세우는 데 성공하여, 신라와 더불어 후삼국을 이루었다. 이들은 세력의 확장을 위해 불교의 선종 세력 및 사회 개혁의 뜻을 둔 일부 6두품 등과 결탁하였으며, 풍수지리설을 사상적 기반으로 삼았다.
③ 새로운 국가 건설의 사상적 기반은 불교의 한 종파인 선종과 풍수지리설이다. 교종은 불교의 경전 연구를 통해 깨달음을 얻는 것으로 신라 전반기 귀족들 사이에서 유행하였다.

> **한눈에 쏙쏙** 후백제와 후고구려의 건국

구분	후백제	후고구려
배경	호족의 성장, 농민 봉기로 인한 사회 혼란	
건국	견훤(서남 해안을 지키던 군인)	궁예(신라 왕족 출신)
세력 기반	서남 해안의 해상 세력, 호족의 지원	송악(개성)의 왕건 부자, 중부 지역의 호족 세력
지배 영역	전라도, 충청도, 경상도 서부 지역	강원도와 경기도 일대
세력 확대	6두품(최승우) 등용	새로운 관제 개혁 시도 (광평성 설치)

10 10세기 초 당이 멸망하고 5대 10국의 혼란이 이어질 때 거란이 세력을 확대하였다. 발해는 이러한 시기에 국제 정세에 적절히 대응하지 못하고 거란의 공격을 받아 멸망하였다. 이후 발해 유민은 고려로 망명하였다.

> **오답 확인** ① 거란의 공격으로 멸망하였다. ③ 발해 초기 무왕 때이다. ④ 만주 지역에 남은 발해인들은 발해의 부흥을 꾀했으나 실패하였다. ⑤ 지방 호족이 성장하여 군사와 행정을 장악한 것으로 신라 말의 상황이다.

| **만점에 도전하는 심화 문제** | 67쪽
01 ① **02** ⑤ **03** ④ **04** ⑤

01 신라가 삼국을 통일 한 이후 신문왕은 다양한 개혁을 추진하였다. 국학 설립, 녹읍 폐지, 중앙 정치 및 지방 행정 조직 등을 정비하였는데, 이는 모두 진골 귀족들의 정치적 간섭을 물리치고 왕권을 강화하기 위한 것으로 볼 수 있다.

> **오답 확인** ② 유학을 국가 이념으로 삼아 왕권을 강화하려는 것이 근본적인 목적이다. ③ 무열왕의 직계 자손만 왕위에 오를 수 있게 된 것은 이미 시행되고 있는 사항이다. ④ 6두품 가운데 왕의 정치적 조언자로 활동하며 성장한 이들도 있었지만, 그들을 위해 국학을 설립하고 녹읍을 폐지한 것은 아니다. ⑤ 토지 부족 때문이라기보다 녹읍에서 귀족들이 백성들의 노동력 징발하는 것을 막아 특권을 축소시키기 위한 것이다.

02 신라는 삼국을 통일한 이후 민족을 통합하려는 의지를 보였다. 그 대표적인 사례로 수도 금성을 지키는 중앙군에 신라인뿐만 아니라 고구려와 백제의 유민, 말갈인까지 포함한 9서당을 조직한 것을 들 수 있다.

> **오답 확인** ① 통일 이후 신라가 전국을 9주로 나누었다. ② 발해는 수도가 5개였는데, 이를 5경이라 한다. ③ 신라의 지방 군사 조직은 10정이다. ④ 신라의 수도 금성이 동남쪽을 치우친 지리적 단점을 보완하기 위해 지방의 주요 지역에 5소경을 설치하였다.

03 혜공왕 이후 왕위 다툼에 따른 진골 귀족들의 분열, 왕권 약화, 녹읍 부활 등으로 인해 신라 사회는 혼란에 빠졌다. 왕위 계승에 불만을 품은 김헌창, 장보고 등이 반란을 일으켰다. 한편 농민들은 정부의 조세 납부 독촉과 자연재해로 인해 몹시 힘든 상황에 빠져 있었다. 이에 분노한 농민은 원종과 애노의 난을 시작으로 전국 각지에서 봉기가 잇달았다. 이에 신라는 지방에 대한 통제력을 잃었고, 이를 틈타 각지에서 새로운 세력이 성장하였다.

> **오답 확인** ㄱ – 도선은 신라 말 풍수지리설을 소개한 승려이다. ㄹ – 원효는 신라의 불교를 대중화시키는데 힘쓴 승려이다. ㅂ – 최치원은 신라 말 진성 여왕에게 사회 개혁안을 제안하였던 6두품 출신의 학자이다.

04 신라 말 중앙의 지방 통제가 약해진 틈을 타서 성장한 호족 세력은 지방에서 독자적인 세력을 형성하면서 민심을 얻기 위해 새로운 사상을 받아들였다. 이 과정에서 좌선과 참선을 통한 깨달음을 중요시 여기는 선종과 지형의 기운이 인간사에 영향을 미친다고 하는 풍수지리설을 사상적 기반으로 삼았다.

> **오답 확인** ㄱ – 불교 경전의 하나인 화엄경을 읽고 깨달음을 얻는 것은 교종의 입장이다. ㄴ – 유교의 경전을 외우고 실천하는 것은 유학을 이념으로 삼는 것으로 왕권을 강화하는 데 뒷받침되었다.

3 남북국의 문화와 대외 관계

확인해 봐요

주제 5 **통일 신라와 발해의 문화** 68쪽

1 ○ **2** ○ **3** X

주제 6 **통일 신라와 발해의 대외 관계** 70쪽

1 신라방 **2** 장보고 **3** 신라도

시험을 대비하는 실전 문제

| 기초를 튼튼하게 확인 문제 | 72쪽

01 ㉠-ⓑ, ㉡-ⓐ, ㉢-ⓒ **02** (1) X, (2) ○, (3) X, (4) X

03 ㄱ, ㄷ **04** (1) 최치원, (2) 발해관, (3) 일본

| 내신을 탄탄하게 내신 문제 | 72~74쪽

01 ② **02** ⑤ **03** ④ **04** ① **05** ① **06** ④ **07** ⑤ **08** ③ **09** ⑤

10 ③

---

01 모든 것이 한마음에 달려 있다는 일심 사상은 원효가 주장한 것이다. 원효는 이러한 깨달음을 백성들에게 쉽게 전달하기 위해 경전을 노래로 만들어 부르고 다녔다고 한다.

오답 확인 ① 경주 불국사를 건축한 것은 김대성이다. ③ 화엄 사상을 통해 신라인을 통합하려던 것은 의상이다. ④ 선종은 신라 말에 유행하였으며, 대표적인 승려로 범일 등이 있다. ⑤ 인도와 주변을 여행하고 기행문을 쓴 것은 혜초이다.

02 혜초는 신라의 승려로 당에 유학을 갔다가 천축 즉, 인도와 그 주변의 국가들을 여행하고 당으로 돌아왔다. 이때 보고 들은 것을 기행문으로 기록한 것이 『왕오천축국전』이다. 프랑스의 동양학자가 중국에서 이 책을 발견하고 프랑스로 가져갔다가 사망 후 프랑스 국립도서관에 기증하였다고 한다.

오답 확인 ① 현존하는 가장 오래 된 목판 인쇄물은 무구정광대다라니경이다. ② 원효의 일심 사상을 풀어 놓은 대표적인 책은 『대승기신론소』가 있다. ③ 발해와 일본의 교류 내용을 소개한 문서로는 발해 중대성첩이 있다. ④ 화엄 사상을 축약하여 시로 써 놓은 문서로는 『화엄일승법계도』가 있다.

한눈에 쏙쏙 신라 승려들의 활동

원효	일심 사상(화쟁 사상) 주장 → 불교의 대중화에 기여
의상	당에 유학(화엄 사상 공부) → 신라 화엄종 개창
혜초	인도와 중앙아시아 등지를 순례 후 『왕오천축국전』 저술

03 '부처님의 나라' 즉, 불국사를 뜻한다. 불국사 안에는 삼층 석탑, 일명 석가탑과 다보탑이 쌍탑으로 서 있고, 각종 석재를 다듬어 만든 불상과 청운교, 백운교, 연화교, 칠보교와 같은 다리 등이 남아 있다. 또한 석가탑에서는 현존하는 가장 오래된 목판 인쇄물인 무구정광대다라니경이 발견되었는데, 현재 국립중앙박물관에 소장되어 있다.

오답 확인 ㄱ-영광탑은 현재 유일하게 남아 있는 발해의 벽돌탑이다. ㄷ-동궁과 월지는 통일 신라의 왕과 신하들이 잔치를 벌이던 별궁과 그에 딸린 연못이다. ㅁ-이불병좌상은 고구려 양식을 계승한 발해 불상이다.

04 석굴암은 불국사와 마찬가지로 김대성이 건축한 것으로 알려져 있다. 인공 석굴 사원으로 그 안에 본존불을 비롯한 석조 조각이 매우 아름답게 배치되어 있다.

오답 확인 ② 불국사는 경주 시내에 있는 사찰로 불교가 추구하는 이상 세계를 현실에 옮겨 놓고자 하였다. ③ 안압지는 원래 동궁과 월지인데, 조선 시대에 폐허가 된 이곳에 기러기와 오리가 날아들어 안압지라 부르기도 하였다. ④ 반월성은 역대 신라 왕의 궁성인 월성의 다른 이름으로, 모양이 반달 같다 하여 붙여졌다. ⑤ 포석정은 경주 남산 서쪽 계곡에 있는데, 연회 장소로 알려진 곳이다.

한눈에 쏙쏙 불국사와 석굴암

불국사	불교의 이상 세계 표현, 청운교·백운교 설치, 불국사 3층 석탑과 다보탑 건립
석굴암	돔 형태의 인공 석굴 사원, 내부에 본존불 등 석조물 배치 → 정밀한 수학 지식 적용

05 국학과 주자감은 각각 신라와 발해의 국립 교육 기관으로 이곳에서 모두 유교 경전에 능통한 인재를 양성한 것으로 보인다.

오답 확인 ②, ③, ④, ⑤와 같은 전문적인 분야의 교육은 대체로 해당 관청이나 기관에서 이루어진 것으로 보아야 한다.

06 최치원은 6두품 출신으로 어린 나이에 당에 유학을 떠나 외국인을 대상으로 하는 빈공과에 합격하여 당의 관리로 활약하였다. 이때 반란을 일으킨 황소에게 보낸 문장이 매우 뛰어나 상대를 겁먹게 하였다는 일화가 전하기도 한다. 신라 말에 귀국하여 외교 문서 작성 등에 힘썼으나, 진성 여왕에게 제출한 개혁안이 받아들여지지 않자 은둔 생활을 하게 되었다.

오답 확인 ① 견훤을 도와 후백제를 건국하는 데 힘쓴 것은 최승우이다. ② 김대문과 관련된다. ③ 강수가 외교 문서 작성에 능하였다. ⑤ 향찰과 이두의 용법을 정리하였던 것은 설총이다.

07 통일 신라 사회는 신분제 사회로 왕족 및 귀족, 평민, 천민으로 나누어 볼 수 있다. 경제적으로 여유로운 왕족이나 귀족들은 노비를 부리며 사치스러운 생활을 할 수 있었다. 그러나 백성들의 대부분은 농업에 종사하며 궁궐과 성곽을 짓는 데 동원되기도 하였다. ⑤ 엄격한 신분의 차별이 있었던 사회였기 때문에 귀족들과 평민이 함께 공부하는 모습은 찾아보기 어렵다.

08 발해의 문화는 '다양하고 복합적인 성격을 지녔다'라고 표현할 수 있다. 기본적으로 고구려 양식을 계승하면서도 당, 말갈 등의 문화와 전통을 흡수하고, 발해만의 독특한 문화를 일구기도 하였다. ③ 무덤 위에 벽돌 탑을 세운 것은 발해만의 독특한 문화를 보여주는 대표적인 사례이다.

09 신라는 통일 후 주변 국가인 당, 일본 등과 활발히 교류하였다. 특히 신라인 가운데 유학생, 승려, 상인들이 당의 산둥반도를 비롯한 해안 지역에 집단 거주지를 형성하며 살았는데, 이를 신라방이라고 한다.

오답 확인 ㄱ – 일본과의 교류가 활발히 전개되어 신라는 당과 일본 사이에서 중계 무역으로 이익을 얻었다.
ㄴ – 당항성과 울산항이 국제 무역항으로 번성하였고, 서역 상인들이 울산항까지 건너와 직접 교역하였다. 신라도는 발해가 신라와 교류하기 위해 만든 교통로이다.

10 발해는 5개의 교통로를 정비하여 주변 나라와 교류하였다. 특히 당과 활발히 교류하여 많은 승려와 유학생 등이 당의 문물을 익히고 돌아왔다. 당과 신라를 견제하기 위해 일본과도 친선 관계를 맺고 활발하게 교류하였다.
③ 발해는 한때 신라와 대립하였으나, 점차 신라도를 통해 교류하게 되었다.

한눈에 쏙쏙 통일 신라와 발해의 대외 교류

구분	통일 신라	발해
당	신라방(신라인 거주지), 신라소, 신라원 설치	발해관(발해 사신들의 숙소) 설치
일본	일본과 당 사이에서 중계 무역, 불교와 유교 사상이 일본 문화에 영향	건국 초기 당과 신라 견제 목적으로 교류 → 점차 정치·경제·문화 교류 활발
기타	당항성, 울산항이 국제 무역항으로 번성, 서역·동남아시아와 교류	신라와 건국 초기 대립 → 신라도를 통해 교류

| 만점에 도전하는 **심화 문제** | 75쪽
01 ② **02** ③ **03** ① **04** ④

01 창작 뮤지컬 '원효'에 소개된 원효의 캐릭터이다. 당대 최고의 학식을 가졌으면서도 본인의 깨달음을 대중에게 전파하기 위해 노력하였던 원효의 특징이 소개되고 있다.

오답 확인 ① 범일은 선종의 일파 중 사굴산파를 개창한 승려이다. ③ 의상은 화엄 사상을 통해 신라인을 정신적으로 통합하고자 한 승려이다. ④ 자장은 신라에 화엄 사상을 최초로 소개한 승려이다. ⑤ 혜초는 인도와 그 주변국을 여행하고 와서 『왕오천축국전』이라는 기행문을 쓴 승려이다.

02 발해의 유물과 유적을 통해 발해 문화의 다양하고 융합적인 성격을 이해할 수 있다. 기와, 온돌 유적, 이불병좌상을 통해 고구려를 계승한 모습을 알 수 있고, 영광탑을 통해 발해가 나름의 독특한 문화를 가졌음을 짐작할 수 있다. 정효 공주 무덤을 통해 당의 벽돌무덤 양식을 계승하였다는 점을 알 수 있고, 웅장한 석등을 통해 발해의 융성했던 사찰 모습을 짐작할 수 있다.
③ 석굴암에서는 신라 불교 예술의 아름다움을 엿볼 수 있다.

한눈에 쏙쏙 발해의 문화

특징	고구려 문화를 기반으로 당 문화 수용, 말갈의 토착 문화 흡수
고구려 문화 계승	온돌 장치, 기와 문양, 불상, 굴식 돌방무덤 등
유학 발달	통치 이념에 반영, 주자감 설치(유학 교육), 당의 빈공과에 다수 합격, 정효 공주·정혜 공주의 묘비석에 유교 경전 내용 인용
한문학 발달	왕효렴, 양태사 등이 사절단으로 일본에 가서 수준 높은 한시를 남김.
불교 발전	문왕 때 적극 장려, 지배층 중심, 상경에 사원 건립
발해의 주요 문화유산	• 이불병좌상: 고구려 불상의 영향(광배 모습, 두 부처의 손 연결) • 석등: 고구려 문화의 영향(몸체에 새겨진 연꽃무늬) • 정혜 공주 묘: 고구려의 영향(굴식 돌방무덤, 모줄임 천장 구조) • 정효 공주 묘: 당(벽돌무덤, 벽화)과 고구려(내부의 천장 구조)의 영향 • 상경성: 당의 장안성을 본떠서 만듦.

03 신라와 발해 모두 유교 경전을 교육하는 국립 교육 기관을 설치하고, 인재를 양성하고 유학을 통치 이념으로 삼았다. 이에 우수한 학자들이 활약하였고, 유교 경전의 문구를 인용한 글들을 곳곳에서 찾아볼 수 있다.

오답 확인 ② 신라는 국학을 설립하여 유교 경전을 가르쳤다. ③ 발해는 주자감을 설치하여 유교 경전을 가르쳤다. ④ 일본 태자의 스승이 되어 유교 경전을 가르쳤던 것은 백제에서 있었던 일이다. ⑤ 독서삼품과는 신라 말 국학에서 학습한 학생들 가운데 유교 경전에 대한 이해가 뛰어난 자를 관리로 선발하기 위해 실시한 것이다.

04 화동개진은 발해 상경성터에서 발견된 일본 나라 시대 화폐이다. 신라와 발해는 각각 일본과 활발히 교류하였다. 발해는 당과 신라를 견제하기 위해 건국 초기부터 일본과 적극적으로 교류하였으며, 일본은 신라의 배를 빌려 당에 갈 정도로 신라와 긴밀한 관계를 유지하였다. 사하리는 일본 도다이사에 소장된 신라산 놋그릇이고, 발해가 일본에 보낸 발해 중대성첩은 발해 사신단의 구성을 자세히 기록해 놓은 문서이다.

오답 확인 ㄱ – 신라방은 당에 있던 신라인의 집단 거주지이다. ㄴ – 발해관은 발해 사신들이 당에서 머물던 숙소이다. ㄹ – 영주도는 발해와 당이 교류하던 교역로이다.

정답과 해설

 대주제를 정리하는 종합 문제   78~79쪽

01 ① **02** ② **03** ① **04** ① **05** ④ **06** ④ **07~08** 해설 참조

01 신라의 삼국 통일에 대해서는 상반된 의견이 존재한다. 따라서 삼국 통일에 대한 역사적 의미를 통일의 의의와 한계로 정리해 볼 수 있다. 즉, 오랫동안 계속되었던 삼국 간의 치열한 전쟁에서 벗어나 평화와 안정을 찾고, 삼국의 문화가 융합된 민족 문화의 토대를 마련한 것은 큰 의미가 있으나, 이 과정에서 당의 도움을 받았고, 그 대가로 고구려 영토의 대부분을 잃게 된 것은 안타까운 부분이라 할 수 있다.

한눈에 쏙쏙 삼국 통일의 의의와 한계

의의	• 전쟁에서 벗어나 평화와 안정 회복 • 자주적 통일(고구려·백제 유민과 힘을 합쳐 당을 몰아냄.) • 민족 최초의 통일 → 민족 문화 발전의 기반 형성
한계	• 통일 과정에서 외세(당)를 끌어들임. • 대동강~원산만을 경계로 이남 지역 차지(대동강 이북의 고구려 땅 대부분 상실)

02 통일 후 신라는 넓어진 영토와 늘어난 인구를 효율적으로 지배하기 위해 통치 체제를 정비해 갔다. 중앙의 행정은 집사부를 중심으로 한 10여 개의 관청이 맡게 되었고, 그 장관인 중시의 권한이 강화되었다. 귀족 회의인 화백 회의의 기능은 축소되었다. 지방은 9주로 나누고 주 밑에 군·현을 설치하고 관리도 파견하였다. 그리고 주요 지방에는 5소경을 설치하여 수도 금성이 동남쪽에 치우친 점을 보완하였다.
② 집사부의 장관은 중시이고, 그 권한이 강화되었다. 이로 인해 화백 회의의 의장인 상대등의 권한이 약화되었다.

03 장보고는 출신이 불분명한데, 어린 시절 당에 갔다가 신라인들이 당의 해적들에게 끌려와 힘겹게 생활하는 모습을 보고 신라로 돌아왔다. 흥덕왕에게 청하여 군사를 얻고 오늘날 완도에 청해진을 설치하여 해적을 소탕하고 당, 신라, 일본을 잇는 해상 무역을 장악하였다. 이를 바탕으로 큰 세력을 형성하여 진골 귀족 출신 김우징이 왕위 다툼을 벌일 때 관여하기도 하였다.

오답 확인 ㄷ- 골품 제도의 모순을 비판하며 사회 개혁을 요구한 것은 일부 6두품 세력이었다. ㄹ- 아버지가 왕이 되지 못한 것에 불만을 품고 반란을 일으킨 것은 김헌창이다.

04 혜공왕 이후 백성들의 삶은 매우 어려웠다. 조세 납부 독촉에 자연재해까지 겹치면서 곳곳에서 적고적(빨간 바지를 입은 도적)처럼 도적의 무리가 되거나, 원종과 애노처럼 반란을 일으키기도 하고, 손순처럼 자식을 내다 버리려는 이들도 등장하였다. 이러한 상황의 근본적인 원인은 중앙에서 진골 귀족들 사이에 왕위 다툼이 벌어져 중앙의 통제력이 약화되었기 때문이라 할 수 있다.
① 거란이 세력을 확대하면서 공격한 것은 발해이다.

05 발해의 건국과 관련된 당의 기록을 통해 발해가 고구려를 계승한 국가라는 사실을 파악할 수 있다. 또한 발해 왕이 스스로 칭한 호칭과 일본에서 발해에 보낸 사신들의 명칭 및 발해 유물과 유적을 통해 발해가 고구려를 계승한 흔적이 다수 남아 있다.
⑤ 발해의 무덤 위에 벽돌 탑을 세운 것은 발해만의 독특한 문화 양식이다.

한눈에 쏙쏙 발해의 고구려 계승 의식

당·일본의 기록	• 『구당서』: 대조영은 본래 고구려의 별종. • 『속일본기』; 발해 왕이 고려(고구려) 국왕을 칭함.
고구려 문화의 영향	• 온돌 장치와 불상, 연꽃무늬 기와 등 • 정혜 공주 묘(굴식 돌방무덤과 모줄임천장 구조)

06 신라와 발해는 각각 주변국과 다방면에서 활발히 교류하였다. 신라에서는 수많은 유학생, 승려, 상인 등이 주로 해로를 통해 당으로 건너갔다. 따라서 산둥반도와 당의 해안 지역에 신라인의 집단 거주지인 신라방이 형성되었다. 또한 신라는 당, 신라, 일본을 잇는 해상 무역을 하였고, 서역(아라비아) 상인은 직접 울산항으로 들어와 진귀한 물건을 소개하였다. 발해는 주변국과 5개의 교통로를 만들어 교류하였는데, 당과는 주로 영주도, 조공도를 통해 교류하였고, 산둥반도에 발해 사신이 머물 수 있는 발해관을 마련하였다.
④ 조공도는 발해가 당과 교류하던 교통로이다.

07 (1) **정답** (가) 살수, (나) 안시성
(2) **예시 답안** 거듭되는 전쟁으로 고구려의 국력이 소모되었으나, 중국 세력으로부터 한반도 남쪽의 국가들을 보호하는 데 기여하였다.

채점 기준

상	고구려의 국력 소모와 중국으로부터 백제와 신라를 보호하는 데 기여한 것을 모두 서술한 경우
중	고구려의 국력 소모와 중국으로부터 백제와 신라를 보호하는 데 기여한 것 중 하나를 서술한 경우
하	고구려의 국력 소모와 중국으로부터 백제와 신라를 보호하는 데 기여한 것을 모두 서술하지 못한 경우

08 **예시 답안** 신문왕은 왕권을 확립(강화)하기 위해 노력하였다. 유학을 장려하여 왕에게 충성하는 인재를 기르기 위해 국학을 설립하였고, 귀족의 특권을 제한하기 위해 녹읍을 폐지하였다. 집사부의 장관인 중시의 권한을 강화하였다.

채점 기준

상	왕권 확립이나 왕권 강화를 반드시 서술하고, 국학 설립, 녹읍 폐지, 중시의 권한 강화 가운데 두 가지 이상을 서술한 경우
중	왕권 확립이나 왕권 강화를 반드시 서술하고, 국학 설립, 녹읍 폐지, 중시의 권한 강화 가운데 한 가지를 서술한 경우
하	왕권 확립이나 왕권 강화를 서술하지 못하고, 국학 설립, 녹읍 폐지, 중시의 권한 강화 가운데 한 가지를 서술한 경우

III 고려의 성립과 변천

1 고려의 건국과 정치 변화

확인해 봐요

주제 1 **고려의 건국과 후삼국 통일** 82쪽

1 미륵불 **2** 고창(안동) **3** 발해

주제 2 **통치 체제의 정비** 84쪽

1 노비안검법 **2** 중서문하성 **3** 향리

주제 3 **무신 정권과 농민·천민의 봉기** 86쪽

1 무신 정변 **2** 교정도감 **3** 망이·망소이

시험을 대비하는 실전 문제

| 기초를 튼튼하게 **확인 문제** | 88쪽

01 ㉠–ⓑ, ㉡–ⓒ, ㉢–ⓐ **02** (1) X, (2) ○, (3) X, (4) ○

03 ㄴ–ㄹ–ㄱ–ㄷ **04** (1) 기인 제도, (2) 향리, (3) 교정도감

| 내신을 탄탄하게 **내신 문제** | 88~90쪽

01 ③ **02** ② **03** ⑤ **04** ④ **05** ② **06** ① **07** ② **08** ④ **09** ①
10 ③ **11** ②

01 왕건은 후백제의 금성(나주)을 점령하는 등 공을 세워 높은 지위에 올랐다. 이후 호족들은 궁예를 몰아내고 왕건을 왕으로 세웠고, 왕건은 나라 이름을 고려로 바꾸었다. 고려는 고창 전투에서 후백제에게 승리하여 주도권을 잡았다. 이듬해 후백제를 격파하고 후삼국을 통일하였다.

오답 확인 ③ 고창 전투에서 고려가 승리하여 주도권을 잡았다.

02 ② (가)는 태조 왕건의 청동상이다. 태조 왕건은 백성들의 생활을 안정시키기 위하여 세금을 일정한 원칙에 따라 거두었고, 가난한 백성을 구제하기 위해 흑창을 설치하였다. 각 지역의 호족을 견제하기 위해 기인 제도와 사심관 제도를 시행하였다.

오답 확인 ㄴ–광종, ㄹ–성종 때에 해당한다.

03 제시된 삽화는 후삼국 통일의 의의를 고려 백성들의 입장에서 이야기한 것이다. 고려의 백성 중에는 발해인도 포함되어 있다. 이는 후삼국 통일이 발해 유민까지 포함하는 민족의 통합을 달성하였음을 보여 준다. 또한 호족과 6두품 세력이 건국과 통일을 주도하면서, 정치 참여 세력이 이전보다 확대되었다.

오답 확인 ㄱ, ㄴ–신라의 삼국 통일에 대한 설명이다. 신라의 경순왕은 스스로 나라를 고려에 넘겨 주었다.

04 제시문의 내용은 광종이 실시한 노비안검법이다. 광종은 노비안검법을 시행하여 호족들의 경제력과 군사력을 약화시켰고, 과거제를 시행하여 왕권을 뒷받침할 새로운 인재를 등용하였다.

오답 확인 ① 공민왕, ② 성종, ③ 인종(이자겸), ⑤ 태조이다.

05 상서성은 6부를 통해 정책을 집행하였다. 중추원은 군사 기밀과 왕명 출납을 담당하였다. 어사대는 관리를 감찰하고, 삼사는 국가 재정의 출납과 회계 업무를 맡아서 처리하였다.

06 도병마사와 식목도감은 고려의 독자적인 기구로 국가의 중요 정책을 의논하여 결정하였다. 도병마사에서는 주로 국방 문제를 의논하였고, 식목도감에서는 새로운 법이나 제도를 제정하였다.

오답 확인 ㄷ–삼사, ㄹ–상서성에 대한 설명이다.

07 고려의 지방 제도는 성종 때 처음으로 12목을 파견하였고, 이후 현종 때 정비되어 골격이 완성되었다. 그 결과 일반 행정 구역인 5도와 군사 행정 구역인 양계, 그리고 경기로 나누어 다스렸다. ② 고려 시대에는 지방 호족들이 세력이 강해서 모든 지역에 지방관을 파견하지 못하였다.

한눈에 쏙쏙 고려의 통치 체제 정비

중앙 정치	• 운영: 2성(중서문하성, 상서성) 6부 • 중서문하성: 문하시중을 중심으로 국정 총괄 • 중추원: 군사 기밀과 왕명 출납 담당 • 도병마사·식목도감: 고려의 독자적 회의 기구
지방 행정	성종 때 12목 설치(지방관 파견) → 현종 때 5도 양계의 골격 완성(5도, 양계, 경기)
군사	중앙군(2군 6위), 지방군(주현군, 주진군)
교육 과 관리 등용	• 유교 교육 기관: 국자감(개경), 향교(지방) • 과거제: 문과, 잡과, 승과 실시 • 음서: 왕족·공신의 후손, 5품 이상 고위 관료의 자제를 시험 없이 등용

08 제시된 자료는 묘청의 서경 천도 운동과 관련된 것이다. (가)는 묘청 등 서경파, (나)는 김부식 등 개경파를 상징한다. 이자겸의 난 이후 혼란 속에서 묘청 등 서경파는 금 정벌과 서경 천도를 주장하였다.
④ 금을 정벌하고 황제를 칭하자고 주장한 인물은 묘청이다.

09 교정도감과 정방을 정치적 기반으로 하고, 도방과 삼별초를 군사적 기반으로 한 시기는 최씨 무신 정권 시기이다. 사노비였던 만적은 신분 해방을 목적으로 봉기를 계획하였으나 사전에 발각되어 실패하였다.

오답 확인 ② 윤관은 12세기 초, ③ 광종은 10세기 중반, ④ 장보고는 9세기 통일 신라 시대의 인물이다. ⑤ 이자겸은 12세기 전반으로 모두 무신 정변(12세기 중반) 이전에 활동하였다.

10 천민 출신의 대표적인 무신 집권자는 이의민이다. 이의민은 경주 출신으로 아버지는 소금 장수였고, 어머니는 절의 노비였다.

오답 확인 ① 서경 천도 운동을 주도한 승려, ②, ④, ⑤ 모두 무신 집권기의 무신이지만 천민 출신은 아니다.

11 지도는 무신 집권기 농민과 천민의 봉기를 나타내고 있다. 이 시기 무신 간의 권력 다툼으로 무신 집권자들의 수탈이 심해지고, 이의민과 같은 천민 출신 집권자의 등장으로 신분 질서가 흔들리면서 하층민이 각지에서 봉기하였다.

오답 확인 ② 무신 정변의 배경이다.

| 만점에 도전하는 **심화 문제** | 91쪽

01 ② **02** ① **03** ③ **04** ④

---

01 고려는 공산(대구) 전투에서 패하였지만, 고창(안동) 전투에서 승리하여 주도권을 잡았다. 그러던 중 후백제에서 내분이 일어나 견훤이 고려에 투항해 왔다. 신라의 경순왕도 고려에 나라를 넘겨주었고, 이후 고려는 후백제를 공격하여 후삼국 통일을 이루었다. 왕위에 오른 왕건은 혼인 정책으로 호족들을 포섭하였다. 통일 후 발해 유민을 받아들여 민족의 통합을 달성하였다.
② 후백제는 고려군에게 패하였고, 항복을 한 나라는 신라이다.

02 제시된 자료는 최승로의 시무 28조 내용이다. 성종은 이를 수용하여 유교 정치 사상을 통치 이념으로 삼았다. 또한 지방관을 파견하는 등 중앙 집권에 필요한 여러 제도를 정비하고, 국가적인 불교 행사를 억제하였다.
① 노비안검법 시행은 광종 때이다.

03 제시된 표는 고려의 중앙 정치 기구를 나타낸 것이다. 고려의 중앙 정치는 당의 3성 6부를 고려의 실정에 맞게 고친 2성 6부로 운영하였다. (가) 중앙의 최고 관청인 중서문하성은 국가의 중요 정책을 논의하여 결정하였다. (나) 군사 기밀과 왕명 출납을 담당한 중추원이다. (다) 국가 재정의 출납과 회계를 맡는 삼사이다.

오답 확인 ① 당의 관제를 모방한 것이다. ② 6부는 상서성 밑에 두었다. ④ 도병마사는 중서문하성과 중추원의 고관으로 이루어졌다. ⑤ 삼사는 화폐의 출납 및 회계를 담당하였다.

---

04 이자겸의 난과 묘청의 서경 천도 운동으로 지배층은 분열하였고, 왕실의 권위는 추락하였다. 이후 정중부·이의방 등의 무신들이 정변을 일으켜 권력을 차지하였다. 무신 정변 후 최고 권력자가 바뀌었으나 최충헌이 권력을 잡은 후 최씨 무신 정권이 4대 60여 년간 이어졌다. (가) 시기는 무신 정권 시기임을 알 수 있다. 이 시기에 농민과 천민의 봉기가 자주 일어났다.

오답 확인 ㄱ – 무신 정변 이전 시기인 10세기 말 성종 때 일이다. ㄷ – 공민왕의 반원 자주 정책은 무신 정변 이후의 일로 14세기 중반의 일이다.

---

2 고려의 대외 관계

확인해 봐요

주제 4 **국제 관계의 변화와 고려의 대응** 92쪽

1 강동 6주 **2** 균형 **3** 별무반

주제 5 **고려의 대외 교류** 94쪽

1 송 **2** 은, 모피, 말 **3** 벽란도

시험을 대비하는 **실전 문제**

| 기초를 튼튼하게 **확인 문제** | 96쪽

01 ㉠-ⓑ, ㉡-ⓐ, ㉢-ⓒ **02** (1) X, (2) X, (3) ○, (4) ○
03 ㄷ - ㄱ - ㄴ - ㄹ **04** (1) 서희, (2) 별무반, (3) 코리아

| 내신을 탄탄하게 **내신 문제** | 96~98쪽

01 ② **02** ② **03** ② **04** ① **05** ④ **06** ④ **07** ② **08** ④ **09** ③
10 ②

---

01 고려는 송과 관계를 끊고 거란을 적대시하지 말라고 말하고 있는 인물이 거란의 장수 소손녕이다. (가)는 이를 상대하였던 고려의 서희이다.

오답 확인 ① 윤관은 여진 정벌, ③ 이자겸은 여진(금)의 사대 요구 수용, ④ 강감찬은 귀주 대첩과 관계 있다. ⑤ 장보고는 통일 신라 말기 인물이다.

02 제시한 내용은 고려가 거란과 우호 관계를 맺으려고 해도 여진이 방해해서 그렇게 할 수 없다는 이야기이다. 거란이 이를 수용해서 고려는 평안북도 지역에 강동 6주를 건설할 수 있었다. 또한 이 과정에서 서희는 고려가 고구려의 후예임을 주장하였다.

오답 확인 ② 고려가 개성의 나성과 천리장성을 쌓은 것은 귀주 대첩 이후이다.

03 제시된 지도는 거란의 침략과 격퇴를 나타낸 것이다. 고려는 거란 의 침략을 격퇴함으로써, 고려와 송, 거란 사이의 세력 균형과 함께 다원적 국제 질서가 유지되었다.

오답 확인 ① 10세기 초 당이 멸망한 직후의 중국 상황이다. ③ 원·명 교체기로 고려 공민왕 시기이다. ④ 고려에서 이자겸이 집 권하고 있을 때이다. ⑤ 고려는 국경 방어를 강화하고 거란과도 친선 관계를 맺었다.

04 제시된 자료는 '척경입비도'로 윤관이 여진을 정벌한 후, '고려의 영토'라고 기록한 경계비를 세우는 장면이다. 이 그림은 조선 후기에 만들어진 「북관유적도첩」에 실려 있다.

오답 확인 ② 거란 침략, ③ 홍건적과 왜구의 침략과 관련 있다. ④ 금의 사대 요구를 수용하였고, ⑤ 무신 정변을 일으킨 인물이다.

05 고려 예종 때 윤관은 기병·보병·승병으로 구성된 별무반을 조직 하여 국경 너머의 여진족 근거지를 점령하고 동북 9성을 축조하고 고려의 영토로 삼았다.

오답 확인 ① 거란의 침략은 서희, 강감찬과 관계 있다. ② 도방은 무신 정권 집권자의 경호를 위한 부대였다. ③ 몽골은 여진이 세운 금을 멸망시켰다. ⑤ 삼별초는 최씨 무신 정권의 군사적 기반 이었다.

06 제시문은 이자겸이 주장한 내용으로, 금의 사대 요구를 수용하자 는 주장이다. 여진족은 여러 부족을 하나로 통합하여 금을 세우 고, 거란(요)을 공격하여 멸망시켰다. 금은 고려에 군신 관계를 요구하였고, 권력을 잡고 있던 이자겸은 정권의 안정을 위해 많은 신하의 반대를 무릅쓰고 금의 요구를 수용하였다.

오답 확인 ① 여진이 강성하기 전에 여진을 정벌하였던 인물이다. ②, ③ 거란의 침략에 맞서 싸웠던 인물들이다. ⑤ 무신 정변을 일으킨 인물이다.

07 송이 중국을 통일하자 고려는 송과 적극적으로 친선 관계를 맺고 활발하게 교류하였다. 두 나라 사이에는 거란과 여진이 있었기 때 문에 주로 서해안의 바닷길을 이용해 교류하였다.

오답 확인 ① 당은 고려가 성립하기 전에 멸망하였다. ③ 원은 침 략 후 고려를 간섭했던 나라로서 북방 민족과 관계로 교류가 끊어 진 적이 없었다. ④, ⑤ 제시문에 나오는 '북방 민족'이다.

08 신안선에서 나온 유물을 찾는 문제이다. 신안선에서는 중국 송· 원 시기의 도자기와 고려청자, 목간, 동전 꾸러미, 청동으로 만든 추 등이 발견되었다. 이 유물들을 통해 동아시아 무역품과 무역 규모를 짐작할 수 있다.

오답 확인 ④ 태조 왕건의 능인 개성 현릉 부근에서 출토된 왕건의 청동상이다.

09 제시된 시는 이규보가 각국 상인들이 몰려들어 교류가 활발한 벽 란도에 대해서 쓴 시이다. 벽란도는 수도 개경과 이어지는 예성강 하구에 있는 항구로, 비교적 물이 깊어 배가 자유롭게 드나들 수 있어 국제 무역항 역할을 하였다.

오답 확인 ㄴ—벽란도는 고려의 국제 무역항으로, 공무역뿐만아 니라 사무역도 활발하게 이루어졌다. ㄷ—통일 신라 때 울산항에 도 아라비아 상인이 왕래하였다.

10 먹과 나전 칠기는 인삼과 함께 고려의 대표적인 수출품이다. 송의 상인들은 비단, 서적, 약재 등 왕실과 귀족의 수요품을 고려에 가 져왔다. 고려에서는 나전 칠기, 화문석, 종이, 인삼 등을 송에 수 출하였다.

오답 확인 ① 송은 비단·약재·서적·도자기 ③, ④ 거란과 여진은 은·모피·말, ⑤ 일본은 유황·수은이 대표적인 수출품이었다.

│ 만점에 도전하는 심화 문제 │ 99쪽

01 ② **02** ① **03** ④ **04** ①

---

01 제시된 지도의 고려, 송, 거란(요), 여진(금)의 친선 관계, 적대 관계 등을 통해 고려 전기임을 알 수 있다. 고려 전기인 성종 때 최승로의 시무 28조 건의가 있었고, 거란의 침략을 막아낸 후 천 리장성을 쌓았고, 윤관이 별무반을 조직하여 여진족을 정벌하였 다. 또한 금에 대해 사대를 주장한 이자겸이 반란을 일으키기도 하였다.
② 수도를 강화도로 옮긴 시기는 몽골이 침략하는 고려 후기이다.

02 제시문에서 설명하고 있는 지역은 강동 6주로서 지금의 평안북도 지역이다. 서희는 거란의 장수 소손녕과 담판을 벌였고, 송과 관 계를 끊기로 약속하며 강동 6주를 확보하였다.

03 거란의 침략으로 강동 6주를 확보한 시기로부터 이자겸이 금의 사대 요구를 수용하자는 주장 사이의 시기에 있었던 역사적 사실 을 찾는 문제이다. 거란의 침략을 물리치고 천리장성을 쌓았고, 여진이 강성하기 전에 윤관이 9성을 쌓았다.

오답 확인 ㄱ—이자겸과 묘청의 난 등 문벌 귀족들의 싸움으로 그 들의 세력이 약해진 이후에 무신 정변이 일어났다. ㄷ—삼별초는 최씨 무신 정권의 군사적 기반이었다.

04 예성강 어귀의 벽란도는 고려의 국제 무역항으로 번성하였다. 이 곳에서는 국가의 공식 무역뿐만 아니라 상인들 사이의 사무역도 활발하게 이루어졌다. 아라비아 상인도 벽란도를 통해 개경에 들 어와 수은, 향료, 산호 등을 팔고 금, 비단 등을 사 갔다.

오답 확인 (나) 당항성: 오늘날 화성 제부도 앞 지역으로, 삼국 시 대 중국으로 향하는 주요 요충지이다.
(다) 울산항: 통일 신라 시대의 국제 무역항이다.

(라) 부산: 조선 시대 일본과 3포 개항으로 열린 항구 중 하나이고 강화도 조약 이후 맨 처음 개항된 곳이다.

(마) 청해진: 오늘날 전남 완도 지역으로, 통일 신라 시대 장보고가 설치한 무역 거점이다.

3 몽골의 간섭과 고려의 개혁

확인해 봐요

주제 6 몽골의 간섭과 고려 사회의 변화 100쪽

1 강화도 **2** 정동행성 **3** 몽골풍

주제 7 공민왕의 개혁과 새로운 세력의 등장 102쪽

1 전민변정도감 **2** 홍건적 **3** 신진 사대부

시험을 대비하는 실전 문제

기초를 튼튼하게 확인 문제 | 104쪽

01 ㉠-ⓒ, ㉡-ⓐ, ㉢-ⓑ **02** (1) ○, (2) X, (3) ○, (4) X
03 ㄱ-ㄷ-ㄹ-ㄴ **04** (1) 제주도, (2) 권문세족, (3) 성균관

내신을 탄탄하게 내신 문제 | 104~106쪽

01 ③ **02** ④ **03** ④ **04** ② **05** ④ **06** ③ **07** ⑤ **08** ② **09** ④
10 ②

01 제시된 자료는 몽골의 2차 침입 때의 처인성 전투를 그린 민족 기록화이다. 이 전투에서 승려 김윤후는 백성을 지휘하여 항전하였는데, 이 과정에서 몽골군 지휘관 살리타를 죽이고 몽골군을 크게 물리쳤다.

오답 확인 ㄱ-고려 말 홍건적과 왜구의 침략을 물리친 신흥 무인 세력이다. ㄹ-거란의 장수로 서희가 그와 담판하여 강동 6주를 얻었다.

02 제시문은 몽골의 침략에 관군과 백성들이 힘을 합쳐 싸운 충주성 전투에 대한 내용이다. 충주성은 경상도로 내려가는 길목에 위치한 중요한 요충지로 1231년, 1253년 두 번의 전투가 벌어졌다. 특히 두 번째 전투에서 당시 충주성 방어를 맡은 인물은 1232년 처인성 전투를 이끈 김윤후였다. 김윤후는 병사들을 독려하면서 방어에 성공하면 귀천을 가리지 않고 관직을 내리겠다고 관노비의 문서를 가져다 불태웠다. 그 결과 충주성 방어에 성공할 수 있었다.

03 제시된 자료는 원 간섭기와 관련 있다. 원 간섭기는 수도를 강화도에서 개경으로 돌아온 이후부터이다. 고려는 몽골과의 전쟁이 끝난 후 독립국의 지위를 유지했지만 원의 정치적 간섭을 받았다.

04 몽골풍은 원 간섭기에 고려에서 유행한 몽골의 풍속이다. 당시 고려인들은 몽골식 복장을 하기도 하였다. 소줏고리는 소주를 증류시킬 때 사용하는 옹기인데, 소주는 일본 정벌을 위해 고려에 온 원 병사들을 통해 전해졌다는 설이 있다.

오답 확인 ㄴ, ㄹ-고려의 특산품이다.

05 제시문에 '높은 산과 큰 하천으로 경계'를 삼을 만큼 넓은 땅을 가지고 있었다고 하는데, 이것을 농장이라 한다. 원 간섭기에 이를 소유한 사람들을 권문세족이라 한다. 이들은 통역관, 응방 관리, 원에서 국왕과 함께 지낸 측근 등 원과 특별한 관계가 있었다.

오답 확인 ① 무신 정변 직후부터 지배층, ② 고려 초기 지배층, ③ 고려 전기 지배층, ⑤ 위화도 회군 이후의 지배층이다.

06 제시된 자료는 공민왕의 개혁으로 반원 자주 정책과 내정 개혁에 대한 내용이다. 반원 자주 정책으로는 정동행성 폐지, 친원파 숙청, 몽골식 복장과 변발 금지, 고려 관제와 복식 회복, 쌍성총관부 무력 회복 등이다. 내정 개혁으로는 전민변정도감 설치와 성균관의 정비 등을 들 수 있다.

③ 쌍성총관부와 탐라총관부를 설치한 것은 원 간섭기에 원이 고려의 영토 일부를 직접 지배하기 위한 것이었다.

07 지도의 (가) 지역은 공민왕 때 쌍성총관부를 공격하여 무력으로 되찾은 지역이다. 원이 직접 다스렸던 동녕부, 탐라총관부, 쌍성총관부 중에서 동녕부와 탐라총관부는 외교적 교섭으로 되찾았지만, 쌍성총관부는 무력으로 되찾았다.

오답 확인 ㄱ-동녕부는 평양에 설치되었다. ㄴ-쌍성총관부는 무력으로 되찾았다.

08 제시문은 신돈이 전민변정도감을 설치하고 공포한 명령이다. 이러한 개혁 정치는 백성의 지지를 받았으나, 개혁의 대상이었던 권문세족의 강한 반발에 부딪혔다. 공민왕의 개혁은 홍건적과 왜구의 침입과 함께 신돈의 제거, 공민왕의 암살로 실패하였다.
② 교정도감은 최씨 무신 정권의 권력 기구였다.

한눈에 쏙쏙 공민왕의 개혁 정치

반원 자주 정책	• 기철 등 친원 세력 제거 • 정동행성 폐지, 쌍성총관부 공격 • 관제와 복식 회복, 몽골풍 금지
내정 개혁 정책	• 신돈 등용 → 전민변정도감 설치 • 성균관 정비 → 유교 교육 강화
개혁 실패	권문세족의 반발, 개혁 추진 세력 미약, 홍건적과 왜구의 침입으로 국내외 정세 불안

09 제시문의 (가)는 신진 사대부이다. 신진 사대부는 도덕과 명분을 중시하는 성리학을 공부하였고, 권문세족의 농장 확대와 불교 사원의 폐단 등에 대해 비판하였다. 그래서 권세가의 불법적인 토지 때문에 일어나는 사회적 혼란을 해결하기 위해 다양한 토지 개혁 방안을 제시하였다.

④ 신진 사대부는 대부분 원보다는 명과 화친할 것을 주장하였다.

10 지도는 고려 말 위화도 회군을 나타낸 것이다. 명은 공민왕이 회복한 철령 이북의 땅이 원래 원의 땅이었으므로 명의 영토라고 주장하며 직할령으로 삼겠다고 알려 왔다. 우왕과 최영은 이에 반발하여 요동 정벌을 추진하였다. 이 과정에서 위화도 회군이 일어나 이성계와 신진 사대부가 권력을 장악하게 되었다.

오답 확인 ㄴ – 원 간섭기로 고려 후기, ㄷ – 거란의 침략을 물리치고 난 후로 고려 전기의 일이다.

---

4 고려의 생활과 문화

확인해 봐요

주제8 **고려 시대의 생활 모습** 108쪽

1 일부일처제 2 신랑이 신부 집 3 남녀 균등

주제9 **종교와 사상의 변화** 110쪽

1 대장경 2 지눌 3 신진 사대부

주제10 **고려 시대의 인쇄 문화** 112쪽

1 『삼국사기』 2 『삼국유사』 3 『직지』

| 만점에 도전하는 **심화 문제** | 107쪽

01 ⑤ **02** ③ **03** ⑤ **04** ②

01 몽골 침략 때 장기 항전을 위해 강화도로 천도하였고, 개경 환도에 반대하여 삼별초 항쟁이 있었으며, 이를 진압한 이후 고려와 원의 연합군이 일본 정벌에 나섰고, 이때 정동행성이 만들어졌다.

02 제시문은 삼별초의 항쟁 내용이다. 몽골과 강화를 맺은 고려 정부는 개경 환도를 결정하였다. 삼별초는 이를 거절하고 대몽 항쟁을 계속하였다. 삼별초의 항쟁이 진압된 이후부터 원 간섭기에 들어간다. 이 시기에 고려의 관제가 원보다 격이 낮아졌고, 왕의 시호에 '충'이 들어갔고, 공녀와 환관이 원에 끌려갔으며, 쌍성총관부와 같이 원이 직접 지배하는 지역이 생겼다.

③ 정방은 최씨 무신 정권 시기에서 최우가 인사 행정을 위해 설치한 기구이다.

03 제시문은 권문세족이 횡포를 부려 좋은 토지를 마음대로 빼앗는 모습을 보여 주고 있다. 이러한 문제를 해결하기 위해 공민왕은 신돈을 등용하여 전민변정도감을 설치하게 하였다.

오답 확인 ① 곡식과 화폐의 출납 및 회계를 담당한 관청이다. ② 국가의 중요한 국방 문제를 의논하는 귀족 합의 기구이다. ③ 원이 일본 원정을 위해 설치한 기구이다. ④ 최씨 무신 정권의 권력 기구이다.

04 제시된 자료는 고려 말 홍건적과 왜구의 침입 및 격퇴에 대한 지도이다. 홍건적과 왜구의 침입으로 공민왕의 개혁 정치가 어려워졌고, 이 과정에서 최영과 이성계 등 신흥 무인 세력이 성장하였다.

오답 확인 ㄴ – 공민왕의 개혁은 원 간섭기 이후의 일이었다. ㄷ – 거란의 침략을 격퇴한 이후의 국제 정세이다.

시험을 대비하는 실전 문제

| 기초를 튼튼하게 **확인 문제** | 114쪽

01 ㉠-ⓑ, ㉡-ⓒ, ㉢-ⓐ **02** (1) X, (2) ○, (3) X, (4) ○

03 ㄹ-ㄷ-ㄴ-ㄱ **04** (1) 처가살이, (2) 신진 사대부, (3) 『제왕운기』

| 내신을 탄탄하게 **내신 문제** | 114~116쪽

01 ③ **02** ⑤ **03** ④ **04** ② **05** ① **06** ② **07** ③ **08** ② **09** ⑤

10 ②

01 제시문은 고려 시대 처가살이에 대한 내용이다. 고려 시대의 혼인 형태는 일부일처제를 원칙으로 하였고, 혼인 후 신랑이 신부의 집으로 가서 머무르는 처가살이가 대부분이었다.

오답 확인 ㄱ – 일부일처제였다. ㄹ – 자녀들은 대부분 외가에서 외조부의 보살핌을 받으며 자랐고, 자녀들이 자란 이후 분가하여 사는 경우가 많았다.

02 제시문은 고려 시기에 가족을 부르는 호칭 내용이다. 고려 시대에는 호칭에 있어서도 친가와 외가를 구분하지 않았음을 보여 준다.

오답 확인 ① 고려 사람들은 혈연 의식과 관련하여 친가와 외가를 뚜렷이 구분하지 않았다. ② 딸이 제사를 지내는 경우도 있었다. ③ 호적은 남녀 구분없이 태어난 순서대로 기록하였다. ④ 재산 상속은 아들과 딸을 구별하지 않고 균등하게 분배하였다. 이를 위해 제비뽑기와 같은 방법을 사용하기도 하였다.

03 부처님 오신 날을 기념하여 등불을 밝혀 공덕을 기리는 불교의 대표적인 축제는 연등회이다.

오답 확인 ① 동예, ② 부여의 제천 행사이다. ③ 불교 행사의 하나로 불교 의식과 함께 토속신에 대한 제사도 이루어졌다. ⑤ 신라의 귀족 회의 기구이다.

04 제시문은 고려 시대 불교가 문화의 중심이 되었다는 내용이다. 이렇게 된 배경에는 건국 초부터 국가의 지원이 있었기 때문이다. 승과 제도, 국사·왕사 제도, 연등회와 팔관회의 시행, 훈요 10조에서 불교 장려 내용 등을 들 수 있다.
② 고려 시대에는 불교, 유교, 도교, 풍수지리 등 다양한 사상이 함께 존재하였다.

05 자료에 시호가 보조국사, 참선에 힘써야 한다, 교단 통합에 노력하였다는 말로부터 보조국사 지눌임을 알 수 있다.
오답 확인 ② 13세기 무신 정권 집권자, ③ 『삼국유사』를 쓴 승려, ④ 공민왕 때 개혁을 추진하였던 승려, ⑤ 통일 신라 시기 승려이다.

06 제시된 자료의 인물은 안향이다. 안향은 충렬왕 때 원에 다녀와서 성리학을 처음으로 들여온 인물이다. 이후 성리학은 이색, 정몽주, 정도전 등 신진 사대부를 중심으로 발전하였다. 신진 사대부는 성리학을 개혁 사상으로 삼았고, 성리학은 조선 건국의 사상적인 기반이 되었다.
② 성리학은 고려 후기에 원으로부터 들어왔다.

07 『삼국사기』는 12세기 유학자 김부식이 왕의 명령에 따라 편찬한 역사서이다. 삼국에 대한 역사를 기록하고 있고, 고려가 신라를 계승하였다는 입장을 취하고 있다.
오답 확인 ㄱ, ㄹ – 모두 『삼국유사』에 대한 설명이다.
한눈에 쏙쏙 『삼국사기』와 『삼국유사』

구분	『삼국사기』	『삼국유사』
편찬 시기	고려 중기	원 간섭기 이후
저자	김부식	일연
사관(내용)	유교적 합리주의 사관에 입각하여 설화나 신화는 기록하지 않음.	불교에 관한 내용과 설화, 풍속 등 다양한 내용을 수록함.
특징	신라를 중심으로 역사 저술	단군의 건국 이야기를 수록하여 역사의 유구함을 부각시킴.

08 단군을 우리 민족의 시조로 설정한 역사책으로는 고려 후기 일연의 『삼국유사』와 이승휴의 『제왕운기』가 있다.
오답 확인 ㄴ – 『삼국사기』는 유교의 합리주의 역사관에 의해 서술했기 때문에 단군 신화가 기록되지 않았다.
ㄹ – 금속 활자로 인쇄한 최초의 책으로, 현재 전해지지 않고 있다.

09 몽골의 침략을 막기 위해 만든 『팔만대장경』은 우리나라의 목판 인쇄술 및 기록 문화의 우수성을 보여 주고 있다. 목판 인쇄술은 불교 경전을 정리한 대장경의 목판본을 만들면서 최고 수준에 이르렀다.
⑤ 금속 활자에 대한 설명이다.

10 고려 시대에 만들어진 주심포 양식의 목조 건축물은 영주의 부석사 무량수전이다. 무량수전은 아미타 여래 불상을 모신 부석사의 중심 건물이다. 건물의 조화와 안정을 위해 기둥의 중간 부분을 약간 불룩하게 배흘림 기둥을 만들었다.
오답 확인 ① 1377년에 직지가 간행된 곳이다. ③ 몽골에 침략에 대항하여 수도를 옮긴 곳이다. ④ 조선 왕조의 궁궐이다. ⑤ 신라 시대의 절이다.

만점에 도전하는 심화 문제 | 117쪽
01 ④ **02** ④ **03** ① **04** ③

01 제시된 자료는 아들이라고 해서 재산을 더 많이 갖지는 않겠다는 것으로, 고려 시대 재산의 남녀 균등 상속을 표현하고 있다. 고려 시대에는 친가와 외가 양쪽 혈연 모두를 중시하여 부모도 아들과 딸에 대해 크게 차이를 두지 않았다.
④ 호적을 작성할 때 남녀 순이 아니라 태어난 순서대로 기록하였다.

02 제시된 자료는 팔관회이다. 팔관회는 고려의 대표적인 불교 행사로 불교 의식뿐만 아니라 토속신에 대한 제사, 왕실과 국가의 안녕과 태평을 기원하는 행사가 함께 진행되었다.
오답 확인 ㄱ – 풍수지리와 관련된 것은 주로 도읍의 위치 문제였다. ㄷ – 연등회에 대한 설명이다.

03 제시문에서 '승려의 유골이나 사리를 모신 조형물'이라는 것에서 승탑임을 알 수 있다. 승탑은 덕이 높은 승려의 사리를 봉안한 탑이다. 여주 고달사지 승탑과 법천사 지광국사 현묘탑이 대표적이다.
오답 확인 ②, ④ 평창 월정사 팔각 구층 석탑과 개성 경천사지 십층 석탑으로, 탑은 부처님을 모신 조형물이다. ③, ⑤ 하남 하사창동 철조 석가여래 좌상과 논산 관촉사 석조 미륵보살 입상은 모두 불상이다.

04 (가)에 들어갈 말은 활판 인쇄술이다. 인쇄를 한 다음 활자의 배열만 달리 하면 새로운 인쇄를 할 수 있었기 때문에 다양한 인쇄물을 만들어 내는 데 도움을 주었다. 현존하는 세계에서 가장 오래된 금속 활자본은 청주 흥덕사에서 인쇄한 『직지』이다.
오답 확인 ㄱ, ㄹ – 목판 인쇄술에 대한 설명이다.

01 ④ **02** ⑤ **03** ⑤ **04** ② **05** ① **06** ⑤ **07~08** 해설 참조

01 (가)에 들어갈 말은 향·부곡·소이다. 무신 정변 이후 무신들의 수탈이 심해지고 신분 질서가 흔들리는 상황에서 농민과 천민들의 봉기가 곳곳에서 일어났다. 특히 망이·망소이 형제의 봉기는 수공업자 집단 소 가운데 하나인 공주 명학소에서 일어났다. 국가에 필요한 물품을 생산하던 공주 명학소의 주민들은 일반 군현에 사는 주민에 비해 차별을 받았다.

오답 확인 ① 12목, ② 양계이다. ③ 사심관은 호족이나 공신들을 그들의 출신지에 임명하였다. ⑤ 강동 6주이다.

02 (가)에 들어갈 말은 음서이다. 음서는 왕족의 후손이나 국가에 공을 세운 사람의 자손, 5품 이상 관리의 자손이 과거를 거치지 않고 관리가 될 수 있는 제도이다. 음서의 특혜를 받은 사람들도 과거에 합격하는 것을 더 명예롭게 여겼다.

오답 확인 ① 과거에서 제술과에 대한 설명이다. ② 자료에서 문과, 잡과, 승과에 해당한다. 음서는 5품 이상 관리의 자손에 해당하였다. ③ 과거에서 명경과, ④ 잡과에 대한 설명이다.

03 제시된 지도는 12세기 후반 무신 집권기 농민과 천민의 저항 운동을 표시한 것이다. 무신 집권기에 지배층의 계속된 수탈에 백성의 고통은 더욱 커졌다. 이러한 상황에서 전국 각지에서 농민과 천민이 봉기하였다. 무신 집권기 최충헌은 교정도감을 설치하여 국가의 중요한 일을 결정하였다.

오답 확인 ① 14세기 후반 우왕 때 일이다. ② 10세기 중반 광종 때 일이다. ③ 10세기 말 성종 때 일이다. ④ 11세기 초 귀주 대첩 이후의 일이다.

04 (가)에 들어갈 말은 권문세족이다. 권문세족은 자신의 권력을 이용해서 남의 토지를 빼앗아 농장을 경영하고, 국가에 세금도 내지 않았다. 이들의 횡포를 없애기 위해 공민왕이 전민변정도감을 설치하여 개혁을 실시하였으나, 이들의 강한 반발로 실패하였다.

오답 확인 ㄴ – 권문세족은 대부분 친원파였다. ㄹ – 이자겸과 묘청 등은 모두 고려 전기 지배 계층인 문벌 귀족이었다.

한눈에 쏙쏙 권문세족과 신진 사대부

구분	권문세족	신진 사대부
형성 기반	고위 관직 독점	하급 관리, 향리
관직 진출	주로 음서로 진출	주로 과거로 진출
경제 기반	대농장 소유	중소 지주
사상 기반	불교	성리학
대외 관계	친원	반원, 친명

05 제시문에서 '오랜 전쟁'과 일부다처제를 수용하자는 내용이 나온다. 몽골과의 전쟁과 몽골의 문화인 일부다처제의 수용임을 알 수 있다. 따라서 개경 환도 이후인 13세기 후반 이후 원 간섭기의 사실들을 찾으면 된다. 이 시기에 고려 국왕은 원의 공주와 결혼하여 원 황실의 사위가 되었고, 왕자들은 원에서 성장하여 교육을 받았다. 고려의 관직명이나 왕실 호칭도 제후국 수준으로 격이 낮아졌다. 왕의 시호도 원에 충성한다는 의미로 '충'자를 넣어 지어 주었다.

오답 확인 ② 서희의 강동 6주 확보는 10세기 후반의 일이다. ③ 윤관의 여진 정벌은 12세기 초의 일이다. ④ 강화도 천도는 13세기 전반의 일이다. ⑤ 기인 제도의 실시는 태조 왕건 때인 10세기 전반의 일이다.

06 (가)에 들어갈 단어는 성리학이다. 남송의 주희가 집대성한 성리학은 충렬왕 때 안향에 의해 고려에 소개되었다. 고려 후기 원에서 수용한 성리학은 우주가 움직이는 원리, 인간의 마음과 성품, 사회에 대한 인간의 자세 등을 탐구 대상으로 삼았다. 성리학은 고려 말 과거의 시험 과목에 반영되면서 더욱 확산되었다. 신진 사대부는 성리학을 사상적 기반으로 삼아 권문세족과 불교의 폐단을 비판하며 개혁을 주장하였다.

오답 확인 ㄱ – 풍수지리 사상이 배경이 되었다. ㄴ – 고려가 아니라 조선 건국의 사상적 배경이 되었다.

07 고려에 유행한 몽골풍

예시 답안 원과의 교류가 활발해지면서 변발, 몽골식 복장, 몽골어 등이 유행하였다. 이외에 설렁탕, 소줏고리, 태평소 등이 민간에 퍼졌다.

채점 기준

상	몽골의 변발, 복장, 몽골어, 설렁탕, 소주, 태평소 가운데 세 가지를 서술한 경우
중	몽골의 변발, 복장, 몽골어, 설렁탕, 소주, 태평소 가운데 두 가지를 서술한 경우
하	몽골의 변발, 복장, 몽골어, 설렁탕, 소주, 태평소 가운데 한 가지만 서술한 경우

08 공민왕의 개혁 정치

(1) 정답 공민왕

(2) 예시 답안 공민왕은 기철을 비롯한 친원 세력을 제거하고, 고려의 내정을 간섭하는 핵심 기구인 정동행성의 일부 기능을 폐지하였다. 몽골식 복장과 변발을 금지하고 고려의 관제와 복식을 회복하였다. 또한 쌍성총관부를 공격하여 철령 이북의 땅을 되찾았다.

채점 기준

상	정동행성 폐지, 쌍성총관부를 공격하여 영토 회복, 몽골풍 금지 등 세 가지를 모두 서술한 경우
중	정동행성 폐지, 쌍성총관부를 공격하여 영토 회복, 몽골풍 금지 중 두 가지를 서술한 경우
하	정동행성 폐지, 쌍성총관부를 공격하여 영토 회복, 몽골풍 금지 중 한 가지만 서술한 경우

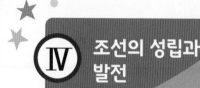

IV 조선의 성립과 발전

1 통치 체제와 대외 관계

 확인해 봐요

주제 **1 조선의 건국** 124쪽

1 한양 **2** 태종 **3** 『경국대전』

주제 **2 통치 체제의 정비와 대외 관계** 126쪽

1 X **2** ○ **3** X

시험을 대비하는 실전 문제

기초를 튼튼하게 확인 문제 | 128쪽

01 ㉠-ⓐ, ㉡-ⓒ, ㉢-ⓑ **02** (1) ○, (2) ○, (3) X, (4) X
03 ㄴ-ㄱ-ㄹ-ㄷ **04** (1) 유교, (2) 성균관, (3) 4군, 6진

내신을 탄탄하게 내신 문제 | 128~130쪽

01 ④ **02** ⑤ **03** ② **04** ④ **05** ③ **06** ② **07** ⑤ **08** ④ **09** ③
10 ③

01 (가)는 과전법이다. 위화도 회군을 통해 정치·군사적 실권을 장악한 이성계와 급진 개혁파인 정도전은 고려 사회를 개혁하고자 하였다. 이에 토지 제도 개혁인 과전법을 시행하여 농민의 생활을 안정시키고 자신들의 경제적 기반을 마련하였다.

오답 확인 ①, ② 태종은 개인이 갖고 있던 사병을 없애 군사력을 왕에게 집중시켰으며, 호구 조사와 호패법을 시행하여 군역 및 부역 대상자를 파악하였다. ③ 경연에 대한 설명이다. ⑤ 집현전에 대한 설명으로 세종이 설치하였다.

02 이성계는 위화도 회군을 통해 정치·군사적 실권을 장악한 후 과전법을 시행하였다. 이어 정몽주 등 고려 유지를 주장한 신진 사대부를 제거하였고, 신하들의 추대를 받아 왕위에 올랐다. 나라 이름을 고조선을 계승한다는 뜻에서 '조선'으로 바꾸었으며, 한양을 새로운 도읍으로 정하고, 경복궁을 지었다.

오답 확인 ① 한양 천도는 국호를 정한 이후이다. ② 삼별초의 대몽 항쟁은 13세기에 일어났다. ③ 중종 때 추진되었다. ④ 이성계의 황산 대첩은 위화도 회군 전이다.

03 제시된 사진과 설명은 호패이다. 오늘날의 주민등록증과 같은 것으로 태종 때 시행하였다. 태종은 개인이 갖고 있던 사병을 없애 군사력을 왕에게 집중하였다.

오답 확인 ① 세종 때 이종무를 보내 왜구의 소굴인 쓰시마섬을 토벌하였다. ③ 사성 정책은 고려 태조 왕건이 시행하였다. ④ 과전법은 1391년 이성계, 정도전, 조준 등이 주도하여 시행하였다. ⑤ 녹읍을 폐지하여 귀족의 특권을 제한한 것은 통일 신라의 신문왕이다.

04 집현전을 설치하여 학문과 정책 연구를 장려하고, 경연을 자주 열었던 왕은 세종이다. 세종은 백성들이 누구나 쉽게 배우고 쓸 수 있게 하고, 이를 바탕으로 유교 덕목을 가르쳐 나라를 안정적으로 다스리고자 훈민정음을 창제하였다.

오답 확인 ① 사병 폐지는 태종 때이다. ② 삼별초는 고려 최씨 무신 정권기의 최우가 설치하였다. ③ 균역법은 조선 후기 영조 때 시행하였다. ⑤ 『경국대전』은 세조 때 편찬을 시작하여 성종 때 완성하였다.

05 (가)는 성종이다. 성종은 홍문관을 설치하고, 경연을 부활하였으며, 세조 때부터 편찬하기 시작한 『경국대전』을 완성하였다.

오답 확인 ① 세종 때 토지에 매긴 세금 제도를 정비하여 백성의 부담을 줄였다. ② 이성계는 조선을 건국한 후 한양으로 도읍을 옮겼다. ④ 고려 태조 왕건은 호족이나 공신들을 사심관으로 삼아 그들의 출신 지역을 다스리게 하였다. ⑤ 태종 때 사병을 없애고, 호패법을 시행하였다.

06 과거제에 대한 『조선왕조실록』의 기록 중 하나이다. 조선에서는 주로 과거를 통해 관리를 선발하였는데, 특히 문관을 뽑는 문과가 가장 중시되었다. 3년에 정기적으로 시행되었지만 특별 시험이 수시로 치러졌다.

오답 확인 ①, ⑤ 음서에 대한 설명이다. ③, ④ 고려 시대의 과거제에 대한 설명이다.

07 4부 학당, 향교, 성균관 등의 교육 기관을 운영한 국가는 조선이다. 조선의 중앙 정치 기구는 왕 아래 의정부와 6조를 중심으로 구성되었다. 왕의 비서 역할을 한 승정원과 나라의 중대한 죄인을 다스리는 의금부가 왕권을 뒷받침하였다.

오답 확인 ㄱ, ㄴ–고려 시대의 중앙 정치 기구에 대한 설명이다.

08 조선은 영의정, 좌의정, 우의정 등 삼정승이 모인 의정부에서 합의를 통해 모든 정책을 심의·결정하였다. 이렇게 결정된 정책은 6조에서 집행하였다.

오답 확인 ① 역사책을 편찬하는 곳은 춘추관이다. ② 왕의 고문 역할을 수행한 곳은 홍문관이다. ③ 풍속 교정과 감찰 업무를 수행한 곳은 사헌부이다. ⑤ 한성의 행정과 치안을 담당한 곳은 한성부이다.

09 조선은 지방을 8도로 나누었으며, 그 아래 부·목·군·현을 두었다. 대부분의 군·현에 세금 징수와 군사 지휘 등의 업무를 담당하는 수령을 파견하였고, 각 도에 파견된 관찰사가 수령을 지휘·감독하였다. 향리들은 수령을 보좌하며 행정 실무를 담당하였다.
③ 향·부곡·소는 고려 시대 특별 행정 구역으로, 이곳의 주민들은 농사를 짓거나 국가가 필요로 하는 물품을 만들어 조달하였다.

10 조선은 일본·여진 등 이웃 나라와 가까이 지내는 교린 정책을 시행하였다. 이에 따라 일본에 대해서도 왜구의 근거지인 쓰시마섬을 정벌하는 강경책과 일부 항구를 개항하여 제한적인 무역을 허용하는 회유책이 함께 이루어졌다.

오답 확인 ㄱ – 12세기 무렵 여진족이 세력을 확장하자 윤관은 별무반을 조직하여 여진족을 격퇴하고 동북 9성을 쌓았다. ㄹ – 조선은 여진과 교린 정책을 시행하며 경성, 경원 등 국경 부근에 무역소를 두어 제한적인 교류를 허용하였다.

| 만점에 도전하는 **심화 문제** | 131쪽

01 ⑤ **02** ② **03** ② **04** ①

---

01 (가)는 풍속 교정·감찰 등의 업무를 맡은 사헌부, (나)는 간쟁·간언 등의 업무를 맡은 사간원, (다)는 왕의 고문·경적 관리 등의 업무를 맡은 홍문관에 대한 설명이다. 사간원, 사헌부, 홍문관은 3사라고 불렸으며, 권력의 독점과 부정을 방지하는 역할을 하였다.

오답 확인 ① (가)는 사헌부에 대한 설명이다. ② (나)는 사간원에 대한 설명이다. ③ (다)는 홍문관에 대한 설명이다. ④ 사헌부·사간원·홍문관은 3사로 불렸으며, 언론을 담당하는 기관으로 권력의 독점과 부정을 방지하는 역할을 수행하였다.

02 조선 초 왜구들이 서·남해안을 자주 침범하였는데, 세종은 이를 근절하기 위해 이종무로 하여금 왜구의 근거지인 쓰시마섬을 정벌하게 하였다.

03 조선은 명과 사대 관계를 맺고 정기적으로 사신을 보내 특산품을 바치는 대신 약재, 서적 등 답례품을 받아 왔다. 반면에 여진, 일본과는 상황에 따라 온건한 회유책과 강경한 토벌책을 함께 실시하는 교린 정책을 시행하였다.

오답 확인 ① 조선은 지방을 8도로 나누고 그 아래 부·목·군·현을 설치하였으며, 관찰사를 비롯한 수령을 파견하였다. ③ 조선은 왕 아래 의정부와 6조를 중심으로 중앙 정치 기구를 조직하였다. ④ 성종은 훈구파를 견제하기 위해 사림을 대거 등용하였는데, 이후 사림이 3사를 중심으로 훈구파의 권력 독점과 비리를 비판하면서 사림이 큰 피해를 본 사화가 발생하였다. ⑤ 조선은 유교를 국가 통치의 기본 원리로 삼고, 이를 바탕으로 통치 체제를 정비하였다.

---

04 조선은 일본과 여진에 대해 회유책과 토벌책을 함께 실시하는 교린 정책을 시행하였다. 일본의 경우에는 3포 개항이라는 회유책과 쓰시마섬 토벌이라는 강경책을 병행하였다. 여진의 경우에는 경성, 경원 등에 무역소를 설치하였으나 이들이 국경을 침입할 때는 군대를 동원하여 정벌하였다. 세종 시기의 4군 6진 개척이 대표적이다.
① 3포를 개항하여 제한적인 무역을 허용한 것은 일본에 대한 회유책이다.

---

2 사림 세력과 정치 변화

확인해 봐요

주제 **3**　**사림의 등장과 사화** 132쪽
1 사림　**2** 현량과　**3** 기묘사화

주제 **4**　**사림의 성장과 붕당의 형성** 134쪽
1 서원　**2** 이조 전랑　**3** 동인

시험을 대비하는 **실전 문제**

| 기초를 튼튼하게 **확인 문제** | 136쪽

01 ㉠–ⓑ, ㉡–ⓒ, ㉢–ⓓ, ㉣–ⓐ **02** (1) ○, (2) ○, (3) ✕
03 ㄷ–ㄱ–ㄴ–ㄹ **04** (1) 3사, (2) 소격서, (3) 붕당

| 내신을 탄탄하게 **내신 문제** | 136~138쪽

01 ② **02** ④ **03** ② **04** ① **05** ③ **06** ④ **07** ④ **08** ③ **09** ④
10 ⑤

---

01 예종의 뒤를 이어 성종이 즉위했지만 한명회(성종의 장인), 신숙주, 정인지 등 훈구파들은 높은 관직을 독점하고 많은 토지와 노비를 소유하고 있었다. 이에 성종은 사림 세력을 대거 등용하여 훈구파를 견제함으로써 왕권을 강화하고자 하였다.

오답 확인 ① 성리학은 고려 충렬왕 때 안향에 의해 수용되었다. ③ 몽골의 침입에 도움을 준 사람, 원과 혼인 관계를 맺은 사람, 몽골어를 잘하는 사람 등 원 간섭기에 원과 관련 있는 사람들이 높은 지위에 올랐는데, 이들을 권문세족(친원 세력)이라고 한다. 공민왕 때 친원 세력을 숙청하였다. ④ 고려 공민왕 때 홍건적과 왜구의 침입을 막는 과정에서 신흥 무인 세력이 성장하였다. ⑤ 조선은 유교를 국가 통치의 기본 원리로 삼았으며, 불교를 억압하는 정책을 시행하였다.

02 제시된 자료는 김종직이 쓴 「조의제문」 내용이다. 「조의제문」은 항우에게 왕위를 빼앗기고 죽음을 당한 초의 회왕(의제)을 조문한다는 내용이지만 실제적으로는 세조의 불법적인 왕위 찬탈을 풍자한 글이다. 그런데 김종직의 제자인 김일손이 스승의 「조의제문」을 사초에 실었고, 이것이 밝혀지면서 무오사화가 일어나 사림이 큰 피해를 보았다.

오답 확인 ① 병자호란은 청 태종의 군신 관계 요구를 조선 정부가 거절하면서 일어났다. ② 사림은 선조 때 정치의 주도권을 장악했지만 척신 정치에 대한 입장 차이, 이조 전랑의 임명 문제, 학문적 성향 등의 이유 때문에 동인, 서인으로 나뉘었다. ③ 윤원형과 윤임의 대립은 을사사화의 원인이다. ⑤ 성종은 훈구파를 견제하기 위해 사림을 중앙 정계에 대거 등용하였다.

03 무오사화, 갑자사화 등 폭정을 일삼던 연산군이 쫓겨나고 중종이 왕위에 올랐다. 이 과정에서 반정을 주도한 훈구파의 힘이 다시 강해지자 중종은 이들을 견제하기 위해 조광조를 비롯한 사림을 등용하였다.

오답 확인 ① 고려 성종 때, ③ 조선의 성종 때이다. ④ 이성계, 정도전 등은 1391년 과전법을 시행하여 토지 제도를 개혁하였다. ⑤ 고려 공민왕 때의 일이다.

04 조광조를 비롯한 사림은 왕도 정치를 실현하고자 현량과 시행, 소격서 폐지, 위훈 삭제 등의 개혁을 추진하였다. 하지만 급진적인 개혁에 부담을 느낀 중종은 조광조를 처형하고 사림을 몰아냈다.

오답 확인 ② 이성계, 정도전 등이 주장하였다. ③ 공민왕이 신돈을 등용하여 설치하였다. ④ 팔관회는 고려 말까지 국가의 최고 의식으로 계속 시행되었으나 조선 초기에 폐지되었다. ⑤ 광해군은 명과 후금 사이에서 중립 외교를 추진하였다.

05 제시된 자료는 '천거를 통해 관리를 뽑는', '중종실록' 등의 단서를 통해 조광조 등 사림 세력이 추진하였던 현량과에 대한 것이다.

오답 확인 ① 조선은 왕 아래 의정부와 6조를 중심으로 중앙 정치 기구를 구성하였다. ② 사림은 선조 때 동인, 서인으로 나뉘어 붕당을 형성하였다. ④ 조선의 과거제는 문관을 선발하는 문과, 무관을 선발하는 무과, 기술관을 선발하는 잡과로 구성되었다. ⑤ 조선은 명과 사대 관계를 맺고, 여진·일본과는 교린 정책을 시행하였다.

06 선조 때 중앙 정치의 주도권을 장악한 사림은 이조 전랑의 임명 문제를 놓고 다투면서 동인과 서인으로 나뉘어 1575년 붕당을 형성하였다.

오답 확인 ① 세종 때 두만강 유역에 김종서를 파견하여 6진을 개척하였다. ② 김종직은 성종 때 세조의 왕위 찬탈을 풍자하는 「조의제문」을 지었는데, 이는 무오사화의 원인이 되었다. ③ 폭정을 일삼던 연산군이 쫓겨나고 중종이 왕위에 오른 사건을 중종반정(1506년)이라고 한다. ⑤ 사림이 중앙 정치의 주도권을 장악한 시기는 선조 때의 일이다.

07 (가)는 서원, (나)는 향약이다. 서원은 사림이 후학을 양성함으로써 학풍을 유지하고 정치적 기반을 다지는 역할을 하였다. 향약은 사림이 지방민을 유교적으로 교화하거나 통제하고자 각 고을의 실정에 맞게 시행하였으며, 이를 통해 향촌에서 주도권을 장악할 수 있었다.

오답 확인 ㄱ - 조선에서 최고 교육 기관의 역할을 한 곳은 성균관이다. ㄷ - 향약은 향촌 자치 규약으로 사림은 향약을 통해 향촌 사회에서 주도권을 장악하고 꾸준히 세력을 키울 수 있었다.

한눈에 쏙쏙 서원과 향약

서원	• 기능: 지방 사립 교육 기관의 역할 • 최초의 서원: 백운동 서원 → 최초의 사액 서원(국가에서 토지, 노비 등 지급) • 영향: 지방 문화 발달, 사림의 결속 강화
향약	• 의미: 향촌 자치 규약 • 기능: 향촌의 풍속 교화 및 질서와 치안 유지 • 영향: 향촌에서 양반 중심의 사회 질서 강화, 사림의 향촌 지배력과 정치적 기반 강화

08 사림은 선조 때에 이르러 중앙 정치의 주도권을 장악하였다. 하지만 외척의 정치 참여 문제에 대한 입장 차이, 이조 전랑 임명을 둘러싼 대립, 정치적 입장과 학문적 성향 차이 때문에 동인과 서인으로 나뉘어 붕당을 형성하였다.

오답 확인 ① 중종반정은 폭정을 일삼던 연산군을 쫓아낸 사건이다. ② 위화도 회군은 고려 우왕 때인 1388년에 일어났다. ④ 세조가 조카인 단종을 쫓아낸 후 성삼문 등 일부 집현전 학자들이 단종 복귀 운동을 전개하였으나 실패하였다. ⑤ 서인들은 광해군의 중립 외교 정책에 반대하여 인조반정을 일으켰다.

09 남인과 북인으로 나뉜 것은 동인이기 때문에 (가)는 동인, (나)는 서인이다. 동인은 외척 정치의 청산 문제에 강경한 입장이었으며, 이황이나 조식 등의 제자들이 주축을 이루었다. 반면 서인은 외척 정치 청산에 온건한 입장이었으며, 이이나 성혼의 제자들이 주축을 이루었다. 동인과 서인은 상대방을 인정하면서 비판과 견제를 하며 붕당 정치를 전개해 나갔다.

오답 확인 ㄱ - 중종 때에는 아직 동인과 서인의 붕당이 형성되지 않았다. ㄷ - (가) 동인이 강경한 입장을 취했다.

10 (가)는 외척, (나)는 이조 전랑, (다)는 붕당을 말한다. 외척은 왕비 집안 사람들을 말하며, 척신이라 부르기도 하였다. 이조 전랑은 이조의 정랑과 좌랑을 일컫는 말로, 3사의 관리와 자신의 후임자를 추천할 수 있는 권리가 있었다. 붕당은 특정한 학문적·정치적 입장을 공유하는 사족들의 정치 집단으로 공론에 입각하여 서로 비판·견제하며 붕당 정치를 전개해 나갔다.

오답 확인 ① 훈구파를 말한다. ② 박원종, 성희안 등 훈구 대신들이 주도하였다. ③ 사헌부의 관리들에 대한 설명이다. ④ 관찰사에 대한 설명이다.

| 만점에 도전하는 **심화 문제** | 139쪽

01 ② **02** ⑤ **03** ① **04** ③

01 성종은 세력이 커진 훈구파를 견제하기 위해 사림을 대거 등용하였다. 사림들은 주로 3사에 배치되어 공론 정치를 주도하였다. 3사는 언론 기관으로 권력 독점과 부정을 방지하는 역할을 하였다. 이에 사림들은 훈구파의 권력 독점과 비리를 비판하였고, 성종 또한 3사의 언론 활동을 격려하며 기능을 강화하였다.

오답 확인 ① 비변사는 왜구와 여진의 침략에 대비하기 위해 중종 때 임시 기구로 설치되었다. ③ 지눌은 고려 무신 집권기에 불교계의 폐단을 비판하며 개혁을 시도하였다. ④ 고려 광종은 중국에서 귀화한 쌍기의 건의를 받아들여 과거제를 시행하였다. ⑤ 고려 시기 예성강 입구의 벽란도는 국제 무역항으로 번성하였다.

02 왕도 정치, 현량과, 소격서 등의 단서들을 볼 때 (가)에 들어갈 인물은 조광조이다. 중종 때 등용된 조광조는 왕도 정치의 실현을 내세우며 여러 개혁을 추진하였다. 그는 소격서를 폐지하였고, 추천으로 관리를 등용하는 현량과를 실시하였다. 또한 중종이 왕위에 오를 때 부적절하게 공신이 된 사람들의 공훈을 삭제하고자 하였다. 그러나 조광조의 급진적인 개혁에 부담을 느낀 중종은 훈구 세력과 손을 잡고 조광조를 비롯한 사림 세력을 제거하였다.

오답 확인 ① 이성계, 정도전 등이 주도하였다. ② 태종 때 이회 등에 의해 제작되었다. ③ 고려 성종 때 최승로가 시무 28조를 건의하였다. ④ 고려 공민왕 때 신돈을 등용하여 설치하였다.

03 그림은 안동의 병산 서원이다. 서원은 덕망 있는 유학자를 모시고 제사지내고, 후학을 양성하는 곳으로 사림들이 이곳을 중심으로 결속을 다지고 여론을 형성하였다. 또한 사림들이 학문을 이어가고 정치적 기반을 다지는 장소이기도 하였다. 이처럼 사림들은 지방에서 서원을 세우고 향약을 보급하면서 세력을 확대해 나갔다.

오답 확인 ② 서원은 대체로 생원, 진사를 우선적으로 받아들였지만 배우고자 하는 마음이 높고 품행이 단정하면 입학이 가능하였다. ③ 3사 중 사헌부의 업무이다. ④ 의금부의 업무이다. ⑤ 고려 시대 특별 행정 구역 중 소에서 했던 역할이다.

04 밑줄 친 '이 관직'은 이조 전랑이다. 명종비 인순 왕후의 동생인 심충겸이 이조 전랑에 추천되자 김효원이 외척이라는 이유로 반대하였다. 이는 김효원이 이조 전랑에 추천되었을 때 심충겸의 형인 심의겸이 반대했었기 때문이다. 결국 이조 전랑의 임명 문제에 따른 김효원과 심의겸의 대립은 사림이 동인과 서인으로 나뉘는 계기가 되었다. 이조 전랑은 3사의 관리와 자신의 후임을 추천할 수 있는 권리가 있었다.

오답 확인 ㄱ - 곡식과 화폐의 출납 업무는 고려 시대 삼사에서 담당하였다. 조선은 6조 중 호조에서 담당하였다. ㄹ - 군사 기밀, 왕명 전달 등의 업무는 고려 시대 중추원의 관리가 맡았다.

---

3 문화의 발달과 사회 변화

확인해 봐요

주제 5 **훈민정음과 유교 윤리의 보급** 140쪽

1 훈민정음 **2** 유교 윤리 **3** 『주자가례』

주제 6 **조선 전기 문화의 발달** 142쪽

1 X **2** ○ **3** ○

시험을 대비하는 실전 문제

| 기초를 튼튼하게 **확인 문제** | 144쪽

01 ㉠-ⓑ, ㉡-ⓐ, ㉢-ⓒ **02** (1) ○, (2) ○, (3) X **03** ㄷ-ㄹ-ㄱ-ㄴ **04** (1) 명분론, (2) 『삼강행실도』, (3) 「몽유도원도」

| 내신을 탄탄하게 **내신 문제** | 144~146쪽

01 ③ **02** ⑤ **03** ⑤ **04** ① **05** ③ **06** ④ **07** ⑤ **08** ② **09** ① **10** ④

01 제시된 자료는 훈민정음 해례본의 정인지 서문 중 일부이다. (가)는 세종이 창제한 훈민정음으로 민족 문화의 발전에 크게 기여하였다.

오답 확인 ① 호족은 신라 말 고려 초 사회 변동을 주도적으로 이끈 지방 세력을 말한다. ② 중종반정은 연산군의 폭정 때문에 일어났다. ④ 금속 활자는 고려 후기에 발명되었다. ⑤ 지도 제작과 지리책 편찬의 목적에 대한 설명이다.

02 제시된 자료는 유네스코 세종대왕 문해상에 대한 내용이다. 세종대왕의 한글 창제 정신을 널리 알리고, 국제적인 문맹 퇴치 운동을 활성화하기 위해 1989년 제정되었다. 1990년부터 해마다 세계 문해의 날(9월 8일)에 시상한다. 세종은 『삼강행실도』를 편찬하여 충, 효와 같은 유교 윤리를 보급하였다.

오답 확인 ① 조선은 인조 때 일어난 정묘호란 이후 후금과 형제 관계를 맺었다. ② 삼별초는 고려 무신 정권 시기 최우가 만들었다. ③ 선조는 임진왜란이 발발하고 충주 방어선이 무너지자 의주로 피난하였다. ④ 정조는 장용영을 설치하여 군사적 기반을 강화하였다.

03 제시된 자료는 훈민정음 언해본으로 (가)는 훈민정음이다. 훈민정음은 세종이 말과 글이 서로 달라 불편한 부분을 해결하고, 백성들이 누구나 쉽게 배우고 쓸 수 있게 하고자 창제하였다.

오답 확인 ① 조선은 큰 나라를 섬긴다는 뜻으로 명과 사대 관계를 맺고 정기적으로 사신을 보냈다. 이는 중국 중심의 동아시아 질서를 인정하는 대신 안정을 확보하려는 실리적 성격을 띠었다. ② 태종은 군역 및 부역 대상자를 파악하기 위해 호구 조사와 호패법을 실시하였다. ③ 사림은 지방 곳곳에 서원을 세워 향촌에 성리학을 보급하고 유학 교육을 강화하였다. ④ 몽골의 침략은 고려 시대인 13세기에 일어났다.

04 『삼강행실도』 편찬, 가묘·사당 설치, 『소학』과 『주자가례』 보급 등은 모두 유교 윤리의 보급과 관련 있는 내용들이다. 『삼강행실도』는 충신·효자·열녀 이야기를 글과 그림으로 구성한 것이고, 가묘와 사당은 사족들이 성리학적 사회 질서를 유지하고자 건립하였다. 『소학』은 유학 교육의 기본 서적이며, 『주자가례』는 관혼상제 등 가정에서 지켜야 할 각종 의례를 정리한 책이다.

오답 확인 ② 사림 세력은 성종 때 중앙 정계에 진출한 이후 3사를 중심으로 정치적으로 성장하였다. ③ 불교는 고려 시대 왕실과 귀족의 지원을 받는 과정에서 여러 가지 사회·경제적 폐단을 낳았다. ④, ⑤ 호족은 신라 말 선종을 후원하고 풍수지리설을 사상적 기반으로 삼았으며, 지방에서 사회 변동을 주도적으로 이끌어 나갔다.

05 (가)는 『소학』으로 유학 교육의 입문서이다. (나)는 태조 때 한양을 기준으로 별자리를 관측하여 만든 천문도를 돌에 새긴 것이다.

오답 확인 ① 『상정고금예문』에 대한 설명으로, 현재 전해지지는 않는다. ② 『조선왕조실록』에 대한 설명이다. ④ 앙부일구(해시계), 자격루(물시계)에 대한 설명이다. ⑤ 혼천의에 대한 설명이다.

06 제시된 지도는 태종 때 만들어진 『혼일강리역대국도지도』이다. 중국, 유럽, 아프리카까지 그려진 세계 지도로 각 지역의 원근을 파악하여 국가를 통치하는 데 도움을 얻기 위해 제작하였다. 조선의 크기를 실제보다 크게 그림으로써 조선 왕조의 개창을 만천하게 과시하려는 의도가 담겨 있다.

오답 확인 ㄱ - 장영실이 제작한 것은 앙부일구, 자격루 등이다. ㄷ - 조선은 『소학』, 『주자가례』, 『삼강행실도』 등을 보급함으로써 성리학적 사회 질서를 확산하고자 하였다.

07 조선은 건국 초부터 천문학과 역법 등을 중시하였다. 이는 자연 현상을 국왕의 권위와 연결하여 생각하고, 백성들의 생활 안정에 농사의 영향이 컸기 때문이다.

오답 확인 ㄱ - 송은 13세기 후반 몽골군에 의해 멸망하였다. ㄴ - 박지원, 박제가 등 북학파는 조선 후기에 활동하였다.

08 조선 전기의 과학 기술은 천문학과 역법을 중심으로 발전하였다. 세종 때 천체 운행을 측정하는 혼천의, 시간을 측정하는 앙부일구, 자격루 등이 만들어졌으며, 한양을 기준으로 한 칠정산이라는 역법책이 완성되었다.

오답 확인 ① 『대동여지도』는 조선 후기 김정호가 제작하였다. ③ 안경, 망원경 등 서양 물건들은 조선 후기 청에 연행사로 파견된 사신들에 의해 수용되었다. ④ 금속 활자는 고려 시대에 발명되었다. ⑤ 수원 화성은 조선 후기 정조 때 건설하였다.

09 『몽유도원도』는 도화서 출신의 안견이 현실 세계와 이상 세계가 공존하는 꿈속의 낙원을 표현한 그림이다. 안평 대군이 꿈에서 본 무릉도원의 풍경을 토대로 그린 것으로 조선 전기 최고의 걸작으로 손꼽힌다.

오답 확인 ② 풍속화에 대한 설명이다. ③ 양반 출신 화가 강희안의 『고사관수도』에 대한 설명이다. ④ 민화에 대한 설명이다. ⑤ 매화, 난초, 국화, 대나무를 그린 사군자 그림은 16세기에 사대부 사이에서 유행하였다.

10 도자기는 분청사기와 백자가 함께 유행하다가 16세기 이후 백자가 주로 사용되었다. 그림은 도화서 출신의 화가와 양반 사대부들이 주로 그렸는데, 안견이나 강희안 등이 대표적이다. 음악은 세종 때 궁중 음악인 아악이 정리되었고, 이후 종묘 제례악이 완성되었다. 성종 때에는 『악학궤범』이 편찬되었다.

오답 확인 ① 월정사 팔각 구층 석탑은 고려 시대에 세워졌다. ② 판소리, 탈춤 등의 공연은 조선 후기에 성행하였다. ③ 『홍길동전』 등 한글 소설은 조선 후기에 유행하였다. ⑤ 부석사 무량수전, 수덕사 대웅전 등은 고려 시대에 건축되었다.

만점에 도전하는 **심화 문제**	147쪽

01 ① **02** ⑤ **03** ④ **04** ②

01 제시된 자료는 훈민정음 언해본에 나타난 훈민정음 창제의 목적이다. 세종은 우리말을 소리 나는 대로 적을 수 있는 문자를 만들어 훈민정음이라는 이름으로 반포하였다(1446).

오답 확인 조선이 건국된 해는 1392년, 단종을 쫓아낸 후 세조가 즉위한 해는 1455년, 중종반정이 일어난 해는 1506년, 기묘사화가 일어난 해는 중종 때인 1519년, 임진왜란이 발발한 해는 1592년, 병자호란이 발발한 해는 1636년이다.

02 『삼강행실도』는 세종 때 충신, 효자, 열녀 이야기를 뽑아 글과 그림으로 구성하여 편찬한 책이다. 『소학』은 유학 교육의 입문서 역할을 했던 책으로 일상생활에서 필요한 예의범절 등 필수적인 도덕규범이 담겨 있다. 두 책을 모두 아우르는 탐구 주제는 성리학적 사회 질서 확산을 위한 노력이 가장 적절하다.

오답 확인 ① 한글 소설, 탈춤 등의 서민 문화는 조선 후기에 유행하였다. ② 지눌 등이 전개한 불교 개혁 운동은 고려 시대에 전개되었다. ③ 실학 연구는 조선 후기 정약용, 박제가 등에 의해 이루어졌다. ④ 조선은 임진왜란 이후 에도 막부와 다시 외교 관계를 수립하고 통신사를 파견하였다.

03 '유네스코 세계 기록 유산, 춘추관, 사관, 사고' 등의 단어들로 유추할 때 (가)에 들어갈 단어는 『조선왕조실록』이다. 『조선왕조실록』은 태조부터 철종 때까지 472년간의 역사를 연월일 순서로 기록한 역사책으로 총 1,893권 888책이나 될 정도로 방대하다. 조선 정부는 실록들을 여러 장소의 사고에 별도로 보관하였다.

오답 확인 ① 고려 시대에 김부식 등이 편찬한 『삼국사기』에 대한 설명이다. ② 세종 때 편찬한 『칠정산』에 대한 설명이다. ③ 세종 때 간행된 『농사직설』에 관한 설명이다. ⑤ 성종 때 편찬한 『동국여지승람』에 대한 설명이다.

04 제시한 백자 끈무늬 병, 강희안이 그린 『고사관수도』는 모두 조선 전기의 문화 유산이다. 이 시기에는 음악 분야에서 궁중 음악인 아악을 정리하여 이후 종묘 제례악이 완성되었다. 그림은 도화서 출신 화가인 안견이 그린 『몽유도원도』가 대표적이다. 16세기에는 사대부 사이에서 사군자가 유행하였다. 새 왕이 즉위하면 이전 왕의 통치 기록을 정리하여 『조선왕조실록』을 편찬하였다.

오답 확인 ② 『삼국사기』는 12세기 인종의 명으로 김부식이 주도하여 편찬한 역사책이다. 『삼국유사』는 승려 일연이 지은 역사책으로 우리나라 역사의 출발점을 단군의 고조선으로 설정하였다.

한눈에 쏙쏙 조선 전기 예술의 발달

그림	강희안 『고사관수도』, 안견 『몽유도원도』, 16세기 이후 사군자 그림과 산수화 유행
공예	초기에 분청사기 유행 → 16세기 이후 백자 유행(선비들의 취향)
음악	세종 때 궁중 음악인 아악 정리(→ 종묘제례악 완성), 성종 때 『악학궤범』 편찬

4 왜란·호란의 발발과 영향

확인해 봐요

주제 7 **7년간 조선을 뒤흔든 임진왜란(1)** 148쪽

1 도요토미 히데요시 **2** 이순신 **3** 의병

주제 7 **7년간 조선을 뒤흔든 임진왜란(2)** 150쪽

1 X **2** ○ **3** ○

주제 3 **호란과 북벌론** 152쪽

1 중립 외교 **2** 인조반정 **3** 병자호란

시험을 대비하는 실전 문제

| 기초를 튼튼하게 **확인 문제** | 154쪽

01 ㉠-ⓑ, ㉡-ⓐ, ㉢-ⓒ **02** (1) ○, (2) X, (3) ○
03 ㄹ-ㄴ-ㄷ-ㄱ **04** (1) 평양성, 행주산성, (2) 여진족, (3) 북벌론

| 내신을 탄탄하게 **내신 문제** | 154~156쪽

01 ③ **02** ① **03** ① **04** ⑤ **05** ④ **06** ③ **07** ④ **08** ⑤ **09** ②
10 ④

01 제시한 그림은 『동래부순절도』로 조선 후기 동래부 화원 변박이 그린 기록화이다. 임진왜란 발발 직후인 동래부 전투 상황을 위에서 내려다보는 방식으로 그렸다. 따라서 (가)는 임진왜란이다.

오답 확인 ① 칭기즈 칸이 몽골족을 통합한 것은 13세기 초이다. ② 북벌론은 병자호란 이후 나타났다. ④ 병자호란의 배경에 대한 설명이다. ⑤ 공민왕 때 신진 사대부가 성장하였다.

02 충주 방어선이 무너지고 일본군이 한양으로 다가오자, 의주로 피난을 떠난 선조는 명에 원군을 요청하였다. 명 또한 일본군의 대륙 진출을 막기 위해 지원군을 파견하였다. 이후 조선과 명이 연합군을 만들어 1593년 1월 평양성을 탈환하였다.

오답 확인 ② 홍경래의 난은 1811년 평안도 지역에서 일어났다. ③ 귀주 대첩은 고려 시대 거란의 3차 침입 때 일어났다. ④ 1592년 10월 김시민이 진주성에서 일본군을 크게 물리쳤다. ⑤ 고려 시대에 윤관이 여진족을 격퇴하고 동북 9성을 쌓았다.

03 왜란 당시 조선군이 사용한 화포와 전선이다. 현자총통은 조선 중기에 사용되었으며, 포탄이나 화살을 발사하는 화포 중 하나이다. 판옥선은 바닥이 평평하여 배의 회전이 쉬웠고, 견고하여 화포를 쏠 때 충격에 잘 견뎠다. 임진왜란 초반의 불리한 전세는 수군과 의병의 활약으로 점차 바뀌었다. 특히 이순신이 이끄는 수군의 연승으로 전라도의 곡창 지대를 지키고, 일본의 해상 보급로를 차단하였다.

오답 확인 ② 진포 대첩은 고려 말 왜구를 물리친 해상 전투로, 최무선이 발명한 화포가 사용되었다. ③ 삼별초는 고려 무신 정권 시기에 만들었고, 대몽 항쟁을 전개하다가 고려·몽골의 연합군에 의해 진압되었다. ④ 세종 때 왜구의 근거지인 쓰시마섬을 정벌하였다. ⑤ 병자호란은 조선이 청의 군신 관계 요구를 거절하자 청태종이 직접 군사를 이끌고 침략해 들어오면서 시작되었다.

04 왜란은 동아시아 정세에 큰 변화를 가져왔다. 일본에서는 도요토미 히데요시 정권이 무너지고 도쿠가와 이에야스의 에도 막부가 성립하였다. 반면 중국에서는 명의 국력이 약해진 틈을 타서 만주의 여진족이 세력을 확장하였다.

오답 확인 ⑤ 전쟁터였던 조선에서 일어난 일이다.

05 일본군은 조선을 침략하자마자 부산진, 동래성을 함락시키고 충주 방어선까지 돌파한 후 20여 일만에 한성을 함락하였다. 하지만 바다에서는 이순신이 이끄는 수군이 옥포, 당포, 한산도 등에서 연전연승을 거두었다. 선조는 의주로 피난을 가서 명에 원군을 요청하였고, 이후 조선과 명 연합군은 평양성을 되찾았고, 권율은 행주산성에서 일본군을 격파하였다. 조선과 명의 반격이 거세지자, 일본은 휴전 협상을 제의하였다.

오답 확인 ① 병자호란 때의 일이다. ② 충주 방어선이 무너진 것은 (가) 시기의 일이다. ③ 강홍립의 후금 투항은 광해군 때이다. ⑤ 몽골 침입 때 김윤후가 처인성에서 적장 살리타를 사살하였다.

06 제시된 자료는 인조반정을 성공시킨 서인들이 반정의 정당성을 주장하기 위해 공표한 인목대비의 교서 내용 중 일부이다. '대비를 서궁에 유폐', '의리로는 군신 … 명에 대해 배은망덕하여' 등의 내용을 통해 인목대비 폐위와 광해군의 중립 외교가 인조반정의 원인이라는 것을 파악할 수 있다.

오답 확인 ㄱ-북벌을 추진한 것은 효종과 서인 세력이다. ㄹ-갑자사화 등 폭정을 일삼았던 왕은 연산군이다.

07 선조의 뒤를 이어 왕위에 올랐으며 임진왜란으로 인한 전후 복구에 힘쓴 왕은 광해군이다. 광해군은 명과 후금 사이에서 중립 외교 정책을 추진하였으나, 이에 반발하는 서인들이 추진한 인조반정으로 인해 왕위에서 쫓겨났다.

오답 확인 ① 고려 무신 정권 시기 최우와 관련된다. ② 인조는 정묘호란 때 후금과 형제의 관계를 맺었다. ③ 고려 공민왕의 반원 자주 개혁 정책 중 일부이다. ⑤ 효종 때 추진한 북벌론과 관련된다.

08 제시된 자료는 병자호란 당시 주화론자와 주전론자의 대화 내용이다. 최명길 등 주화론자는 외교 교섭을 통해 시간을 번 후 전쟁에 대비해야 한다는 의견이었고, 김상헌 등 주전론자는 임진왜란 때 조선을 도와준 명의 은혜를 잊지 말고 청과 적극적으로 싸워야 한다고 하였다.

오답 확인 임진왜란 발발은 1592년, 한산도 대첩도 1592년, 노량 해전은 1598년, 광해군이 즉위는 1608년, 인조반정은 1623년, 효종은 1649년에 즉위하였다.

09 청 태종이 병자호란을 일으키자 남한산성에 들어가 항전하던 인조는 결국 청에 항복하였다. 이후 조선에서는 청에 굴복한 사실을 치욕스럽게 생각한 사람들 사이에서 북벌론이 제기되었다. 청에 인질로 끌려갔다 돌아와 왕위에 오른 효종은 서인들과 함께 남한산성 등 성곽을 수리하고 군대를 확충하는 등 북벌을 준비하였으나 실행에 옮기지는 못하였다.

오답 확인 ① 『동의보감』은 임진왜란 이후인 1596년 선조의 명을 받아 허준 등이 편찬하기 시작하였다. ③ 거란의 3차 침략을 막아낸 이후 고려는 북쪽에 천리장성을 쌓아 국방을 강화하였다. ④, ⑤ 고려 무신 정권 시기 최충헌은 사병 집단인 도방을 더욱 강화하여 군사력을 확대하였고, 교정도감을 설치하였다.

10 제시된 자료는 아리타 도자기와 서울 종로구의 동묘 사진이다. 이삼평은 임진왜란 때 일본에 끌려간 도자기 기술자로 아리타 자기를 만드는 데 성공함으로써 일본에서 도조(도자기 시조)라고 불리고 있다. 관우는 중국에서 숭배되었으며, 서울에도 중국의 사당을 본떠 지은 동묘와 관우상이 있다. 따라서 제시된 사진들을 통해 왜란·호란 시기 동아시아의 문화 교류를 알 수 있다.

오답 확인 ① 몽골과 강화 후 고려와 원의 교류가 늘면서 고려에 몽골식 복장, 변발 등 몽골풍이 나타났다. ② 조선은 에도 막부 수립 이후 일본과 외교 관계를 회복하고 여러 차례 통신사를 파견하였다. ③ 인조는 병자호란을 막지 못하고 결국 청에 항복하였다. ⑤ 사림들은 향약을 시행하고 소학이나 주자가례 등을 보급함으로써 성리학적 사회 질서를 유지하고자 하였다.

만점에 도전하는 **심화 문제** | 157쪽
01 ④ **02** ② **03** ⑤ **04** ①

01 조선은 임진왜란 발발 20여 일 만에 한성까지 함락당하였다. 하지만 수군과 의병의 활약으로 전세를 점차 바꾸어 나갔다. 이순신이 이끄는 수군은 서남해안의 제해권을 장악하여 일본군의 해상 보급로를 차단하였다. 의병은 익숙한 지리를 활용한 전술로 일본군의 보급로를 차단하여 큰 활약을 펼쳤다. 대표적인 의병장으로는 의령의 곽재우, 금산의 조헌, 길주의 정문부를 비롯해 휴정·유정(승병) 등이 있었다.

오답 확인 ① 김준용 장군의 광교산 전투는 병자호란 때의 일이다. ② 윤관이 이끄는 별무반이 여진족을 격퇴한 것은 12세기 초의 일이다. ③ 임경업의 백마산성 항전은 병자호란 때의 일이다. ⑤ 서희가 소손녕과 담판을 짓고 강동 6주를 획득한 일은 거란 침입 때인 10세기 후반의 일이다.

02 제시문 속에 나타난 '임진년에 왜구가 쳐들어와 일으킨 난', '분로쿠·게이초의 역', '항왜원조' 등의 용어들을 볼 때 밑줄 친 '전쟁'은 임진왜란임을 알 수 있다.

오답 확인 ①, ③ 광해군 때의 일이다. ④, ⑤ 이종무의 쓰시마섬 정벌과 최윤덕의 4군 설치는 세종 때의 일이다.

03 왜란·호란은 참혹한 피해를 가져왔지만 다양한 인적·물적 교류가 이루어지기도 하였다. 명으로부터 홍이포가 전래되었으며, 충과 의의 상징으로 숭배받는 관우 신앙이 들어왔다. 조선의 도자기와 도자기 기술이 일본에 전파되었으며, 이 과정에서 아리타 자기를 만든 이삼평은 일본에서 도조로 불리고 있다. 음식과 관련해서도 일본을 통해 고추, 담배 등이 들어와 음식 문화에 큰 변화가 일어났다.

⑤ 성리학은 고려 충렬왕 때 안향에 의해 수용되었다.

04 병자호란 이후 청에 굴복한 사실을 치욕스럽게 생각한 사람들 사이에서 북벌론이 제기되었다. 특히 청에 인질로 끌려갔다 돌아와 왕위에 오른 효종은 서인 세력과 함께 군대를 확충하고 성곽을 수리하는 등 북벌을 준비하였다.

오답 확인 ② 도요토미 히데요시는 대륙 진출 및 영토 확대 욕구, 일본 국내의 정치 안정 도모 등을 이유로 1592년에 임진왜란을 일으켰다. ③, ④ 홍건적과 왜구는 고려 공민왕 때 자주 침략하였다. 홍건적과 왜구의 침략을 막아내는 과정에서 이성계, 최영 등 신흥 무인 세력이 성장하였다. ⑤ 무신 정변(1170) 이후 여러 차례 최고 권력자가 바뀌었으나 최충헌이 권력을 잡은 후 혼란한 상황이 수습되면서 최씨 무신 정권이 수립되었다.

대주제를 정리하는 종합 문제   160~161쪽

01 ④ **02** ④ **03** ③ **04** ⑤ **05** ② **06** ① **07~08** 해설 참조

01 이 서적은 『경국대전』으로, 세조 때 편찬하기 시작하여 성종 때 완성되었다. 『경국대전』은 정치, 경제, 사회, 문화의 기본이 되는 역대의 법을 집대성한 것으로 이전, 호전, 예전, 병전, 형전, 공전의 육전 체제로 구성되어 있다.

오답 확인 ㄱ – 관·혼·상·제례 등 가정에서 지켜야 할 각종 의례가 정리되어 있는 책은 『주자가례』이다. ㄷ – 세종 때 유교 윤리를 보급하기 위해 편찬한 『삼강행실도』에 대한 설명이다.

02 사림은 성종 때 주로 3사를 통해 중앙 정계에 진출하였다. 사림은 훈구파의 권력 독점과 비리를 비판하였다. 그러자 사림과 훈구파 간의 정치적 갈등이 심해졌다. 이 과정에서 사림이 큰 피해를 본 사화가 발생하였다.

오답 확인 ①, ② 갑자사화는 연산군이 자신의 어머니 폐위와 관련된 사람들을 제거하는 과정에서 발생하였다. ③, ⑤ 기묘사화는 중종 때 조광조의 급진적인 개혁 정치에 대한 반발 때문에 발생하였다.

03 명분론을 중시하는 성리학이 조선의 통치 이념으로 등장하면서 일상생활에서도 유교 윤리를 보급하기 위한 윤리서와 의례서들이 간행·보급되었다. 『삼강행실도』, 『소학』, 『주자가례』 등이 대표적이다.

오답 확인 ① 「동명왕편」은 고구려를 건국한 주몽을 영웅으로 묘사한 서사시로 이규보가 지었다. ② 『삼국유사』는 승려 일연이 지은 책으로 삼국의 역사와 설화, 우리 고유 문화와 불교에 관한 다양한 이야기를 담고 있다. ④ 『동국여지승람』은 성종 때 편찬되었으며, 각 지역의 연혁·산천·토지·교통·인물 등이 담겨 있다. ⑤ 『상정고금예문』은 금속활자로 인쇄한 최초의 책이지만 현재 전해지지 않는다.

04 「천상열차분야지도」는 태조 때 전해지던 천문도를 바탕으로 제작되었다. 혼천의는 천체 운행을 측정하는 기구로 세종 때 만들었다. 따라서 (가) 시기는 조선 전기를 말한다.
⑤ 팔만대장경은 고려 최씨 정권의 대몽 항쟁 시기에 외침 극복과 농민 봉기 등 대내외적 위기를 벗어나려는 목적에서 제작되었다.

05 귀 무덤은 임진왜란 당시 일본군이 전리품을 확인하기 위해 부피가 큰 목 대신 베어 간 코를 묻은 곳이다. 따라서 코 무덤이라고 해야 하지만 일본의 유학자인 하야시 라잔이 잔인하다고 하여 귀 무덤으로 부르자고 하여 현재 귀 무덤이라고 부르고 있다.

오답 확인 ㄴ – 병자호란 이후 조선은 청에 사대 외교를 하였지만 이를 치욕스럽게 생각한 효종과 서인들은 군대를 확충하는 등 북벌을 추진하였다. ㄷ – 청 태종은 1636년 조선에 군신 관계를 요구하였다. 하지만 조선이 이를 거절하자 직접 군대를 이끌고 조선을 침략하였다.

06 (가) 시기는 임진왜란이 일어나기 직전부터 광해군이 쫓겨나고 인조가 즉위하기까지를 말한다. (나) 시기는 인조반정부터 청 태종이 직접 조선을 침략한 병자호란 발발까지를 말한다.

오답 확인 ② 소현 세자를 비롯한 신하들이 청에 끌려간 시기는 병자호란이 끝난 후이다. ③ 휴전 회담과 정유재란의 발발은 임진왜란 시기에 해당한다. ④ 누르하치가 여진족을 통합하고 후금을 세운 시기는 1616년이다. ⑤ 이순신은 1591년 전라좌도 수군절도사에 임명되었으며 임진왜란 때 크게 활약하였으나, 1598년 11월 마지막 전투였던 노량 해전에서 적의 탄환에 맞아 전사하였다.

07 (1) **정답** (가) 중종, (나) 조광조
(2) **예시 답안** 조광조는 추천을 통해 인재를 선발하는 현량과를 시행하였다. 도교 행사를 주관하던 소격서를 폐지하였다.

채점 기준

상	현량과의 시행, 소격서의 폐지 등 조광조의 개혁 정책을 두 가지 이상 서술한 경우
중	현량과의 시행, 소격서의 폐지 등 조광조의 개혁 정책을 한 가지만 서술한 경우
하	현량과의 시행, 소격서의 폐지 등 조광조의 개혁 정책을 모두 서술하지 못한 경우

08 (1) **정답** (가) 이황, (나) 이이
(2) 왕실 외척의 정치 참여 문제를 둘러싸고 사림 내부의 의견이 나뉘었으며, 이조 전랑의 임명 문제를 놓고 더욱 대립하였다. 결국 사림은 동인과 서인으로 나뉘어 붕당을 형성하였다.

채점 기준

상	왕실 외척의 정치 참여 문제, 이조 전랑의 임명 문제 등 붕당이 나뉜 이유를 두 가지 이상 서술한 경우
중	왕실 외척의 정치 참여 문제, 이조 전랑의 임명 문제 등 붕당이 나뉜 이유를 한 가지만 서술한 경우
하	왕실 외척의 정치 참여 문제, 이조 전랑의 임명 문제 등 붕당이 나뉜 이유를 모두 서술하지 못한 경우

Ⅴ 조선 사회의 변동

1 조선 후기의 정치 변동

확인해 봐요

주제 1 **붕당 정치의 전개와 변질** 164쪽

1 비변사 **2** 대동법 **3** 예송

주제 2 **탕평책으로 개혁을 추구한 영조와 정조** 166쪽

1 탕평책 **2** 균역법 **3** 규장각

주제 3 **정권을 장악한 세도 가문** 168쪽

1 X **2** ○ **3** ○

시험을 대비하는 실전 문제

| 기초를 튼튼하게 **확인 문제** | 170쪽

01 ㉠-ⓑ, ㉡-ⓒ, ㉢-ⓐ **02** (1) ○, (2) X, (3) ○, (4) X
03 ㄴ-ㄱ-ㄹ-ㄷ **04** (1) 약화, (2) 정조, (3) 안동 김씨

| 내신을 탄탄하게 **내신 문제** | 170~172쪽

01 ① **02** ③ **03** ④ **04** ④ **05** ③ **06** ⑤ **07** ⑤ **08** ④ **09** ③
10 ⑤

01 비변사는 원래 외적의 침입에 대비하기 위해 설치된 임시 기구였으나, 양 난을 거치면서 의정부를 대신해서 국정을 총괄하는 최고 권력 기구가 되었다. 한편 조세 제도를 개편하여 집집마다 토산물을 거두는 공납 대신 토지 면적을 기준으로 쌀이나 옷감, 동전을 내는 대동법을 시행하였고, 정부는 공인이라는 상인을 통해 필요한 물품을 구입하였다.

오답 확인 ㄷ - 훈련도감은 중앙을 수비하는 군대를 의미하며, 조총을 다루는 포수, 창과 칼을 다루는 살수, 활을 쏘는 사수의 삼수병으로 구성되었다. 이들은 급료를 받는 직업 군인의 성격을 지녔으며, 상비군 체제로 운영되었다. ㄹ - 영정법은 토지세(전세)를 개편한 것으로, 풍흉과 관계 없이 토지 1결당 쌀 4두씩을 거두도록 하였다.

02 (가) 기구는 비변사를 의미한다. 비변사는 16세기 중종 때 여진의 침입에 대처하기 위해 임시로 설치되었다가, 이후 국정을 총괄하는 최고 권력 기구가 되었다. 비변사의 기능이 강화됨에 따라 기존에 국정을 총괄하던 의정부의 권한이 약화되었다.

오답 확인 ①,② 비변사의 기능이 강화되면서 의정부와 6조, 그리고 왕권은 오히려 약화되었다. ④ 군사 문제뿐만 아니라 국가의 주요 정책을 논의하고 결정하였다. ⑤ 붕당 간 대립이 치열하게 전개되어 이후 특정 붕당에서 비변사의 고위직을 독차지하였다.

03 (가)에 들어갈 말은 예송으로, 현종 때 효종과 효종 비가 사망하면서 왕실의 의례 문제인 상복을 입는 기간을 두고 두 차례 논쟁이 발생하였는데, 이를 예송이라고 한다. 이 과정에서 왕권을 바라보는 견해 차이와 정국 운영의 주도권 다툼 등을 이유로 서인과 남인 간의 대립이 치열하게 전개되었다. (나)에 들어갈 말은 환국으로, 집권 붕당이 급격하게 교체되는 현상을 의미한다. 환국으로 집권 붕당이 바뀔 때마다 상대 당에 가혹한 보복이 뒤따랐다.
④ 환국으로 집권 붕당이 상대 당에 가혹한 보복이 뒤따르는 현상이 반복되면서 붕당 간 상호 공존의 기반이 무너졌다.

04 제시문에서 설명하는 정책은 영정법, 대동법, 균역법에 대한 내용이다. 조선 후기에는 조세 제도를 개편하여 백성들의 삶의 안정을 도모하고 국가 재정을 안정적으로 확보하고자 하였다.

오답 확인 ① 일본과의 전쟁(임진왜란) 이후에 조세 제도를 개편하였다. ② 조세 제도 개편은 민생 안정과 재정 확충을 위한 것이다. ③ 농민들의 부담을 완화시키기 위한 것이다. ⑤ 조세 제도 개편이 직접적으로 자유로운 상공업의 활동을 보장하기 위한 것은 아니다.

한눈에 쏙쏙 조세 제도의 개편

영정법 (전세)	전세(토지에 대한 세금)를 풍흉에 관계 없이 토지 1결당 쌀 4두 징수
대동법 (공납)	• 배경: 방납의 폐단 심화 • 내용: 토산물 대신 토지 결수를 기준으로 쌀(1결당 12두), 옷감, 동전 등 징수
균역법 (군역)	• 배경: 양반의 군역 부담 이탈, 군영과 관청의 과도한 군포 징수 → 농민의 부담 증가 • 내용: 농민이 1년에 부담하는 군포를 2필에서 1필로 줄임, 줄어든 군포 수입은 어장세·선박세·소금세 등으로 보충

05 자료에 제시된 비석은 영조가 붕당 정치의 폐단을 일깨우려고 성균관에 세운 탕평비이다. 영조는 극심한 붕당 간의 대립을 완화시키고 왕권을 강화하기 위해 붕당에 관계 없이 인재를 고루 등용하겠다는 탕평책을 추진하였다. 이에 영조는 붕당과 관계없이 인물을 고루 등용하고, 자신의 정책을 지지하는 탕평파를 육성하여 정국을 운영하였다.

오답 확인 ③ 탕평책의 시행은 어느 정도 왕권 안정에 도움이 되어, 영조와 정조 대에 정치와 경제의 안정을 누릴 수 있었다. 세도 정치는 정조 사후 나이 어린 왕이 즉위하면서 전개되었다.

06 제시된 자료는 규장각과 수원 화성 사진이다. 정조는 왕실 도서관이었던 규장각을 자신의 정책을 뒷받침할 수 있는 강력한 정치 기구로 만들었으며, 수원에 화성을 건설하여 자신의 정치적 이상을 실현할 신도시로 건설하고자 하였다. 이외에도 정조는 친위 부대로 장용영을 설치하여 군사적 기반을 강화하였으며, 시전 상인의 특권(금난전권)을 없애 자유로운 상업 활동을 보장하였다.

오답확인 ㄱ, ㄷ – 영조가 시행하였던 정책이다.

07 영·정조 시기에는 탕평책을 실시한 결과로 정국이 안정됨에 따라 문화 예술이 부흥하였다. 그러나 이 시기에 정치 안정을 위해 추진했던 탕평책은 국왕의 역량에 크게 의존하는 한계를 가지고 있었다. 즉 강력한 왕권으로 붕당 간 갈등을 일시적으로 억누른 것에 불과하였다. 따라서 정조가 세상을 떠나고 나이 어린 순조가 즉위하자 왕권에 공백이 생기고 정치 세력 간의 균형이 무너져 세도 정치가 전개되었다.

오답확인 ① 정조가 상공업의 자유를 허용하는 정책을 취하긴 하였으나, 탕평책의 한계라고 할 수는 없다. ② 영·정조는 강력한 왕권으로 탕평책을 실시하였다. ③ 탕평책은 붕당에 관계 없이 인재를 고르게 등용하려는 정책으로 학문적인 논쟁과는 거리가 멀다. 또 영·정조는 민생 문제를 해결하기 위해 많은 노력을 하였다. ④ 숙종 때 있었던 환국에 대한 설명이다.

한눈에 쏙쏙 탕평책의 의의와 한계

의의	왕권 강화 목적 달성 → 정치·사회의 안정
한계	국왕의 강력한 권한으로 붕당 간 다툼을 일시적으로 억누른 것에 불과 → 정조 사후 정치 세력 간 균형 붕괴 → 세도 정치 대두

08 제시된 자료는 세도 정치 시기 세도 가문의 비변사 고위직 점유율을 나타낸 그래프로, 세도 정치기에는 몇몇 세도 가문에서 비변사의 고위직을 차지하고 있었음을 알 수 있다.

오답확인 ①, ② 세도 정치의 전개로 몇몇 소수 가문이 권력을 장악하면서 왕권이 약화되었고, 의정부 및 6조의 기능이 약화되었다. ③ 집권 붕당이 급격하게 교체되는 것은 숙종 대의 환국을 말한다. ⑤ 세도 가문의 권력이 더욱 강화되었고, 매관매직과 부정부패가 성행하였으므로 다양한 인재가 등용될 수 없었다.

09 자료는 세도 정치 시기의 삼정 문란 중 환곡의 문란 모습을 보여 주고 있다. 환곡은 봄에 곡식을 빌려 주고 약간의 이자를 붙여 가을에 반납하는 빈민 구제 기관이었다. 그러나 관청에서 이자를 고리대처럼 운영하여 그 피해가 가장 심각하여 농민들의 고통을 가중하였다.

오답확인 ① 삼정의 문란이 매우 심하였음을 보여 주고 있다. ② 군역도 문란하게 운영되었으나, 자료에서는 환곡의 문란한 운영을 보여 주고 있다. ④ 세금을 토지 소유 정도에 따라 부과한 것은 이전의 영정법, 대동법과 관련한 설명이다. ⑤ 춘대추납의 빈민 구제 기구였던 환곡이 문란하게 운영되었음을 보여 주는 것이므로 기능이 강화되었다고 보기는 어렵다.

한눈에 쏙쏙 삼정의 문란

전정	토지에 부과된 세금 → 정해진 세금 외에 다양한 명목으로 수탈
군정	군포를 정해진 1필 이상 징수 → 어린아이·죽은 사람 몫을 내도록 강요
환곡	가난한 백성에게 봄에 곡식을 빌려 주고 가을에 약간의 이자와 함께 되돌려 받는 제도 → 환곡 이자가 고리대처럼 운영 → 가장 폐해가 심함.

10 정조가 세상을 떠나고 나이 어린 순조가 즉위하면서 안동 김씨와 풍양 조씨 등 외척 가문들이 권력을 장악하였고, 이로 인해 붕당 간 균형 관계가 붕괴되고 왕권이 약화되었다.

오답확인 ① 탕평책은 영조, 정조 때 시행되었으므로, 세도 정치 이전에 있었던 정책이다. ② 영조의 개혁도 세도 정치 이전에 있었던 일이다. ③ 비변사의 권한은 세도 정치 시기 이전부터 강화되었다. ④ 의정부의 권한이 약화된 것은 맞지만, 세도 가문의 형성 과정의 (가)에 들어가기에 적절하지 않다.

만점에 도전하는 심화 문제 | 173쪽

01 ② **02** ① **03** ① **04** ③

01 ㉠ 예송, ㉡ 환국, ㉢은 탕평을 말한다. 현종 때에는 효종과 효종비가 사망하면서 왕실의 의례 문제인 상복을 입는 기간을 두고 예송이 발생하였다. 숙종 때에는 왕권을 강화하기 위해 의도적으로 집권 붕당을 급격히 교체하는 환국이 여러 차례 일어나면서 붕당 간 갈등이 심해졌다. 왕위에 오르기 전부터 극심한 붕당 간의 대립을 경험하였던 영조는 즉위 후 탕평책을 추진하여 정치를 안정시키고 왕권을 강화하고자 하였다.

02 수원 화성 건설과 관련된 대화의 내용으로 볼 때, 정조 대의 상황임을 알 수 있다. 정조는 왕실 도서관이었던 규장각을 자신의 정책을 뒷받침할 수 있는 정치 기구로 만들었으며, 친위 부대로 장용영을 설치하였다. 또한 시전 상인의 특권을 없애 자유로운 상업 활동을 보장하였다. 또한 서얼에 대한 차별을 완화하였다.
① 균역법은 영조 때 실시하였다.

03 그림은 몇몇 외척 가문이 권력을 장악했던 세도 정치기에 대한 내용을 나타내고 있다. 세도 정치기에는 정치 기강이 문란해지고, 부정부패가 심해졌다. 돈이나 재물을 받고 관직을 사고파는 매관매직이 빈번하게 일어났으며, 삼정의 문란이 심해졌다.

오답확인 ② 매관매직이 성행하고, 과거 시험에서도 부정이 심해 인재의 등용이 어려웠다. ③ 환국은 세도 정치기 이전에 있었던 일이다. ④ 노론의 일부 가문이 정권을 장악하였다. ⑤ 외척 세력이 강하여, 왕권이 약화되었다.

04 세도 정치 시기에는 왕권이 크게 약해졌고, 정치 기강이 문란해져 매관매직이 성행하였으며, 지배층의 수탈이 심하여 농민들의 삶이 어려웠다. 특히 삼정의 문란이 심하여 백성들은 다양한 명목의 세금을 부담해야 하였다.

오답 확인 ①, ②, ⑤ 균역법, 영정법, 대동법은 세도 정치기 이전에 백성들의 생활 안정을 위해 실시되었던 정책이나, 세도 정치기에는 이러한 조세 정책이 제대로 작동하지 않았으며, 지배층의 가혹한 수탈이 이어졌다. ④ 삼정의 문란을 시정하기 위해 암행어사를 파견하였던 적이 있으나 성과를 보지 못하였고, 세도 정치기에는 수탈이 더욱 심화되었다.

2 사회 변화와 농민의 봉기

확인해 봐요 ⊕

주제 4 **경제 변화와 신분제의 동요** 174쪽

1 모내기법 **2** 장시 **3** 상평통보

주제 5 **삼정의 폐단에 맞서 일어난 농민 봉기** 176쪽

1 환곡 **2** 동학 **3** 홍경래

시험을 대비하는 실전 문제

기초를 튼튼하게 확인 문제 | 178쪽

01 ㉠-ⓑ, ㉡-ⓒ, ㉢-ⓐ **02** (1) ○, (2) X, (3) ○, (4) X
03 ㄴ-ㄱ-ㄷ-ㄹ **04** (1) 서얼, (2) 『정감록』, (3) 동학

내신을 탄탄하게 내신 문제 | 178~180쪽

01 ① **02** ⑤ **03** ⑤ **04** ⑤ **05** ① **06** ③ **07** ⑤ **08** ⑤ **09** ⑤
10 ②

01 제시된 그림은 못자리의 모를 논에 옮겨 심는 모내기 모습이다. 양 난 이후 황폐해진 토지를 복구하는 과정에서 보나 저수지 같은 수리 시설이 확충되고 모내기법이 전국에 보급되었다. 모내기법의 보급으로 노동력이 절감되고 수확량이 늘어났으며, 벼와 보리의 이모작이 가능해졌다. 그 결과 일부 농민은 부농으로 성장하였으나, 소작지조차 얻지 못한 대다수의 농민들은 임노동자가 되거나 도시 빈민이 되었다.

오답 확인 ㄷ – 모내기법의 보급으로 김매기의 노동력이 절감되어 생산량이 더욱 증가하였다. ㄹ – 대다수의 농민들은 소작지를 잃고 임노동자가 되거나 도시 빈민이 되었다.

02 조선 후기에는 신분제가 동요하였다. 상당수의 양반이 중앙 정치에서 밀려나 향반이나 잔반으로 전락하여, 수공업, 상업 등을 통해 생계를 유지하거나 소작농이 되는 경우도 있었다. 반면에 농업 생산력이 늘어나고 상업이 발달하면서 부를 축적한 상민은 납속책이나 공명첩을 이용하여 신분을 상승하기도 하였다. 서얼과 중인은 신분 상승 운동을 전개하였다. 노비는 신분의 굴레를 벗기 위해 끊임없이 도망다녔는데, 정부는 국가 재정을 보충하기 위해 공노비를 해방하여 노비의 수를 줄이고 상민의 수를 늘리기로 하였다.
⑤ 영조 때 이미 노비종모법을 시행하여 어머니의 신분을 따르도록 하였다.

03 조선 후기에는 농업 생산력이 증대되고, 도시의 인구가 증가하면서 상업도 활기를 띠었다. 특히 대동법의 시행으로 등장한 공인과 정조 이후 자유로운 상업 활동을 보장 받았던 사상들이 상업의 발달을 주도하였다. 상업이 활성화되면서 장시가 전국적인 유통망을 만드는 데 기여하였다. 또한 상공업이 발달하면서 화폐 수요도 증가하여 상평통보가 전국적으로 유통되었다.
⑤ 시전 상인들이 가지고 있던 독점 판매권이 정조 때 폐지되어 자유로운 상업 활동이 가능하였다.

한눈에 쏙쏙 상업의 발달

공인의 등장	대동법의 실시로 등장 → 상공업 발달에 기여
장시의 발달	18세기 중엽 1천여 개로 증가, 포구에서 상업 활발, 보부상의 활동 활발
사상의 성장	• 정조 때 금난전권 폐지로 자유로운 상업 활동 가능 • 대상인 등장(만상, 송상, 경강상인 등) → 청·일본과의 무역에도 참여
화폐 사용	상평통보가 전국적으로 유통

04 그림은 공명첩에 대한 설명이다. 국가는 재정을 확보하기 위해 돈이나 곡식을 받고 명예직을 주던 임명장인 공명첩을 발행하였고, 부를 축적한 상민들은 공명첩을 사들여 양반 신분을 얻었다.

오답 확인 ①, ②, ③은 공명첩과 관련이 없다. ④ 납속책은 조선 후기 국가 재정을 충당하기 위해 실시한 정책으로 쌀이나 돈을 바칠 경우 관직을 주거나 신분을 상승시켜 주었다.

05 상품 화폐가 발달함에 따라 양반 중심의 신분 질서가 무너져 갔다. 붕당 정치가 변질되면서 상당수의 양반이 몰락하였고, 부를 축적한 상민들은 다양한 방법을 통해 양반으로 신분을 상승하였다. 중간 계층은 신분 차별 폐지를 요구하였으며, 정부는 도망가는 노비가 늘어나자 재정 보충을 위해 공노비를 해방하였다.
① 순조 때 공노비가 공식적으로 해방되었다. 사노비는 여러 가지 방법으로 노비의 신분을 벗어나 신분 상승을 꾀하는 경우가 있었으나, 공식적으로 노비제가 폐지된 것은 갑오개혁 이후이다.

06 세도 정치 시기 관리들의 부정부패가 심해지면서 삼정이 문란하게 운영되었다. 전정은 토지에서 나오는 수확량에 부과하는 세금이었으나, 각종 부가세가 합쳐져 내야 할 세금이 몇 배로 늘어났다. 군정은 군역을 대신하여 납부하는 것이었는데, 힘없는 농민들은 군포를 면제 받은 사람이나 도망간 사람의 몫까지 부담해야 했다. 환곡은 춘대추납의 빈민 구제 기관이었으나, 관청에서 이자를 고리대처럼 운영하여 그 피해가 가장 극심하였다.
③ 영조 때에 균역법을 시행하여 2필을 내야 했던 군포를 1필로 줄여주었으나, 세도 정치기에는 군정이 문란하게 운영되어 이웃이나 친척의 군포까지 부담해야 했다.

07 세도가들의 부정부패, 삼정의 문란, 자연재해, 전염병의 유행 등으로 사회가 불안해지자 백성들 사이에 예언 사상과 새로운 종교가 유행하였다. 특히 정씨가 새로운 왕조를 세운다는 정감록과 미륵이 백성을 구원한다는 미륵 신앙 등이 널리 퍼졌다.
⑤ 영·정조의 탕평 정치 시기에는 정치와 경제가 안정되어 사회·문화가 발전하였던 시기이다.

08 제시된 자료는 동학의 제2대 교주인 최시형의 설법 내용으로, 동학의 핵심 교리인 인내천 사상을 보여 주고 있다. 몰락 양반인 최제우는 천주교에 대응하여 동학을 창시하였다. 동학은 사람이 곧 하늘이라는 인내천 사상을 바탕으로 기존의 신분 질서를 부정하며 사회 개혁을 추구하고자 하였다. 정부는 신분 질서를 위협하고 사회 개혁을 주장하는 동학을 금지하고, 최제우를 처형하였다.
⑤ 천주교에 대한 설명이다.

한눈에 쏙쏙 예언 사상과 새로운 종교의 유행

미륵 신앙	미래불인 미륵이 나타나 민중을 구제한다는 신앙
무속 신앙	무당의 굿이나 풀이로 복을 비는 신앙
정감록	이씨 왕조인 조선이 망하고 정씨가 새로운 세상을 열 것이라는 예언서
천주교	중국을 다녀온 사신들이 서양 학문으로 수용하여 신앙으로 발전, 내세 사상, 평등 사상 → 중인·상민·부녀자층에 널리 확산 → 정부의 박해
동학	경주 몰락 양반 최제우가 창시, 인내천 사상, 천주교와 서양 세력에 반대 → 정부의 탄압

09 지도에 표시된 지역은 홍경래의 난이 일어난 평안도 지역이다. 몰락 양반인 홍경래는 세도 정권에 맞서 평안도 가산에서 봉기하였다. 평안도 지역은 청과 무역으로 상공업이 크게 발달한 곳이었지만, 세도 정권은 평안도 사람들을 차별 대우하고 상공업자와 광산업자들을 과도하게 수탈하였다. 이들은 한때 봉기군이 청천강 이북 지역을 점령하였으나, 정주성 싸움에서 관군에 패하여 진압되었다. 홍경래의 난은 이후 19세기 농민 봉기에 큰 영향을 주었다.
③ 진주 농민 봉기의 원인에 해당한다. 경상 우병사 백낙신의 수탈을 견디지 못한 진주의 농민들이 몰락 양반 유계춘을 중심으로 봉기하였다.

10 1862년 경상도 진주에서는 탐관오리의 수탈에 참다못한 농민들이 봉기하였다. 농민군은 관아를 습격하고 진주성을 장악하였다. 이러한 소식이 전해지면서 전국 곳곳에서 고을 단위로 농민 봉기가 이어졌는데, 이를 임술 농민 봉기라고 한다. 봉기가 확산되자 정부는 삼정의 문란을 해결하기 위해 삼정이정청을 설치하고 개선책을 내놓았지만, 세도가들의 반대로 근본적인 개혁은 이루어지지 못했다.
오답 확인 ① 암행어사를 파견하였으나, 근본적인 문제를 해결하지 못하였다. ③ 평안도 지역의 차별로 홍경래의 난이 일어났다. ④ 삼정이정청의 개혁은 성과를 거두지 못했다. ⑤ 세도가들은 나이 어린 왕이나 어리숙한 왕을 내세워 권력을 장악하였지만, 왕위 쟁탈전을 한 것은 아니다.

만점에 도전하는 심화 문제 | 181쪽
01 ④ **02** ④ **03** ⑤ **04** ④

01 모내기법이 전국에 보급되면서 노동력이 절감되어, 농민 한 사람당 경작 면적이 증가하고 수확량이 늘어났다. 그 결과 일부 농민은 경작지를 늘리고 상품 작물을 재배하여 부농으로 성장하였다.
오답 확인 ① 소작농이 증가하기는 하였으나, 제시된 자료의 직접적인 결과라고 볼 수는 없다. ② 몰락한 농민들이 도시로 이동하여 임노동자가 되거나 빈민층이 되었으며, 상업이 발달하여 도시 인구가 증가하였다. ③ 이 시기 수공업 활동이 활발해지기는 하였으나, 제시된 자료의 결과로 보기는 어렵다. ⑤ 자유로운 상업 활동이 가능해진 것은 정조 시기 시전 상인의 독점적인 상업 활동을 폐지하고 자유로운 상업 활동을 보장했던 결과로 볼 수 있다.

02 조선 후기에는 양반 중심의 신분제가 동요하였다. 붕당 정치가 변질되면서 상당수의 양반이 몰락하였고, 부를 축적한 농민이나 상인들이 공명첩을 구입하거나 납속책 등으로 신분을 상승하기도 하였다. 서얼과 중인은 지속적으로 신분 상승 운동을 전개했으며, 정부는 공노비를 해방하여 국가 재정을 확충하고자 하였다.
④ 조선 후기에는 서민 문화가 더욱 발달하였다.

03 제시된 대화를 통해 삼정이 어떻게 문란하게 운영되고 있는지를 알 수 있다. 전정이 문란하게 운영되어 땅이 없는 소작인이 세금을 부담하였고, 군정이 문란하게 운영되어 친척이나 이웃 등의 군포를 부담하거나 죽은 사람이나 갓난 아이까지도 군포를 부담하기도 하였다. 환곡은 고리대로 운영되어 삼정 중 가장 피해가 극심하였다. 그 결과 농민들은 도망을 가거나, 예언 사상이나 종교에 의탁하기도 하였고, 지속적으로 농민 봉기를 일으키기도 하였다.
⑤ 정부는 삼정이정청을 설치하고 개선책을 내놓았지만, 세도가들의 반대로 근복적인 개혁이 이루어지지 못했다.

정답과 해설

04 지도의 (가)는 홍경래의 난, (나)는 진주 농민 봉기가 일어난 곳이다. 홍경래의 난은 평안도 지역을 차별했던 것에 대한 반발로 홍경래가 주도하여 일으켰던 난이다. 한때 청천강 이북 지역을 점령하였으나, 정주성 싸움에서 관군에 패하였다. 한편 경상도 진주 지역에서는 백낙신의 수탈이 원인이 되어 농민 봉기가 일어났고, 봉기가 전국적으로 확산되는 계기가 되었다.
④ 홍경래의 난에 대한 설명이다.

3 학문과 예술의 새로운 경향

확인해 보요

주제 6 연행사·통신사를 통한 학문과 예술의 교류 182쪽
1 X **2** ○ **3** X

주제 7 다양한 학문의 발전 184쪽
1 「곤여만국전도」 **2** 농업, 상공업 **3** 「발해고」

주제 8 예술의 새로운 경향 186쪽
1 X **2** ○ **3** ○

시험을 대비하는 실전 문제

│ 기초를 튼튼하게 확인 문제 │ 188쪽
01 ㉠-ⓑ, ㉡-ⓒ, ㉢-ⓐ **02** (1) X, (2) X, (3) ○, (4) ○
03 (1) 토지 제도 개혁, (2) 풍속화, (3) 「대동여지도」 **04** (1) 「곤여만국전도」, (2) 북학파, (3) 유득공

│ 내신을 탄탄하게 내신 문제 │ 188~190쪽
01 ④ **02** ④ **03** ④ **04** ③ **05** ③ **06** ② **07** ② **08** ② **09** ④
10 ③

01 호란을 경험한 조선은 명에 대한 의리를 갚고 청에 복수하겠다며 북벌을 추진하면서도, 현실적으로는 청의 존재를 인정할 수밖에 없었다. 청에 파견된 연행사 일행은 공식 외교 업무 외에도 학자들과 교류하였다. 이 과정에서 사절단은 서양 문물을 접하게 되었고, 청에 대한 인식이 점차 바뀌었다.

오답 확인 ①,⑤ 자료는 청과의 교류와 관련된 사실이므로 일본과는 관계가 없다. ② 북벌과는 반대되는 주장이다. ③ 양명학을 받아들이기는 하였으나, 제시된 주장의 배경으로 보기는 어렵다.

02 임진왜란 이후 조선과 일본의 외교 관계가 단절되었으나, 에도 막부는 국내 정치를 안정시키고 선진 문물을 수용하고자 조선과의 국교 회복을 요청하였다. 이에 조선은 일본과 기유약조를 맺고 제한된 범위 내에서 무역을 허용하였다. 조선은 임진왜란 이후부터 19세기 초까지 통신사를 여러 차례 파견하였다. 통신사는 단순한 외교 사절의 의미를 넘어 일본에 문화를 전파하는 역할도 하였다.

오답 확인 ① 견당사는 나라 시대와 헤이안 시대에 당에 파견했던 사신을 일컫는다. ② 수신사는 개화기 조선 정부가 일본의 문물을 조사하기 위해 파견하였다. ③ 연행사는 청의 수도인 연경에 파견한 사신이다. ⑤ 조사시찰단은 개화기 조선 정부가 일본의 근대 문물을 시찰하기 위해 일본에 파견하였다.

03 조선 후기에 사회·경제적 변화에 따른 여러 가지 문제점이 나타났지만, 정부에서는 적절한 대책을 세우지 못하였다. 또한 청에서 양명학·고증학·서학 등 새로운 사상이 전래되면서, 현실 문제에 관심을 가지고 이를 적극적으로 개혁하려는 새로운 학풍이 실학이 등장하였다.

오답 확인 ㄱ – 실학이 개화 사상에 영향을 주었다. ㄹ – 왕실은 사회의 여러 가지 문제에 제대로 대처하지 못하였다.

04 실학은 크게 농업 중심 개혁론과 상공업 중심의 개혁론으로 발전하였다. 농업 중심 개혁론은 농민 생활을 안정시키는 방법으로 토지 제도 개혁을 주장하였다. 그중 유형원은 신분에 따라 토지를 차등 분배할 것을 주장하였다. 이익은 가정에서 필요한 최소한의 토지를 매매하지 못하게 하자고 주장하였다. 정약용은 마을에서 공동으로 토지를 소유하고 공동으로 경작하며 노동량만큼 수확물을 분배해야 한다고 주장하였다.

05 박제가는 생산을 늘리기 위해 적절한 소비가 필요하다고 주장하였으며, 박지원은 수레와 선박을 적극적으로 활용하여 물자의 유통을 활성화하고 화폐의 사용을 늘려야 한다고 주장했다. 이들은 모두 상공업의 진흥과 기술 개발의 필요성을 주장한 실학자들이다.

오답 확인 ① 지전설을 주장한 사람은 홍대용이다. ② 직업의 평등을 강조한 사람은 유수원이다. ④, ⑤ 농업 중심 개혁론자들이 농촌 안정과 토지 개혁을 주장하였다.

한눈에 쏙쏙 실학의 사회 개혁론

	유형원	균전론 – 신분에 따른 토지 차등 분배
농업 중심 개혁론	이익	한전론 – 생계 유지를 위한 최소한의 토지를 영업전으로 규정, 매매 금지
	정약용	여전론 – 마을 단위로 토지 공동 소유·공동 경작, 노동량만큼 수확물 분배
상공업 중심 개혁론	유수원	사농공상의 직업적 평등 강조
	홍대용	기술 혁신·문벌 제도 폐지 주장, 지전설 주장
	박지원	수레·선박·화폐 사용 강조
	박제가	청과의 교역 확대, 소비 장려로 생산 촉진 주장, 「북학의」 저술

06 제시된 지도는 「곤여만국전도」이다. 「곤여만국전도」는 이탈리아 출신 예수회 선교사 마테오 리치가 제작한 세계 지도로, 청으로부터 전래되었다. 세계 지도의 전래는 당시 조선 지식인의 세계관을 크게 확대시키는 데 기여하였다.

오답 확인 ①, ③ 지도의 전래와 직접적으로 관계가 없다. ④,⑤ 우리나라 지식인들은 중국이 세계의 중심이라고 생각했으나, 「곤여만국전도」의 전래 이후 중국이 세계의 중심이라는 세계관(우주관)에 변화가 생겼다.

07 제시된 내용은 조선의 역사, 지리, 언어에 관심을 보였던 국학과 관련된 것이다. 역사 분야에서는 안정복이 『동사강목』을 저술하여 고조선부터 고려까지의 역사를 정리하였고, 유득공은 『발해고』를 지어 발해를 우리의 역사로 인식하였다. 지리 분야에서는 이중환이 『택리지』를 지어 각 지방의 자연환경과 인물·풍속을 자세하게 소개하였고, 김정호는 기존의 지도를 보완하여 『대동여지도』를 제작하였다. 언어 분야에서는 신경준의 『훈민정음운해』, 유희의 『언문지』 등을 통해 한글에 대한 연구도 활발히 이루어졌다.

오답 확인 ① 크게 보면 실용적인 학문의 일환으로 볼 수 있으나, 구체적으로는 국학의 발달로 보아야 더 정확한 답이라고 할 수 있다. ③ 서민 문화, ④ 서양 문화의 수용, ⑤ 새로운 종교의 등장과는 관계가 없다.

08 제시된 그림은 김홍도의 「서당」이다. 김홍도는 화원 출신으로 빨래터, 서당, 주막 등의 그림을 통해 당시 사람들의 일상생활의 모습을 생생하게 그린 풍속화이다.

오답 확인 ①, ④ 무명 화가들이 그렸던 민화에 대한 설명이다. ③ 조선 후기에는 기존의 산수화에서 벗어나 우리나라의 아름다운 경치를 사실적으로 그리는 진경산수화가 등장하였다. ⑤ 신윤복이 주로 그린 풍속화에 대한 설명이다.

09 조선 후기에는 우리의 산천을 직접 눈으로 보고 그리는 진경산수화와 추사체와 같은 독특한 글씨체도 등장하였다. 또한 18세기 후반 도시민과 농민의 삶이나 일상적인 모습을 그린 풍속화가 유행하였다. 대표적인 화가로는 김홍도, 신윤복을 들 수 있다. 정선은 금강산의 실제 모습을 독자적으로 재해석한 「금강전도」를 그렸다. ④ 「몽유도원도」는 조선 전기의 회화 작품이다.

한눈에 쏙쏙 조선 후기 예술의 새 경향

	진경 산수화	• 우리나라의 자연환경을 사실적으로 표현 • 정선의 「인왕제색도」, 「금강전도」 등
그림 · 서예	풍속화	• 당시 사람들의 생활 모습 묘사 • 김홍도(서민의 일상생활), 신윤복(양반의 풍류 · 부녀자의 풍습)
	서예	김정희 추사체 창안(중국 서체와 다른 독자적 서체)
자기 공예		청화 백자(흰색 바탕에 푸른색 안료로 채색) 유행, 백자가 널리 사용

10 제시글에서 설명하는 작품은 민화이다. 민화는 장식용 그림으로 유행하였는데, 서민들이 현실적인 소망을 담아 그려 자신들의 생활 공간을 장식하였다. 주로 이름이 알려지지 않은 화가들이 그렸다.

오답 확인 ① 청화 백자, ② 신윤복의 「월하정인」, ④ 정선의 「금강전도」, ⑤ 김홍도의 「씨름」이다.

만점에 도전하는 심화 문제 | 191쪽
01 ② **02** ④ **03** ③ **04** ⑤

01 조선은 매년 연행사를 파견하여 중국 중심의 조공·책봉 체제를 유지해 나갔다. 이 과정에서 사절단은 청의 학자들과 교류하며 서양 문물을 접하게 되었고, 그 결과 청에 대한 조선의 인식이 점차 바뀌었다. 청이 중국을 지배한 후 사신 파견을 줄이자 조선도 18세기 이후 1년에 두 차례만 연행사를 파견하였다. 한편, 임진왜란 이후 조선과 일본의 외교 관계는 단절되었으나, 새로 수립된 에도 막부는 국내 정치를 안정시키고 선진 문물을 수용하고자 조선과의 국교 회복을 요청하였다. 조선은 일본의 요청에 따라 일본과의 관계를 안정시키기 위해 여러 차례 통신사를 파견하였다.

② 청이 중국을 지배한 후 조선은 연행사를 파견하는 횟수를 줄여 1년에 두 차례만 연행사를 파견하였다.

02 (가)는 안정복의 『동사강목』으로 우리 역사를 고조선부터 서술하여, 기존의 중국 중심의 역사관에서 벗어나, 한국사의 독자적인 체계를 세웠다. (나) 유득공의 『발해고』로 발해를 우리의 역사로 인식한 역사서이다. (다) 이중환의 『택리지』로 각 지방의 자연환경과 인물, 풍속을 자세하게 소개하였다.

한눈에 쏙쏙 조선 후기 국학 발달(역사·지리)

역사	안정복	『동사강목』 저술: 고조선부터 고려까지의 역사를 체계적으로 정리 → 중국 중심의 역사관에서 벗어나 우리 역사의 정통성·독자성 강조
	유득공	『발해고』 저술: 발해 역사 연구 → 고대사 연구를 만주 지역까지 확대, '남북국' 용어 최초 사용
지리	이중환	『택리지』 저술: 각 지방의 자연환경·인물·경제·풍속 등 정리
	김정호	『대동여지도』 제작: 산맥·하천·도로망 등을 정밀하게 표시

03 제시된 자료는 박제가와 관련된 자료이다. 박제가는 『북학의』를 저술하여 청과의 교역을 확대하고, 소비를 통해 생산을 늘려야 한다고 주장하였다.

③ 『열하일기』를 쓴 사람은 박지원으로 수레와 선박, 화폐 사용을 강조하였다.

04 조선 후기에는 현실에 대한 관심이 높아지면서 우리 문화의 독자적 가치를 깨닫기 시작하였다. 이에 회화, 서예 등 예술의 각 분야에서 새로운 경향이 나타났다. 우리의 산천을 직접 눈으로 보고 그리는 진경산수화가 등장하였으며, 조선 고유의 서체인 추사체가 등장하였다. 사람들의 삶의 모습을 탐구한 풍속화가 그려지기도 했고, 서민들의 소망을 담은 민화가 유행하였다.
⑤ 조선 후기에는 엄격한 성리학적 사상에서 벗어나고자 하는 노력들이 많이 나타났다.

4 생활과 문화의 새로운 양상

확인해 봐요

> **주제9** 유학 확산에 따른 일반생활의 변화 192쪽

1 X **2** ○ **3** X

> **주제10** 서민 문화의 발달 194쪽

1 서민 **2** 『홍길동전』 **3** 판소리

시험을 대비하는 실전 문제

기초를 튼튼하게 확인 문제 | 196쪽

01 ㉠-ⓐ, ㉡-ⓒ, ㉢-ⓑ **02** (1) X, (2) ○, (3) ○, (4) ○
03 ㄱ-ㄴ-ㄷ **04** (1) 탈춤, (2) 사설시조, (3) 판소리

내신을 탄탄하게 내신 문제 | 196~198쪽

01 ⑤ **02** ② **03** ⑤ **04** ③ **05** ④ **06** ③ **07** ③ **08** ⑤ **09** ⑤
10 ⑤ **11** ④ **12** ③

01 제시된 자료를 통해 조선 사회에 성리학이 자리 잡으면서 가부장적 질서가 강조되었음을 알 수 있다. 재산 상속이나 제사에 있어서 아들과 딸을 차별하고, 장남이 우대를 받는 등 성리학의 확산으로 일상생활에 변화가 생겨났다.
> **오답 확인** ⑤ 17세기 중엽까지는 재산의 상속에 있어서 아들과 딸을 차별하지 않았으며, 국가에서도 이러한 원칙을 보호하였으나, 성리학이 자리 잡으면서 가부장적인 질서가 강조되었다.

02 제시된 자료를 통해 『주자가례』에 근거하여 부계 중심의 친영제라는 새로운 혼인 제도를 도입하려 하였으나, 제도와 관습을 바꾸는 일이 쉽지 않았음을 알 수 있다. 이는 기존의 혼인 제도는 주로 처가살이가 중심이었음을 나타내는 것이기도 하다.
> **오답 확인** ② 조선 초기에는 친영제를 도입하려고 하였으나 쉽지 않았음을 나타내는 제시글로 볼 때 친영제가 정착하였다고 보기는 어렵다.

03 (가)는 17세기 중엽 이전까지 제사를 아들과 딸이 차례로 돌아가면서 지냈음을 보여 주는 자료이다. (나)에서는 이후 조선 사회에 성리학이 자리 잡으면서 가부장적인 질서가 강조되어 제사를 딸이나 외손자에게는 맡기지 않았음을 보여 주고 있다.
> **오답 확인** ① (가)에서 (나)로 바뀌면서 혼인 제도도 처가살이에서 반친영제로 바뀌었다. ② (나) 시기에는 양자를 들여 가문을 잇게 하였다. (나)로 변한 이유로 보기는 어렵다. ③ 여성의 사회적 지위는 낮아졌다. ④ 국가에서 대대적으로 제사의 원칙을 제시하여 변하게 된 것은 아니다.

04 조선 사회에 성리학이 자리 잡으면서 가부장적 질서가 강조되기 시작하였다. 그 결과 제사나 상속에서도 장남이 우대를 받았다. 아들이 없는 경우에는 같은 집안에서 양자를 들여 가문을 잇게 하기도 하였다. 혼인 제도도 변화하면서 여성은 출가외인으로 여겨졌다.
> **오답 확인** ㄴ - 17세기 중엽까지는 재산 상속에서 아들과 딸을 차별하지 않았으나, 성리학적 질서가 자리 잡으면서 재산 상속에서 장남이 우대를 받았다. ㄷ - 조선 초기에는 신부의 집에서 혼인식을 치르고 처가에 머무는 처가살이가 일반적이었다. 그러나 성리학이 확산되면서 여성이 혼인 후 시댁에 머무는 시집살이가 확대되었다.

05 조선 후기에는 농업과 상업이 발달하면서 경제적으로 여유가 생긴 중인과 상인이 늘었다. 이 시기에는 서당 교육도 확대되어 글을 읽고 쓸 줄 아는 서민이 늘어나면서 서민 의식이 성장하였고, 이에 따라 서민이 문화 활동의 주체가 된 서민 문화가 발달하였다. 이 과정에서 한글 소설, 사설시조 탈춤, 판소리 등이 널리 유행하였다.
④ 서민들은 양반 중심의 성리학적인 문화에 대응하여, 서민 의식 및 사회 비판 의식 등을 내용으로 하고, 형식에 얽매이지 않은 문화를 향유하였다.

06 사설시조는 형식에 얽매이지 않고 산문 형식을 띠며, 서민들의 솔직한 감정을 자유롭게 표현하였다. 내용면에서 솔직함, 대담성, 해학성을 특징으로 하며 일상에서 일어나는 문제를 주로 다루었다. 표현면에서는 실생활 소재들을 비유하고 상징함으로써 진솔한 감정을 생동감 있게 표현하였다.
> **오답 확인** ①, ⑤ 민화와 관련한 내용이다. ② 탈춤에 해당한다. ④ 탈춤과 판소리에 해당한다.

07 제시된 왼쪽 사진은 탈춤, 오른쪽 그림은 판소리와 관련이 있다. 조선 후기에는 탈춤과 판소리 등의 서민들이 즐기는 공연 예술이 확대되었다. 이러한 문화가 발달하게 된 데에는 서민층의 경제적 지위가 향상되면서 서당 교육이 확대되었고, 서민들이 다양한 문화를 향유하게 되었기 때문이다. 또한 양반의 권위가 약화되면서 양반의 위선을 풍자하는 탈춤이 유행하기도 하였다.
③ 탈춤은 당시 양반의 위선이나 횡포를 비판하거나 풍자하는 내용이 많다. 이를 통해 당시 양반의 권위가 하락했음을 알 수 있다.

08 제시문에서 설명하는 공연 예술은 판소리이다. 판소리는 모두 열두 마당으로 구성되었는데, 현재는 춘향가·심청가·흥부가·적벽가, 수궁가의 다섯 마당이 전해지고 있다.
⑤ 봉산 탈춤은 대표적인 탈춤이다.

09 왼쪽 그림은 '책 읽는 여인'이며, 오른쪽 그림은 책을 읽어 주는 직업을 가진 사람이 있었음을 나타내는 삽화이다. 서민 문화가 발달하면서 한글 소설이 유행하여 책을 읽는 사람이 늘어났다. 비싼 가격 때문에 책을 구하기가 어렵거나 또 글을 몰라 책을 읽지 못하는 사람이 많아, 전문 이야기꾼이 책을 읽어주기도 하였다.
오답 확인 ① 서민 문화가 발달한 것과 관련이 있다. ②, ③ 과는 관련이 적다. ④ 판소리와 탈춤이 유행하였으나, 제시된 자료는 한글 소설의 발달과 관련이 깊다.

10 『홍길동전』은 서얼 차별, 탐관오리에 대한 응징, 이상 국가 건설 등의 문제를 다루었고, 『심청전』은 아버지의 눈을 뜨게 해 준다는 내용을 통해 효의 이념을 전파하였다. 『춘향전』에서는 신분을 넘어선 남녀 간의 사랑을 보여 주고 있으며, 하회 별신굿 탈춤에서는 양반의 위선을 비판하고 풍자하고 있다.
⑤ 적벽가는 유비와 조조의 적벽 대전에 관한 내용이며, 토끼의 꾀에 넘어가는 자라와 관련된 내용은 수궁가이다.

11 조선 후기에는 농업과 상업의 발달로 일부 서민들이 경제적으로 성장하였다. 또한 서당 교육이 보급되고 글을 읽고 쓸 줄 아는 사람이 늘어났다. 이에 서민들의 의식 수준이 높아진 결과 서민 문화가 발달하였다.
오답 확인 ①, ② 조선 지식인의 세계관이 확대되고, 서학이 전래되었다. ③ 조선 후기에는 양반 중심의 신분 질서가 붕괴되었다. ⑤ 성리학적 질서의 강화로 기존의 가족 제도에 큰 변화가 나타났다.

12 조선 후기에는 서민 문화가 발달하였다. 서민의 삶의 모습을 나타낸 풍속화와 서민들의 소망을 담은 민화가 유행하였고, 탈춤을 통해 양반의 위선을 풍자하거나 사회 모순을 비판하였다. 또 형식에 얽매이지 않은 한글 소설이나 사설 시조가 유행하였다.
오답 확인 ㄴ-사설시조는 형식에 얽매이지 않은 시조로, 성리학적 질서를 반영하고 있지 않다. ㄷ-판소리는 열두 마당으로 구성되었으나, 현재는 다섯 마당만 전해지고 있다.

문학	• 한글 소설: 『홍길동전』, 『심청전』, 『춘향전』(남녀 간의 사랑) • 사설시조: 형식에 구애받지 않고 서민의 솔직한 감정 표현
공연 예술	• 판소리: 소리꾼이 한 편의 줄거리를 노래와 이야기로 엮음. • 탈춤: 탈을 쓴 광대들이 양반의 위선을 풍자·비판 • 장시·포구 등 사람들이 많이 모이는 곳에서 공연
그림	민화 유행: 무명 화가들의 그림, 민중의 소원을 기원

| 만점에 도전하는 심화 문제 | 199쪽

01 ② **02** ④ **03** ④ **04** ①

01 제시된 그림은 18세기에 활약한 김홍도 「서당」 그림이다. 조선 후기에는 혼인, 제사, 상속 등 일상생활에서 유학의 영향력이 강화되었지만, 다른 한편에서는 유학의 영향력에서 벗어나려는 다양한 시도가 나타났다. 경제적으로 여유가 생긴 서민층이 늘어나고 서민의 의식 수준이 높아지면서 문화 활동도 중인과 상민층으로 확대되어 갔다. 이 과정에서 한글 소설, 사설시조, 탈춤, 판소리 등 서민 문화가 발달하였다.
② 18세기 중엽 이후에는 재산 상속에서도 차남 및 딸과 달리 큰아들이 우대를 받았다.

02 조선 후기 서민 문화의 특징은 솔직하고 소박한 감정을 표현하고나, 현실 사회의 부정이나 부조리 또는 양반의 위선을 폭로하거나 풍자하는 문화가 발달하였다는 것이다.
오답 확인 ㄷ-인간의 심성 문제를 깊이 연구한 것은 성리학이다.

03 『홍길동전』은 한글 소설의 대표작이며, 사설시조는 작자 미상으로 『청구영언』에 실려 있다. 조선 후기에 서민 문화가 발달하여 사회 현실을 반영한 한글 소설과 사설시조가 유행하였다. 특히 사설시조는 형식에 얽매이지 않고 산문 형식으로 서민들의 솔직한 감정을 자유롭게 표현하였다.
오답 확인 ① 서양 문물의 영향과는 직접적인 관련은 없다. ② 성리학적 질서에 대항하는 측면이 있었다. ③ 판소리에 관한 설명이다. ⑤ 판소리, 탈춤 등 공연 예술에 해당한다.

04 제시된 자료는 탈춤의 하나인 하회 별신굿 탈춤이다. 탈춤이 유행했던 시기는 서민 문화가 발달했던 시기이다. 이 시기에는 한글 소설, 사설시조, 판소리 등이 유행하였다.
① 주로 서민의 삶을 담은 내용이나, 서민의 감정을 표현한 미술 작품이 유행하였다.

정답과 해설

01 제시된 자료는 남인과 서인 간에 발생한 예송 논쟁에 대한 삽화이다. 현종 때 효종과 효종의 비를 두고 두 차례 예송이 발생하였다. 이 과정에서 왕권을 바라보는 견해 차이와 정국 운영의 주도권 다툼 등을 이유로 서인과 남인 간의 대립이 심하였다.

오답 확인 ㄱ-현종 때 두 차례 발생하였다. ㄹ-서인이 노론과 소론으로 분열된 것은 숙종 때 환국 실시 이후이다.

한눈에 쏙쏙 붕당 정치의 변질

예송	현종 때 효종과 효종 비 사후 대비의 상복 기간에 대한 논쟁 → 서인과 남인의 대립
환국	숙종 때 집권 붕당이 급격히 교체, 서인과 남인이 번갈아 집권 → 서인의 권력 장악 이후 노론·소론으로 분리

02 영조와 정조의 정책에 대한 판서 내용이다. 영조는 탕평책을 추진해 탕평파를 중심으로 정국을 운영하였으며, 붕당의 지지 기반인 서원을 정리하였다. 또한 민생 안정책으로 균역법을 시행하여 백성의 부담을 줄였고, 노비종모법을 시행하여 양인의 수를 늘렸다. 정조는 규장각을 자신의 정책을 뒷받침할 수 있는 정치 기구로 만들었고, 장용영을 설치하여 군사적 기반을 강화하였다. 또한 자유로운 상업 활동을 보장하고, 서얼 차별을 완화하였다. 수원에 화성을 건설하여 자신의 정치적 이상을 실현하고자 하였다. ③ 수원 화성을 건설한 왕은 정조이다.

03 제시된 글은 세도 정치 시기에 있었던 일이다. 세도 정치기에는 몇몇 주요 가문이 권력을 장악하였으며, 비변사로 권력이 집중되었다. 또한 매관매직이 성행하였고, 과거 시험에서 부정이 자행되었다. 또한 삼정의 문란이 심해 백성들의 삶이 어려웠다. ⑤ 세도 정치기에는 부정한 방법으로 합격하는 경우가 많았다.

04 조선 후기에는 신분제가 동요하였다. 양반이 향반이나 잔반으로 전락하고, 경제적으로 여유가 생긴 농민이 공명첩, 납속책 등을 이용하여 신분 상승을 꾀하기도 하였다. 또 서얼과 중인들이 신분 상승 운동을 전개하였고, 공노비가 해방되었다. ⑤ 노비종모법에 따라 어머니가 노비일 때 노비가 되었다. 아버지가 노비여도 어머니가 양인이면 양인이 되었다.

한눈에 쏙쏙 신분제의 동요

양반	• 붕당 정치의 변질 → 소수 양반의 권력 장악, 특권 강화 • 몰락 양반(잔반): 농민과 같은 처지로 전락
중인	서얼의 관직 진출 차별 폐지 상소, 기술직 중인의 경제력 향상(→ 신분 상승 운동)
상민	공명첩 구입, 납속책, 호적이나 족보 위조 등으로 신분 상승
노비	군공·납속·도망, 순조 때 공노비 해방 등으로 신분 상승

05 세도 가문이 정치 권력을 독점하면서 백성들의 생활이 매우 어려워졌다. 부패한 관리들이 규정 이상의 세금을 거두면서 전정, 군정, 환곡의 삼정이 문란해져 백성의 고통은 커졌다. 삼정 문란, 자연재해 등으로 사회가 불안해지자 백성들 사이에 예언 사상과 천주교·동학 등이 유행하였다. 또 서북 지역에 대한 차별로 홍경래의 난이 일어났고, 삼남 지방에서는 임술 농민 봉기가 일어나 전국으로 확산되었다.

오답 확인 ③ 영조와 정조 시기에는 탕평책 추진 및 민생 안정책으로 정치, 사회, 경제가 안정되어 문화가 발달하였다.

06 조선 후기에는 성리학이 일상생활에 영향을 미쳐 가부장적인 질서가 강화되었다. 그 결과 여자의 시집살이가 일반화되었고, 재산 상속과 제사에 있어서도 아들과 딸의 차별이 두드러졌다. 또 연행사를 통해 서양 문물이 전래되었고, 현실 생활에 관심을 가지는 학문이 발달하였다. 그 결과 진경산수화, 풍속화, 민화 등의 예술의 새로운 경향이 나타났다.

오답 확인 ㄱ-여성이 출가외인으로 여겨졌다. ㄹ-재산 상속에 있어서 장남을 우대하였다.

07 (1) (가) 정약용은 농민의 생활을 안정시키는 방법으로 토지 제도 개혁을 주장하였으며, (나) 박지원은 상공업의 진흥과 기술 개발을 통해 현실 문제를 개혁하려고 하였다.

채점 기준

상	(가)는 농업을 중시하였고, (나)는 상공업을 중시하였다는 내용을 모두 정확하게 서술한 경우
중	(가)와 (나) 둘 중 하나만 정확하게 서술한 경우
하	둘 다 제대로 서술하지 못한 경우

(2) 실학자들은 대개 정권에서 밀려나 있었기 때문에 그들의 개혁안은 정부 정책에 반영되지 못하였다.

채점 기준

상	실학자들이 정권에서 밀려나 정책에 이들의 주장이 반영되기 힘들었다는 내용을 정확하게 서술한 경우
중	실학자라는 사실을 드러냈으나, 이들이 정권에서 밀려나 있었음을 정확하게 서술하지 못한 경우
하	실학자의 특징을 제대로 서술하지 못한 경우

08 조선 후기에는 사회적·경제적 변화 속에서 서민들의 경제적 수준이 향상되었다. 또한 서당 교육의 확산으로 교육 수준이 높아졌다. 이에 서민들의 의식 수준도 높아지면서 문화 활동이 서민층까지 확대되었다.

채점 기준

상	서민의 경제 수준 향상, 서당 교육 확산, 의식 수준 향상(성리학적 질서에 대한 반발) 등의 이유 중 두 가지를 정확하게 서술한 경우
중	위에 제시된 내용 중 한 가지를 정확하게 서술한 경우
하	위의 내용을 정확하게 서술하지 못한 경우

VI 근·현대 사회의 전개

1 국민 국가의 수립

확인해 봐요

주제1 **국민 국가 수립 운동의 전개(1)** 206쪽
1 ✕ **2** ◯ **3** ◯

주제1 **국민 국가 수립 운동의 전개(2)** 208쪽
1 ◯ **2** ✕ **3** ◯

주제2 **대한민국 임시 정부의 수립과 민족 운동의 전개** 210쪽
1 3·1 운동 **2** 대한민국 임시 정부 **3** 실력 양성

주제3 **대한민국 정부의 수립** 212쪽
1 여운형 **2** 신탁 통치 **3** 남북 협상

시험을 대비하는 실전 문제

| **기초를 튼튼하게 확인 문제** | 214쪽
01 ㉠-ⓑ, ㉡-ⓒ, ㉢-ⓐ **02** (1) ✕, (2) ◯, (3) ◯, (4) ✕
03 ㄹ-ㄷ-ㄱ-ㄴ **04** (1) 갑신정변, (2) 독도, (3) 민주 공화제

| **내신을 탄탄하게 내신 문제** | 214~216쪽
01 ③ **02** ⑤ **03** ⑤ **04** ④ **05** ① **06** ③ **07** ② **08** ② **09** ④
10 ⑤

01 제시된 내용은 1917년 중국 상하이에서 신규식, 조소앙, 신채호 등 해외 독립운동가 14명이 발표한 대동단결 선언이다. 대동단결 선언은 주권이 황제가 아니라 국민에게 있다는 점을 분명히 밝히고 국민의 협의를 바탕으로 새로운 국가를 구성하자는 제안을 담았다.

오답 확인 ① 헌의 6조에 대한 설명이다. ② 「대한국 국제」의 내용이다. ④ 동학 농민군의 폐정 개혁안에는 공화주의의 내용이 포함되어 있지 않다. ⑤ 온건 개화파의 개화 정책을 의미한다.

02 제시된 자료는 갑오개혁의 내용이다. 경복궁을 점령한 일본은 조선에 개혁을 요구하였다. 조선 정부는 개화파 관료를 중심으로 개혁을 진행하였으며, 갑신정변과 동학 농민 운동의 개혁 요구가 일부 반영되었다.
⑤와 같은 농민의 요구는 받아들여지지 못했다.

03 동학 농민군은 전주성을 점령하고 정부와 전주 화약을 맺은 후 집강소를 설치하고 개혁을 추진하였다. 일본군이 경복궁을 점령하자 농민군은 일본을 물리치기 위해 다시 봉기하였지만 우금치 전투에서 패배한 후 전봉준 등 지도자들이 체포되면서 흩어졌다.

오답 확인 ① 1897년의 일이다. ② 1905년 을사늑약이다. ③ 1905년 러·일 전쟁 중의 일이다. ④ 독립 협회는 1896~1898년까지 활동하였다.

04 러·일 전쟁에서 승리한 이후 일제의 국권 침탈이 본격화되자 국권을 지키려는 다양한 움직임이 각계각층에서 나타났다. 특히 을사늑약 전후 의병 운동, 의열 투쟁을 비롯하여 애국 계몽 운동이 활발히 전개되었다. 그중 헌정 연구회는 의회를 만들고 헌법에 따라 정치를 하자고 주장하였고, 신민회는 국권 회복과 공화정 체제의 근대 국민 국가 수립을 추구하였다.

오답 확인 ㄱ-독립 협회는 비밀 결사가 아니라, 서재필과 정부의 개혁 관료들이 중심이 되어 조직하였다. ㄷ-동학 농민군의 근대 국가 수립에 대한 개혁 요구는 미비하였다.

05 (가)는 대한민국 임시 정부로 우리 역사상 처음으로 삼권 분립에 기초를 둔 민주 공화제 정부이다.

오답 확인 ② 1920년대 이후 민족주의 계열과 사회주의 계열을 중심으로 국내에서 전개된 운동이다. ③ 대한 제국과 관련된 내용이다. ④ 신민회의 활동이다. ⑤ 독립 협회의 활동이다.

06 밑줄 친 '이 운동'은 3·1 운동이다. 3·1 운동은 다양한 계층이 참여한 민족 운동으로, 우리 민족의 독립 의지를 전 세계에 널리 알리는 계기가 되었다.

오답 확인 ③ 3·1 운동을 계기로 일제의 통치 방식이 헌병 경찰제에서 이른바 '문화 통치'로 바뀌었다.

07 (가)는 일본과 맺은 강화도 조약이다. 강화도 조약은 외국과 맺은 최초의 근대적 조약이었으나, 불평등한 내용이 포함되어 있었다.

오답 확인 ① 일본과 맺은 것이다. ③ 미국과 맺은 조미 수호 통상 조약의 경우에 해당한다. ④ 독립 협회에 대한 설명이다. ⑤ 건국 동맹을 비롯한 수많은 항일 운동 단체가 지향한 바이다.

08 밑줄 친 '이곳'은 독도이다. 독도는 동해안에서 200여 km 떨어져 있다.

오답 확인 ㄴ-일본 지리학자가 그린 「삼국접양지도」에서 울릉도와 독도를 조선의 영토로 칠하였다. ㄹ-「은주시청합기」는 독도를 기록한 최초의 일본측 문서이다.

09 광복 이후 정부 수립을 위해 노력하는 과정이다. 광복 직후 여운형이 조선 건국 준비 위원회가 결성되어 독립 국가 건설을 준비하였다. 그해 12월 모스크바 3국 외상 회의가 개최되었고, 두 차례에 걸쳐 진행된 미·소 공동 위원회는 결렬되었다. 국제 연합에서 5·10 총선거를 결정하였고, 이에 따라 제헌 국회가 구성되어 「제헌 헌법」을 제정하였다.

10 광복 직후의 상황에서 활동했던 주요 인물들의 입장이다. 김규식은 김구와 함께 남북 협상을 진행하였고, 여운형은 조선 건국 준비 위원회를 조직하였다.

　오답 확인 ㄱ – 김구는 통일 정부 수립을 위해 남북 협상을 추진하였다. ㄴ – 이승만은 남한 단독 정부 수립을 주장하였다.

2　자본주의와 사회 변화

확인해 봐요

　주제 **4**　**개항과 식민지 경제** 218쪽

1 방곡령　**2** 산미 증식 계획　**3** 병참 기지

　주제 **5**　**한국 경제의 성장과 사회 변화** 220쪽

1 X　**2** ○　**3** ○

| 만점에 도전하는 **심화 문제** | 217쪽

01 ③　**02** ③　**03** ②　**04** ④

---

01 자료는 폐정 개혁안으로, 동학 농민 운동 당시 농민군들의 요구 사항이다. 농민군은 이후 일본군과의 전투에서 패하고, 전봉준을 비롯한 지도자들이 체포되면서 각지로 흩어졌다.

　오답 확인 ㄱ – 「대한국 국제」에 대한 설명이다. ㄹ – 독립 협회의 활동이다.

02 자료는 갑신정변 당시 개혁 정강의 내용이다. 갑신정변은 급진 개화파가 일본의 지원을 받아 일으켰다. 정변은 청의 개입으로 3일 만에 실패하였지만, 이후에 일어난 개혁에 많은 영향을 주었다.

　오답 확인 ① 대한민국 임시 정부 등 대다수 항일 단체에 해당한다. ② 흥선 대원군은 1873년에 하야하고 이후 강화도 조약이 체결되었다. ④ 동학 농민 운동은 갑신정변 이후의 일이다. ⑤ 갑오개혁에 대한 설명이다.

03 모두 광복 직전 일본의 패망을 확신하고 새로운 국가 건설을 준비해 왔던 주요 항일 운동 단체들이다. 이들은 각각 민주 공화국 수립을 위한 강령을 발표하였다.

　오답 확인 ① 국권 피탈 이후 조직된 단체들이다. ③ 독립 협회에 대한 설명이다. ④ 3·1 운동의 영향이다. ⑤ 실력 양성 운동에 대한 설명이다.

04 (가)는 신탁 통치이며 이 사실이 국내에 알려지자 임시 정부 요인 등 우익 세력은 신탁 통치 반대 운동을 전개하였고, 좌익 세력은 회의의 결정을 지지하는 운동을 전개하였다.

　오답 확인 ㄱ – 정읍 발언 이전의 일이다. ㄷ – 좌우익 간의 갈등이 심화되었다.

시험을 대비하는 **실전 문제**

| 기초를 튼튼하게 **확인 문제** | 222쪽

01 ㉠–ⓑ, ㉡–ⓐ, ㉢–ⓒ　**02** (1) ○, (2) ○, (3) X, (4) ○

03 ㄱ–ㄹ–ㄴ–ㄷ　**04** (1) 불평등, (2) 토지 조사 사업 (3) 사회 양극화

| 내신을 탄탄하게 **내신 문제** | 222~224쪽

01 ⑤　**02** ①　**03** ②　**04** ②　**05** ②　**06** ⑤　**07** ⑤　**08** ③　**09** ①

10 ⑤

---

01 자료는 일본의 강요로 체결된 강화도 조약의 내용이다. 외국과 맺은 최초의 근대적 조약으로 근대적 국제 질서에 편입되었다. 그러나 정치·경제적 주권을 침해하는 불평등한 요소들을 담고 있다.

　오답 확인 ㄱ – 토지 조사 사업과 관련 있다. ㄴ – 개항 초기에는 개항장 10리 이내로 활동 범위를 제한하였다.

02 강화도 조약의 부속 조약 내용이다. 이 부속 조약에는 개항장으로 들어오는 물품에 관세를 물린다는 조항이 없었다. 또 조선에서 일본 상인이 일본으로 가져가는 양에 제한을 두지 않았다. 조선에 진출한 일본 상인들은 면제품을 팔고 곡물을 수입해 갔다. 일본 상인들이 많은 양의 쌀을 수입해 가면서 쌀 가격이 폭등하였다.

　오답 확인 ②, ⑤ 대한 제국 시기의 일이다. ③ 외국 상인의 내륙 진출이 허용된 이후의 일이다. ④ 서양 열강과의 국교 체결은 1880년대 이후의 일이다.

03 식산흥업은 '생산을 늘리고 산업을 일으킨다.'라는 의미이다. 대한 제국은 열강의 이권 침탈에 대응해 교통·통신 시설 정비, 공장 건립, 은행 설립 등 근대 산업 육성과 함께 인재 양성에 필요한 교육 기관을 설치하는 등의 노력을 하였다.

　② 방곡령은 일본으로의 쌀 유출을 막기 위한 지방관의 조치였다.

---

04 자료는 1910년대 일제가 실시한 토지 조사 사업에 관한 것이다. 일제는 토지 소유자들이 토지를 신고하도록 하고, 그 땅의 토지 대장을 만들었다. 이 사업으로 지주제가 강화되고 한국인 소작농의 지위가 불안정해졌다.

오답 확인 ㄴ－1890년대 이후의 일이다. ㄹ－1920년대의 산미 증식 계획에 관한 설명이다.

05 1930년대 일제가 침략 전쟁을 확대하면서 실시한 병참 기지 정책이다. 일제는 한국을 병참 기지로 만들기 위해 중화학 공장을 세웠다. 그리고 노동력과 병력을 확보하기 위해 한국인을 강제 동원하였으며, 무기를 만들기 위해 금속을 공출하였다.

오답 확인 ㄴ－강화도 조약 체결로 개항하였다. ㄹ－일제의 1910년대 경제 정책이다.

한눈에 쏙쏙 일제 식민 통치와 경제 정책

1910년대	• 헌병 경찰 통치(무단 통치) • 토지 조사 사업 시행
1920년대	• 이른바 '문화 통치' 표방 • 산미 증식 계획 추진
1930년대 이후	• 민족 말살 정책 실시 • 병참 기지화 정책 추진, 국가 총동원법 제정

06 우리나라는 1960년대 들어와 경제 성장이 본격화되었다. 1960년에 섬유·식품 등 경공업, 1970년대에는 철강·기계·조선업 등 중화학 공업 중심의 경제 개발이 추진되었다. 1980년대 중후반에는 저달러·저유가·저금리의 3저 호황 현상이 나타났고, 1990년대에는 외환 위기를 겪었다.

오답 확인 ㄱ－1970년대, ㄴ－1990년대, ㄷ－1980년대, ㄹ－1960년대의 일이다.

07 자료는1980년대에 있었던 3저 호황에 대한 설명이다. 1980년대 중후반 국제 경기가 저유가, 저금리, 저달러 상태로 돌아서면서 물가가 안정되고 우리 경제가 호황을 누렸다. 2차 석유 파동은 1979년이며, 외환 위기는 1997년의 일이므로 (마)에 해당한다.

오답 확인 6·25 전쟁 발발은 1950년, 제1차 경제 개발 5개년 계획 시작은 1962년, 경부 고속 국도 개통은 1970년, 100억 달러 수출 달성은 1977년, 제2차 석유 파동은 1978년, 외환 위기는 1997년에 발생하였다.

08 자료의 경제 개발 5개년 계획은 박정희 정부 시기에 추진된 것으로 '한강의 기적'이라는 고도성장을 가져왔지만 저임금·저곡가 정책으로 노동자와 농민의 삶이 고통스럽기도 하였다. 1970년에는 노동자 전태일이 노동 환경 개선을 요구한 사건이 일어났다. 이를 계기로 노동 문제에 대한 관심이 높아졌고, 1980년대 후반부터 노동자들은 노동 조합을 조직하였다.

오답 확인 ㄴ－1997년 외환 위기를 겪을 때의 일이다. ㄹ－6·25 전쟁 이후인 1950년대이다.

09 자료는 1997년에 발생한 외환위기에 관한 것이다. 정부는 이를 극복하고자 경제 구조 조정, 외국 자본 유치 등을 했으며, 시민들도 금 모으기 운동에 동참하였다.

오답 확인 ㄷ－전태일은 박정희 정부 시기인 1970년에 근로 기준법 준수를 요구하며 분신·사망하였다. ㄹ－김영삼 정부 시기의 일로 외환 위기 발생 전이다.

10 대중문화는 대중 매체의 발달로 다양한 형태로 나타났다. 특히 최근 한류라는 이름으로 해외에서 인기를 얻고 있으며, 대중들은 문화 소비에 그치지 않고 문화를 직접 생산하며 소통하고 있다.

한눈에 쏙쏙 대중문화의 발달

1960년대	국영 텔레비전 방송국 개국
1970년대	청바지 통기타 문화(청년 문화) 발달
1970년대	프로 야구 등 프로 스포츠 등장
2000년대	대중 음악이 '한류'라는 이름으로 세계에 알려짐.

만점에 도전하는 심화 문제 | 225쪽

01 ④ **02** ① **03** ③ **04** ④

01 자료는 강화도 조약의 내용으로 3개 항구를 개항하고 해안 측량권, 영사 재판권 등을 허용하는 등 조선의 주권을 침해하는 내용이 포함된 불평등 조약이다.

오답 확인 ㄱ－조선에 대한 청의 종주권 주장을 차단하려는 일본의 침략적 의도가 담긴 조항이다.

02 제시한 내용은 1920년대에 전개된 산미 증식 계획과 관련이 있다. 이 계획과 관련하여 농민들은 생산량 증대에 필요한 각종 비용을 부담하면서 삶이 더 피폐해졌다.

오답 확인 ②, ③, ④ 1930년대 이후의 병참 기지화 정책과 관련이 있다. ⑤ 1910년대 일제의 경제 정책이다.

03 자료는 전태일의 글이다. 전태일은 1970년에 근로 기준법 준수, 노동자의 인권 보장 등을 요구하며 분신·사망하였다. 이 시기는 1970년대 박정희 정부 시기이다.

오답 확인 ㄱ－1997년 외환 위기 발생 당시의 일이다. ㄹ－20세기 중후반부터 나타난 경향이다.

04 자료는 상하위 20%의 소득 격차를 나타내는 것으로, 갈수록 계층 간의 빈부 격차가 커지고 있음을 알 수 있다. 고용 불안과 비정규직 노동자 수는 이런 격차를 심화시키고 있다.

④ 첨단 산업과 국제 경쟁력과는 관련이 없다.

3 민주주의의 발전

주제6 **헌법에 구현된 민주주의** 226쪽

1 ○ **2** X **3** ○

주제7 **독재에 대항한 4·19 혁명과 5·18 민주화 운동** 228쪽

1 사사오입 **2** 4·19 혁명 **3** 유신

주제8 **민주 사회로의 발돋움, 6월 민주 항쟁** 230쪽

1 ○ **2** X **3** ○

시험을 대비하는 실전 문제

|기초를 튼튼하게 확인 문제 | 232쪽

01 ㉠-ⓒ, ㉡-ⓑ, ㉢-ⓐ **02** (1) ○, (2) X, (3) ○, (4) ○
03 ㄱ-ㄴ-ㄹ-ㄷ **04** (1) 주권 재민, (2) 긴급 조치권, (3) 직선제

|내신을 탄탄하게 내신 문제 | 232~234쪽

01 ③ **02** ① **03** ③ **04** ① **05** ① **06** ② **07** ③ **08** ⑤ **09** ②
10 ①

---

01 자료는 6·29 민주화 선언이다. 6월 민주 항쟁의 결과 대통령 직선제 요구를 수용하는 6·29 선언이 발표되었고, 5년 단임의 대통령 직선제 개헌이 이루어졌다.

오답 확인 ①, ② 박정희 정부와 직접적 관련이 없다. ④ 5·18 민주화 운동이다. ⑤ 4·19 혁명의 결과이다.

02 대한민국 임시 정부가 발표한 「대한민국 임시 헌장」과 제헌 국회에서 제정한 「제헌 헌법」을 비교한 자료이다. 두 헌법 모두 인민 평등과 민주 공화제를 내용으로 하고 있다.

오답 확인 ㄷ - 황제권 부활은 민주 공화제와 거리가 멀다. ㄹ - 자료에는 대통령 중심제와 관련된 내용이 없다.

03 (가)는 조소앙이며 (나)는 민주 공화제이다. 조소앙은 민주 공화제를 기본으로 하는 대한민국 임시 헌장을 초안을 작성하였다.

04 (가)는 국회 간접 선거로는 대통령에 당선되기 어려운 상황이며, (나)는 1954년 사사오입 개헌이다. (가)의 상황으로 이승만은 다시 대통령에 당선되기 위해 대통령을 직선제 방식으로 선출하는 발췌 개헌을 하게 된다.

오답 확인 ② 4·19 혁명으로 이승만이 권력에서 물러났다. ③ 제헌 헌법 제정 이후 정부가 수립된다. ④ 4·19 혁명 이후의 일이다. ⑤ 1961년 박정희를 중심으로 일어났다.

05 자료는 1960년 3·15 부정 선거 당시 행해진 부정 행위와 관련 있다. 이것이 계기가 되어 학생과 시민에 의해 4·19 혁명이 일어났다.

오답 확인 ② 1950년에 북한의 남침으로 시작되었다. ③ 박정희 정부가 1972년에 선포되었다. ④ 1979년 박정희 사망 후의 일이다. ⑤ 1979년의 일이다.

06 자료는 1972년 박정희 정부가 선포한 「유신 헌법」의 내용이다. 유신 헌법은 대통령을 간선제 방식으로 선출하며 대통령에게 국회 해산권, 긴급 조치권 등을 부여하였다.

오답 확인 ① 4·19 혁명, ③ 사사오입 개헌, ④ 5·18 민주화 운동, ⑤ 노무현 정부에 대한 설명이다.

07 자료는 부·마 민주 항쟁에 대한 설명이다. 박정희 정부의 유신 헌법에 반발한 학생과 시민들이 유신 철폐와 민주주의 회복을 외치며 민주화 운동을 전개하였다.

08 자료는 1980년에 일어난 5·18 민주화 운동에 대한 설명이다. 5·18 민주화 운동은 1980년대 민주화 운동의 토대가 되었으며, 필리핀 등 다른 아시아 국가들의 민주화 운동에 영향을 끼쳤다.

오답 확인 ① 박정희 정부의 유신 체제에 반발하여 일어났다. ②, ④ 6·29 민주화 선언 발표 이후이다. ③ 6월 민주 항쟁 이후 평화적 정권 교체가 이루어졌다.

09 '이 항쟁'은 6월 민주 항쟁이다. 6월 민주 항쟁 이후 대통령 직선제 개헌이 이루어졌고, 평화적 정권 교체가 여러 차례 이루어졌다. 또한 지방 자치제가 시행되었고, 과거사 청산 작업도 활발히 진행되었으며, 다양한 사회 보장 제도가 시행되었다.
② 전두환 정부 시기의 일이다.

10 6월 민주 항쟁 이후 대통령 직선제 개헌이 이루어졌고 노태우가 당선되었다. 이후 김영삼, 김대중, 노무현, 이명박, 박근혜, 문재인 정부가 세워졌다. 노태우 정부는 북방 외교, 김영삼 정부는 금융 실명제 실시 등이 대표적 정책이다.

오답 확인 ㄷ - 노무현 정부, ㄹ - 김대중 정부 시기의 일이다.

한눈에 쏙쏙 민주주의의 발전

4·19 혁명 (1960)	3·15 부정 선거 → 전국적 시위 → 이승만 정부의 독재 붕괴
5·18 민주화 운동(1980)	신군부의 권력 장악 → 계엄군에 맞선 시민군 → 광주 시민의 민주화 운동
6월 민주 항쟁 (1987)	4·13 호헌 조치 → 대통령 직선제 개헌 요구 → 6·29 민주화 선언(대통령 직선제, 5년 단임제)

│ 만점에 도전하는 **심화 문제** │ 235쪽
01 ④ **02** ③ **03** ④ **04** ④

01 자료는 제헌 국회에 의해 제정된 「제헌 헌법」이다. 「제헌 헌법」은 전문에서 대한민국 임시 정부 계승을 명시하고 있다. 이 법에 따라 국회 의원들의 간접 선거로 이승만이 초대 대통령으로 선출되었고, 8월 15일 대한민국 정부가 수립되었다.

[오답 확인] ① 1987년 대통령 직선제 개헌이다. ②, ③은 1972년 「유신 헌법」과 관련 있다. ⑤ 최초로 개정된 것은 발췌 개헌 때이다.

02 (가)는 1952년에 이승만이 대통령 선출을 직선제 방식으로 바꾼 발췌 개헌이다.

[오답 확인] ① 4·19 혁명 이후이다. ②, ④ 1954년 사사오입 개헌에 관한 내용이다. ⑤ 신군부의 권력 장악과 관련 있다.

03 자료는 박정희 정권이 선포한 「유신 헌법」에 의해 대통령에게 부여된 강력한 권한이다. 국민의 기본권을 대통령의 행정 명령으로 제한할 수 있는 초유의 권한이다.

[오답 확인] ① 이승만 정부 시기이다. ② 신군부에 맞서 5·18 민주화 운동이 일어났다. ③ 전두환 정부, ⑤ 박정희 정부의 일이며 「유신 헌법」 전에 있었던 개헌이다.

04 자료는 6월 민주 항쟁 시기의 선언문이다. (가)는 박종철 고문 사망 사건, (나)는 전두환 정권을 가리킨다.

[오답 확인] ㄱ - 부·마 민주 항쟁은 유신 철폐를 요구한 대규모 시위이다. ㄷ - 6월 항쟁 이후 노태우 정부 시기의 일이다.

4 평화 통일을 위한 노력

확인해 봐요

주제9 **분단과 6·25 전쟁** 236쪽

1 ○ **2** X **3** ○

주제10 **남북 관계의 개선과 통일을 위한 노력** 238쪽

1 국제 연합(UN) **2** 7·4 남북 공동 성명 **3** 비핵화

시험을 대비하는 실전 문제

│ 기초를 튼튼하게 **확인 문제** │ 240쪽
01 ㉠-ⓑ, ㉡-ⓐ, ㉢-ⓒ **02** (1) ○, (2) ○, (3) X, (4) ○
03 ㄷ-ㄴ-ㄹ-ㄱ **04** (1) 애치슨 선언, (2) 중국군, (3) 7·4 남북 공동 성명

│ 내신을 탄탄하게 **내신 문제** │ 240~242쪽
01 ③ **02** ④ **03** ⑤ **04** ① **05** ② **06** ⑤ **07** ③ **08** ⑤ **09** ①
10 ①

01 광복 이후부터 6·25 전쟁이 일어나기 전 한반도 정세에 대한 설명이다. 38도선을 경계로 미·소 군정이 실시되었고 이후 남한에 대한민국 정부가, 북한에 조선 민주주의 인민 공화국이 수립되었다. 6·25 전쟁 이전에도 남북한 간의 크고 작은 충돌은 있었다.

[오답 확인] ㄹ - 북한에 대한 설명이다.

02 6·25 전쟁의 전개 과정이다. 1950년 6월 25일 북한의 남침으로 전쟁이 발발하였다. 국제 연합이 한반도에 파병한 유엔군의 인천 상륙 작전으로 전세가 역전되었다. 중국군의 참전으로 후퇴하여 서울을 빼앗겼지만, 전열을 재정비하여 서울을 수복하였다. 이후에도 38도선 부근에서 밀고 밀리는 전투가 계속되는 상황에서 정전 회담이 열렸다. 이승만은 전쟁에 반대하며 반공 포로를 석방하기도 하였다.

03 (가)는 인천 상륙 작전이다. 한반도에 파병된 유엔군은 맥아더 사령관의 지휘에 따라 인천 상륙 작전을 감행하였고, 이는 전세 역전에 주요한 발판이 되었다.

04 지도는 6·25 전쟁의 전개 과정 중 일부이다. 지도에서 보듯이 국군과 유엔군은 인천 상륙 작전 이후 압록강까지 진출하였다. 이에 위협을 느낀 중국이 북한을 지원하며 전쟁에 개입하였다.

[오답 확인] ②, ④ 이승만 정부는 정전을 반대하며 반공 포로를 석방하였지만, 1953년 7월 27일에 정전 협정이 조인되었다. ③ 6·25 전쟁은 대한민국 정부 수립 이후에 일어났다. ⑤ 전쟁 초기에 국군은 낙동강 유역까지 후퇴하였다.

05 밑줄친 정전 회담은 소련의 제안으로 시작되었으며 군사 분계선 설정과 포로 교환 방법이 쟁점이 되었다. 이승만 대통령은 정전에 반대하여 유엔군, 북한군, 중국군의 합의로 끝났다.

[오답 확인] ㄴ - 이승만은 정전에 반대하였다. ㄹ - 애치슨 선언으로 6·25 전쟁의 배경이 되었다.

06 6·25 전쟁은 북한의 남침으로 시작되었고 인천 상륙 작전으로 전세를 역전하였다. 이후 중국군이 개입하였고 전선이 교착되었다. 정전 회담이 시작되었으나 이승만은 정전에 반대하며 반공 포로를 석방하였다.

오답 확인 ⑤ 이승만 정부는 정전에 반대하였다.

07 (가)는 7·4 남북 공동 성명이다. 박정희 정부 시기에 서울과 평양에서 동시에 발표한 성명이다. 국민적 합의없이 정부 당국자들 간의 비밀 회담에 의한 것이며, 남북한 정부가 통일의 원칙을 처음으로 합의하였다. 이때 제시된 자주, 평화, 민족 대단결의 통일 원칙은 남북한 간 교류 협력의 기본 원칙이 되었다.

오답 확인 ① 노태우 정부, ② 문재인 정부, ④ 김대중 정부, ⑤ 노무현 정부 시기에 해당한다.

08 (가)에 들어갈 내용은 남북 기본 합의서이다. 1991년에 채택된 합의서로 남북한이 상대방의 체제를 인정하고 군사적 침략을 하지 않으며 상호 교류와 협력을 합의하였다.

오답 확인 ①, ② 김대중 정부의 6·15 남북 공동 선언과 관련 있다. ③, ④는 박정희 정부의 7·4 남북 공동 성명과 관련 있다.

09 자료는 2000년 김대중 정부 시기에 발표된 6·15 남북 공동 선언의 일부이다. 이 선언을 계기로 개성 공단 건설, 경의선 복구, 이산가족 상봉 등이 이루어져 남북한 사이의 교류와 협력이 더욱 활발해졌다.

오답 확인 ② 1950년의 일이다. ③, ④ 1991년 노태우 정부 시기의 일이다. ⑤ 1972년 7·4 남북 공동 성명과 관련 깊다.

10 6·15 남북 공동 선언 이후 다양한 분야에서 남북 교류가 이루어졌다. 경제, 보건, 체육, 문화 등의 분야가 대표적이다. 환경 분야에서는 DMZ 남북 공동 생태 보전이 논의되었다.
① 박정희 정부 시기에 경제 개발 5개년 계획이 시행되었다.

한눈에 쏙쏙 **남북의 통일 노력**

1970년대	• 남북 적십자 회담 개최(1970) • 7·4 남북 공동 성명 발표(1972): 자주·평화·민족 대단결이라는 통일 원칙에 합의
1980년대	• 남북한 이산가족 상봉(1985) • 한민족 공동체 통일 방안(1987)
1990년대	• 남북 국제 연합 동시 가입(1991) • 남북 기본 합의서 채택(1991): 상대방의 체제를 인정하고 존중하기로 함.
2000년대	• 6·15 남북 공동 선언(2000): 개성 공단 건설, 이산가족 상봉 등이 이루어짐. • 10·4 남북 공동 선언(2007): 제2차 남북 정상 회담

| 만점에 도전하는 심화 문제 | 243쪽

01 ① **02** ③ **03** ④ **04** ②

01 (가)는 6·25 전쟁의 발발, (나)는 정전 협정 체결이다. 전쟁 발발 이후 인천 상륙 작전과 중국군 개입으로 전세 역전이 각각 있었으며, 38도선 부근에서 전투가 지속되는 상황에서 정전 협상이 시작되었다. 이승만 정부는 북진 통일을 주장하며 정전에 반대하였고, 반공 포로를 석방하였다.

오답 확인 ㄷ―1948년의 일이다. ㄹ―1949년의 일로 6·25 전쟁의 배경이 되었다.

02 6·25 전쟁의 배경은 소련과 중국의 북한 지원, 애치슨 선언 등이 있다. 북한군의 남침으로 전쟁이 발발하여 3일 만에 서울이 점령되었으나, 유엔군의 인천 상륙 작전으로 전세가 역전되었다. 이승만 정부는 북진 통일을 주장하며 정전에 반대하였으나 정전 협정이 체결되었다. 6·25 전쟁으로 남북한 모두 엄청난 인적, 물적 피해를 보았다.

오답 확인 ③ ㉠―이승만 정부는 정전 회담을 반대하였다.

03 (가) 남북한은 1972년 7·4 남북 공동 성명을 발표하여 자주, 평화, 민족 대단결의 평화 통일 3대 원칙에 합의하였다. 7·4 남북 공동 성명은 분단 이후 최초로 통일을 위한 합의를 이끌어 냈다는 점에서 의의가 크다.

오답 확인 ① 김대중 정부 시기의 6·15 남북 공동 선언과 관련 있다. ② 문재인 정부 시기이다. ③ 노태우 정부 시기의 남북 기본 합의서와 관련 있다. ⑤ 노무현 정부 시기의 10·4 남북 공동 선언과 관련 있다.

04 자료는 김대중 정부 시기에 발표한 6·15 남북 공동 선언이다. 이 선언으로 남북 협력이 활발해지고 민간 교류 역시 활발해졌다.

오답 확인 ㄴ―박정희 정부, ㄷ―노태우 정부 시기의 남북 관계를 보여 준다.

대주제를 정리하는 종합 문제 246~247쪽

01 ② **02** ② **03** ④ **04** ④ **05** ⑤ **06** ⑤ **07~08** 해설 참조

01 자료는 동학 농민 운동의 폐정 개혁안이다. 동학 농민군은 정부와 전주 화약을 맺고 집강소를 설치하여 개혁을 추진하였다.

오답 확인 ① 갑신정변, ③ 독립 협회, ④ 갑오개혁, ⑤ 신민회에 대한 설명이다.

02 자료는 대한민국 임시 정부의 헌법으로 민주 공화제를 지향하고 있다. 이는 황제가 아닌 국민에게 주권이 있는 시대가 도래했음을 보여 준다.

오답 확인 ① 독립 협회 등과 관련 있다. ③ 발췌 개헌, 3선 개헌 등 여러 개헌과 관련 있다. ④ 6월 민주 항쟁 이후 개헌된 내용이다. ⑤ 대한 제국의 「대한국 국제」의 내용이다.

03 (가)는 1919년의 3·1 운동이다. 3·1 운동으로 대한민국 임시 정부가 건립되었고, 이를 대한민국이 계승하고 있다는 점을 명시하고 있다.

오답 확인 ① 3·1 운동 이후 나타난 민족 운동이다. ② 3·1 운동이 거국적 민족 운동이기는 하였으나 민족의 독립은 달성하지 못했다. ③ 갑신정변에 대한 설명이다. ⑤ 독립 협회에 대한 설명이다.

04 「유신 헌법」에서 규정하고 있는 긴급 조치권에 관한 대화이다. 「유신 헌법」은 1972년 박정희에 의해 선포된 헌법으로 대통령에게 강력한 권한을 부여하였다.

오답 확인 ㄱ-김영삼 정부, ㄷ-1980년대 중후반으로 전두환 정부 시기의 일이다.

05 (가)는 5·18 민주화 운동이다. 전두환은 5·18 민주화 운동을 무력으로 진압한 후 대통령에 당선되었다. 이 운동은 1980년대 민주화 운동의 토대가 되었으며 필리핀 등 다른 아시아 국가들의 민주화 운동에 영향을 끼쳤다.

오답 확인 ①, ③ 4·19 혁명과 관련한 내용이다. ② 박정희 정부 시기 「유신 헌법」 반대 투쟁이다. ④ 6월 민주 항쟁과 관련 있다.

06 자료는 1972년에 발표한 7·4 남북 공동 성명이다. 1970년대 초 남북은 이산가족 상봉을 위한 남북 적십자 회담을 개최하고 7·4 남북 공동 성명을 발표하였다. 이 성명은 남북한 정부가 최초로 합의한 통일 방안으로, 자주·평화·민족 대단결이라는 통일의 원칙을 담고 있다.

오답 확인 ①, ②, ③ 6·15 남북 공동 선언과 관련 있다. ④ 1991년 노태우 정부 시기에 해당한다.

07 (가)는 신탁 통치이다. 모스크바 3국 외상 회의에서 신탁 통치가 결정되었다. 신탁 통치란 국제 연합이 독립할 능력이 부족하다고 판단되는 나라를 일정 기간 통치하는 것을 뜻한다.

(1) 신탁 통치

(2) 좌익 세력은 처음에 신탁 통치를 반대하였으나, 신탁 통치의 주요 내용인 임시 민주 정부 수립의 중요성을 강조하며 회의 결과를 총체적으로 지지한다고 하였다. 반면 우익 세력은 신탁 통치를 식민 지배의 연장으로 보고 민족의 자주권을 부정한다고 여겨 반탁 운동을 전개하였다.

채점 기준

상	좌우익의 입장을 모두 구체적으로 서술한 경우
중	좌우익의 입장 중 어느 한 가지만 서술한 경우
하	좌우익의 입장을 모두 서술하지 못한 경우

08 자료는 「제헌 헌법」 제정 이후 있었던 개헌에 대한 것이다. 2차 개헌은 사사오입 개헌이라고도 한다. 자료의 개헌은 모두 집권자들이 권력을 유지, 장기 집권하고자 중임 제한 폐지, 간선제 방식 등으로 개헌한 것이다.

(1) 사사오입 개헌

(2) 주로 중임 제한 철폐, 대통령 간선제 등으로 개헌하였으며, 대통령의 장기 집권을 시도하기 위해서였다.

채점 기준

상	주요 개정된 헌법 내용과 개헌 목적을 모두 서술한 경우
중	주요 개정된 헌법 내용과 개헌 목적 중 한 가지를 서술한 경우
하	주요 개정된 헌법 내용과 개헌 목적을 모두 서술하지 못한 경우

2015 개정 교육과정

스스로 학습 강화 시리즈

금자랑 놀자!

중학 **역사 ②** 자습서

정답과 해설